CB073866

AS FILHAS
· DO ·
CAPITÃO

MARÍA DUEÑAS

AS FILHAS DO CAPITÃO

Tradução
Sandra Martha Dolinsky

Planeta

Copyright © María Dueñas, 2018
Copyright © Editora Planeta do Brasil, 2018
Obra editada em colaboração com Editorial Planeta España
Todos os direitos reservados.
Título original: *Las Hijas del Capitán*

Preparação: Roberta Pantoja
Revisão: Elisa Martins e Renata Lopes Del Nero
Diagramação: Vivian Oliveira
Capa: Rafael Brum
Imagem de capa: Archive Holdings Inc. / Getty Images

DADOS INTERNACIONAIS DE CATALOGAÇÃO NA PUBLICAÇÃO (CIP)
ANGÉLICA ILACQUA CRB-8/7057

Dueñas, María
As filhas do capitão : três irmãs, dois mundos, uma cidade / María Dueñas; tradução de Sandra Martha Dolinsky. – São Paulo: Planeta, 2018.
496 p.

ISBN 978-85-422-1391-1
Título original: Las hijas del capitan

1. Ficção espanhola I. Título II. Dolinsky, Sandra Martha

18-1334 CDD 863

2020
Todos os direitos desta edição reservados à
EDITORA PLANETA DO BRASIL LTDA.
Rua Bela Cintra, 986 – 4º andar
01415-002 – Consolação – São Paulo-SP
www.planetadelivros.com.br
faleconosco@editoraplaneta.com.br

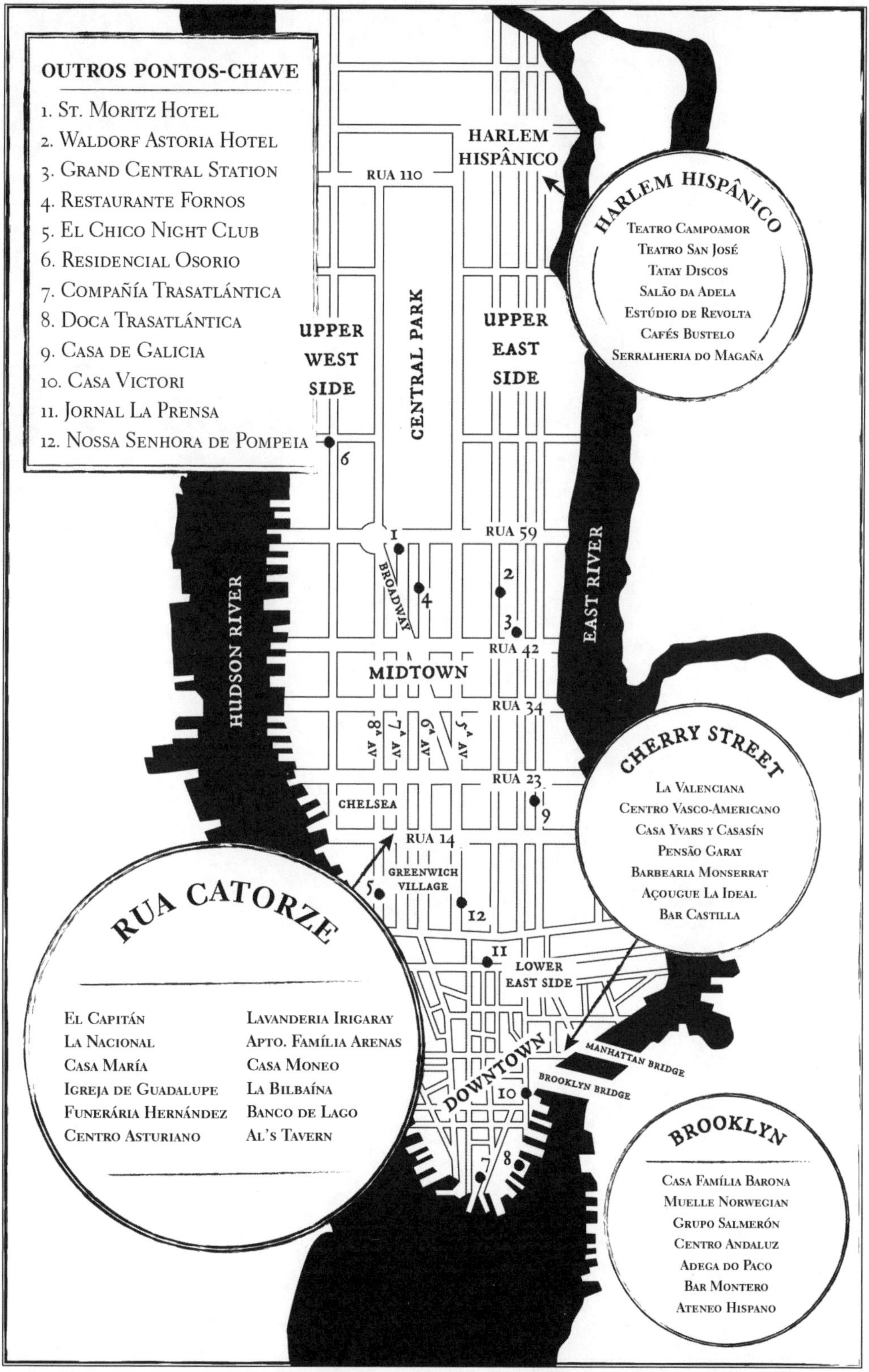
OUTROS PONTOS-CHAVE
1. St. Moritz Hotel
2. Waldorf Astoria Hotel
3. Grand Central Station
4. Restaurante Fornos
5. El Chico Night Club
6. Residencial Osorio
7. Compañía Trasatlántica
8. Doca Trasatlántica
9. Casa de Galicia
10. Casa Victori
11. Jornal La Prensa
12. Nossa Senhora de Pompeia
HARLEM HISPÂNICO
RUA 110
HARLEM HISPÂNICO
Teatro Campoamor
Teatro San José
Tatay Discos
Salão da Adela
Estúdio de Revolta
Cafés Bustelo
Serralheria do Magaña
UPPER WEST SIDE
CENTRAL PARK
UPPER EAST SIDE
RUA 59
BROADWAY
EAST RIVER
HUDSON RIVER
RUA 42
MIDTOWN
RUA 34
8ª AV
7ª AV
6ª AV
5ª AV
RUA 23
CHELSEA
RUA 14
GREENWICH VILLAGE
CHERRY STREET
La Valenciana
Centro Vasco-Americano
Casa Yvars y Casasín
Pensão Garay
Barbearia Monserrat
Açougue La Ideal
Bar Castilla
RUA CATORZE
El Capitán
La Nacional
Casa María
Igreja de Guadalupe
Funerária Hernández
Centro Asturiano
Lavanderia Irigaray
Apto. Família Arenas
Casa Moneo
La Bilbaína
Banco de Lago
Al's Tavern
LOWER EAST SIDE
DOWNTOWN
MANHATTAN BRIDGE
BROOKLYN BRIDGE
BROOKLYN
Casa Família Barona
Muelle Norwegian
Grupo Salmerón
Centro Andaluz
Adega do Paco
Bar Montero
Ateneo Hispano

A minhas irmãs, imprescindíveis e autênticas como as Arenas.
A minhas primas, quase irmãs.

A todos aqueles que a vida forçou a emigrar.

PRIMEIRA PARTE

ESPAÑA
REGRESE A SU TIERRA EN UNO DE SUS PROPIOS VAPORES,
BAJO SU BANDERA, EN LOS MAGNIFICOS Y RAPIDOS BUQUES
DE LA
COMPAÑIA TRASATLANTICA ESPAÑOLA
PROXIMAS SALIDAS
DIRECTO a VIGO, CORUÑA, GIJON, SANTANDER y BILBAO
Vapor "Cristóbal Colón", En. 15, Mar. 20, Mayo 20
Vapor "HABANA"..............Febrero 20, Abril 20, Junio 20
Directo a Cádiz y Barcelona
Vapor "Marqués de Comillas"...Feb. 11, Abril 12
Vapor "MANUEL ARNUS"................Marzo 12, Mayo 12
PARA LA HABANA
Vapor "MARQUES DE COMILLAS"..................Enero 28
ATENTO Y BUEN SERVICIO PARA TODAS LAS CLASES.
En el pasaje de Tercera está incluído el Billete de Ferrocarril desde el puerto de desembarque hasta cualquier ciudad de España.
PIDA INFORMES A
SPANISH TRANSATLANTIC LINE
AGENCY, INC.
24 STATE STREET, NEW YORK
Teléfono: BOwling Green 9-5150
O A CUALQUIER OTRO AGENTE AUTORIZADO

CAPÍTULO 1

Continuavam vestidas de preto dos pés à cabeça: os sapatos, as meias, os véus, os casacos. Atrás delas entrou um grupo de vizinhas, talvez pensassem que ainda não era conveniente deixá-las sozinhas. Uma pôs a cafeteira ao fogo, outra pousou em cima da mesa uma lata de biscoitos; em meio a murmúrios e palavras sussurradas, foram se amontoando na cozinha. Fizeram a mãe se sentar empurrando-a pelos ombros, e ela não demonstrou resistência. Victoria pegou algumas xícaras desparelhadas de um armário, Mona tirou o chapéu que lhe haviam emprestado, afundou os dedos entre os cabelos e coçou a cabeça, Luz se apoiou na borda da pia, chorando sem parar.

Haviam acabado de se despedir do pai, sepultado sob uma mistura de barro e neve no cemitério do Calvário no Queens: ali repousaria Emilio Arenas para sempre, cercado de ossos de gente que nunca falara sua língua e que jamais saberia que ele estava indo embora deste mundo no momento mais inoportuno. Na realidade, quase todos os momentos costumam ser bem pouco convenientes para morrer, mas quando se morria aos cinquenta e dois anos, separado de sua terra por um oceano e deixando para trás uma família desarraigada, um negócio medíocre recém-aberto e algumas dívidas a pagar, a situação se tornava ainda mais cinza.

Nem sua mulher nem nenhuma de suas três filhas teria sido capaz de recompor, de uma maneira ordenada, como haviam se sucedido os fatos desde que um dos rapazes da rua subiu a passos largos os degraus até o quarto andar e socou a porta com os punhos. A notícia havia corrido como fogo: um acidente, repetiam as vozes. Um acontecimento lamentável. O *Marqués de Comillas* estava sendo descarregado nos cais do East River quando um gancho mal preso provocara a queda de uma rede cheia de pacotes. Uma desgraça, insistiam. Um infortúnio atroz.

Fatal head trauma, era o que dizia o relatório médico que andava pela casa, meio amassado, perto do aquecedor a querosene. Nenhuma delas o havia lido. Se houvessem tentado, também não teriam entendido nada: estava redigido em um inglês indecifrável, cheio de formalismos e termos médicos. Região frontoparietal direita, fratura com perda de massa cranioencefálica, infiltração hemorrágica. Mesmo se houvesse sido escrito no idioma delas, só teriam conseguido captar duas palavras: necessariamente fatal. E a mãe, nem isso; não sabia ler.

A partir desse instante, na memória delas ficou gravada uma sucessão de lampejos soltos. Elas correndo escada abaixo atrás do rapaz e depois, apressadas, para a La Nacional, onde a notícia foi recebida. As pessoas que as olhavam das janelas e calçadas, um veículo da autoridade portuária que freou ao lado delas cantando os pneus, o homem de uniforme que saiu acompanhado de um trabalhador espanhol e insistiu para que entrassem no carro. As ruas através das janelas e o balanço rumo ao Lower East Side, as fachadas pelas quais ziguezagueavam as escadas de incêndio, os transeuntes que se moviam precipitados e atravessavam as ruas desordenadamente. Quando chegaram à doca oito da Trasatlántica, o médico calvo que as recebeu naquele quarto que fazia as vezes de enfermaria e o movimento de seus lábios sob um bigode cinzento tingido de nicotina, as palavras que ele soltou no ar e que elas não compreenderam. Os homens de cenho franzido parados atrás delas, o corpo sobre a maca coberto por um lençol, um balde de metal transbordando de gazes cheias de sangue grosso e escuro. A mãe desesperada, as filhas arrasadas. A volta para casa sem ele.

A partir de então, as imagens continuavam se amontoando, mas com uma cadência mais lenta: o caixão que levaram ao apartamento depois de algumas horas, que por pouco não ficara entalado nas curvas estreitas dos patamares, os círios e os buquês de flores sobre pedestais polidos, grandes e incongruentes, que chegaram da funerária sem que nenhuma delas os houvesse pedido. A porta aberta, as pessoas entrando e murmurando pêsames com sotaque galego, asturiano, caribenho, basco, italiano, grego, irlandês, andaluz. Homens que baixavam o olhar com respeito enquanto tiravam o boné, a boina ou o chapéu; mulheres que lhes beijavam as faces e apertavam as mãos. Mais lágrimas, mais lenços, pigarros e vozes que rezavam no fundo do corredor, onde havia sido instalada a caixa com o cadáver estropiado, sobre um par de cavaletes. Até que começou a amanhecer.

Voaram as horas no novo dia, chegou o traslado para um cemitério longe de Manhattan, a descida à cova, as pás de terra sobre a madeira do tampo, a enorme coroa de cravos com uma faixa atravessada que alguém encomendara no nome delas sem perguntar: SUA ESPOSA E SUAS FILHAS

NÃO O ESQUECEM. O funeral, os vibrantes soluços de Luz em meio ao silêncio do resto, o adeus. Caiu outra vez a noite com um alvoroço de luzes, sensações e sons dançando enlouquecidos na cabeça delas, e já estavam de volta, desejando que todo mundo fosse embora e as deixasse em paz. A movimentação foi diminuindo à medida que se aproximava a hora do jantar, no balcão da cozinha ficou o que cada um lhes pôde oferecer com seus parcos recursos e sua melhor intenção: uma panela de almôndegas, uma *moussaka*, uma torta de carne, uma leiteira de estanho cheia de caldo de galinha.

Por fim, ficaram só as quatro para encarar a realidade. Ainda sem ânimo para compartilhar seus pensamentos, as filhas começaram a fazer as coisas sem trocar uma palavra: abriram torneiras e gavetas, puseram a mesa com a parca louça do dia a dia. A mãe, entretanto, fungava pela enésima vez e passava o lenço amarrotado pelos olhos vermelhos.

Mastigaram em silêncio, sem erguer os olhos, sem outro som que não fosse o chocar das colheres contra a louça. E depois, quando não restavam nos pratos mais que miolos de maçãs e pontas de pão, Mona, a mais pragmática, levantou os olhos e disse em voz alta o que o bairro inteiro se perguntava desde que se soubera que o baú de um viajante anônimo havia rachado a cabeça de Emilio Arenas, vulgo O Capitão.

— E agora, o que vamos fazer?

CAPÍTULO 2

A mãe deu um soco na mesa com um golpe derrotado. Apoiou os cotovelos, escondeu o rosto atrás dos dedos ossudos e começou a chorar outra vez.

Desde que conhecera Emilio em uma celebração das Cruces de Mayo, vinte e cinco anos atrás, eles nunca haviam convivido plenamente, mas sim por temporadas. Quando ele desembarcava em Málaga sem aviso prévio a cada ano e meio ou dois, ficava uns meses e a engravidava, e depois, assim que ela começava a construir fantasias sobre a possibilidade de se tornarem uma família normal, como as demais pessoas da vizinhança, ele começava a se sentir sufocado e outra vez era dominado por seu indômito desejo de ganhar a vida partindo do nada, como se não houvesse ontem. Então, ele arrumava sua trouxa, e uma madrugada qualquer, depois de distribuir um monte de beijos na testa adormecida das crianças e fazer algumas promessas imprecisas a sua mulher, partia rumo às docas de novo, em busca de qualquer barco que o levasse à etapa seguinte de seu incerto porvir.

Estivador nos portos de Marselha e Barcelona, garçom na praça Independência de Montevidéu, vendedor de rua em Manila, auxiliar de cozinha em um cargueiro holandês. Sabia entalhar madeira e tocava violão com graça, imitava vozes, previa tempestades e fazia como ninguém uma macarronada. Tinha a pele rachada como barro seco, testa larga, ossos finos e cabelos que haviam sido pretos e que começavam a rarear, formando entradas. Tinha conhecidos por metade do planeta; em poucos rincões lhe faltava alguém disposto a lhe dar uns tapinhas cordiais nas costas ou a lhe oferecer um copo de rum, de ouzo, de pisco, de vinho. Mas, no fim do dia, ele preferia se afastar do rebuliço e quase sempre caminhava sozinho, fumando calado sob as estrelas.

Sua mulher, de personalidade pacata, suportava suas ausências com mansidão e suspiros; suas três filhas – as que sobreviveram de sete gestações e quatro partos – adoravam suas voltas, carregado de presentes inúteis:

um punhal africano, maracas crioulas, a pele de algum animal; nunca o fizeram ver que bem melhor seria uma manta ou um par de sapatos. E sua sogra, Mama Pepa – que havia parido dez filhos de um marido alcoólatra e violento, e que acolhia sob seu teto a prole desamparada que ele deixava a sua sorte –, passava o dia dizendo a quem quisesse ouvir que o homem de sua filha Remedios era um irresponsável da pior espécie.

Indiferente aos comentários da velha e às súplicas de sua mulher para que voltasse ou pelo menos se estabelecesse em algum lugar, depois de fugir de um rebocador do canal do Panamá, Emilio Arenas havia ido parar em Nova York no início de 1929, poucos meses antes da quebra da bolsa e do início da Grande Depressão. E embora os anos seguintes houvessem sido amargos e duros para o país inteiro, de uma maneira ou de outra ele se virou para que nunca lhe faltasse trabalho aqui ou lá: podia tanto descarregar navios mercantes quanto estripar peixes no mercado de Fulton, ou empurrar pelos paralelepípedos de Downtown – a parte baixa da cidade – um carrinho de mão durante o tempo que substituiu outro compatriota no armazém Casa Victori, na Pearl Street.

Até que os anos e as sequelas de sua vida errante começaram a desgastá-lo devagar, como uma faca de serra sobre uma tábua: sem ímpeto avassalador, mas sem nenhuma sombra de misericórdia nem de volta atrás. Tinha dor nas costas, tosse rouca, não enxergava bem de perto, notava que estava perdendo vigor para determinados trabalhos. E, pela primeira vez em sua existência agitada, a ideia de voltar a sua vida errante e partir de novo lhe causava uma estranha sensação de apatia.

Paralelamente a esse desgaste físico, algo novo foi lhe acontecendo por dentro também. Ele, que sempre havia sido um verso solto, um tiro no ar, indiferente aos deuses, aos hinos e às bandeiras, de uma forma inconsciente ia pouco a pouco se concentrando em um entorno cada vez mais próximo: voltando para o núcleo daqueles que falavam com suas mesmas palavras e procediam de um mapa em comum, apoiando-se naquela colônia de seres com quem compartilhava aquilo que os melancólicos chamavam de pátria.

Provavelmente a culpa era do fato de ele haver alugado um quarto na área da Cherry Street, o mais antigo assentamento de espanhóis da cidade. Ali, no extremo sudeste da ilha de Manhattan, em frente ao *waterfront*, ao lado das docas, sob o ruído estrepitoso do arranque da ponte do Brooklyn, concentravam-se desde o final do século passado vários milhares de almas procedentes do mesmo recanto do globo. No início, eram especialmente gente do mar: foguistas e engraxadores, cozinheiros, estivadores, meros buscadores de incertas fortunas e montes de simples marinheiros que embarcavam e desembarcavam em um constante vaivém. A colônia depois foi crescendo e diversificando ocupações, chegaram parentes, conterrâneos, cada vez mais mulheres, até famílias inteiras que se amontoaram em apartamentos baratos pelas ruas próximas: Water, Catherine, Monroe, Roosevelt, Oliver, James...

No La Ideal compravam chuletas, moela e morcela; o polvo encontravam no Chacón; para o sabonete, o tabaco e os ternos iam a Casa Yvars e Casasín; para os remédios, a Farmacia Española. Os tragos e o café tomavam no bar Castilla, no café Galicia ou no El Chorrito, onde o dono, o catalão Sebastián Estrada, atendia a todos com seus mais de cem quilos de energia contagiosa e os fazia recordar, dia sim e o outro também, que a grande Raquel Meller era cliente assídua toda vez que punha os pés na cidade. O Círculo Valenciano, o Centro Vasco-Americano e algumas sociedades locais galegas tinham suas sedes por ali; havia alfaiates, barbearias, pensões e mercearias, como Llana ou La Competidora Española, onde se podia comprar grão-de-bico, feijão e páprica. Havia, enfim, entrelaçando as idiossincrasias regionais, uma calorosa sensação de comunidade.

Nesse ambiente, na primavera de 1935, Emilio Arenas encontrou seu enésimo emprego: no La Valenciana, um lugar na esquina da Cherry com a Catherine que se anunciava como hotel, mas que, na realidade, se tratava de algo infinitamente mais flexível e eficiente. Uma multidão de imigrantes espanhóis havia desembarcado em Nova York com essa única referência retida na memória ou anotada com mão torpe em um pedaço de papel: La Valenciana, 45 Cherry Street. O andar superior era ocupado pelos quartos de hospedagem, no primeiro havia um refeitório, e no térreo, a loja com tudo que os trabalhadores da zona portuária poderiam necessitar para suas tarefas cotidianas, desde botas de couro até roupa íntima para o frio, luvas e casacos de pele. A pedido de qualquer interessado, o proprietário da casa atuava também como intérprete, intermediava na compra de passagens de navio ou transportava dinheiro através do oceano. E para benefício coletivo, em um painel pendurado na parede, diariamente, eram espetadas com tachinhas as ofertas de emprego da região, e em uma grande caixa de charutos cubanos vazia, como uma humilde e espontânea agência de correios, guardava-se a correspondência procedente da Península para que os homens de vida itinerante, sem amarras nem domicílio fixo, fossem recolhê-la de tempos em tempos para saber dos seus do outro lado do mar.

As tarefas de Emilio Arenas eram maleáveis, tanto atendia atrás do balcão quanto ajudava na cozinha, reforçava a cota de garçons ou fazia coisas e trâmites na rua. E foi enquanto trabalhava, um dia qualquer, que escutou os fragmentos de uma conversa que haveria de desviar o rumo de seu futuro.

Os dois homens estavam sentados frente a frente em um canto do refeitório vazio, ainda era de manhã. À esquerda, Paco Sendra, o dono do negócio: alicantino de Orba, um dos tantos daquelas terras da Marina Alta que chegaram à América nas primeiras décadas do século. À direita, um homem de idade avançada e cabelos grisalhos, ombros caídos, que Emilio não conhecia. Esse era o que mantinha o fio da conversa, com sotaque nortista; em sua fala se misturava a frieza de alguém que expõe números e contas com o relato sincero de um imigrante desgastado pela distância, pelo tempo e pela solidão. Muitos anos, muita luta, Emilio o ouviu dizer enquanto lhes servia copos de vinho e umas rodelas de *butifarra*. A família, as economias, as ausências, escutou ao enchê-los de novo. Já ia se afastando quando chegaram a seus ouvidos mais algumas palavras soltas. Fechar o negócio. Voltar.

Vinte minutos depois, enquanto colocava umas caixas de fósforo em sua prateleira correspondente, observou de soslaio os dois que se aproximavam da saída. Trocaram um aperto de mão, e Sendra deu uns tapinhas no braço do desconhecido.

— Boa sorte, Venancio. Vá com Deus.

CAPÍTULO 3

Emilio Arenas aproveitou que ainda não havia começado a agitação da hora do almoço e abandonou discretamente seus afazeres. Ainda com o avental amarrado na cintura, enquanto enfiava os braços pelas mangas do casaco, seguiu as costas cansadas do homem até o cruzamento com a New Chambers, à altura da barbearia da Monserrat.

— Ei, amigo!

O desconhecido se virou.

— Não teve jeito, não é?

Na realidade, faltavam-lhe quase todos os dados, mas ele captara algo no ar e estava se deixando levar pela mais nua intuição. Aquele sujeito estava prestes a encerrar uma etapa de sua existência e ele, pela primeira vez na vida, andava pensando que seria conveniente não dar mais solavancos e se assentar. E entre os dois extremos, de um indivíduo que ansiava se afastar e outro que buscava sua estabilidade, havia algo que ele desconhecia: aquilo que o homem havia oferecido a Sendra, e que este não havia aceitado, e que talvez lhe pudesse servir.

Por isso, perguntou sem rodeios. E o outro, com idêntica franqueza, respondeu.

— Estou procurando um comprador para o mobiliário usado de uma taberna. Mesas, cadeiras, banquinhos. E utensílios: pratos, talheres, toalhas de mesa, panelas, caçarolas. Ando perguntando a todas as pessoas da colônia que se dedicam a esse negócio. O preço é bom. Por acaso lhe interessa?

Caminharam compassados em direção noroeste, relatando um ao outro superficialmente sua respectiva vida enquanto percorriam a Bowery e a Canal Street, atravessando as zonas abarrotadas dos chineses e italianos, fervedouros de almas que se amontoavam para subsistir em estreitos *tenements*, modestíssimos cortiços de apartamentos de aluguel.

— E você, Venancio, há quanto tempo está aqui?

— Cheguei quando perdemos Cuba, depois, um verão, voltei para minha aldeia, casei com a namorada, trouxe-a para cá e abrimos o negócio juntos. Trabalhamos sem trégua, conseguimos sobreviver. Mas eu enviuvei há nove anos, e meu filho mais velho foi para o Harlem porque se casou com uma dominicana, e o mais novo se tornou representante de lâminas de barbear, e agora atravessa New Jersey carregando apenas maleta pela cidade.

Nada mais o ligava a seu distante povoado cantábrico, apenas a nostalgia de juventude e uma irmã solteira meio cega. E, ainda assim, depois de quase quarenta anos de ausência, ele achava que era hora de fechar um ciclo. Então, pousou uma manzorra no ombro esquerdo de Emilio: a mão rude de um trabalhador que já não tinha forças no corpo nem ambições a realizar.

— É hora de voltar para casa, mesmo que seja só para ver aqueles prados pela última vez.

Continuaram andando até chegar a um pedaço de asfalto que, com outros nomes e outros rostos, também exalava um pulso familiar: a rua Catorze, no trecho entre a Sétima e a Oitava avenida, formando uma dobradiça entre Chelsea ao norte e o West Village ao sul. Ali se assentava outro núcleo de compatriotas; talvez não formassem um encrave tão compacto quanto o da Cherry Street e arredores, mas notava-se sua existência evidente nos letreiros de alguns comércios, nas vozes altas de umas rodinhas de gente, nas saudações trocadas, nos gritos das mães chamando seus filhos das janelas e no aspecto inconfundível de alguns idosos que fumavam em silêncio sentados nos degraus da entrada dos edifícios.

Essa não era uma área desconhecida para Emilio Arenas; desde que, como tantos compatriotas, fora se inscrever na La Nacional, ele estivera por ali muitas vezes entregando pedidos ou comparecendo a algum evento. No entanto, nunca havia entrado no local em cuja porta pararam os dois.

— E isto — anunciou o homem — é o que tenho a lhe oferecer.

Uma pequena taberna subterrânea situada na Oitava avenida, no porão de um edifício vulgar de três andares sem brilho nem atrativo aparente. Sem o menor sinal externo de nada promissor.

Foi claramente uma temeridade tomar uma decisão assim em uma terça-feira qualquer, parados ambos em frente à fachada com as mãos nos bolsos, mas a opção de Emilio era totalmente coerente com sua trajetória e sua habitual maneira de proceder. Deixar-se nas mãos de Deus, aportar onde menos se esperava, mudar de ofício, levantar âncoras, estabelecer-se de novo. Essa sempre fora sua tendência: deixar-se levar pelo que a vida pusesse a sua frente, sem vontade, sem critério, até que o vento soprasse em outra direção. E naquele dia de início de novembro de 1935, uma correnteza imprevista o havia levado até a rua Catorze, com aquele pressentimento dentro de si, chegou ao lugar cravado entre duas grandes avenidas da imensa Nova York.

Sem pensar duas vezes nem se conceder um tempo prudencial para analisar a viabilidade do negócio, em um puro arroubo carente da mínima reflexão, Emilio Arenas decidiu não só ficar com o mobiliário e os utensílios de seu velho compatriota, como também dar prosseguimento ao negócio. Nessa mesma tarde falou com a dona do imóvel, uma viúva holandesa da Horatio Street, ali próximo; entenderam-se medianamente e concordaram em manter o preço do aluguel. Ele havia economizado um pouco no tempo que passara sem voltar para Málaga: com isso, poderia comprar as coisas de Venancio Alonso e pagar o aluguel do primeiro mês.

Moraria no depósito dos fundos, pensou, para economizar o custo da hospedagem na pensão Garay, na Cherry Street; caberia uma cama ali, não precisava de mais. Duplicaria as horas de trabalho no La Valenciana e, ao mesmo tempo, com suas próprias mãos tiraria o local de seu estado lamentável. Seria necessário raspar tetos e paredes, rebocar a fachada, um pouco de alvenaria, arrumar torneiras, pintar. E quando tudo estivesse pronto, ele mesmo se encarregaria de ir toda madrugada comprar peixe no mercado de Fulton, onde trabalhara um tempo; ainda mantinha contatos lá para conseguir um produto barato. Depois, cozinharia no estilo de sua terra e o mesclaria a outros sabores e maneiras que bem ou mal havia aprendido aqui e ali. Serviria almoço e jantar para a gente do bairro a preços modestos, poria um balcão em uma lateral... Tudo passou diante de seus olhos em uma sequência inconsistente, até que a voz rouca do velho interrompeu suas fantasias.

— Eu acho que o nome você deveria mudar.

Emilio Arenas fixou os olhos no letreiro. Ou melhor, no que restava dele. EL CA... A partir daí, as demais letras estavam caídas, em consonância com a alma do negócio.

— Um vendaval as arrancou, há dois invernos, e nunca mais arrumei — explicou o proprietário, dando de ombros. — Até então, dizia El Cántabro, que é como me chamam por aqui. Mas receio que com você, com esse seu sotaque andaluz, o nome não vai combinar.

Verdade, pensou Emilio. Se optasse por seguir o costume, o natural seria chamá-lo El Malagueño, mas ele também não tinha um particular desejo de um protagonismo tão evidente. Poderia ser, talvez, El Calamar, e assim aproveitaria as poucas letras iniciais que ainda estavam intactas. Ou El Canasto, ou talvez El Cacique. Mas, pensando bem, esses nomes eram tão estranhos para ele como esse El Cántabro remoto no qual jamais havia pisado.

—...El Ca, Ca, Ca — murmurava. E, então, surgiu-lhe na cabeça um nome forte para um projeto atraente: algo que ele nunca chegou a ser porque jamais pôs a menor ambição em nenhum de seus empenhos. Mas, agora sim. Pela primeira vez havia se empenhado em uma projeção rumo a algo melhor, superior. E, por isso, ele, que nunca precisou de comando ou hierarquia, decidiu chamá-lo El Capitán, sem imaginar que esse seria o apelido pelo qual começaria a ser conhecido no bairro a partir de então.

Foi como seu propósito começou a girar, enquanto um Emilio desconhecido emergia com um brio desmedido, indiferente ao cansaço e aos desalentos. E assim foi atravessando o outono do ano de 1935, com energia renovada, como um quebra-gelo, trabalhando catorze horas por dia, o tempo todo correndo entre seu mundo novo, na rua Catorze, e o velho, na Lower East Side.

Até que em um daqueles dias, talvez no meio de uma tempestade ou de uma angustiante calmaria indolente, quem sabe, duas cartas se cruzaram em algum ponto impreciso do Atlântico: aquela que, com alguns erros de ortografia, Emilio Arenas escreveu para sua mulher, e a que ela, analfabeta, ditara a uma vizinha para que chegasse a ele.

Talvez, inclusive, ainda separados pela imensidão de um oceano, as tenham aberto ao mesmo tempo.

Tenho boas notícias, Remedios, dizia ele otimista na carta que partiu de Nova York dentro de uma saca.[...]Vou me assentar, como você sempre quis.[...]Vou trabalhar dia e noite.[...]Economizar.[...]Voltarei quando chegar a hora[...].

Tenho más notícias, Emilio, dizia ela, multiplicando seu habitual pessimismo naquelas folhas que singraram as ondas no sentido contrário, franqueadas por selos da República Espanhola.[...]Mama Pepa morreu e estamos sendo despejadas.[...]Não temos aonde ir.[...]Está cada vez mais difícil criar suas filhas.[...]São mulheres já, cresceram sem norte, não estão no bom caminho.[...]Não esqueça que você tem responsabilidade nisso.

Ele estava entrando no La Valenciana quando terminou a leitura das últimas frases, ainda estava com o boné na cabeça. Tirou-o devagar, coçou a cabeça cravando forte as unhas sujas. E, com as novidades ainda quentes amassadas na mão, foi até o balcão e disse:

— Senhor Sendra, preciso de quatro passagens, por favor, peça a dom Valentín Aguirre. Mas que fique claro que não sei nem como nem quando poderei pagá-las.

CAPÍTULO 4

Continuavam na cozinha, Remedios ainda com o rosto escondido nas mãos. Ela nunca fora uma mulher de personalidade forte como sua mãe, e a pouca garra que um dia teve acabou depois da morte de Jesusito, sua quarta criança que nasceu viva, aquele menino que veio ao mundo com a cabeça inchada e um emaranhado de veias onde deveria haver cabelos, e que mal chegou a completar cinco meses. Dezesseis anos haviam se passado desde que sepultaram seu corpinho enrolado em um lençol, e nem um dia a partir de então Remedios deixara de suspirar por ele, apesar de, em sua breve existência, a pobre criatura só ter sido capaz de lhe dar desgostos. O pranto pungente o tempo todo, os vômitos explosivos e as convulsões, os olhos que ele nunca abria, a recusa a mamar: tudo isso havia ficado tão agarrado às entranhas daquela pobre mulher que ela jamais conseguiu ser a mesma quando a vida a forçou a viver sem ele, sem o menino que tanto ansiara em todas as suas gravidezes, o homenzinho entre tantas meninas que nunca chegou a ser.

Suas filhas a contemplavam agora em silêncio enquanto de sua garganta seca continuavam saindo aos borbotões uma série de censuras e blasfêmias.

— Maldita a hora em que Mama Pepa decidiu morrer e nos deixar sem um teto sob o qual viver, maldito o dia em que seu pai decidiu assentar a cabeça depois de tantos anos sendo um inconstante, maldita seja eu por lhe pedir ajuda, por lhe dar ouvidos...

Seguir as ordens de Emilio e arrastar consigo suas filhas partindo de Málaga representou para Remedios uma tortuosa *via crucis* cheia de amargas brigas, desplantes, soluços e gritos. Victoria, a mais velha, incitada pelo sem-vergonha do jovem com quem andava de namorico, jurou que preferiria seguir o mau caminho a ir para Nova York. Mona, a do meio, para arrumar uma desculpa para poder ficar, encontrou no passeio do Limonar uma boa casa onde trabalhar como criada com direito à moradia. E Luz, a mais nova, passou semanas inteiras soluçando pelos cantos. As brigas foram monumentais e ouvidas no bairro La Trinidad inteiro; os vizinhos do cortiço onde viviam tiveram que intervir, além da família próxima e da distante, Remedios de joelhos diante da imagem do Cativo na igreja semidestruída desde 1931, e – em última instância – até uma dupla da Guarda Civil. Alertados por um vizinho de peso sobre um potencial ato de desacato à autoridade paterna, dois agentes uniformizados não as perderam de vista até vê-las a bordo do navio *Manuel Arnús* em sua escala malaguenha entre Barcelona e o Novo Mundo, sob a responsabilidade do capitão médico da tripulação.

Magras, abatidas, mortas de frio, com o estômago apertado e a sensação de estar com a boca cheia de estopa; assim as irmãs Arenas adentraram Nova York em uma gelada manhã de janeiro. Onze dias consolando umas às outras entre náuseas, vômitos e lágrimas foi o custo de chegar: uma semana e meia de travessia diabólica com humildes passagens para beliches de entrecoberta até desembarcar na doca oito do East River. Já fazia alguns anos que nem mesmo os recém-chegados nas classes mais inferiores precisavam passar pela ilha de Ellis em busca de uma autorização para pôr o pé no país.

A entrada no grandioso porto não as deixou impassíveis, naturalmente. Difícil não se comover ao passar pela gigantesca estátua esverdeada e flutuante daquela estranha mulher com uma coroa de sete pontas e uma tocha na mão, mesmo que elas não soubessem que representava a liberdade iluminando o mundo; impossível não se maravilhar ao ver cada vez mais perto os arranha-céus amontoados no horizonte, ou ao vislumbrar as gigantescas pontes suspensas, os navios que entravam e saíam deslizando, harmoniosos, sobre a água cinza, os imponentes transatlânticos italianos, franceses, ingleses, noruegueses, americanos. Como não virar a cabeça, os olhos e os ouvidos para as barcaças carvoeiras e os rebocadores que assobiavam com um estrondo que parecia jubiloso, embora se tratasse de meros pedidos de cautela, como não retribuir a saudação às pessoas aglomeradas nos conveses dos ferryboats, que agitavam lenços e chapéus para dar as boas-vindas aos recém-chegados só porque sim, porque eles mesmos, ou seus pais, ou seus avós, haviam chegado àquele mundo dessa mesma maneira?

Nova York as deixou deslumbradas, naturalmente, embora tenham feito o possível para fingir que tudo aquilo não lhes chamava a atenção em absoluto: enquanto o vapor avançava para sua doca correspondente, segurando-se no corrimão com o rosto vermelho devido ao ar cortante, as três jovens fingiram não se sentir impressionadas pela apavorante efervescência de tudo que viam. Como se não as impressionasse ir se aproximando dos terminais das companhias de navegação com suas bandeiras coloridas e seus cartazes chamativos, nem dos armazéns que recebiam mercadorias de todos os portos do mundo, nem dos edifícios cada vez mais colossais conforme se aproximavam.

— Ai, minha mãe — murmurou Luz, baixando a guarda momentaneamente.

Victoria entrelaçou os braços com os de suas irmãs, como se acreditasse que agarradas poderiam transmitir uma à outra a coragem e a determinação necessárias para não sucumbir ao cenário avassalador que as cercava. Apertaram-se forte, buscando refúgio entre si.

— Virgem Santa — murmurou Mona.

Mas se recompuseram e disfarçaram seus medos e inseguranças, e nem as sirenes, nem os gritos da multidão, nem o rugido ensurdecedor dos motores as fez depor a fachada desafiadora quando o barco atracou. Mantiveram a pose diante da neve que caía naquele dia gelado de início de janeiro, coisa que elas, vivendo ao lado do ensolarado Mediterrâneo, jamais haviam visto. Fomos trazidas à força, esta maldita cidade não nos interessa, era o que diziam com sua atitude. E à primeira chance, à menor oportunidade que surja diante de nós, pelo meio que for e em companhia do próprio Satanás, se for necessário, voltaremos. E assim, ocultando o abobamento por trás de uma atitude de feras encurraladas, elas desceram do vapor da Trasatlántica uma atrás da outra, em ordem de idade. Não cederam nem sequer diante do rosto severo dos agentes da imigração.

Esse afã por demonstrar seu desapego permaneceu praticamente inalterado com o passar dos dias. Emilio havia alugado um apartamento de dois dormitórios no último andar de um edifício de tijolos vermelhos na esquina da Catorze com a Sétima avenida: um humilde lar temporário com poucos metros e pouca luz, que, contudo, superava o conforto do cortiço onde elas haviam sido criadas. Pelo menos tinha quatro lâmpadas elétricas, água corrente e um pequeno banheiro próprio; um tanto precário, mas privado, afinal, para evitar que tivessem que sair a todo momento para dividir o vaso sanitário com os vizinhos. Mas nada disso adiantou: desde o dia da chegada, entre as paredes que as abrigaram houve de tudo, menos paz. Diariamente, como uma roda-gigante em eterno movimento, das caras feias passavam às vozes altas, das vozes altas ao pranto e do pranto às brigas, às recriminações e às ameaças. E tudo recomeçava de novo.

Alternadamente, com língua pungente, acusavam de sua desgraça tanto o pai, Emilio, quanto a mãe, Remedios, a falecida avó Mama Pepa, o vizinho que chamara a Guarda Civil, o mal-intencionado médico do barco ou a odiosa cidade que as acolhia. Tanto fazia para elas culpar um ou outro, só precisavam de um alvo contra o qual disparar sua raiva. Vou tomar veneno de rato para ver se morro, dizia qualquer uma delas. Vou fugir com um marinheiro para que me leve de volta, soltava outra. Vou me jogar no trilho do trem.

Incapaz de impor a menor autoridade sobre aquelas jovens agitadas, a tarefa de pai se tornou tão ingrata para Emilio que, depois de apenas dez dias de vida em comum, ele optou por voltar a seu catre no armazém do El Capitán. Mas o fez atento, e de comum acordo com sua mulher; deixando--as sem um só centavo e com o aprovisionamento mínimo para que não pudessem subsistir mais de três ou quatro dias sem precisar dele. Quando acabou o café ou faltou o sabonete, elas não tiveram outro remédio que não fosse aparecer na velha taberna onde o pai e a mãe continuavam trabalhando sem mais ajuda que suas quatro mãos.

O local estava quase às escuras, só entrava a luz do dia pela porta aberta. Ela esfregava as panelas, ele raspava a superfície de uma mesa ao fundo quando as ouviram chegar. Pararam ambos. Emilio se ergueu devagar, a maldita dor nas costas não lhe dava trégua.

— Precisam de dinheiro? — perguntou gritando às silhuetas paradas na entrada.

Nenhuma delas respondeu nem mudou de expressão, como se estivessem sentindo cheiro de vinagre.

— Vão ter que ganhá-lo, então. Uma ajuda vai cair bem.

As três permaneciam ombro a ombro, sem abrir a boca, formando uma espécie de muro de contenção. Remedios, na retaguarda, mantinha-se em silêncio.

— Se continuarmos trabalhando só nós dois, vamos demorar a abrir — prosseguiu Emilio. — Porém, se nos derem uma mão, em uma semana poderemos começar a servir à clientela. Este negócio também é de vocês, não se esqueçam. E quanto mais ganharmos com ele, mais cedo poderemos voltar.

Voltar. Ao ouvir a palavra, a couraça delas sofreu uma rachadura. Voltar, as seis letras que eram o motor da colônia inteira, o carvão que enchia as caldeiras de sua alma e lhes permitia continuar trabalhando sem trégua para economizar o suficiente e realizar o sonho ansiado.

Mona, no centro do trio, deu uma cotovelada em cada irmã, e com esse brevíssimo movimento, sem necessidade de nada mais, cúmplices como sempre, as três se entenderam. Ainda que a contragosto, sabiam que não tinham alternativa senão ceder.

CAPÍTULO 5

Com os cabelos presos com lenços e as roupas mais puídas de seus míseros guarda-roupas, nessa mesma tarde começaram a se envolver com a empresa da família.

Durante quatro dias seguidos, da manhã à noite, unidas ao esforço dos pais, arrancaram sujeira e camadas de gordura até ficar quase sem unhas, esfregaram frigideiras, vasilhas e caçarolas, lixaram móveis e tentaram, sem muito sucesso, dar brilho aos cristais. Com isso, conseguiram melhorar um pouco aquele local decadente, mas a verdade era que, olhando bem, nada havia mudado muito, assim como o trabalho braçal também não melhorou o humor delas. O mesmo subterrâneo escuro, os mesmos tetos baixos, até o mesmo quadro de um mar bravio que Venancio Alonso deixara pendurado: a essência do caduco El Cántabro ainda transbordava por todos os cantos. Movido pelo ilusório objetivo de criar um suposto ambiente náutico, Emilio apareceu na manhã seguinte com umas velhas redes de pescador, dois remos e um timão desconjuntado que suas filhas dispuseram sem cuidado nem interesse. Até que El Capitán começou sua travessia.

Não começou bem, apesar de tudo. Não vingou. Com Remedios no comando dos fogões e Emilio dedicando-se à recepção dos clientes e ao controle dos pedidos com seus melhores modos, rara era a hora do almoço em que chegavam a encher um quarto do salão. As filhas, enquanto isso, davam uma mão na cozinha ou serviam alguma mesa aleatória com uma má vontade suprema. No pensamento de Emilio, paralelamente, ia se formando uma densa nuvem de preocupação.

Ele havia fantasiado um local cheio de trabalhadores que devorariam pratos quentes depois de longas horas de duro trabalho braçal, como tantas vezes havia visto nas tabernas da área da Cherry Street. Havia imaginado as pessoas entrando e saindo sem parar, ele servindo com a concha na mão, copos tilintando, os pés das cadeiras se arrastando sobre as lajotas do piso, rudes vozes masculinas e algumas gargalhadas soltas, notas no caixa atrás do balcão. Mas não foi assim. Talvez ele não tivesse levado em consideração que aquela área da Catorze e seus arredores, apesar de contar com um vasto contingente de compatriotas, erguia-se sobre outra idiossincrasia diferente da de seu antigo bairro, outra maneira de ser, mais alinhavada no tecido da cidade e menos concentrada em seu próprio rincão. Ou talvez fosse o fato de que até ali chegavam menos homens sozinhos que às docas do East River, ou poderia ser porque a área contava com outros restaurantes que, com o tempo, foram ganhando uma merecida reputação.

Ele, porém, não era mais que um forasteiro agarrado ao rastro de um decrépito negócio do qual mal e porcamente haviam só lavado o rosto. Ninguém conhecia sua mulher, porque ela saía o menos possível da cozinha, acovardada sempre por tudo o que se movia ao seu redor. E suas três filhas, com aquela atitude tão insolente e altiva que nenhuma delas se dava o trabalho de disfarçar, haviam conquistado uma fama que bem pouco contribuía em seu benefício. E isso que já não havia lei seca, e que o El Capitán oferecia vinho espanhol a um preço mais que justo, porque, graças a seus contatos e manobras, Emilio o conseguia diretamente nas docas, recém-desembarcado. E isso que Remedios fritava o peixe como ninguém e fazia uns ensopados encorpados e umas caçarolas de peixe-sapo e amêijoas que provocavam lágrimas com seu sabor de mar.

Mas as contas não fechavam, por mais que Emilio as revisasse todas as noites sentado na penumbra do salão vazio. E as dívidas se amontoavam: o aluguel atrasado do mês anterior, os fornecedores, o apartamento, as passagens de navio que ainda devia a Sendra... E por mais que queimasse os miolos em busca de uma solução, não encontrava um jeito de se manter à superfície. Pôs anúncios no *La Prensa*, o jornal lido todas as manhãs pela colônia espanhola e hispânica espalhada por toda Nova York. Mandou imprimir folhetos e os distribuiu pelos comércios das ruas vizinhas, até optou por ficar ele mesmo parado na calçada à caça de clientes, com o cardápio na mão e vestindo seu avental, sorrindo com um esforço infinito. Cozinha espanhola! *Typical Spanish food*, proclamava aos gritos em frente ao restaurante. O peixe mais fresco do mundo, *best fresh fish in the world*. Os melhores preços, *ladies and gentlemen*; senhoras e senhores, *we have the best prices in town*. Nada adiantava. Uns se esquivavam como se ele fosse um mero trambolho atrapalhando o caminho, outros desviavam o olhar ou negavam abertamente com a cabeça. *No, thank you*; não, muito obrigado, mas não.

Contra todo prognóstico, no entanto, a angústia de Emilio teve algo de positivo. À medida que seu desânimo aumentava, a carapaça de férreo repúdio que blindava suas filhas começava a sofrer fissuras. Talvez tenha sido o simples esgotamento das garotas, talvez um pouco de compaixão. No início, notava-se só em pequenos gestos:

— E se mudarmos um pouco o cardápio? — propôs Victoria.

Mona, por sua vez, ajeitou as velhas redes com um pouco mais de graça e acrescentou uns lenços floridos que lhes davam um toque de cor. E Luz, a caçula, certo meio-dia de fevereiro açoitado por ventos impiedosos, surpreendeu o pai acompanhando-o na calçada, dirigindo-se aos transeuntes com desembaraço enquanto apertava a saia contra as coxas para que o vento não a erguesse.

— Entrem, senhores, não percam a melhor taberna espanhola de Manhattan! — gritava melodiosa, convidando todo mundo a entrar e provar.

Foi nessa época que Emilio voltou a dormir no apartamento e a tensão familiar se dissipou um pouco. Contudo, as garotas continuavam se mantendo alheias à efervescência do bairro e da cidade. Não iam às missas de domingo na igreja Nossa Senhora de Guadalupe, não participavam dos bailes nem dos encontros entre compatriotas na La Nacional. Jamais haviam ido além da rua Dezesseis ou da Sexta avenida, nunca haviam descido ao metrô nem subido no trem elevado ou em um ônibus, e falavam apenas o imprescindível com os vizinhos, os donos e vendedores dos comércios próximos. Elas mesmas arrumavam seus cabelos, não tinham uma única amiga, recusavam-se a aprender inglês. E como consequência de tão evidente teimosia, quase sempre deixavam atrás de si um murmúrio indisfarçado de comentários. Que lástima de criaturas, tão jovens e tão elegantes. Que maneira tola de desperdiçar a vida tem essas filhas do Capitão.

Até a manhã em que Emilio saiu de casa rumo às docas do Lower East Side depois de compartilhar calado com Remedios um café à mesa da cozinha. Acostumar-se às pequenas rotinas domésticas era gratificante às vezes, mas às vezes árduo: não era fácil conviver de repente com a bagunça e o barulho de quatro mulheres, e muito menos com tudo aquilo que elas emanavam e que nem se via, nem se ouvia, nem se cheirava, mas que estava sempre presente, enchendo os aposentos do chão ao teto, tão impalpável quanto latente. Ainda assim, ele sabia que se adaptar a essa nova realidade era um caminho que tinha que percorrer, especialmente porque suas filhas, por fim, estavam começando a mostrar um resquício de racionalidade.

Desceu os quatro andares até a rua com seu afã de economia fervilhando em sua cabeça. Precisava de azeite de oliva, e embora Sendra o deixasse comprar fiado e os estabelecimentos de Unanue e Victori lhe vendessem a bom preço as latas de Ybarra, ele sabia que havia um jeito de consegui-lo mais barato ainda. Como quase todos os membros da colônia, ele conhecia o calendário dos barcos que periodicamente chegavam da Espanha: quatro alternativos, todos da Compañía Trasatlántica. Dois da linha do Cantábrico e dois da do Mediterrâneo, fazendo sempre a ligação da Península com México, Cuba e Nova York.

Por isso, ele sabia que nesse sábado de fim de março se esperava o *Marqués de Comillas* com o bucho cheio de passageiros e mercadorias. E, por isso, encaminhou-se à familiar doca oito do East River a fim de tentar a sorte: raro seria que não chegasse com o navio um lote de azeite, e que Emilio não encontrasse algum conhecido que pudesse lhe arranjar algumas garrafas por um preço interessante para os dois. Assim, economizando aqui e ali, talvez pudesse ficar em dia com o aluguel da viúva holandesa.

E assim continuava o dono do El Capitán na doca, com a mente cheia de planos e cálculos, à espera de que se concluísse a faina de descarregamento, sem saber ainda se o vapor trazia o sumo das oliveiras de Utrera ou de Tortosa, de Cabra ou de Jaén; estava tão absorto que não registrou as vozes alarmadas ao seu redor. Algo havia dado errado na manobra de estiva, uma enorme rede lotada de pacotes ficara precariamente suspensa no ar. Houve correria e gritos, e alguém o pegou pelo braço no último segundo.

O puxão, no entanto, só serviu para livrar o corpo do brutal impacto, a cabeça não se salvou.

Emilio Arenas acabou seus dias caído no chão como um fardo, com o crânio arrebentado e a imagem de um monte de garrafas de azeite brilhante e untuoso escurecendo em seu cérebro até se desvanecer em uma poça de sangue, alvo de olhares cheios de espanto enquanto os gritos e as sirenes soavam ao redor.

CAPÍTULO 6

As três irmãs Arenas foram para a cama na noite do enterro sem resposta. Exaustas, confusas, torturadas por um misto de sentimentos nas tripas e no coração; com a mesma pergunta martelando em sua cabeça implacavelmente. E agora, o que vamos fazer?

Queimava fundo a morte do pai, esse homem que estavam começando a conhecer depois de uma vida inteira cheia de ausências. Mas não era essa a única angústia das moças, à dor crua sobrepunha-se algo mais: saber que com ele havia partido a única amarra que tinham com aquela cidade estranha de inverno interminável, uma metrópole de sete milhões de almas que se abria diante das espanholas como uma estrada infinita de desolação.

Remedios, como sempre, levantou-se antes que elas, com as primeiras luzes do amanhecer; suas filhas costumavam se levantar bem mais tarde, sem um horário fixo, segundo o que seu corpo lhes pedisse. Afinal de contas, até aquele momento elas não haviam tido nenhuma obrigação além de dar uma mão, de má vontade, no negócio e mostrar ostensivamente seu desdém. Nessa manhã, porém, depois de uma noite de sono interrompido, elas foram aparecendo cedo na parte larga do corredor onde ficava a cozinha, todas com os cabelos desalinhados, os olhos inchados e pouca vontade de falar.

A primeira foi Mona, a do meio. Aproximou-se arrastando os pés, com uma expressão firme no rosto e a cabeleira morena e grossa solta até o meio das costas. Por cima da velha camisola sobrepunham-se três camadas de roupas desparelhadas. Estava um frio de congelar. Em vez de um ortodoxo bom-dia, saiu de sua boca uma espécie de grunhido rouco.

— O leite já está quente — murmurou a mãe ao fogão, sem se virar, enquanto a filha se sentava em um dos banquinhos que contornavam a mesa, calada, olhando para o vazio com os olhos semicerrados sob suas grossas sobrancelhas.

Assim como as irmãs, como a mãe e as várias gerações de mulheres que as precederam, Mona tinha olhos escuros, a pele separada dos ossos por uma fina camada de carne, e uma graça totalmente natural ao se mover. Na realidade, ela fora batizada como Ramona, em homenagem a uma parente de Mama Pepa que havia acabado de morrer de uma apoplexia no El Perchel. Mas as crianças do cortiço mutilaram a primeira sílaba de seu nome desde que era bem pequena: uma inocente provocação infantil* que acabou se transformando em uma marca de identidade. Porque, na realidade, ela era assim, como seu nome abreviado: ágil, viva, com uma rapidez quase animal nos olhos, na língua e na mente que a levava a reagir com desenvoltura e sem censura cada vez que a situação assim requeria.

Naquela manhã seguinte ao enterro do pai, no entanto, Mona ficou em silêncio até que a mãe pôs a sua frente uma caneca de café com leite e um pedaço grande de pão. Nas mercearias do bairro vendiam bolinhos, umas coisas que pareciam saborosas madalenas, mas elas continuavam fiéis a seus costumes de sempre, ao pão nosso de cada dia. Haviam somente se prestado a substituir o saudoso pão *cateto* malaguenho por um simulacro de miolo compacto feito por um velho calabrês na Quinze. Assim começavam o dia: com a barriga cheia de sua humilde tradição.

Ela mal havia dado o primeiro gole quando entrou na cozinha a irmã mais velha.

— Que Deus nos dê um bom dia — murmurou.

Ou algo assim, porque Victoria falou entre dentes, e mal conseguiram entendê-la.

Diferente de suas irmãs, ela costumava usar os cabelos presos, e seus traços eram um pouco mais sutis e menos marcados; com seu nariz fino e os pômulos altos, seus grandes olhos pretos e o rosto ovalado, talvez tivesse a beleza mais canônica das três. Era também um nadinha mais alta que as outras, como se seu próprio corpo houvesse escolhido reforçar sua posição na ordem familiar. Seu nome não provinha de parente algum, e sim de uma promessa. Se Emilio voltar para o nascimento da criança, caso seja menina, juro, *madrecita*, que vou pôr seu nome nela. Essa foi a promessa que Remedios fez diante da imagem da Virgem da Victória quando sua primeira gravidez estava chegando ao fim. Seu homem, no entanto, não voltou para o parto; só o fez onze meses depois, quando a menina já tinha

* Mona significa macaca em espanhol. (N. T.)

seis dentes e estava quase se soltando para andar. Mas Remedios não se atreveu a descumprir sua palavra; deu-lhe não sei o quê.

As duas irmãs mais velhas não trocaram nem uma frase, limitaram-se a beber e mastigar sentadas frente a frente, com o desconcerto estampado no rosto: devido à brutal morte do pai e à precariedade em que se encontravam, por não ter nem a mais remota ideia de como iam subsistir.

Luz entrou coçando o pescoço apenas dez minutos depois. Era parecida com as mais velhas e ao mesmo tempo possuía algo diferente que a tornava singular: os cabelos um tom mais claro, o corpo um pouco mais carnudo, um pouco mais recortada em estatura; a mais alegre e vivaz das três. A primeira coisa que fez foi passar o braço pelos ombros de sua mãe e dar-lhe um beijo no rosto, um *smack* sonoro como uma ventosa que Remedios recebeu sem nenhum sinal de gratidão enquanto continuava mexendo no fogão.

— Já terminaram? — perguntou com sua voz de chocalho enquanto se sentava em um terceiro banquinho, à espera de que Remedios pusesse a sua frente sua caneca e seu pedaço de pão.

Na realidade, as três já eram jovens mulheres que sabiam muito bem se virar por si mesmas nos afazeres domésticos, mas, entre elas, nesses assuntos de administração caseira, continuava regendo um tenaz matriarcado que nenhuma delas se dava o trabalho de repudiar. Afinal, para que, se Remedios não ia ceder...

Luz foi Luz por decisão de seu pai: a única vez que Emilio chegou a tempo para o nascimento de uma de suas filhas. Na trouxa, levava uma medalha de prata enegrecida da Virgem da Luz que havia sido de um marinheiro de Tarifa com quem Emilio fez sua última travessia. Francisco era seu nome, e apesar de ser um homem curtido em mil tempestades, o tétano o derrubou em duas semanas depois de fincar um gancho enferrujado na coxa em uma noite escura como carvão. Pra suas pequenas, Milio, dissera entre espasmos e baba o pobre infeliz depois de rezar aos tropeções sua última ave-maria. E para a recém-nascida foi não só a medalha, mas também o nome, que nos ouvidos do pai sempre soou a mar e a amizade.

Elas passaram um tempo impreciso à mesa do café da manhã. Do pátio entravam os sons de outras casas; Remedios havia acendido o aquecedor a querosene. No fundo das canecas só restavam gotas já meio secas de café com leite. Victoria segurava entre os dedos as pontas de uma mecha de cabelos e as olhava com uma expressão falsamente concentrada, Mona colocava uma velha mantilha de lã sobre os ombros pela quinta vez, Luz roía a unha do dedo mindinho. Na realidade, os cabelos, a mantilha e a unha não lhes causavam a menor preocupação: eram maneiras absurdas de tentarem manter a atenção distraída da sinistra realidade que tinham ao redor, da angústia por não saberem o que seria delas agora. Da consciência avassaladora de se saberem sem recursos nem apoios para seguir em frente naquele mundo feroz.

Não conseguiram, claro. O que as preocupava era tão atroz que só podiam pensar nisso, tentando encontrar uma resposta para a simples pergunta que deixaram sem responder na noite anterior. E agora, o que vamos fazer?

Foi a mãe quem finalmente quebrou o silêncio com voz rouca.

— Vamos ter que devolver tudo isso...

Ela se referia aos potes e panelas – antes cheios de comida e agora vazios, limpos e colocados de boca para baixo – que as vizinhas haviam levado para elas em um inesperado gesto de condolência e solidariedade. Conheciam de vista quase todas aquelas mulheres que foram ao velório, mas de nome somente algumas; e de trato – e muito escasso – apenas cinco ou seis. Na realidade, com nenhuma tinham proximidade ou afeto, mas elas apareceram ombro a ombro para que não velassem sozinhas o pai e marido, e depois as acompanharam ao cemitério do Queens, e depois as devolveram ao apartamento e se asseguraram de que estavam bem, e deixaram comida feita para dois dias. Mostraram-se todas discretas e sensatas, sem falsas lágrimas nem discursos desnecessários; conhecedoras de como poderia ser duplamente avassaladora uma perda quando pairava ao redor uma monstruosa sensação de desalento.

Não tiveram opção além de assentir à sugestão de Remedios. Para nenhuma delas seria agradável enfrentar aquelas mulheres a quem não haviam sequer se dignado a olhar desde sua chegada, havia já quase três meses, mas sabiam que era essa sua obrigação mais imediata. Ir às casas e aos comércios para devolver em cada lugar uma forma, uma panela ou uma vasilha; abaixar a cabeça e engolir aquela altivez obstinada que as havia mantido, com insolência, à margem da gente entre a que viviam. Agradecer com humildade. De coração.

Arrumaram-se caladas na estreiteza do quarto compartilhado. Vestiram as roupas de sempre, porque não tinham outras.

— E não se esqueçam de passar pela funerária, para ver se...

Sim, mãe, sim; fique tranquila, disseram, começando a descer a escada. Elas também sentiam um profundo desassossego por ter que enfrentar os gastos daquele enterro suntuoso que alguém lhes impusera anonimamente, sem lhes perguntar, sem lhes consultar.

Cumpriram a primeira etapa batendo em algumas portas dentro do próprio edifício, amontoadas nos estreitos patamares. Todos ali viviam de aluguel; a fumaça, as vozes e os ruídos dos encanamentos saíam por baixo das portas e através das paredes.

As vizinhas, uma a uma, interromperam seus afazeres e as receberam com afeto. Asturianas e galegas de vozes melodiosas que as moças tinham dificuldade de compreender devido àquela cadência tão diferente que tinham ao falar. Dona Costos – a temperamental grega do primeiro andar –, com quem meio que se entenderam mediante gestos e caretas. As cunhadas irlandesas que moravam porta com porta e estavam sempre brigando, mas que, apesar disso, no dia anterior apareceram juntas segurando a quatro mãos uma torta de carne. A maioria das mulheres ostentava aventais e chinelos; todas, sem exceção, convidaram-nas a entrar, ofereceram café, chá, mais pão, rosquinhas de anis. Elas tentaram recusar, argumentaram pressa e obrigações, mas elas insistiram com tanto empenho que em duas ocasiões não tiveram mais remédio que aceitar.

Todos os apartamentos eram parecidos: modestos de tamanho e parcos em mobiliário. Apesar de seus poucos metros, não era raro que convivessem neles duas ou três famílias, ou algum grupo de homens solteiros que se alternavam para dormir nos mesmos colchões dependendo do turno de trabalho de cada um. Assim, economizamos, diziam. Assim economizavam, e também tornavam mais suportável a solidão.

Costumava haver roupa estendida em cordas ao calor das cozinhas, e camas além da conta, muitas delas simples catres dobráveis, empurrados contra as paredes e cobertos com cortininhas de cretone; à noite eram abertas e espalhadas pelos cantos, acolhendo os corpos cansados de parentes, conterrâneos de passagem ou meros hóspedes cujo salário não dava para se permitirem outro alojamento. Assim, economizamos, repetiam. E economizavam, sem dúvida.

De todas as moradias elas escapuliram assim que possível, sufocadas pela cordialidade com que as tratavam. Ânimo, garotas, escutaram repetidamente antes de sair. Vocês têm que ser fortes e continuar lutando, precisam ter coragem. E estamos aqui, para o que precisarem.

Por fim conseguiram descer à portaria simples, já sem as vasilhas mais volumosas, depressa, perturbadas ainda, ansiosas para que o ar lhes refrescasse o rosto e enchesse seus pulmões. Mas não conseguiram: estavam quase saindo quando alguém do outro lado da porta lhes interceptou o passo.

As três fizeram um grande esforço para não franzir o cenho além da conta: elas mantinham uma espécie de guerra permanente com a mulher que estava chegando da rua carregando um monte de jornais, e não estavam com paciência para enfrentamentos nessa manhã.

Alta, gasta, angulosa, vestida inteiramente de preto, com a saia até os tornozelos, os cabelos grisalhos presos em um coque do qual escapavam algumas madeixas: ali estava dona Milagros, bloqueando o vão da porta e impedindo-as de fugir. A galega morava sozinha no apartamento situado bem abaixo do das irmãs, e, em geral, tinha um humor dos diabos. Com frequência ela colocava a cabeça para fora da janela do pátio dos fundos para gritar quando elas faziam barulho demais; em outras ocasiões, batia violentamente no teto com o cabo da vassoura para mandá-las se calar. E as irmãs Arenas, segundo o humor do momento, uma ou outra vez obedeciam a contragosto, mas outras a provocavam com crueldade e começavam a bater o pé no chão com raiva, para provocá-la mais ainda, ou gritavam: apodreça, velha, e jogavam cascas de ovo e de batatas nos vidros das janelas da mulher.

Não haviam batido na porta de sua casa nessa manhã porque não tinham nada a lhe devolver, ela foi a única que apareceu no velório de mãos vazias. Pior ainda: não só não teve a delicadeza, como também acabou comendo, sem o menor constrangimento, metade de um bolo de amêndoas que alguém havia levado para elas.

— Suponho que estão saindo para procurar emprego, ou não?

Foi como ela cumprimentou as meninas, assim que as viu, áspera e cortante. Diferente do que era comum nelas, nenhuma replicou com o descaro habitual. Sem que combinassem, as três optaram por ficar de boca fechada.

Nunca a haviam visto tão de perto e à luz do dia, era a primeira vez que notavam que tinha o olho esquerdo turvo, como se uma espécie de véu cinzento cobrisse sua córnea. Com o direito, porém, escuro e ágil apesar dos anos, ela as mantinha no ponto de mira como um caçador sagaz. Nos braços levava volumosos montes de jornal manuseado; claramente não se tratava das notícias frescas do dia. Elas já a haviam visto de longe, em outras ocasiões, com um carregamento similar, e não tinham a menor ideia de para que ela usaria tamanha quantidade de papel. Talvez para alimentar um aquecedor, ou para impedir que o frio entrasse pelas frestas das janelas.

Foi Mona quem reagiu depois de alguns instantes tensos.

— Deixe-nos passar, faça o favor.

Dona Milagros não teve pressa de se afastar, antes, continuou cravando nela seu olho bom, com uma insolência perturbadora. Parecia querer dizer algo mais, porém, por fim, não disse nada. Tão logo ela deu um passo, deixando uma fresta livre, as três passaram pela porta entreaberta. Assim que puseram os pés na calçada, respiraram com alívio; por mais insuportável que fosse a velha, e por mais que as três enfrentassem suas ameaças protegidas pelas paredes da casa, à curta distância a mulher havia acabado lhes causando uma sensação intimidadora.

CAPÍTULO 7

O trânsito fluía normalmente na Catorze: alguns automóveis, um ou outro furgão e carroças puxadas por cavalos fazendo as entregas cotidianas. Pelas largas calçadas as pessoas transitavam com o mesmo ritmo de todos os dias. Transeuntes com rumos diversos, vizinhos, entregadores e clientes que entravam e saíam dos estabelecimentos, um vendedor ambulante de vasilhas de estanho, outro com a espinha dobrada pelo peso das barras de gelo que fornecia.

O primeiro destino das garotas ficava logo do outro lado da rua, quase na esquina com a Sétima. Dali, da lavanderia Irigaray, no dia anterior sua dona saiu para ir ao apartamento e lhes emprestar dois casacos e uma capelina preta depois de lhes perguntar discretamente se precisavam de alguma roupa de luto para acompanhar o ataúde.

Uma onda de calor denso as recebeu assim que entraram no local; atrás do balcão, dobrando roupas, estava o proprietário, um sessentão corpulento, dom Enrique – como alguém lhes havia dito que se chamava. Com as mangas da camisa branca arregaçadas acima do cotovelo, cumprimentou-as com um sóbrio muito bom dia, senhoritas, meus sentimentos. Ainda não havia soltado a última sílaba quando enfiou a cabeça entre um monte de roupas limpas penduradas do teto para chamar sua mulher. Ela apareceu, então, também rica em anos e em carnes. Embora mal as conhecesse, deu-lhes sonoros beijos no rosto. Devia ser por causa da recém-estreada orfandade.

— Viemos lhe devolver a roupa que nos emprestou.

A que falou foi Victoria, e por resposta só obteve um enfático não, não, não... A proprietária insistia para que elas ficassem com tudo aquilo que pretendiam devolver, e elas insistiam em não aceitar.

— Não, não, não — insistia a bonachona. — São tralhas de velhas clientes que nunca as vieram buscar. Estão aqui há anos, não fazem mais que entulhar.

— Mas, senhora... Mas, mas, nós...

Era a primeira vez que alguém queria lhes dar algo na vida: estavam tão atarantadas que não sabiam como responder. Até que o casal conseguiu convencê-las. Elas reiteraram a três vozes sua gratidão e se despediram alegando outras obrigações.

Ainda estavam paradas na calçada, desconcertadas, quando dona Concha apareceu na porta.

— Meninas!

Atrás dela saiu o marido: os botões da camisa abertos até o esterno, os pelos do torso povoado e grisalho à mostra.

— Estávamos pensando...

Os dois se entreolharam, cúmplices, decidindo qual deles tomaria a palavra para comunicar o que haviam acabado de decidir juntos havia apenas uns segundos. Por fim falou ele, mais direto:

— Alguma de vocês estaria interessada em trabalhar aqui?

Elas ainda estavam digerindo, confusas, o oferecimento, quando a mulher prosseguiu:

— Já estamos um pouco velhos, não temos a energia de antes, os filhos estão cada um cuidando de sua vida...

Em resposta, da boca das Arenas só saíram uns balbucios.

— Bem, nós, na verdade...

— Não precisam decidir agora mesmo — interrompeu o basco, contundente. — Pensem, e depois conversaremos.

O casal voltou para seu negócio enquanto elas assimilavam a proposta. O destino seguinte foi a Casa Moneo, a loja de víveres; para chegar só tiveram que atravessar a rua de novo. Eles haviam lhes mandado umas latas de conservas dentro de uma cesta, que agora tinham que devolver.

Ainda não haviam terminado de empurrar a porta da loja quando chegou aos ouvidos das três uma pequena avalanche de vozes. Alguém estava perguntando em espanhol pelo filho de um vendedor recém-operado das amídalas; alguém mais pedia uma réstea de alho, duas barras de sabão Lagarto; dos ganchos pendiam morcelas, linguiças e *sobrasadas*; o lugar cheirava a defumados e a vinagre. As moças haviam avançado apenas dois passos para dentro quando notaram que as conversas se apagaram de repente, como se houvessem sido cortadas com a mesma faca usada para cortar o presunto serrano. O silêncio cobriu a loja enquanto todos os olhares da clientela se voltavam em uma única direção.

Contemplavam as três jovens vestidas de escuro, coladas ombro a ombro, parecidas e diferentes ao mesmo tempo, tão lindas quanto melancólicas e inseguras. Mas, mesmo assim, com rostos tristes e roupas mais tristes ainda, compunham uma imagem digna de se ver.

A tensão se quebrou quando começaram a brotar algumas frases espontâneas de condolências. Uma das mulheres começou; depois, como se houvessem se contagiado, os murmúrios se espalharam pelo ar. Sinto muito. Sinto na alma. Que Deus o tenha em Sua glória. Ele era um bom homem, um homem muito bom era o Capitão, sim, senhor. Correram pelas faces de Luz duas lágrimas, e Victoria sentiu sua garganta secar. Mona foi a única capaz de murmurar um fugaz muito obrigado, para imediatamente pegar suas irmãs pelo pulso e puxá-las até o balcão.

Por sorte, dona Carmen Barañano, a proprietária, não tardou a resgatá-las: outra vasca de Sestao com avental branco, unhas pintadas de vermelho intenso e os sessenta à espreita na esquina.

— Entrem — disse, firme, abrindo uma cortina.

Levou-as aos fundos, um aposento lotado de gavetas, sacos e estantes cheios de mercadoria. Havia comidas doces e salgadas, desde torrones de amêndoa até enormes potes de vidro cheios de azeitonas temperadas; havia boinas e violões, alpargatas, castanholas, paellas, odres de vinho. Ninguém diria que estavam em plena Manhattan, a um pulinho do rio Hudson, a poucos quarteirões da Union Square. Havia também uns banquinhos rústicos de madeira com dois degraus que serviam normalmente para chegar às prateleiras mais altas, e foi onde ela lhes indicou que se sentassem. Elas obedeceram sem protestos.

Como já estava se tornando comum, antes de mais nada chegaram as imprescindíveis frases de pêsames e alguns elogios à figura do pai das moças. Uma grande pessoa, um grande trabalhador foi Emilio, sempre tão cordial... Aquilo que elas estavam escutando a manhã inteira, enfim. Até que, de súbito, algo diferente as impactou.

— E quanto à conta que ele tinha aberta aqui nesta casa, por ora não precisam se preocupar.

Nenhuma delas sequer pestanejou, mas as palavras caíram sobre elas como se alguém houvesse vertido sobre suas cabeças um daqueles sacos cheios de legumes. A dona da Casa Moneo havia acabado de ratificar aquilo que elas já pressentiam: que não só teriam que lutar contra a ausência e a incerteza, como também enfrentar as dívidas que o pai havia deixado para trás. As passagens de barco pendentes, os aluguéis atrasados, o enterro suntuoso que ninguém solicitou... A angústia lhes deu um nó no estômago, e nenhuma delas foi capaz de dar nem um pio.

— Imagino que vocês estejam procurando emprego — foi o que ouviram a seguir.

O desconcerto se multiplicou: era a terceira vez que ouviam essa sugestão em menos de metade da manhã. Primeiro a vizinha galega, depois os donos da lavanderia, e agora essa mulher. E como nas outras ocasiões, elas também não se atreveram a replicar; nenhuma delas foi capaz de confessar abertamente que ainda não sabiam o que fazer da vida; que haviam ficado tão sem ânimo, tão sem capacidade de reação, como os bacalhaus secos que pendiam do teto daquele armazém.

— Eu não preciso de ninguém, por enquanto estamos mais que bem servidos de empregados; se tudo isso houvesse acontecido no Natal, quem sabe... — a mulher estalou a língua, como se o que havia dito não tivesse importância. — Mas, agora, isso não faz diferença; o caso é que de vez em quando algum amigo me pede que eu encontre alguém, e, por isso, sei que, por ora, há um serviço para esta mesma tarde em uma das boas casas do Upper West Side.

Elas a fitaram sem entender.

— Pediram-me algumas comidas para uma recepção, e precisam de três espanholas como garçonetes por algumas horas — prosseguiu. — Eu já havia me comprometido com a filha de Luisa, a do farmacêutico, e com duas sobrinhas de Pérez, o fotógrafo do La Artística, mas uma delas veio, assim que abri, dizer que tem que ir para Newark por alguma coisa da família. Portanto, há uma vaga; na verdade, eu ia dizer agora mesmo a Carmina, a navarra, que tem uma filha... mas, enfim, já que vocês estão aqui, faço a proposta a uma das três. Pagam decentemente, o transporte vai à parte. E dona Damiana, a encarregada, é de toda confiança, sem falar da marquesa, que senhora...

Dessa vez não havia escapatória, era impossível recusar. Mona, a mais rápida sempre, foi quem se ofereceu.

— Conte comigo, se achar conveniente.

A proprietária sorriu sem abrir os lábios, como se desse por perdoadas as vezes que havia tido que suportar sua arrogância antes da morte do pai, quando elas passavam de vez em quando pela loja com cara feia e língua afiada.

— Às três e meia aqui.

A mulher deu uma sonora palmada na própria coxa para encerrar o assunto e se levantou do banquinho. Elas a imitaram. Antes de sair do armazém, ela lhes entregou três tabletes de chocolate Elgorriaga e ameaçou beliscar-lhes a face. Mas, ao prever as intenções da mulher, as três deram um passo atrás.

Era quase meio-dia quando saíram de novo à rua. Luz foi a primeira a pronunciar, em um sussurro acovardado, a mesma pergunta que fervilhava na cabeça das três.

— E por que todo mundo pensa que vamos ficar aqui?

CAPÍTULO 8

A funerária era o último estabelecimento, haviam-na deixado intencionalmente para o final da manhã prevendo que seria a mais lúgubre das visitas. E a mais constrangedora também: alguém lhes dissera que La Nacional, a Sociedad Española de Beneficencia a que o pai pertencera, cobriria os gastos básicos do enterro, como afiliado que fora ele, mas o que elas viram no dia anterior parecera-lhes um exagero, ostensivamente excessivo.

— O ataúde parecia de um ministro — sussurrou Luz.

— E os pedestais dourados — acrescentou Victoria —, e todas aquelas velas e adornos, e a coroa em nosso nome com tantos cravos.

— E os carros, aqueles carrões em que nos levaram...

Não sabiam quem havia se encarregado de organizar tudo isso: supunham que algum vizinho disposto a evitar que elas tivessem que passar por aquilo, talvez um antigo colega de trabalho do pai, um dos que foram da Cherry Street lhe dar o último adeus. Ignorância à parte, do que elas tinham certeza era de que tudo aquilo devia ter custado um dinheirão.

Desceram pela calçada sul da Catorze de braços dados, alinhadas, sem se importar por atrapalhar a passagem dos transeuntes, que eram obrigados a se esquivar da barreira que formavam. Estavam quase chegando ao El Capitán quando atravessaram de novo para o outro lado. Sentiram um nó na garganta, preferiram não passar em frente ao restaurante.

A funerária Hernández ficava praticamente em frente, quase vizinha do Centro Asturiano. Empurraram a porta cautelosas, entraram meio que na ponta dos pés, com um nó no estômago. Como se houvessem atravessado um túnel, assim que puseram os pés no estabelecimento foram envolvidas pelo silêncio, pela semipenumbra e por um cheiro estranho, como a desinfetante misturado com tristeza.

Ficaram acuadas por alguns segundos, cercadas por uns pedestais com jarrões de alabastro. Nas paredes, prateleiras com velas e crucifixos;

as lajotas do piso brilhavam impolutas. Em uma reação inconsciente, Victoria se apertou contra Mona, e esta se espremeu contra Luz. A necessidade de proximidade física surgiu espontânea, como se, assim, pele com pele, pudessem suportar melhor o tétrico momento. Até que por fim ouviram passos.

O garoto que surgiu por trás da cortina do fundo segurava um pano sujo na mão, provavelmente estava limpando algo quando as ouviu entrar. Ao vê-las espremidas como um abacaxi de três cabeças, ficou sem palavras, e o trapo caiu aos seus pés. Elas, sempre de língua tão rápida, nessa ocasião também não sabiam o que dizer.

Ele tinha olhos arregalados e cabelo castanho e cacheado. Sua calça era curta demais, e deixava à mostra um par de tornozelos finos como palitos de dentes. Elas o conheciam de vista, de passagem: estavam fartas de cruzar com ele pelo bairro, como mais um vizinho qualquer.

— Já... já... já estão aqui!

Apenas uns segundos depois apareceu um homem idêntico ao rapaz, só que com vinte e cinco anos a mais, uma gravata no pescoço e um pouco menos de cabelos. Elas não conseguiam recordar com clareza, mas ambos haviam estado no apartamento organizando a entrada do caixão, e dispuseram um grande manto de veludo preto sobre um tablado para que o depositassem em cima, e colocaram a coroa de cravos, e acenderam os círios, e empurraram as poucas cadeiras contra a parede.

— Viemos... acertar o... o...

Victoria se esforçava para encontrar as palavras, mas o dono do estabelecimento não a deixou terminar.

— Fidel Hernández, de Ponce, Porto Rico. Sempre a serviço da comunidade.

Ele tinha uma voz sussurrante e sotaque caribenho, e foi apertando a mão de uma a uma.

— Por favor, acompanhem-me a minha sala.

Enquanto indicava a elas um aposento adjunto, lançou um olhar pungente ao filho. Vá cuidar das suas coisas, queria dizer. Mas o rapaz não se mexeu, talvez nem sequer tenha processado a ordem, tão concentrado estava naquelas três belezas sofredoras que haviam acabado de entrar em seu tétrico estabelecimento para alegrar minimamente seu dia, se é que algum dia poderia ser alegre naquele local.

— Sentem-se, senhoritas; sintam-se em casa.

Aguardavam-nas três cadeiras alinhadas em frente à mesa. Elas obedeceram, tímidas, mas apenas se apoiaram na borda, sem se acomodar, receosas com tanta deferência.

— Por favor, expressem meus mais profundos respeitos à senhora sua mãe — prosseguiu o homem enquanto ocupava seu lugar do outro lado da mesa. — Quis fazê-lo eu mesmo na ocasião, mas percebi que não era o melhor momento para ela.

Então, ele prosseguiu com um discurso sobre a vida e a morte, os que ficavam e os que partiam; certamente soltava um desses a modo de introdução a todos os parentes de falecidos que passavam por ali para acertar as contas. Elas o escutavam com as costas eretas e as mãos no colo com os dedos entrelaçados, como se fossem culpadas de um crime tortuoso à espera de sentença.

— Espero que todo o serviço tenha sido de seu agrado — disse ele a seguir. — Nesta casa, sempre nos esforçamos para...

Até que Mona, farta, decidiu pegar o touro pelos chifres. Afinal, o susto seria o mesmo antes ou depois de tanto palavrório.

— Quanto?

O tal Hernández franziu o cenho.

— Perdão?

A Arenas do meio reformulou a pergunta, rápida como uma navalha de barbeiro:

— Quanto lhe devemos, e que condições nos dá para pagar?

Ao compreender, Hernández abriu um sorriso entre paternalista e orgulhoso.

— É um prazer lhes informar, senhoritas, que o valor já foi devida e totalmente coberto.

Nem três gatas apedrejadas teriam saltado com tanta vivacidade.

— Cooomo?

— O senhor está looouco?

— Mas, como, como, como... mas, o quê...?

Então, o homem abriu com muita calma uma pasta de couro, retirou um papel e o fez deslizar sobre a superfície polida da mesa com lentidão premeditada. As três avançaram o torso e a cabeça como se fossem movidas por uma mola. Tratava-se de uma nota fiscal, por sorte detalhada em espanhol. Em uma breve lista, à esquerda se desenrolavam os diversos serviços prestados; à direita, em uma coluna correspondente, os custos: mais de cem dólares, que quase as impediram de respirar. No rodapé do documento, bem ao lado da quantidade total, via-se um carimbo estampado em tinta vermelha. Vistoso, firme. Em maiúsculas; inequívoco, apesar do inglês. PAID IN FULL. Totalmente quitado. Inteiro. Tudo.

As perguntas embaralhadas das irmãs saíram em estrépito: quem? Como? Quando? Por quê?

— Aqui está indicado expressamente — esclareceu Hernández apontando uma linha da nota fiscal com a unha do dedo mindinho.

Compañía Trasatlántica Española. New York Agency. Isso foi o que elas – devagar, porque nenhuma delas cultivava a arte da leitura – conseguiram entender.

— O senhor seu pai, dom Emilio, tinha o seguro de enterro básico incluído na mensalidade que pagava à La Nacional. Como devem ter notado, porém, os variados detalhes da cerimônia de ontem superavam em muito a categoria mais elementar que lhe teria correspondido em sua situação. De um enterro de terceira, digamos, passou-se a um de qualidade Super A.

Outra vez eclodiram as perguntas atropeladas: por quê? Como? Quando? Quem?

— O agente da companhia de navegação saldou integralmente os gastos hoje mesmo logo cedo — ratificou o proprietário, sem se incomodar em disfarçar um explícito tom de orgulho. Não era sempre que alguém recebia em seu estabelecimento comercial o responsável pelos vapores que conectavam Nova York com os portos espanhóis e alguns americanos, esses navios com que a colônia inteira sonhava porque chegavam sempre carregados de gente, notícias, anseios e mercadorias.

— Mas... mas... mas...

Elas continuavam sem atinar com as palavras, e quanto mais desconcertadas e mais confusas se mostravam as filhas do protagonista daquele enterro de luxo, maior parecia o regozijo íntimo do agente funerário.

— Se houvesse sido o caso de umas exéquias comuns, nós o teríamos enterrado em um lote coletivo e gravado seu nome no fim de uma lista de desafortunados compatriotas, não haveria detalhes estéticos e vocês teriam que acompanhar o caixão no carro de algum vizinho. Porém, devem recordar que o tratamento e os aditamentos foram muito diferentes e poderão comprovar, inclusive, que esta nota inclui uma lápide de mármore individual de primeira qualidade, ainda a ser encomendada. Estou à espera de que vocês me forneçam os dados do finado e escolham os ornamentos.

Elas não tinham nem a mais remota ideia do que significava a palavra *ornamento*, nem imaginavam que, ao mencionar o finado, o agente funerário estava se referindo ao pobre pai delas sepultado sob o barro. A única coisa que elas ansiavam era que ele reforçasse mais uma vez que tudo estava pago e sair correndo dali. Abandonar aquele lugar de cheiro enjoativo e perder de vista esse homem de maneiras repolhudas e olhos de peixe. Fugir.

— O senhor foi muito amável encarregando-se de tudo — disse, por fim, a candorosa Luz. — Se... se um dia pudermos ajudar em algo, se quiser passar por nossa taberna, será um prazer convidá-lo a...

Um chute de Mona por baixo da mesa a fez se interromper. Cale-se, insensata, era o que significava. Vamos digerir isso primeiro, esqueça por enquanto tanta cortesia. E não por desconfiança: o agente funerário, sem dúvida, não pretendia enganá-las, mas elas não estavam acostumadas a que ninguém as tratasse com deferência e estima, e aquela situação as angustiava. Mas talvez fosse hora de deixar de lado as desconfianças, pensou, talvez Luz tivesse razão ao oferecer ao tal Hernández um modesto convite em troca de sua amabilidade.

— Quando quiser, já sabe onde estamos — acrescentou Mona, vencendo suas reticências e forçando algo parecido a um sorriso. — Qualquer dia, quando for conveniente.

Por fim, se despediram do porto-riquenho e de seu catálogo de adornos sinistros depois de escolher qualquer um irrefletidamente, e saíram disfarçando a mistura agitada de aturdimento e euforia que sentiam por dentro.

O filho do agente funerário as contemplou abobado na semiescuridão dos fundos, com a boca meio aberta e o pano imundo na mão.

CAPÍTULO 9

Apertaram o passo enquanto ia uma tirando a palavra da boca da outra, gesticulando e gritando ao mesmo tempo suas conjecturas e pareceres. Caminhavam tão ensimesmadas, tão concentradas em seus assuntos, que mal notavam os olhares e os comentários que surgiam de vez em quando. Ali vão as meninas do infeliz Emilio Arenas, que dó. Ali vão, pobres criaturas, as filhas do Capitão.

Entraram no edifício em pelotão, subiram apressadas os degraus de dois em dois; quando chegaram ao último lance, encontraram Remedios as esperando no patamar, segurando-se no corrimão com a porta do apartamento aberta atrás de si.

— Mãe, você não sabe o que acabou de acontecer!

— Shhh!

Remedios estava agitada, nervosa; obrigou-as a entrar com uma expressão de urgência, sem parar de mandá-las se calar. Elas estavam ansiosas para dar a grande notícia da manhã; de todo o resto – a oferta da lavanderia, as dívidas na Casa Moneo, o trabalho que Mona havia aceitado – já quase nem se lembravam. O enterro pago de cabo a rabo, o carro fúnebre e a lápide... era só isso que lhes importava.

— Você não vai acreditar no que nos disseram!

— Calem-se!

— Você vai ficar boba quando lhe contarmos, mãe!

Diante da pouca obediência de suas filhas, Remedios acabou distribuindo tapas sem direção, para que fechassem o bico de uma vez.

— Tivemos visita — conseguiu dizer por fim, com voz estremecida.

Estavam no meio do corredor, obstruindo o espaço com suas quatro presenças. Quase às escuras, porque a luz do meio-dia nunca chegava até ali.

Empurrando-as, Remedios as forçou a ir até a cozinha e indicou a mesa com um respeito de Sexta-feira Santa. Em cima dela, organizados com precisão milimétrica, havia quatro envelopes e dois cartões de visita.

— O enterro está pago: se essa é a grande notícia que querem me contar com tanta pressa, nem se incomodem, porque eu já sei. Mas essa não é a única novidade.

Puxou o ar com ansiedade, expulsou-o pela boca.

— Deram-nos um bom dinheiro. E quatro passagens... – A voz de Remedios tremia; ela respirou fundo, reunindo forças para chegar até o final. — Quatro passagens de primeira classe. Para voltar.

O grito das filhas fez tremer as paredes. Abraçaram-se, deram pulos ainda agarradas, bateram o pé no chão com fúria, gritaram outra vez. Mona caiu na gargalhada, Luz pegou o rosto de sua mãe entre as mãos e a encheu de beijos. O estrondo escapou pelas janelas que nunca fechavam direito, estendeu-se pelo pátio dos fundos e pelo vão da escada; os vizinhos deviam estar fazendo o sinal da cruz, sem entender tamanha algazarra em uma casa onde tudo deveria ser luto e amargura. Faltavam segundos para que dona Milagros socasse o teto com toda a força com o cabo da vassoura. Como alguém poderia saber que ali, em cima da tosca mesa da cozinha, dentro de uma série de envelopes compridos e elegantes, estava a causa de tal monumental explosão de felicidade?

As garotas talvez tivessem cruzado com eles na rua sem saber, ou talvez os homens houvessem chegado enquanto elas estavam na lavanderia dos Irigaray, ou falando com dona Carmen no depósito da Casa Moneo cercadas por sacos de legumes. O caso era que, em algum momento impreciso daquela manhã, dois homens haviam entrado em seu edifício, haviam subido os quatro andares pertinentes e batido na porta com um respeitoso toc-toc-toc, a que Remedios, temerosa, tardou a atender. Um usava um elegante terno cinza com gravata listrada. O outro, uniforme: paletó cruzado azul-marinho, galões dourados nas ombreiras e mangas, quepe na mão. Ambos deviam beirar os quarenta e poucos anos, tinham alguns cabelos grisalhos incipientes e se comportavam com a mais impecável correção.

Primeiro falou o vestido à paisana.

— Antes de mais nada, senhora, quero que saiba que compartilhamos seus mais profundos sentimentos. Permita que me apresente: meu nome é Santiago Lemos, e sou o agente e responsável pela Compañía Trasatlántica Española em sua filial de Nova York.

Remedios, que continuava assustada como um coelho, sem abrir totalmente a porta, observava as metades dos dois homens pela estreita abertura que lhe permitia a correntinha ainda passada.

— Este que me acompanha é o senhor Enrique Arnaldos, capitão do vapor *Marqués de Comillas* — prosseguiu o recém-chegado —, sob cuja carga seu desafortunado esposo teve a infelicidade de perder a vida.

O do uniforme baixou o queixo, então, com um ar sóbrio, quase militar.

Passaram-se alguns instantes de silêncio de ambas as partes: os homens ainda no patamar à espera de uma reação, e ela incapaz de vencer o desconcerto. Então, Lemos introduziu seu cartão pelo vão aberto da porta e Arnaldos o imitou com o seu, segundos depois. Remedios observou ambos com atenção, sem pressa. Na realidade, o que seu analfabetismo processou não foram mais que umas fileiras de letras incompreensíveis. Mas os retângulos de cartolina pelo menos lhe asseguravam que se tratava de gente decente. Pelo menos foi o que ela preferiu pensar.

Por fim, atreveu-se a tirar devagar a corrente e, sem uma palavra, deu dois passos para trás para lhes permitir passar pela minúscula entrada do apartamento. A seguir, não sabia bem aonde os dirigir. No quarto do fundo ainda havia restos do velório e o catre dobrável onde dormia Luz. Essa manhã ela não havia tido ânimo para arrumar a casa. A cozinha também não lhe pareceu lugar adequado para aqueles homens sérios e elegantes, com os botões de âncora dourados do oficial da marinha mercante e as abotoaduras nos punhos do executivo de uma grande companhia. E além de um banheiro nada apresentável e dois dormitórios minúsculos, não havia mais nada na casa.

Enquanto Remedios se decidia, os recém-chegados disfarçavam seu desconforto entre aquelas paredes pardas cheias de partes descascadas, diante de uma mulher ossuda e morena que sem dúvida havia sido linda um dia, mas que agora, relativamente jovem ainda, ostentava os estragos da idade antes do tempo. Sem ter completado ainda quarenta e três anos, Remedios já havia empreendido uma jornada sem freio rumo à decadência, curtida pelo sol do sul, pelas carências e dissabores; pelas gravidezes que acabaram em bons partos e pelas que ficaram no caminho; pela morte de Jesusito, o menino que ela tanto ansiava, e cuja dor ainda levava cravada na alma como um punhal; pela herança genética de uma longa corrente de antepassados mal alimentados e miseráveis.

Vendo que a mulher era incapaz de conduzi-los a qualquer outro lugar, ali mesmo, entulhados na entrada, com uma lâmpada nua de luz amarelada pendendo sobre sua cabeça como única decoração, Lemos pigarreou, ajeitou o nó da gravata e começou:

— Veja, senhora...

A seguir, houve um monólogo no qual ele falou do recente acidente tão infeliz quanto fortuito, de uma provável imprudência temerária por parte do falecido Emilio Arenas, de ausência de negligência por parte da companhia, exoneração de culpa, carência de responsabilidade...

O uniformizado permaneceu mudo, e Remedios não entendeu patavina: muitos conceitos abstratos, muitas palavras rebuscadas. Até que o homem levou a mão ao bolso interno do paletó e a verborreia impenetrável começou a adquirir um contorno mais preciso. Por fim, a viúva vislumbrou o sentido de tudo aquilo com um mínimo de nitidez.

— A Compañía Trasatlántica — anunciou Lemos, solene —, como demonstração de sua melhor boa vontade e a título de compensação desinteressada, ontem se encarregou de proporcionar o melhor dos enterros e hoje cobriu integralmente seu custo; mas não só. Agora, se nos permitir, venho lhes oferecer um generoso ressarcimento materializado em uma quantia de duzentos dólares por familiar dependente para enfrentar outros gastos decorrentes da tragédia, bem como quatro passagens...

A partir daí, a infeliz Remedios não foi capaz de acompanhá-lo: começou a chorar com um desconsolo tão amargo, tão lancinante, que Lemos não teve outra opção que não fosse ir baixando a voz até emudecer.

Ai, Emilio, Emilio, Emilio, repetia em murmúrio, enquanto tentava em vão enxugar os olhos com o avental. O agente da companhia de navegação e o capitão do *Marqués de Comillas*, constrangidos, concentraram o olhar nas pontas de seus respectivos sapatos, como se nelas pudessem encontrar uma fórmula mágica para que o tempo passasse voando, e assim fugir o quanto antes daquele triste apartamento e daquela triste viúva.

CAPÍTULO 10

Depois de um monte de gestos, tapas e puxões, Remedios conseguiu que suas filhas baixassem o tom do alvoroço. Com olhos brilhantes e rostos corados, elas por fim se sentaram nos banquinhos da cozinha ainda falando uma por cima da outra enquanto se esforçavam para encaixar as peças, até que julgaram compreender a situação.

Certamente aqueles homens tinham razão. Certamente tudo fora um percalço lamentável: o pai delas se encontrava onde não devia, em meio aos trabalhadores do barco e da doca em busca de seu maldito azeite de oliva, sem ter nada que fazer ali. Distraído, alheio, fora de lugar. Ainda bem que haviam cruzado com uma empresa decente e com esses dois homens íntegros e misericordiosos que se apiedaram delas apesar de tudo. Graças a Deus.

A Compañía Trasatlántica, o agente Lemos e o capitão Arnaldos transformaram-se automaticamente no equivalente nova-iorquino da Santíssima Trindade. O Pai, o Filho e o Espírito Santo, com sua bondade infinita e sua magnanimidade gloriosa, distribuindo passagens de luxo e notas de cinquenta dólares tão novinhas e tão durinhas que pareciam recém-passadas, e até estalavam quando mexiam nelas. Nunca na vida elas haviam visto tanto dinheiro junto, e isso as levou a elaborar apressadamente um monte de planos, alguns mais ou menos sensatos e outros com destinos de fantasia.

— A primeira coisa a fazer é pagar as passagens a Sendra, que seu pai ainda devia no La Valenciana — foi a proposta sensata de Remedios.

Victoria pôs algumas notas em cima da mesa com uma palmada sonora.

— Não seja por falta de dinheiro — disse, atrevida.

Suas irmãs gargalharam.

— Temos que ver também quanto devemos na Casa Moneo — sugeriu Luz, enquanto punha em cima outras notas. A palma de sua mão tornou a soar, seca, ao esmagá-las.

— E saldar os aluguéis atrasados deste apartamento e do El Capitán.

Ficaram assim um tempo, misturando a contagem das dívidas com a de dinheiro, fazendo planos e operações, entre risadinhas e gritinhos. Até que acabaram as obrigações financeiras a enfrentar, e um momentâneo silêncio pairou sobre a cabeça de todas. Em cima da mesa, espalhadas como as cartas de um baralho ao final de uma partida, restavam ainda algumas centenas de dólares.

A quietude se prolongou por alguns instantes, até que Mona a quebrou com um sussurro:

— E assim que pagarmos, vamos embora correndo daqui.

A seguir, pegou um folheto com as datas dos vapores para a Espanha, um dos que Lemos havia deixado junto com o dinheiro.

— Próxima partida, 17 de abril — disse, apontando uma linha com o dedo.

Então, olhou para o calendário pendurado na parede, o único adorno na parca cozinha, um almanaque publicitário da livraria Galdós, perto dali, totalmente incongruente com aquele lar onde não havia nem um só livro.

— Podemos ir embora em menos de três semanas, ou, senão, ficar até... Está maluca, para que esperar? Podemos ir embora amanhã de manhã, tanto faz, não temos ninguém de quem nos despedir nem nada a fazer aqui; vamos embora já, agora mesmo, correndo... Os protestos das irmãs se entremearam, alvoroçados. Nenhuma delas parecia disposta a prolongar a permanência nem um minuto a mais que o imprescindível.

Luz, a mais sonhadora sempre, começou a fantasiar com a travessia de volta.

— E, além do mais, vamos de primeira classe...

Voltou à memória delas a viagem de ida para a América no *Manuel Arnús*, os outros viajantes da mesma categoria com destino a Nova York que talvez ficariam pelas ruas da cidade, ou talvez continuariam se esparramando pelo imenso mapa dos Estados Unidos em longos périplos de trem. Rumo às minas e aos fornos de West Virginia, criar gado nas pradarias de Idaho e Nevada, quebrar pedra nas pedreiras de granito de Vermont, trabalhar nas grandes indústrias de aço em Ohio ou nas linhas de produção das embaladoras de frutas na Califórnia, ou sabia Deus onde. Elas também não haviam esquecido os outros tantos sonhadores de um futuro que prosseguiriam por mar até Havana ou Veracruz, e ainda retinham uma imagem diáfana dos quatro estreitos catres que lhes atribuíram entre as centenas que se acumulavam nas entrecobertas; as longas horas à intempérie para evitar a escuridão sinistra daquela parte do barco, o barulho implacável, a sensação permanente de umidade, os vômitos, as lágrimas, os arroubos tentando se rebelar contra a sombria sorte por serem obrigadas a empreender aquela viagem abominável.

— De primeira classe — repetiu.

Tornaram a evocar o contraste brutal com outras partes do barco, a realidade que se abrira diante de seus olhos na tarde em que, fugindo dos eternos lamentos da mãe e se esquivando de um punhado de foguistas que as assediavam sem trégua, se atreveram a transpassar as áreas proibidas, destinadas aos seres tocados pela varinha da sorte, e não a pobres mortas de fome como elas três. As galerias com poltronas estofadas de couro vermelho e rodapés de azulejos, as lareiras de pedra entalhada, a suntuosa escada de ferro fundido, a claraboia de mil cores no teto do salão de jantar.

— Lembram-se de quando entramos no salão de baile? — perguntou Victoria.

Em resposta, as três soltaram uma nova gargalhada.

— E o sujeito do piano? Lembram-se do homem do piano, com o bigodão?

Victoria pôs o polegar a modo de bigode sobre o lábio superior e franziu o cenho; riram de novo. O lugar que rememoravam se tratava, na realidade, de um elegante salão de música, onde os viajantes importantes ouviam um repolhudo pianista com as pontas do bigode retorcidas que tocava as "Danzas gitanas", de Joaquín Turina, com uma perícia medíocre. Mas elas já estavam dentro, encapsuladas em outro universo, e era a primeira vez que ouviam música em muito tempo, e estavam muito, muito, muito fartas de tudo, e para elas deu na mesma: não se contiveram porque não lhes deu vontade, e começaram a dançar do seu jeito em um canto, transmitindo com seus movimentos o frescor das ruas malaguenhas e toda a raiva que tinham acumulada dentro de si, batendo palmas, balançando os cabelos e os quadris com uma graça infinita, primeiro as três juntas, e depois as duas maiores recuando para animar Luz, a mais vistosa.

— E quando fizeram rodinha em volta de nós?

— E quando nos expulsaram quase a pontapés?

Quando os passageiros presentes as notaram, algumas cabeças se voltaram para elas. Divididos entre a curiosidade e o choque, alguns começaram a se levantar. Precavidos primeiro, fascinados depois, e foram se aproximando até acabar em volta delas: homens de peitilho impoluto e charutos entre os dentes, enquanto suas esposas, cheias de joias e maravilhosas, as contemplavam escandalizadas na retaguarda. Até que quatro garçons as puseram para correr, deixando para trás uma cascata de vozes de protesto, um jorro de assobios desaprovadores, e alguns homens de bom-tom com vontade de se livrar das abotoaduras e gravatas e se fazer passar por emigrantes para segui-las até seu canto penoso nas partes mais escuras do transatlântico.

Aquele foi o único momento memorável durante os dias infernais da travessia, e elas agora tinham na mão a possibilidade de se ressarcir: poderiam ocupar com pleno direito aquele salão de música, dormiriam em camarotes com banheiro próprio em vez de ocupar modestos catres entre desconhecidos, com noites cheias de roncos, lamentos e prantos alheios e cheirando a vômito e urina, jantariam com talheres de prata sob a claraboia, em vez de ocupar aquelas mesas corridas onde a multidão de desclassificados se sentava para sorver sopa aguada.

— Sabem o que estou pensando?

Mona foi quem as tirou das recordações, e as outras disseram em coro:

— O quê?

Mona pegou as notas espalhadas em cima da mesa, arrumou-as formando um leque e as pousou em frente à ponta do nariz.

— Que talvez pudéssemos levar tudo. Embarcar as mesas, as cadeiras, a louça... todos os utensílios do El Capitán. E com isso e este dinheiro, poderíamos abrir um negócio em Málaga.

As outras a olharam como se ela fosse uma iluminada. Um negócio, dissera. Um negócio no mundo delas. De que melhor maneira poderiam sobreviver? Entre sua gente, com os seus, servindo o peixe que elas mesmas comprariam depois que os pescadores puxassem as redes até a margem para separar as anchovas das sardinhas e as sardinhas dos caranguejos e os caranguejos das estrelas-do-mar. Peixinhos pequenos, como se fossem de prata, que elas passariam na farinha e fritariam em seus fogões e poriam em cima das mesas para os viajantes de passagem e os vizinhos, e com eles falariam em sua língua e compartilhariam subentendidos, códigos e casos em um pátio com paredes caiadas e vasos de gerânios e vozes de vizinhas nas casas próximas e gatos preguiçosos à espera das raspas e tripas.

— Um El Capitán em nosso mundo — sugeriu Luz quase em um sussurro. — Nada melhor...

CAPÍTULO 11

A campainha soou brusca: um som totalmente diferente dos discretos golpes com os nós dos dedos com que o agente e o oficial mercante haviam se anunciado pela manhã.

Mãe e filhas franziram o cenho. Quem será, sussurraram. Talvez uma vizinha, ou algum conhecido de Emilio que soubera tarde da morte e ia sem demora dar os pêsames. Por via das dúvidas, oito mãos ávidas recolheram o butim: os envelopes, as notas de cinquenta dólares, as passagens ainda sem data, a lista de partidas. Enquanto guardavam tudo atropeladamente no meio da roupa, no calor do peito ou nos bolsos, quem quer que fosse tornou a tocar a campainha, insistente.

Só quando a mesa ficou limpa, Victoria se levantou para abrir.

Ouviram-na mexer na corrente e abrir a tranca, em seguida, soou uma voz masculina que ali de dentro não conseguiram entender. Depois, alguns instantes de silêncio, como se a irmã mais velha estivesse pensando em abrir ou não. Até que as dobradiças da porta rangeram e elas souberam que alguém estava prestes a entrar.

Victoria reapareceu atordoada, e atrás dela se distinguia a silhueta de um homem.

— É um advogado — esclareceu com voz fraca. — Disse para não tocarmos em nem um tostão do dinheiro que nos deram, para devolvermos tudo imediatamente, e as passagens também.

Todas a olharam com a boca entreaberta e os olhos arregalados.

— Parece que com isso eles só pretendem nos comprar para se livrar de nós sem que façamos barulho. Que temos que buscar culpados e negociar uma inten... indren...

Aí ficou travada, a palavra não saía.

— Indenização — concluiu a voz masculina em um espanhol forçado.

Então, sem esperar que ninguém o convidasse, o homem passou por Victoria e parou com altivez no meio da cozinha.

— E se deixarem o assunto em minhas mãos, posso lhes conseguir dez vezes mais.

Ele falava diferente delas, mas se virava, e conseguiu se fazer entender.

— Fabrizio Mazza a seu dispor, *signora* — anunciou, pegando a mão de Remedios sem lhe dar tempo de reagir.

Ameaçou beijá-la, mas a mãe a retirou, brusca. Precavido diante da rejeição, com as filhas optou por nem tentar.

— *Signorine*... — disse apenas, e inclinou a cabeça com cortesia.

Nenhuma delas respondeu.

Ele usava um casaco de tweed cruzado, e dele sobressaía o nó de uma gravata vermelha; tinha a testa estreita, as bochechas carnudas e no cabelo escuro, pomada demais. Devia beirar os quarenta. Na mão esquerda segurava um chapéu de feltro cinza claro e no anelar tinha um anel de ouro com uma pedra granada. Um intenso aroma de loção varonil se espalhou ao redor, um aroma estranho para elas, que provinham de um mundo onde os homens só cheiravam a homem, a tabaco, a vinho, sal e suor.

Ninguém o convidou a se sentar, e ele, cauteloso diante daqueles olhos desconfiados, ficou em pé, compondo uma imagem incongruente entre os utensílios domésticos e a parede tomada pela umidade. Um lampejo cruzou a mente do italiano: *sono bellissime* as filhas do morto, disse para si mesmo. Mas se precaveu de verbalizar o pensamento, intuiu que por trás daqueles rostos agraciados e corpos apetecíveis poderiam se esconder temperamentos pouco dispostos a se deixar enrolar por algumas galanterias.

— *Io sono sempre* do lado dos mais prejudicados, podem confiar plenamente em *me*...

Assim começou um monólogo que se prolongou durante alguns minutos, e do qual elas, embora se perdessem de vez em quando, conseguiram extrair a substância principal: que aquele advogado caído do céu soubera do acidente do pai e estava lhes oferecendo seus serviços porque tinha experiência com percalços similares, com litígios por acidentes portuários e trabalhadores sem seguro, responsabilidades que ninguém assumia e empresas que pretendiam lavar as mãos descaradamente.

— Mas ele não era um trabalhador nem do porto nem do barco — esclareceu Mona, a primeira que se atreveu a intervir.

— *Certo, ma che importa?* — aventurou o advogado. — Ele foi uma vítima, e *questo* è *la cosa più importante*.

Prosseguiu citando casos passados que se resolveram favoravelmente nos tribunais; mencionou conceitos como descumprimento, risco, anomalias, evidentes faltas de precaução. Embora elas continuassem sem entender uma boa parte dos detalhes, tanto pelo modo de falar do homem quanto por sua própria ignorância, algo indiscutível foi ficando claro: Fabrizio Mazza parecia saber do que estava falando. E quando ele arrematou sua ladainha com frases que aludiam a compensações, contraprestações adicionais e um acordo financeiro muito superior ao oferecido pela Trasatlántica, tanto a mulher quanto as filhas do bom Emilio Arenas se convenceram de que, como contrapeso da Santíssima Trindade formada pela companhia de navegação, o agente e o capitão do *Marqués de Comillas*, agora tinham diante de si um suposto anjo redentor.

— Pensem bem. Os assuntos judiciais não são rápidos, mas vocês têm muito a ganhar.

Então, procurou entre as largas lapelas do casaco e tirou seu cartão de um bolso interno.

— *Qui* è *il mio* endereço — anunciou enquanto o deixava em cima da mesa, evitando sequer lhes estender a mão.

Por fim se despediu com duas inclinações de cabeça: *signora, signorine*. Depois, prevendo que nenhuma delas teria a intenção de acompanhá-lo até a porta, deu-lhes as costas, pôs o chapéu e se foi.

Um silêncio sepulcral impregnou a cozinha, misturado com o rastro nauseante da fragrância masculina, até que ouviram a lingueta da fechadura deslizar e o repicar das solas dos sapatos desaparecer conforme o homem descia a escada. Quando se sentiram a salvo do estranho, no entanto, não se agitaram como galinhas no curral: dessa vez não houve gritos eufóricos, nem palmas, nem gargalhadas. Entre elas pairava um desconcerto tão denso que quase poderia ser cortado com a faca de peixe que guardavam em uma gaveta ao lado da pia.

Sem dizer uma palavra, Mona foi a primeira a remexer nas dobras da saia e tirar algumas notas mal dobradas e um envelope amassado com o timbre da Compañía Trasatlántica; contraiu o cenho e os contemplou por alguns instantes, e então, jogou-os furiosa em cima da mesa. As outras a imitaram, e dos decotes, bolsos e mangas começou a surgir tudo que haviam escondido de forma precipitada: tudo aquilo que apenas meia hora antes lhes havia provocado uma alegria desenfreada e que agora, da maneira mais imprevista, acabava de se transformar em matéria potencialmente envenenada.

No ar denso da cozinha, como um grande pássaro, pairava uma pergunta que ninguém formulara alto, mas que todas faziam a si mesmas. Uma pergunta muito simples: sim ou não?

— Deveríamos consultar alguém antes de decidir — sugeriu Victoria.

A réplica chegou em uníssono, raivosa de impotência:

— Quem, sua inocente?

Elas sabiam que não tinham ninguém, mais que nunca sentiam que a realidade era desoladora. Quatro náufragas à deriva em uma imensa cidade, isso é o que eram simplesmente: quatro pobres ignorantes a quem uns homens bem vestidos e com ideias tão firmes quanto contraditórias lhes ofereciam propostas tentadoras cuja solvência elas não conseguiam entender. Seu desconhecimento de quase tudo e sua absoluta inexperiência de vida as impediam de discernir se os homens da Trasatlántica, com suas abotoaduras e seus galões dourados, pretendiam lhes estender uma mão sincera ou se livrar delas sem lhes dar tempo de reclamar. E, ao mesmo tempo, por si mesmas também não eram capazes de prever até que ponto o advogado do anel, do cheiro intenso e do casaco importante seria capaz de velar pelo que realmente pudesse lhes caber por direito, ou se acabaria virando fumaça, deixando-as sozinhas, mais afundadas do que já estavam, e sem passagens nem um mísero dólar para voltar.

Eram de novo quatro pobres mulheres enfrentando a incerteza em uma cidade gigantesca, perdidas entre estranhos, e já não havia planos malucos nem recordações de danças espontâneas, e aquela luz mediterrânea que parecia ter inundado de súbito a cozinha se turvou até se apagar, lançando-as outra vez diante da verdade nua e crua, no desconcerto e na solidão.

CAPÍTULO 12

A campainha as tirou do desânimo. Pela terceira vez no decorrer de algumas horas, alguém tocava aquela campainha que ninguém jamais tocara nos meses anteriores. A mãe se persignou com um movimento nervoso, e as três irmãs prenderam a respiração. Depois de uns instantes, Victoria se levantou de novo e, sem fazer barulho, foi abrir.

Para alívio de todas, não era nenhum outro homem disposto a tirar uma proposta perturbadora da cartola, e sim um jovem entregador da Casa Moneo.

— Dona Carmen está esperando uma de vocês; haviam combinado às três e meia, e já são quase quatro. As outras garotas já estão lá.

Proferindo blasfêmias, amaldiçoaram o esquecimento e explicaram atropeladamente à mãe o motivo de uma delas estar sendo chamada pela dona da mercearia.

— Para trabalhar de criada esta tarde, ou garçonete, ou algo assim — esclareceram Victoria e Luz enquanto Mona saía em disparada.

Quando ela voou escada abaixo, o vazio deixado por sua ausência foi estranho, quase palpável. Mal haviam se separado desde que chegaram a Nova York: em sua obstinada rejeição a tudo e a todos, elas haviam se transformado em uma tríade compacta permanentemente contra essa nova vida que as haviam obrigado a assumir. No entanto, agora, no mais confuso dos momentos, separavam-se pela primeira vez.

Nos fundos da Casa Moneo, dona Carmen aguardava com o cenho franzido; com ela, mais duas garotas e uma mulher madura vestida de preto dos pés à cabeça, com uma saia longa quase até o chão, olheiras escuras profundas e uma ostensível expressão de desagrado estampada em seu rosto de pássaro. Dona Damiana, como a chamara a dona da loja.

Em vez de uma saudação, foi uma ordem o que Mona recebeu da desconhecida assim que entrou.

— Deixe-me ver suas mãos.

Ela não reagiu; não tinha certeza de haver entendido bem.

— As mãos, eu disse; mostre-as — repetiu a mulher, exasperada.

Hesitante, Mona as estendeu devagar. A desconhecida as pegou e as virou repetidamente do direito e do avesso, checando as unhas, as palmas, até os vãos entre os dedos.

— Dentes — exigiu a seguir.

Mona, ainda confusa, esticou os lábios de maneira exagerada para lhe mostrar a dentição frontal, enquanto a outra a examinava como quem fosse comprar uma égua em uma feira de gado. Depois segurou-lhe o queixo, ergueu-o e o virou para cada lado, procurando no pescoço e atrás das orelhas algum resto de sujeira que não conseguiu encontrar. Quando a liberou do cepo de seus dedos ossudos, deu mais uma ordem:

— Erga os braços.

Confusa ainda, Mona afastou os membros do corpo e os levantou devagar. A mulher baixou o nariz até chegar à altura das axilas e as farejou. Medianamente satisfeita diante da aparente ausência de fedores indesejáveis, o passo seguinte foi lhe entregar uma roupa escura.

— Vista isto, depressa.

A fúria que fervilhava dentro de Mona estava prestes a transbordar, mas ela se esforçou para contê-la enquanto começava a desabotoar seu velho casaco de lã. A dona da mercearia, um tanto constrangida diante da inspeção a que a velha estava submetendo a moça, indicou-lhe um canto, uma espécie de cubículo minúsculo atrás de uma pilha de caixotes amontoados que serviria para lhe dar um mínimo de privacidade.

Mona não demorou para sair vestindo um uniforme preto de colarinho e punhos brancos. Ficou um pouco largo, o que ela disfarçou amarrando forte na cintura o aventalzinho com babado que a mulher azeda lhe entregou enquanto acrescentava:

— E vá prendendo esse emaranhado de cabelos.

Então, dona Carmen perguntou às outras garotas:

— Uma de vocês não dá uma mão de vez em quando a Encarna, a cabeleireira?

— Eu — respondeu uma delas timidamente.

Era uma jovem rechonchuda de baixa estatura, rosto redondo como uma lua e cabelo cacheado cor de palha. Mona a conhecia de vista, havia cruzado com ela várias vezes na rua ou em lojas do bairro, mas não sabia como se chamava; nem ela, nem a outra colega com quem ia dividir a labuta, uma grandona de maxilar para fora que esperava calada em um canto.

— Então, faça um coque bem preso — ordenou a vasca, pegando em um armário uma escova de cabelo e alguns grampos.

A tal dona Damiana obrigou Mona a se sentar em um dos banquinhos, a garota se pôs atrás dela e afundou os dedos naquela cabeleira que a moça não penteava desde cedo. Escura e lustrosa, ondulada até debaixo dos ombros, alheia aos cortes modernos e aos penteados habituais das mulheres de sua idade. Uns puxões ao desembaraçá-la fizeram Mona morder o lábio para não gritar; e a garota começou a enfiar grampos naquele cabelo grosso. A duras penas Mona conteve o impulso de se levantar, soltar um palavrão e ir embora. Mande pentear a puta da sua mãe, velha nojenta, ela teria dito com prazer e o desembaraço das ruas do sul.

Por sorte, a garota tinha mãos rápidas, e em apenas alguns minutos sussurrou:

— Pronto.

Quando Mona foi se levantar, a velha cravou seus dedos em garra no ombro dela.

— Quieta. A touca — disse, áspera, entregando algo branco à cabeleireira improvisada. — Ponha nela.

Na rua, um automóvel imponente as esperava; em volta se reunia um bando de rapazes que admiravam os pneus e os faróis, os para-lamas resplandecentes e o brilho cor de noite da pintura, enquanto tentavam, sem sorte, olhar o interior. Quem os impedia era o motorista uniformizado, outro espanhol – como não – grisalho.

Ele abriu as portas assim que as viu sair da mercearia: dona Damiana se acomodou no banco dianteiro, as garotas iriam atrás. Mona entrou por último, o motorista olhou sua bunda sem pudor até que ela conseguiu se sentar, depois, distribuiu uns petelecos nos moleques e se acomodou ao volante.

O interior cheirava a couro fino, a cera perfumada e a substâncias para as quais Mona não tinha nomes. Pegaram em silêncio a Oitava avenida rumo ao Upper West Side, enquanto ela olhava através do vidro da janela e sentia um nó no estômago.

Pela primeira vez desde que desembarcaram, furiosas como potrancas, nas docas do East River, a filha do meio de Emilio Arenas se aventurava sem suas irmãs na grandiosidade de outra Nova York.

CAPÍTULO 13

A cozinha a que foram levadas parecia com a das Arenas tanto quanto uma baleia se parecia com uma anchova. Enquanto na do apartamento da rua Catorze tudo era estreiteza e falta de luz, ali, a amplitude e a altura dos tetos, as imaculadas superfícies de mármore, os azulejos esmaltados nas paredes eram impressionantes.

Com o mesmo olhar inquisidor com o que havia analisado Mona na Casa Moneo, desde o cheiro corporal até os dentes do siso, dona Damiana, em sua função de governanta, controlava agora todos os mínimos detalhes naquela residência no décimo sétimo andar do edifício The Majestic: o brilho dos cristais tinha que ser nítido; os aperitivos que serviriam precisavam estar milimetricamente arrumados, o gelo tinha que ter o corte preciso, e as pontas dos guardanapos, a dobra exata.

As moças foram obrigadas a aguardar um pouco ainda no *office* anexo à cozinha, sem sair. Até que um homem alto, o mordomo, assomou a cabeça e fez um sinal a dona Damiana. Em resposta, ela encheu o peito de ar, soltou-o pelos buracos do nariz e anunciou, áspera:

— Vamos.

A empregada veterana marcou o passo e elas a seguiram em ordem de estatura. Na frente ia a garota que havia penteado Mona, que se chamava Mercedes: uma galega de Sada que vivia com os tios paternos e aspirava a economizar dolarzinho por dolarzinho para voltar um dia e abrir seu próprio salão de cabeleireira em sua Galícia natal. Quem fechava o desfile era Luisa, a fortona, uma asturiana de Llanes que, ao contrário, já não tinha a menor intenção de voltar a sua terra porque havia chegado pequena à América e frequentava três vezes por semana uma escola de taquigrafia e datilografia, e mal se lembrava de tudo aquilo que ouvia recordarem com tanta nostalgia em sua casa e nas reuniões semanais do Centro Asturiano das quais seus pais a obrigavam a participar.

Mona marchava entre ambas, como se fosse escolhida pelo destino a ocupar sempre uma posição intermediária. Andavam duras como velas, como havia dito dona Damiana que deviam andar, literalmente. Cada uma segurava uma bandeja de prata à altura do peito; nelas, canapés, *hors d'oeuvre* e pequenos sanduíches. Embora não se notasse muito, o uniforme de Mercedes era comprido demais, o de Luisa faltava pouco para estourar nas costuras laterais, e o de Mona dançava sobre seu esqueleto, apesar de ela já ter amarrado três vezes com força o avental. Eram as consequências de usar roupas alugadas só para essa noite; no dia seguinte, alguém as devolveria ao lugar de onde saíram, quando elas já houvessem voltado a sua vidinha cotidiana, longe daquela parte linda e alheia da grande cidade.

O rumor das saudações e conversas foi chegando aos ouvidos das garotas à medida que avançavam pelo largo corredor de lajotas pretas e brancas. Vozes não muito altas, discretas, macias, de homem e de mulher, em espanhol especialmente; em inglês algumas soltas. Chegaram até umas portas de vidro, duplas e abertas; a governanta as fez parar um instante, e depois rosnou:

— Para dentro, as três; fiquem paradas ali, em frente à tapeçaria.

As luminárias distribuíam uma luz envolvente sobre os contornos do grande salão; por trás das portas-balcões, a tarde acabava de cair. Abobada momentaneamente diante do cenário, ao entrar, Mona tropeçou na ponta de um tapete e quase caiu em cima de uma mesa lateral onde repousava um vaso cantonês. Uma onda de calor dominou seu rosto enquanto ela equilibrava a bandeja e prendia a respiração. Achou que ninguém havia notado, mas um beliscão no braço confirmou seu erro. Preste atenção, sua desajeitada, ouviu dona Damiana grunhir entredentes.

Identificar a anfitriã não foi difícil: era, sem dúvida, a mulher de cabelo cinza azulado, vestido cor de lavanda e três voltas de pérolas no pescoço que recebia os recém-chegados com contida cordialidade. Uma aristocrata madrilense, como sussurrara Mercedes ao ouvido de Mona enquanto ainda estavam na cozinha. Velha. Viúva. Dona Esperanza Carrera y de la Mata, marquesa da Vega Real. Ou algo assim. Estava havia quase quinze anos na América fazendo rentabilizar os imóveis que o marido lhe deixara quando morrera repentinamente em uma viagem à Nicarágua – ninguém nunca soube que diabos o marquês foi fazer ali. Com ela, a nobre senhora levou a Nova York um carregamento de móveis e seus serviçais da vida toda, tanto uns quanto outros de pura origem castelhana: a estrita Damiana, que tanto administrava a casa quanto atuava como cozinheira se fosse preciso, Fulgencio, o mordomo, que também se entendia com as contas e as compras, e Severino, o motorista que havia conduzido as garotas no Packard. Da província de Segóvia, inclusive, mandaram-lhe duas jovens criadas, que, para desgosto da mulher, haviam acabado de se casar ao mesmo tempo, fazia duas semanas, com uns primos sicilianos que as levaram para New Jersey, desestruturando a intendência doméstica no momento mais inoportuno.

A campainha tocou novamente enquanto as garotas esperavam a ordem seguinte, paradas ombro a ombro em uma lateral diante de uma cena de caça sangrenta. Pernas juntas, queixo erguido, costas eretas, assim as instruíra a governanta com sua língua afiada. E caladas como tumbas; a primeira que falar leva um tapa na boca com o canto da mão.

O mordomo acompanhava agora mais quatro convidados porta adentro, dois casais mistos de americanas e espanhóis. Poucos minutos depois conduziu até a anfitriã um senhor calvo que chegava sozinho e se desculpando, parecia estar com pressa. No total deviam ser uns trinta, talvez trinta e tantos, e, sem dúvida, todos se conheciam. Quase todos já rondavam certa idade, havia uma volumosa senhora sentada em uma cadeira de rodas que não parava de falar alto demais com todos; viam-se apenas dois homens jovens e uma mulher de vinte e poucos vestida de vermelho-cereja que ziguezagueava entre os convidados com uma desenvoltura um tanto estridente, soltando aqui uma gargalhada, ali uma exagerada exclamação. É a filha da marquesa, sussurrou de novo Mercedes ao ouvido de Mona, contrariando as ordens de dona Damiana. A mãe a chama de Nena e quer casá-la com um espanhol de seu nível.

O figurino dos presentes denotava classe, palpava-se neles dinheiro, posição e mundo. Por último, entrou uma senhora de porte imponente, com um turbante de veludo franzido e uma chamativa capa púrpura. De sua posição na retaguarda, Luisa, a jovem garçonete asturiana sem memória da pátria, murmurou atropeladamente:

— Ai, mãe do céu, é Bori, a soprano, uma vez a vi em...

Shhhh! Dona Damiana a cortou pela raiz.

Cessou o fluxo de convidados, mas ainda não se serviam bebidas, os aperitivos não circulavam, e quase ninguém optara por se sentar. Pairava certa tensão no ambiente esfumaçado de charutos e cigarros finos. Todos pareciam esperar mais alguém, e todos sabiam quem era esse alguém, e esse alguém não chegava.

A distância, as garçonetes temporárias tentavam não relaxar os braços para manter as bandejas à altura indicada. Mona estava morrendo de fome:

com o vaivém e as avassaladoras novidades do dia, quando o rapaz da Casa Moneo foi buscá-la elas ainda não haviam tido tempo de comer.

Enquanto isso, as vozes dos convidados se mesclavam no ar com as nuvens de fumaça.

— Vem de Havana, então?

— O coitado chegou sozinho, parece que ela ficou lá...

— Haverá divórcio, certamente...

— E depois de renunciar a tudo, que desgosto...

— Talvez agora volte para a Europa, para alívio dos pais...

— Melhor assim, todos juntos, caso um dia possam voltar...

— Recuperar seus direitos vai ser difícil depois do que deixou assinado, mas, quem sabe...

A marquesa da Vega Real nunca se interessou por festas badaladas nem pela agitada vida social nova-iorquina: tudo que excedesse uma dúzia de convidados, e – particularmente – tudo que adentrasse a noite lhe causava uma incômoda contrariedade. Preferia os *luncheons* discretos, as festas beneficentes no meio da tarde ou os encontros com compatriotas em residências privadas para comentar os eventos do outro lado do oceano. Mas, às vezes, não tinha mais remédio que abrir uma exceção. Como quando, uns anos atrás, apresentou sua filha à sociedade no Plaza, ou como quando se envolvia na organização de algum evento em prol de causas solidárias. Havia dias como aquele, no entanto, em que valia a pena alterar suas rotinas e abrir os salões para receber um convidado tão especial. Afinal de contas, mesmo desprovido do título que um dia ostentara, continuava sendo filho de quem era, e mais sugestivo o tornava saber que estava prestes a ficar livre de amarras conjugais, e, em consequência, matrimoniável outra vez.

Ela havia escolhido a dedo os convidados para sua *cocktail party*; depois de lhes enviar o correspondente convite, telefonara a um por um. Alguns – os de seu círculo especialmente, membros da alta sociedade espanhola que por diferentes razões residiam em Nova York – haviam aceitado entusiasmados. Em outros – os americanos, a maioria –, o assunto gerou gulosa curiosidade. E houve também quem apresentasse algumas reservas: representantes da Câmara do Comércio como Seguí ou Subirana, ou membros do Spanish Exporters Club, por exemplo. Ou Camprubí e Torres Perona, dono e vice-diretor, respectivamente, do *La Prensa*, o único jornal em espanhol da cidade que ela, assim como todos os expatriados e imigrantes, sem distinção de classe, folheava todos os dias. Ela lhe era infiel só com o *Abc* que recebia de Madri em grandes pacotes mensais: pouco importava à marquesa saber das notícias com atraso, preferia mil vezes isso ao vazio. E especialmente pelo modo como estavam as coisas na Espanha nos últimos tempos, com tanta agitação política e tanta insensatez. Por isso, também havia convidado para essa noite o correspondente de seu jornal de cabeceira, Fernández Arias, e ali estava o homem, tão satisfeito, conversando com uns e outros diante de uma cômoda de madeira entalhada, depois de ter se livrado de Máxima Osorio, a mulher da cadeira de rodas, aquela chata que cada vez que o encontrava insistia para que ele comentasse em suas crônicas sociais os avanços de seu afilhado como assistente do doutor Castroviejo, ambos presentes, e de quem se dizia que tinha uma carreira espetacular.

A quem a aristocrata não havia se dado o trabalho de convocar – para quê, pensou com uma expressão de desgosto – foi ao cônsul e aos demais diplomatas pátrios. Fiéis à Segunda República do demônio, e dada a filiação do grande convidado da noite, ela pensou que eles prefeririam pular do alto do Chrysler Building a se dignar a aparecer.

CAPÍTULO 14

Já eram quase oito da noite, e do outro lado das amplas vidraças fazia tempo que a noite caíra com todo seu peso sobre o Central Park. O mordomo retirava repetidamente os cinzeiros de cristal entalhado cheios de pontas para substituí-los por outros limpos e, exceto a senhora impedida e a soprano – que havia decidido se sentar, deixando escorrer pelo tapete a barra de sua grandiosa capa –, o resto continuava em pé, conversando em rodinhas que se formavam e se desmembravam a um ritmo mesurado.

Enquanto as conversas continuavam pairando contidas e discretas, dois rostos estáticos contemplavam o grupo no console da lareira. Não eram pinturas, e sim duas fotografias em soberbos porta-retratos de prata com dedicatórias em um canto. À esquerda, um homem de rosto magro, testa larga e queixo proeminente; a sua direita, uma mulher de enormes olhos claros e tiara de brilhantes imponente sobre o cabelo louro. As garotas, alheias em sua distância, não podiam apreciar os retratos, mas se os houvessem podido ver de perto e depois forçassem a memória, certamente teriam sido capazes de dar nome a ambos.

Às oito e meia, a marquesa, o mordomo e a velha Damiana já haviam trocado vários olhares interrogativos. Lamentavam ter mandado tirar os aperitivos da cozinha, mas quem ia imaginar que ele demoraria tanto? O que fazemos?, diziam-se sem palavras. Continuamos esperando? Começamos a servir?

Já eram oito e cinquenta quando, por fim, o som da campainha pegou os convidados desprevenidos. A essa altura, o gelo nos baldes havia começado a derreter, não restava uma mulher em pé e alguns dos homens também haviam se sentado. Intuindo que finalmente chegava o esperado, todos se levantaram como se alertados pelo toque de uma corneta.

Houve pigarros, farfalhar de panos, estojos de pó compacto que se abriram com urgência para um rápido retoque. A anfitriã deu alguns passos e ficou aguardando no centro da sala. Atrás, sua filha Nena. O resto, ao redor.

Alto, magérrimo, de testa limpa, cabelos finos, claros e lisos penteados para trás e uns imensos olhos azuis, quase transparentes; assim perceberam o convidado que todos esperavam quando, por fim, ele fez sua entrada no salão. Com fino bigode aparado, cigarro entre os longos dedos e um *smoking* de seis botões. Beirava os trinta anos, mas se apoiava em uma bengala: mancando, ele se aproximou da anfitriã com um sorriso no rosto e sem sombra de justificativa pelo atraso.

Alheio a protocolos, o convidado fingiu roçar a mão da aristocrata com os lábios e depois deu-lhe dois beijos castos nas faces; por último, disse uma gracinha ao ouvido da marquesa e ela riu com certa falsidade, ao mesmo tempo afastando-se para o lado para ceder o destaque a sua filha. Afinal de contas, para isso havia planejado com tanto esmero a *soirée*: para homenagear o recém-chegado, claro, e, de quebra, para que Nena e ele pudessem se conhecer, agora que se vislumbrava de novo a liberdade do rapaz.

Seguiu-se a rodada de cortesias entre os presentes, sem grandes alardes nem formalidades. O ambiente descontraiu-se depois da atitude relaxada do recém-chegado, o tom das vozes subiu levemente e, sem que ninguém notasse, a marquesa fez um gesto ao mordomo que teve um efeito dominó: ele fez outro à velha Damiana, e esta, por sua vez, passou a ordem às garotas, fartas – como todos – de esperar. Imediatamente as três começaram a circular pelo salão, tal como haviam sido instruídas, discretamente oferecendo aos presentes o conteúdo das bandejas. O mordomo, em paralelo, enchia taças e preparava coquetéis, e ao rumor das conversas se mesclou o som do gelo batendo no cristal, drinques curtos e simples para os homens, mesclas longas ou frutadas para elas. Houve também quem se entregasse aos sabores familiares da pátria. Um *scotch on the rocks* para o convidado estrela, um *pink lady* para a mulher de cetim gardênia, um *amontillado* para a da cadeira de rodas. As garçonetes, em constante movimento entre a cozinha e o salão, mal captavam fragmentos evanescentes de conversas, pequenas estilhas soltas.

O recém-chegado continuava captando a plena atenção dos presentes e, sabendo que era o centro inequívoco da noite, assumia o papel de protagonista sem complexos: falava em um tom deliberadamente alto para que todos o pudessem ouvir, soltava anedotas e gracinhas, fazendo a audiência rir com um entusiasmo pouco natural. Uns se dirigiam a ele como alteza; outros, duvidosos, diziam apenas senhor, senhor conde, às vezes. Pode me chamar de Alfonso, querida, Mona o ouviu dizer à tal de Nena enquanto segurava na mão seu segundo uísque. A marquesa, que fingia estar alheia à troca de frases entre os jovens, ao ouvi-lo, exibiu no rosto redondo uma expressão de satisfação.

A noite avançava agradável, todas as mulheres foram se acomodando em sofás e poltronas, e todos os homens continuavam em pé, de taça na mão. Ele, em pé também, continuava atraindo olhos e ouvidos como um ímã, mencionando cenários que pareciam familiares a todos: o clube de tiro em La Granja, os caracóis do L'Escargot Montorgueil em Paris, as noites no cassino de Havana, os passeios matutinos por Lausanne à beira do Lac Léman... Dos lugares, ele passou aos estabelecimentos, destes, a pessoas, e em algum momento, usando como ponteira seu copo com o terceiro escocês, apontou para o casal das fotografias que repousavam sobre a lareira, passando a oferecer algumas histórias relativas aos seus como se fossem membros de um clã próspero e cosmopolita, porém mais ou menos convencional. O pobre Kiki morreu na Áustria depois de um acidente absurdo, Beatriz se casou em Roma no ano passado, Edel ficou no Vedado com sua irmã e seu cunhado Pepe Gómez-Mena...

A realidade, no entanto, não poderia ser mais diferente: nada, absolutamente nada, era normal na estirpe daquele homem que, a certa altura, e apesar dos esforços, não teve mais remédio que murmurar uma desculpa, desabar na poltrona mais próxima e esticar a perna esquerda em uma posição bem pouco régia, tentando disfarçar uma expressão de dor intensa.

Dois homens se aproximaram nervosos, enquanto o resto trocava olhares de alarme e um silêncio constrangedor se espalhava pelo salão. Ambos eram médicos, mas não estavam ali em condição de tais, e sim como simples convidados. O mais velho lhe dirigiu umas palavras baixinho enquanto apoiava a mão em seu ombro, o mais jovem se agachou ao seu lado. Água, disse o primeiro uns instantes depois. E Mona, que estava a apenas três metros de distância parada como um poste com uma nova bandeja nas mãos, depositou-a sem cuidados em cima de uma cômoda e correu a obedecer.

Voltou em segundos; tão apressada que derramou um pouco pelo caminho. Sem maiores cuidados, parou diante dele e estendeu o copo ao convidado, sem saber que era a primeira vez na vida que um criado lhe oferecia algo de uma forma tão abrupta, sem bandeja nem fino guardanapo. Ele, indisposto, com os olhos momentaneamente fechados, não percebeu que a dois palmos de seu rosto uma mão fina, feminina e molhada segurava um copo de cristal entalhado cheio quase até a borda.

Foi o médico mais jovem que o pegou, o outro estava concentrado em sua tarefa.

— Obrigado — murmurou, roçando os dedos de Mona com os seus.

Ele estava entre os vinte e muitos e os trinta e poucos, tinha cabelos castanhos com a risca de lado bem marcada e usava óculos sobre um rosto liso e afável.

— Faça-o beber — ordenou, então, o médico mais velho.

O outro, de copo na mão, não pareceu o escutar.

— Dê-lhe a água, Osorio — insistiu.

Só então o jovem médico percebeu o que lhe era pedido: antes não pudera, concentrado que estava na proximidade da linda garçonete que passara a noite inteira observando em silêncio.

Absortas em suas tarefas e vigiadas pelo zelo carcerário de dona Damiana, nem Mona nem suas duas colegas haviam reconhecido a personagem que pouco a pouco recuperava a cor e parecia se recompor, para alívio de todos. Mercedes e Luisa estavam havia longos anos longe de seu país de nascimento, e Mona havia sido criada em um humildíssimo universo encapsulado entre cortiços e *coplas* de vizinhas com um enxame de mulheres como família mais próxima: um cenário radicalmente alheio aos devires políticos e às convulsões que enchiam os jornais.

Por isso, nenhuma delas sabia que, desde que se anunciara seu nascimento, em 1907, com vinte e uma salvas de canhão no Palácio Real de Madri, e até que primeiro a chegada da República e depois o amor alteraram seu destino, aquele homem fora príncipe das Astúrias e destinado por linha sucessória a se tornar rei da Espanha.

E, por isso, desconheciam também que agora, prestes a completar vinte e nove anos, hemofílico, sem dinheiro e com o coração partido, ele andava pela vida quase, quase, como um cidadão comum.

CAPÍTULO 15

Uma meia hora depois, ele anunciou sua partida, com o bom humor bastante restaurado e a integridade física mais ou menos recuperada. Já passavam das onze, quase todos os presentes o imitaram, foram poucos os que ficaram na residência da marquesa. Ainda assim, foram suficientes para que as garotas captassem no ar os últimos retalhos de conversa.

Ele esteve nas últimas, mais de um mês hospitalizado em Havana, chegaram a lhe dar a extrema-unção, ouviu Mona enquanto retirava os copos e as taças dos que haviam acabado de partir. Uma confusão – prosseguiram as vozes –, com o pai em Roma, a mãe em Londres e os irmãos espalhados por aí... Sabia que Azaña está morando na Quinta de El Pardo, onde se estabeleceu quando ficou insuportável passar o dia trancado no palácio? E isso que ele diz que sua esposa Edelmira ficou tranquilamente em Havana com a família, enfim, a verdade é que é difícil de acreditar...

Até que dona Damiana ordenou que voltassem à cozinha, e foi impossível escutar mais.

— Amanhã quero os uniformes na loja de dona Carmen — advertiu antes de despachá-las sem sequer dizer obrigada.

Mesmo a contragosto, não teve mais remédio que lhes pagar o combinado, três dólares para cada uma por seis horas de trabalho: uma quantia que parecia uma piada patética naquele entorno tão opulento, e que a velha soltou como se estivessem lhe arrancando a pele aos poucos. Mona guardou as notas ávida: qualquer grão de areia era mais que ansiado em sua desastrosa situação.

Vestiram os casacos em silêncio, enquanto a empregada não tirava o olho delas, com os braços ferreamente cruzados sobre o torso; temia tanto que roubassem um garfo de prata quanto um saleiro. Nenhuma delas tinha a menor intenção de levar nada, mas Mona estava tão farta da inquisidora e com tanta fome acumulada nas tripas que, em uma distração da outra para atender a um chamado do mordomo, pegou um punhado de canapés que sobraram, embrulhou-os apressadamente em um guardanapo e os pôs no bolso. Mulher nojenta, disse para si. Vá à merda.

Desceram pelo elevador de serviço: uma descida estonteante de dezessete andares acompanhada de rangidos de engrenagens durante a qual as três se livraram aos puxões dos aventais e das tocas dos cabelos; Mona também desmanchou o coque, ergueu a cabeça com brio e deixou a cabeleira solta como sempre. Dessa vez, não seria o motorista quem as levaria; dona Damiana havia combinado de antemão com a dona da Casa Moneo. Um garoto do bairro que trabalhava para Bustelo, o do café na Cento e Quinze, acabava seu turno a essa hora e passaria para pegá-las. Pelo dólar que iam lhe pagar, evitariam tirar o Packard de novo da casa da marquesa.

Saíram na noite pela porta de serviço, a alguns metros da principal; de longe, perceberam que ainda restavam alguns convidados formando uma rodinha na calçada. Deviam ser seis ou sete em frente à fachada *art déco* do The Majestic, que continuavam em volta do protagonista da *cocktail party*, a cuja silhueta havia se juntado um novo indivíduo que parecia atento a ele, um fortão louro de cabeça quadrada e pescoço grosso. Estavam se despedindo à maneira espanhola, sem pressa aparente, estendendo até o infinito as últimas frases, os últimos parabéns, as últimas cortesias. Perto, alinhados à espera, vários automóveis com os motores ligados e seus correspondentes motoristas.

Mercedes e Luisa voltaram a cabeça para os dois lados, ansiosas por localizar o garoto que iria pegá-las: dona Damiana havia dito que o ponto de encontro era a esquina com a Setenta e Um, porém não viam ali mais que um simples semáforo. Começaram a se queixar a duas vozes, era quase meia-noite e ainda tinham um bom trecho pela frente; estavam esgotadas, e na manhã seguinte, como sempre, acordariam bastante cedo. Enquanto isso, Mona, alheia, observava o grupo que começava a se desfazer.

Os automóveis foram se retirando sucessivamente, o último que ficou foi o do homem que alguns haviam chamado de alteza, outros de conde, e outros apenas de senhor. Demorava porque o acompanhante que Mona havia acabado de ver ao lado dele, que aparentemente era assistente e motorista, estava ajudando-o a se acomodar.

Foi quando algo alterou subitamente a cena. Um carro que parou atrás cantando fortemente os pneus, portas que se abriram simultaneamente, passos rápidos no asfalto e duas figuras prementes: dois homens com longos casacos – um calvo e robusto, outro louro e mirrado – pararam em frente do homem que ainda não havia conseguido se sentar.

Mona contemplou a situação desconcertada, mas só pôde entender as primeiras palavras que o sujeito de mais idade – o calvo – dirigiu a ele, brusco:

— Covadonga! Ei, Covadonga!

O resto lhe escapou, porque foi dito em um inglês desenfreado. *Tell me*, Covadonga, para que voltou a Nova York? Por que sua mulher ficou em Havana? É verdade que o divórcio é iminente? É verdade que ela já não aguenta mais?

Mesmo sem compreender as perguntas, Mona percebeu que estavam acossando sem trégua o convidado, e que seu acompanhante – o fortão que ia ajudá-lo a se acomodar no banco do carro – se esforçava para protegê-lo, sem conseguir. O mais jovem dos recém-chegados, o louro magro, nesse momento ergueu um trambolho que levava pendurado no pescoço, e, de súbito, o perímetro do automóvel começou a se encher de cintilações deslumbrantes. Flash, flash, flash.

Tudo aconteceu em segundos: o assistente, acompanhante ou o que quer que fosse conseguiu apoiar seu patrão contra o carro e deixá-lo medianamente estabilizado; a seguir, de punho erguido foi atrás do sujeito da câmara, que continuava disparando flashes de luz deslumbrantes enquanto seu colega, de bloquinho na mão, continuava soltando sua rajada agressiva de perguntas. Ei, Covadonga, *answer me*, é verdade que não tem nenhum contato com seu pai? É verdade que ele só lhe dá uma mesada ridícula? É verdade que quase morreu arruinado? É verdade que pretende encontrar sua mãe em breve em algum lugar da Europa?

— Mooooona!

Atônita diante da confusão, Mona não se deu conta de que Mercedes e Luisa a chamavam aos gritos; o garoto do furgão encarregado de devolvê-las à rua Catorze, enquanto isso, urgia as três tocando a buzina.

Mooooona!, continuavam gritando suas colegas, mas ela não as ouvia. Ou talvez ouvisse; talvez houvessem entrado por seus ouvidos as duas vozes de jovens mulheres que berravam a plenos pulmões, mas Mona não foi capaz de interpretar que era a ela que chamavam: toda sua concentração estava no que acontecia um pouco além. O fotógrafo envolvido em uma briga com o acompanhante, o repórter calvo encurralando com suas perguntas aquele homem importante, angustiado e sem forças, começando a perder o equilíbrio, segurando-se desesperadamente ao carro com os dedos em garra, tentando encontrar um ponto de apoio para não desabar. Mas não conseguiu, e enquanto o outro persistia em seu ataque inclemente, ele começou a cambalear, com o terror estampado no rosto. Ei, Covadonga, *say yes or no*, é verdade que está de olho em outra caribenha? É verdade que outra cubana vai ocupar seu coração?

Não houve tempo para pensar: com alguns passos rápidos, Mona chegou ao automóvel, deu um empurrão brusco no fustigante para afastá-lo e segurou o convidado por baixo da axila, bem quando os joelhos dele se dobravam e ele quase desabava no chão. Então, ele fechou os olhos – claríssimos e aterrorizados –, e seu rosto refletiu uma expressão de alívio infinito. Ele murmurou algo: queria agradecer, mas de seus lábios trêmulos só saiu um fio de voz.

O calvo, entretanto, parecia confuso; não sabia se pegava a jovem e lhe dava duas bofetadas por se meter onde ninguém a chamava, ou se desistia. Se a essa altura não havia conseguido nada do conde de Covadonga, receava que podia dar a noite por perdida. A não ser que seu colega, Boris, o russo, houvesse conseguido uma boa fotografia para a *Town Topics*, a revista em que ambos trabalhavam e cujo prato principal eram os pecados – veniais e mortais – da alta sociedade. Mesmo sem declarações, o repórter concluiu que com uma imagem impactante e um pouco de imaginação, talvez a matéria saísse medianamente apetitosa.

Mercedes e Luisa, por sua vez, continuavam se esgoelando – Mooooona!! –, enquanto o garoto da caminhonete, farto de tocar furiosamente a buzina, havia soltado o freio de mão e parecia disposto a ir embora. Seu esgotamento essa noite valia mais que o mísero dólar que iam lhe pagar pelo serviço, não aguentava mais. Mas Mona as ignorou, ajudando o convidado a se sentar no carro, impactada por seu rosto atônito e pelas dificuldades de seu corpo ainda jovem para se articular com normalidade.

A essa altura, o repórter e o fotógrafo haviam se dado por satisfeitos e entravam atropeladamente no carro, sem que o acompanhante do convidado real conseguisse pegar a placa, apesar dos esforços. Alertados pelo alvoroço – a buzina do furgão, os gritos das garotas, a briga dos homens e os insultos do calvo acossador –, haviam aparecido, alarmados, os porteiros do edifício e o ascensorista. Todos cercavam agora a porta do passageiro, enquanto Mona acabava de acomodar o homem exausto em seu lugar. Pálido como um lençol e engolindo em seco uma mistura de pavor e alívio, ele não opunha resistência: só ele sabia o que teria sido de seu organismo se aquela garota anônima não o houvesse segurado no último instante, impedindo-lhe uma queda livre no pavimento.

Mona estava tão atenta a sua tarefa que não viu nem ouviu Mercedes e Luisa por fim entrando na caminhonete ainda gritando seu nome, sem resultado – Mooooona! Mooooona! Mooooona! Não gostavam da ideia de deixá-la sozinha, mas também sabiam que a oportunidade de voltar para casa estava prestes a fugir delas com duas aceleradas. Entre ficar no meio da noite devido à absurda teimosia de sua colega ou ir embora seguras com o garoto impaciente, inclinaram-se pela segunda opção.

Até que, por fim, a calma voltou à larga calçada em frente ao 115 da Central Park West. Os funcionários do edifício retornaram a seus lugares, o fortão louro se posicionou ao volante e o convidado ilustre, recostado em seu assento e ainda de olhos fechados, esforçava-se para, pouco a pouco, compassar a respiração.

Todos pareciam haver subitamente esquecido a morena que continuava parada entre a fachada do edifício e o automóvel, por fim tomando consciência da realidade que a cercava: suas colegas haviam ido embora em um furgão com cheiro de café, o homem a quem havia ajudado estava prestes a desaparecer em seu elegante Lincoln, e ali continuava ela, uma simples garçonete ocasional repleta de ignorância e desconcerto, sozinha em plena noite na imensa cidade.

Foi quando, com o motor já em marcha, a janela do carro se abriu alguns centímetros.

— Senhorita...

Uma mão de dedos longos surgiu com um cartão branco entre o indicador e o médio.

— Sou-lhe infinitamente grato; aqui estão meus contatos, caso eu possa lhe servir um dia.

A partir daí, sem que ela tivesse tempo para responder, o vidro se fechou de novo e o carro começou a rodar lentamente, até que suas lanternas traseiras começaram a se confundir com outras luzes e foram pouco a pouco se diluindo entre os milhares de pontos que brilhavam como estrelas nas artérias de Nova York.

Dentro, sem que ela o identificasse, ia um homem que poderia ter sido rei da Espanha. O primogênito da família real que, ao sair do ventre da mãe, foi apresentado nu em uma bandeja de prata, cumprindo a régia tradição, o herdeiro inscrito no registro dinástico pelo ministro da Justiça e Graça: um lindo bebê louro adormecido em uma manta de renda batizado com água do Jordão e doze nomes, e a quem o pai impôs com pompa régia o Tosão de Ouro e a Grande Cruz da Ordem de Isabel a Católica poucos dias depois de nascer.

Tudo isso Mona desconhecia enquanto observava o cartão equilibrando-se entre o aturdimento e a curiosidade; a família real espanhola era distante demais para ela, já estava havia anos no exílio, Mona nada sabia das mudanças de títulos entre seus membros ao ritmo dos eventos, a seu mundo jamais chegavam notícias das vicissitudes dos membros da realeza nem de tantas outras coisas. Sua atenção estava agora naquele quarto pedaço de cartolina impressa que passava por suas mãos em um único dia, depois dos dois daqueles representantes da companhia de navegação e o do advogado italiano. Um marco para ela, que jamais havia conhecido ninguém com um grau de formalidade tão sofisticado na maneira de se identificar. Em seu bairro de La Trinidad todos atendiam pelo nome de batismo, por um diminutivo ou apelido acrescido que com frequência se prolongava durante gerações. Juanillo el de los pelaos, Luciana la seca, Paca la del carbón...

Assim ficou uns instantes: imóvel diante da gigantesca escuridão vegetal do Central Park, com os olhos concentrados nas letras.

Alfonso de Borbón y Battenberg
Conde de Covadonga

Nada de alteza real nem menção principesca alguma. Debaixo do título, apenas um endereço de Evian, França, rasurado com caneta-tinteiro. Substituindo-o, uma simples anotação manuscrita:

St. Moritz Hotel
Nova York

CAPÍTULO 16

Manhattan foi se abrindo diante de Mona enquanto descia a Oitava avenida. A temperatura havia baixado, e o frio começava a ser cortante. Ela mantinha os braços cruzados sobre o peito e erguera a gola do casaco de segunda mão com o qual haviam lhe permitido ficar naquela mesma manhã na lavanderia. O primeiro casaco de sua vida; ela não imaginara então que seu corpo lhe agradeceria tanto e em tão pouco tempo.

As indicações necessárias foram dadas por um funcionário do edifício contíguo ao The Majestic, depois que os porteiros deste confirmaram que aquela jovem era absolutamente incapaz de se comunicar em qualquer idioma que não fosse espanhol. Então, chamaram um cubano que trabalhava no turno da noite no vizinho The Dakota, e ele, com meia dúzia de instruções na língua que compartilhavam, explicara-lhe o que tinha que fazer: simplesmente caminhar em linha reta por cerca de uns sessenta quarteirões. Como quer que eu calcule, meu amor?, respondeu ele quando Mona lhe perguntou quanto demoraria. Duas horas? Três? Quatro, talvez? Depende, garota, do ritmo com que você mexer essas lindas pernas que Deus lhe deu. Mas de *subway* você chegaria muito mais rápido, teria só que...

Ela o interrompeu sem rodeios: nem morta estava disposta a descer sozinha àquelas cavernas onde diziam que os trens pululavam como lagartas pelas entranhas da cidade. Agradeceu e deu boa-noite, antes de encolher-se dentro do casaco usado e sair andando.

No início, cruzou apenas com alguns transeuntes isolados, havia pouco movimento naquela distinta zona residencial do Upper West Side. Não tardou a chegar à Columbus Circle: embora ela não soubesse, aquele homem esculpido em mármore que vigiava a praça das alturas era Cristóvão Colombo. A larga avenida começou a se animar conforme ela avançava, os edifícios eram cada vez mais altos e imponentes. Mona cruzou com um grupo de amigos alegres, fachadas de hotéis que acolhiam ou rejeitavam hóspedes, casais abraçados pela cintura, bares abertos, buzinas, vozes altas, gargalhadas. Intimidada pelo ambiente, Mona diminuiu o ritmo e contemplou impressionada os néons de cores impactantes enquanto movia a cabeça em todas as direções. Estava adentrando a zona dos teatros, dos majestosos *movie palaces* e das salas de espetáculos; ignorava que estava caminhando quase em paralelo à Broadway, desconhecia que estava a um pulo da Times Square.

Ao passar sob a marquise do Madison Square Garden, sem imaginar que ali se reuniam diariamente milhares de almas para ver combates de boxe, sentiu de repente um forte impacto no ombro. Gritou de susto e dor: absorta como estava, havia trombado com um garoto que andava ziguezagueando com uma garrafa de bebida no bolso do casaco. Duas jovens repreenderam o homem e apoiaram Mona.

— Ei, idiota, olhe por onde anda! Você está bem, querida? Que bruto! — disseram em inglês.

Ela não conseguiu entendê-las, só notou que seus cabelos eram tingidos de um vistoso louro palha, que estavam maquiadíssimas e que insinuavam corpos sinuosos por baixo do casaco – um vermelho-fogo, outro azul-turquesa. Eram dançarinas de um musical e haviam acabado de terminar a apresentação noturna, estavam com uma fome de cão e ansiosas para comer um sanduíche gigante com montes de batatas fritas antes de voltar ao pequeno apartamento que dividiam no Queens, pôr os pés em uma bacia de água quente com sal e ir para a cama abrigadas com grossas camisolas de flanela que suas avós fizeram para elas em algum povoado do Kansas, ou de Nebraska ou de Kentucky, de onde haviam saído atrás de um sucesso incerto na grande cidade. Para Mona, porém, pareciam seres de outro planeta, tão resolutas, com os lábios tão pintados, as sobrancelhas finas como fios, os cílios lotados de rímel e restos de purpurina nas maçãs do rosto. Por isso se afastou depressa, assustada.

— Estou bem, estou bem — murmurou apenas.

E seguiu seu caminho.

Foi deixando para trás os anúncios cintilantes que atraíam clientes e anunciavam estreias com letras carregadas de cor e eletricidade, as placas nas esquinas indicavam seu avanço conforme atravessava ruas: a Trinta e Nove, a Trinta e Oito, a Trinta e Sete... à altura da Trinta e Cinco topou com o The New Yorker, o maior hotel de toda a Manhattan, diziam; depois, a sua direita surgiu a General Post Office, à esquerda a Penn Station, a mais bela estação ferroviária, diziam também, que os olhos humanos poderiam ver.

Continuou caminhando, caminhando, caminhando. Faltava menos agora que saía do Midtown e adentrava Chelsea; quase não sentia mais frio, e havia matado a fome com os canapés que guardava meio esmagados dentro do bolso, que surrupiara da cozinha da velha Damiana. À altura do Grand Opera House, um automóvel diminuiu a velocidade até acompanhar seus passos: o motorista, por trás da janela aberta, começou a paquerá-la com palavras que ela não compreendia. O coração de Mona se acelerou, e ela sentiu a boca seca enquanto mantinha o passo apertado e os olhos fixos nas pontas dos sapatos: um, dois, um, dois... Nada ganharia se saísse correndo, de modo que se concentrou nisso, em controlar seu próprio movimento para dominar o medo que retorcia suas entranhas. Um, dois, um, dois... Até que o imbecil, frustrado, insultou-a com uns gritos e acabou deixando-a em paz.

O cenário dessa área era totalmente diferente: nem arranha-céus, nem cartazes luminosos, nem rastro de agitação. Ela passou por humildes edifícios levantados com tijolos vermelhos, trechos de rua vazios, casas ermas e corpos encostados nas fachadas cobertos com trapos e papelão. Passou diante de lojas modestas e barbearias, casas de penhores e cafés, todos fechados e fantasmagóricos. Entre a Vinte e Um e a Vinte, dois homens ergueram o vidro de uma janela guilhotina de um segundo andar e gritaram algo incompreensível; então, um deles levou a mão à virilha e movimentou de forma obscena os quadris, para a frente e para trás: uma expressão eloquente do que faria com ela se tivesse oportunidade. Depois os dois soltaram gargalhadas bestiais, terminaram suas cervejas e jogaram nela as garrafas vazias. Por sorte, elas estouraram em um monte de vidro cor de caramelo ao bater no chão a uns palmos de suas pernas, só alguns pedaços atingiram o barrado de seu casaco e caíram de novo.

Até que depois da extenuante caminhada, ela começou a notar silhuetas familiares, nomes de estabelecimentos que conhecia, presenças mudas e reconfortantes no meio da madrugada: edifícios, portas, toldos, letreiros, vitrines. Um alívio profundo tomou sua garganta, teve que fazer força para não chorar. Já na Quinze, calculando que a distância era aceitável, começou a correr. Desceu até a Catorze, virou à esquerda, chegou à porta de seu edifício sem fôlego, subiu os degraus de madeira de dois em dois apertando a chave na mão fechada, abriu a porta e, por fim, a escuridão e o silêncio de seu pequeno apartamento lhe pareceram o único abrigo no mundo capaz de lhe devolver a calma.

Não acordou a mãe nem as irmãs; silenciosa, moveu-se nas trevas tentando não fazer barulho. Largou o casaco sobre uma cadeira, nem sequer tirou o uniforme de garçonete nem passou pelo parco banheiro. Apenas tirou os sapatos e deslizou entre as mantas no estreito catre do quarto que dividia com Victoria. Enrolou-se como um novelo e apertou forte os olhos, ansiosa para dormir.

Mas demorou. Nas paredes de seu cérebro ainda reverberavam, enlouquecidos, os sons e as vozes das últimas horas, as imagens se multiplicavam em fragmentos como um espelho quebrado em mil pedaços por uma pedrada violenta. O temperamento azedo da velha Damiana, as garotas se esgoelando gritando seu nome, os flashes do fotógrafo, os gritos agressivos do repórter. Covadonga, ei, Covadonga! *Tell me, man to man*, é verdade que sua esposa cubana o acusa de ser dependente de certas substâncias? É verdade que ela o expulsou de casa, e por isso trocou Havana por Nova York? As letras de néon que anunciavam salões de baile, *vaudevilles* e coquetéis tropicais mesclavam-se em sua mente com louras de peitos exuberantes e lábios vermelhos como fatias de melancia. O bêbado que trombara com ela e deixara seu ombro dolorido entrou cambaleando por uma esquina de seu cérebro, o porco que lhe dissera indecências de dentro de um carro apareceu por outra, enquanto um indivíduo sem rosto apertava grosseiramente a virilha e soltava uma gargalhada feroz, para depois se jogar no vazio do alto de um arranha-céu.

Pouco a pouco, bem pouco a pouco, as tortuosas imagens foram se fundindo dentro de sua cabeça como cera quente, o brilho das luzes começou a se apagar em sua mente esgotada e tudo acabou se apaziguando, enquanto Mona adentrava o torpor. Até que achou sentir algo roçando seu rosto e se sentou na cama com um pulo angustiado, uma mão no rosto e outra no coração.

Mas não era nada, estava tudo bem. Sua irmã dormia serena ao seu lado, os encanamentos faziam barulho como sempre, o contorno do velho armário se intuía a seus pés em meio às sombras.

Mona respirou fundo e se deitou de novo, dessa vez de barriga para cima e os olhos abertos.

Tudo havia sido uma brincadeira das primeiras etapas do sono. Não havia nenhum homem de dedos longos no quarto, ninguém deslizando em sua face um régio cartão de visita.

CAPÍTULO 17

Eram quase onze da manhã quando a arrancaram do sonho aos puxões. Mona, desorientada e confusa, demorou alguns instantes para se situar e perceber que não estava em sua Málaga de sempre, e sim do outro lado do oceano. Só então se deu conta de que essa manhã não havia saído pelo bairro de La Trinidad para fazer as coisas que diariamente Mama Pepa lhe pedia porque sua avó já estava havia alguns meses morta e enterrada, e que também Joaquín, o garoto da taberna da rua Jaboneros, não a estava esperando perto da fonte olhando-a silencioso com seus olhos pretos como carvão, porque o rapaz havia sido convocado para o serviço militar em Larache.

A única coisa que viu foi sua mãe e suas duas irmãs sentadas na beira da cama, esperando sua volta à realidade enquanto ela se levantava aos poucos, apoiando os cotovelos no colchão, com os cabelos revirados e os olhos ainda semicerrados.

— O que é isso? — perguntou Luz com um grito de estranheza.

E para que ficasse claro a que se referia, deu um beliscão no uniforme preto todo amassado com que Mona havia se deitado.

Antes que o sono recém-interrompido permitisse a Mona reagir, Remedios deu um tapa em sua filha mais nova: temos prioridades, deixe de bobagens, quis dizer com um desses tabefes que eram moeda corrente entre elas.

Então Victoria falou, indo direto ao ponto:

— Há uma série de coisas que você tem que saber...

Sem tempo para se acostumar com o novo dia, Mona foi escutando a três vozes o que havia acontecido durante sua ausência na tarde anterior.

Sair para dar uma volta foi a primeira decisão que Victoria e Luz tomaram logo depois que Mona fora arrastada pelo garoto das entregas da Casa Moneo. Sem a energia de sua irmã, se sentiram mutiladas, e o panorama doméstico lhes parecia insuportável, trancadas no apartamento com a mãe, sufocadas por seus suspiros, suas lágrimas e seus temores, que optaram por sair também.

Faltavam apenas alguns degraus para chegar ao patamar do segundo andar e ainda se ouviam a distância os xingamentos de Remedios, quando elas viram a porta mais indesejável do edifício se abrir. Pararam abruptamente, Victoria bufou e Luz fez uma careta, mas era muito tarde para voltar atrás, e o patamar estreito demais para passar ignorando a mulher, de modo que não tiveram mais opção que encontrá-la de novo. Ali estava outra vez dona Milagros, olhando para elas com os olhos desencontrados e um semblante de amarga reprovação.

O desembaraço de Luz deteve a investida, uma ideia imprevista que expressou antes que a vizinha as censurasse pelo escarcéu que haviam armado um pouco antes, quando as passagens e o dinheiro da Trasatlántica haviam esboçado um horizonte cheio de otimismo e o advogado italiano ainda não havia aparecido para jogar em cima delas um barril de água gelada.

— Poderia nos dizer, dona Milagros, como se chega à Cherry Street?

O tom, entre educado e tímido, era mais falso que um beijo de Judas, mas serviu para pelo menos se livrarem da bronca logo de cara.

A réplica, desconfiada, não tardou a chegar; no estilo galego, com outra pergunta, naturalmente:

— Para que querem saber?

— Para falar com dom Paco Sendra. Temos uma coisa importante para dizer a ele.

Fazia mais de quatro décadas que Milagros Couceiro estava em Manhattan, e outro monte de anos fazia desde que deixou, quase uma menina, sua Camariñas natal na Costa da Morte para servir em uma casa de La Coruña. Já mulher feita, antes de completar os dezenove anos, ela se casara com Amadeo, o rapaz que semanalmente cuidava da entrega de lenha, um belo valentão que já havia ido e voltado da Argentina e que em menos de dois meses roubara-lhe a virtude e o coração. Emigraram com o primeiro filho ainda no colo e ela grávida do segundo, sem que lhe faltassem avisos desde o começo: sua própria família, suas primas e vizinhas, inclusive os patrões a quem serviu, todos eram contra aquele desatino. Não vá, Milagros, deixe-o ir sozinho à América e depois você vê, não seja tão tola, mulher. Ninguém confiava nele: que viram isso, que ouviram aquilo, que diziam por aí... Milagros, obcecada, optou por fazer ouvidos de mercador e lhes dar as costas, pondo seu homem na frente sem mais justificativas que seu imprudente amor.

Chegaram a Manhattan, estabeleceram-se, nada saiu bem. Quando por fim ela começou a ver as coisas claras, ele já havia desaparecido. E isso que já desde antes se previa um desenlace pouco promissor: em uma de suas constantes brigas, um empurrão dele a fez bater tão forte no puxador de uma janela que ela perdeu a visão de um olho. Milagros Couceiro ficou sozinha, caolha e com duas crianças um ano depois de chegar à América, quando seu marido saíra certa manhã em busca de emprego para nunca mais voltar.

E ela não foi atrás dele; e como poderia, uma jovem imigrante com duas crianças a tiracolo, sem um dólar no bolso, sem conhecer ninguém além de sua sombra e sem falar inglês? Orgulhosa como era, no entanto, também não cogitou voltar para sua terra e escutar pelo resto da vida a mesma ladainha: eu avisei, nós a advertimos, eu avisei. De modo que decidiu vestir-se de luto, ignorando se realmente era ou não viúva, e foi trabalhar: acabou como costureira em uma fábrica de Garment District, como tantas imigrantes espanholas e italianas, e, assim, conseguiu criar os filhos, e, depois, quando eles formaram sua própria família e ela poderia ter voltado para usufruir de suas economias porque todos os que a haviam alertado já estavam mortos e ninguém lhe daria sermão nem a faria se envergonhar por sua idiotice, o Banco de Lago, onde tantos compatriotas tinham suas economias, quebrou, e ela não teve opção. Ficou em Nova York, fazendo flores de papel na sala de sua casa e vendendo-as a uma loja por três centavos cada. E passou a esperar que um dia alguém lhe desse notícias do paradeiro de Amadeo. Ou de sua passagem para o além. Ou que o sem-vergonha continuasse vivo e em dado momento a solidão da velhice ou o peso na consciência corroessem suas entranhas e lhe ocorresse voltar para ela.

Mas nem a mais velha nem a mais nova das Arenas sabia de nada disso, naturalmente, quando a amarga vizinha entrou de novo em seu apartamento sem convidá-las e logo saiu com um mapa ensebado dobrado na mão.

— Vejamos — disse, desdobrando o velho mapa e estendendo-o na vertical, apoiado na parede suja do corredor.

Ela conhecia muito bem a área da Cherry Street sobre a qual Luz havia perguntado: morou lá assim que chegou e nos primeiros tempos de sua solidão, dormindo no mesmo colchão de palha com seus dois filhos, que deixava com as vizinhas para poder trabalhar, dividindo o quarto com outra família de imigrantes, lutando para sobreviver.

— O mais fácil é ir de ônibus, andando seria uma boa caminhada. O que vocês preferem?

Apesar de não planejarem ir a lugar nenhum, a resposta saiu em um categórico dueto: a pé. Preferimos andar. A outra opção teria sido aterradora para elas: jamais haviam entrado em um desses veículos, não saberiam como pagar, onde descer, onde pegar o seguinte; desconheciam as ruas, os destinos, as maneiras; não seriam capazes de distinguir entre o leste e o oeste, entre o norte e o sul.

— Então, têm que ir por aqui...

Indicou-lhes retas e curvas enquanto arrastava ziguezagueando um dedo indicador deformado pelo uso das agulhas e da tesoura: suas ferramentas de sobrevivência durante longos anos, as armas que usou na batalha contra a penúria e a adversidade.

À medida que escutavam as instruções, uma opção imprevista começou a tomar forma na mente de Victoria e Luz. Talvez não fosse uma bobagem transformar em verdade aquela mentira que haviam contado à velha, tornar realidade o pretexto recém-concebido. No início, elas não tinham nenhuma intenção de visitar o dono do La Valenciana, era só uma lorota que haviam inventado de súbito para evitar a bronca. Mas, e se fossem, por que não?

Consultar o antigo patrão do pai, o homem para quem ele trabalhou até que lhe surgiu no pensamento a temerária ideia de abrir o El Capitán: esse foi, de repente, o objetivo da mais velha e da mais nova das Arenas para aquela tarde sem Mona. Afinal de contas, Sendra havia se oferecido para o que fosse necessário quando foi ao velório, e seu outrora funcionário o estimara, porque ele era um homem íntegro e uma instituição na colônia. Além do mais, mesmo que fosse em consequência de uma dívida, elas estavam irremediavelmente ligadas a ele. E, além desse além do mais, acima de tudo, não tinham ninguém mais a quem recorrer.

Vão com Deus, disse a vizinha quando por fim elas garantiram que haviam entendido bem como chegar. E tornou a se trancar com suas recordações e seus ossos doloridos, a pensar que diabos teria sido do canalha do Amadeo ao longo de todos aqueles anos.

CAPÍTULO 18

Perderam-se seis ou sete vezes, andaram para trás em algumas ocasiões, conseguiram se fazer entender com gestos ao perguntar a estranhos, gritaram entre si para entrar em acordo, Victoria tentando ser sensata e precavida, e Luz avassaladora, movida, como sempre, por seu ímpeto instintivo. E, no fim, esgotadas e com a tarde transformada em noite, conseguiram chegar ao La Valenciana, número 45 da Cherry Street.

O que disse Sendra? Que em Nova York inteira não existia uma empresa mais séria que a Trasatlántica Española. Que não havia agente de navegação mais honesto que dom Santiago Lemos. Que a compensação oferecida era, de seu ponto de vista, mais que razoavelmente generosa. Que essa cidade não era um bom lugar para mulheres sozinhas e que seu conselho, por apreço à memória de seu antigo funcionário, era que voltassem à Espanha: a seu mundo, a sua gente. Sem demora. Já.

A visita foi breve; durou o tempo suficiente para ouvir as contundentes recomendações do antigo patrão do pai e beber os copos de moscatel que ele gentilmente lhes servira. Nem mencionaram o advogado italiano, com o fervor com que Sendra defendeu a empresa de navegação pátria, para quê?

— Antes de irmos, dom Paco — pediu Victoria por último —, diga-nos quanto nosso pai lhe devia, por favor.

O homem se dirigiu a seu escritório na parte dos fundos da loja. Enquanto isso, elas contemplaram com curiosidade o estabelecimento: as estantes lotadas de mercadorias e os funcionários com seus aventais até abaixo do joelho, homens que entravam, cumprimentavam, remexiam na gaveta de charutos cheia de correspondência com carimbos e remetentes espanhóis, e depois iam embora, às vezes rasgando um envelope e às vezes contrariados, com as mãos caídas, diante da ausência de notícias. Havia clientes esperando ser atendidos, em busca de um rolo de corda, um par de meias grossas de lã, um pacote de lâminas de barbear: pequenas coisas de uso comum necessárias no dia a dia daqueles compatriotas que quase sempre viviam longe dos seus e quase sempre passavam as semanas entrando e saindo do mar.

— Trezentos e quarenta dólares, oitenta e cinco por passagem — anunciou Sendra ao voltar.

As duas sentiram o moscatel que haviam acabado de beber se revirar no estômago, quase tiveram vontade de vomitar. Trezentos e quarenta dólares, Santa Mãe de Deus. Uma quantidade monstruosa que poderiam cobrir com as notas da Trasatlántica se seguissem as recomendações daquele homem e as aceitassem, ou que se tornaria, durante um tempo impreciso, um peso asfixiante se por fim concordassem que o advogado italiano cuidasse do assunto.

Como garantia, Sendra lhes ofereceu um recibo, que Victoria dobrou depressa, sem se atrever a olhar para ele; guardou-o debaixo de uma alça do sutiã. Não perguntaram o prazo para saldar a dívida: não quiseram forçar Sendra a lhes dizer que embora não houvesse uma urgência exagerada, quanto antes, melhor.

Terminaram de se despedir disfarçando o aturdimento e foram para a rua escura daquela área próxima às docas do Lower East Side, debaixo do início da ponte do Brooklyn, onde tudo parecia um pouco mais lúgubre e um pouco mais desmazelado que em seu próprio bairro. Era hora do jantar, havia movimento na rua pobremente iluminada: em especial homens, dirigindo-se a pensões e tabernas sozinhos, ou de dois em dois, ou de três em três, falando alto em espanhol, em grego, em italiano, em português, trocando tapinhas nos ombros com um cigarro pela metade entre os dentes, agasalhados com grossas jaquetas de trabalhador e gorros de lã.

Mal haviam dado três passos quando Sendra se aproximou de novo.

— Como pretendem voltar, meninas?

— Andando — replicaram em uníssono.

— Nem pensar.

Então, ele enfiou o corpo para dentro da loja e soltou um grito; em alguns segundos estava na porta um rapaz orelhudo com um molho de chaves na mão.

— Leve as moças à Catorze, e não demore, que ainda tem trabalho a fazer esta noite.

Deu um cascudo no rapaz, acenou adeus com a mão e entrou.

Em menos de meia hora elas estavam de volta a seu território, duplamente aliviadas: haviam se livrado do longo caminho a pé e conseguido um sábio conselho de Sendra. Voltaram conversando sobre isso, apertadas ao lado do rapaz orelhudo no assento dianteiro da caminhonete, sem sequer olhar para ele, como se não existisse.

— Acha que deveríamos fazer o que dom Paco disse, não é?

— Eu acho que sim, que será melhor.

Convenceram-se, prevendo que assim que contassem a Mona e a sua mãe, elas concordariam. Pagariam suas dívidas. Voltariam para Málaga. Esqueceriam o advogado. Esqueceriam Nova York.

Subiam uma atrás da outra a escada segurando-se no corrimão como a uma tábua de salvação. Depressa, a decisão parecia ter levantado os ânimos; otimistas e ágeis, um pé, outro pé.

— E como foi?

A pergunta proveio de dona Milagros: abrira sua porta ao ouvi-las chegar. Tudo bem, disseram apenas; o que a velha tinha a ver com seus assuntos, pensaram; se acha que por ter nos indicado o caminho vamos ter que lhe dar explicações...

— Vão se conformar, então?

As duas irmãs ficaram de queixo caído.

— Pergunto se vão se contentar com as migalhas que lhes derem, como as galinhas — disse a velha, imitando o gesto de jogar milho, deslizando ritmicamente o polegar sobre o indicador com a mão estendida para o chão. — Có, có, có, có...

Nenhuma delas riu. Ela também não.

— Mas a senhora... como... como a senhora sabe? — balbuciou Luz.

— Sua mãe me contou sobre os homens do navio e o outro — respondeu Milagros sem rodeios, apontando com o polegar decrépito o andar de cima. — Eu a ouvi chorar pela janela da cozinha, sabia que estava sozinha, subi.

Quer dizer, então, que a caolha está a par de tudo, era o que nos faltava, pensaram as irmãs. E em pensamento amaldiçoaram a mãe por sua imprudência.

— Dom Paco Sendra disse que a compensação da Trasatlántica é generosa — esclareceu Victoria com certa ousadia.

A galega curtida pelos anos e pela vida fitou-as com o olho bom, estalou a língua e balançou a cabeça com uma expressão de compaixão.

— Ah, garotas, como são inocentes e tolas...

Nenhuma delas reagiu enquanto a mulher entrava de novo na casa, tirava as chaves da fechadura e pegava um tosco xale de lã preto. Jogou-o sobre os ombros e bateu a porta.

— Vão buscar sua mãe e vamos sair. Já é hora de conhecerem alguém.

CAPÍTULO 19

Elas já haviam passado com frequência em frente àquele edifício estreito revestido com estuque amarelado colado à igreja, bem perto da La Nacional. CASA MARÍA, dizia em cima da porta. Em seu eterno desinteresse por tudo, elas nunca se perguntaram o que haveria atrás.

Movimentando-se com confiança, dona Milagros entrou sem bater e pegou um breve corredor, virou à esquerda, e de novo. Remedios e suas filhas a seguiram em tímido silêncio, até que a velha vizinha empurrou energicamente uma porta vaivém e diante de seus olhos abriu-se um cenário cheio de luz artificial.

Havia pelo menos dez ou doze mulheres espalhadas pelo amplo aposento, uma espécie de cozinha e refeitório combinados. Algumas estavam com as mãos dentro de pias com água espumosa, outras secavam as panelas, duas jovens varriam o chão. Sentadas a uma lateral da longa mesa central, duas religiosas de hábito e touca brancos falavam em voz baixa com uma garota cheia de olheiras que amamentava uma criança.

A chegada da galega provocou uma explosão de vozes. Milagros, que surpresa vê-la por aqui a esta hora! Ela distribuiu cumprimentos ágeis e brincadeiras rápidas, deixando as Arenas ainda mais desconcertadas diante daquela faceta desconhecida de sua até então amarga vizinha.

Não precisou explicar a que se devia a visita, todas pareciam saber.

— Irmã Lito está lá em cima, minha filha — respondeu uma das freiras. — Enterrada como sempre entre suas papeladas...

Nenhuma das presentes pareceu estranhar que Milagros levasse três mulheres a tiracolo; com elas havia entrado na cozinha por uma porta e, com elas atrás, saiu por outra diferente instantes depois.

Milagros continuava sem lhes dar explicações à medida que subiam lances de escada e percorriam corredores. De um quarto fechado ouviram sair frases de jovens envolvidas em uma discussão, de outro, o pranto de uma criança pequena. Em algum momento, cruzaram com uma garota de cabeça raspada que murmurou um boa-noite com o queixo baixo e sotaque indecifrável. Depois de mais algumas curvas, dona Milagros bateu na porta de seu destino com os nós dos dedos. Sem esperar resposta, entrou.

Na penumbra se percebiam fumaça, livros e papéis: nas estantes, em cima dos móveis, em pilhas desordenadas espalhadas pelo chão. Ao fundo, atrás de uma mesa iluminada por uma luminária em forma de tulipa de cristal verde, alguém as recebeu com expressão irônica de surpresa.

— *Blessed Mary Mother of God*, galega, você sempre tem que aparecer nas horas mais intempestivas?

As vozes das duas mulheres se combinaram em uma gargalhada; depois, a ocupante do aposento se levantou para recebê-las. Foi quando elas descobriram duas coisas. A primeira, que a desconhecida era uma freira canônica pela metade: usava o hábito das Servas de Maria, mas não a touca, deixando à vista uma cabeça de cabelo grisalho cortado sem cuidado. A segunda, que a tal irmã Lito tinha praticamente a mesma estatura sentada que em pé.

Dona Milagros e ela se fundiram em um abraço desequilibrado: a primeira teve que abaixar o torso, enquanto a outra erguia os braços. Quando se soltaram, a vizinha indicou com o queixo suas acompanhantes.

— Trouxe estas garotas para visitá-la.

— E algum problema deve vir com elas, *I guess* — disse a outra com uma voz categórica e áspera, incongruente com seu tamanho reduzido. — Bem, sentem-se onde puderem, minhas meninas, e comecem a contar...

Com a boca ainda bem fechada, Remedios e Victoria conseguiram se acomodar em cadeiras encostadas na parede depois de retirar montes de papéis e pastas, Luz acabou em cima de um pequeno baú. A freira havia voltado a seu lugar e a galega se situou atrás dela, em pé, encostada em um aquecedor em frente a uma janela sem cortinas pela qual a noite entrava plena.

Passaram-se uns instantes de silêncio prolongado: nem a mãe nem as filhas pareciam dispostas a abrir a boca, tomadas pela incerteza de não saber por que haviam se deixado arrastar por essa vizinha com quem até então haviam mantido uma relação conturbada, sem entender com que objetivo ela as havia levado àquela extravagante religiosa que parecia uma rolha de poço.

Diante do silêncio, depois de observar uma a uma com olhos de lebre, irmã Lito perguntou sem rodeios:

— O gato comeu a língua de vocês, *or what*?

Dona Milagros assumiu, com um gesto de impaciência.

— Comece você, Remedios, por favor.

Vencendo a desconfiança, a viúva começou a contar sua história aos solavancos, um tanto temerosa primeiro, mais segura depois. À medida que avançava no relato, Victoria e Luz se atreveram também a meter a colher: inicialmente com contribuições breves e baixinho para corrigir detalhes ou esclarecer algo, e depois com confiança crescente. As três juntas, e quase arrancando uma a palavra da boca da outra, acabaram compondo um afresco do ocorrido, uma panorâmica um tanto alvoroçada, mas totalmente verídica.

Enquanto isso, a freira havia tirado um par de cigarros de uma caixinha amassada de Lucky Strike; levou a mão direita por cima do ombro e entregou um à galega, sem olhar para ela. Ambas os acenderam com longos fósforos, semicerraram os olhos enquanto expulsavam a fumaça e, batendo de vez em quando a cinza aleatoriamente em uma xícara de chá meio cheia, ou entre o esqueleto de uma planta seca dentro de um vaso, continuaram escutando com atenção.

Até que as três chegaram ao fim.

— Entendo — disse apenas a religiosa enquanto tirava da boca um fiapo de tabaco.

Outro manto de silêncio e fumaça se estendeu. Então, a freira prosseguiu, ignorando-as:

— O que elas estão contando, galega, é o que a madre Corazón chamaria em nosso tempo de dilema de consequências imprevisíveis que demanda agir imediatamente. Ou, em outras palavras, um rojão que deve ser apagado antes que estoure.

E as duas amigas começaram a gargalhar.

Havia sido um longo dia para a viúva e as filhas de Emilio Arenas; um dia difícil cheio de emoções arrebatadoras e de incerteza. Àquela hora, já estavam física e emocionalmente exaustas, e talvez fosse esse o motivo pelo qual aquela gargalhada lhes pareceu um balde de insultos vertido traiçoeiramente sobre sua cabeça. As três as fitaram irritadas, fazendo um esforço para se conter e não sair dali batendo a porta depois de gritar alguma barbaridade. Vão debochar de outras, filhas da mãe, por exemplo. Ou algo assim.

CAPÍTULO 20

Irmã Lito, no entanto, deteve-as antes que as palavras chegassem às línguas.

— Calma, minhas meninas, não estamos rindo de vocês: é só a nostalgia de duas velhas. Vamos focar no assunto, para ver o que podemos tirar disso.

Nascida em um bordel do infame bairro Five Points, filha de uma prostituta canarina e do órgão reprodutor de um cliente qualquer que uma noite imprecisa pagou alguns centavos para se aliviar dentro dela em cima de um colchão de palha ensebado: essa era a origem de irmã Lito. A carga genética que aquele macho anônimo deixara à menina indicava, sem dúvida, alguém atarracado, mediterrâneo e de raciocínio rápido. Um napolitano, macedônio, português do sul, corso, talvez um libanês ou turco, quem sabe um espanhol. Um imigrante sem nome, enfim: mais um entre as dezenas de milhares de almas que no final da década de oitenta do século XIX pululavam pela Downtown de Manhattan. Consuelo, o nome, foi a única coisa que a criança herdou da mãe, e Lito, o diminutivo com que cresceu. Ninguém por ali era capaz de reter o doce apelido Consuelito, longo demais para aquele universo animado e apressado.

Ela cresceu na absoluta sordidez daquele lugar abarrotado de brutalidade e imundície, onde, às vezes distribuídos por áreas e às vezes misturados em completa proximidade, tanto habitavam negros livres quanto corpos procedentes da faminta Irlanda, da China indecifrável, do paupérrimo sul da Itália ou de tristes encraves do leste europeu onde se falava iídiche e se adorava Jeová. Desde os seis anos, Lito carregou baldes de água até o terceiro andar de um cortiço à beira do colapso na Mulberry Bend, onde, em uma asfixiante subdivisão do espaço, mãe e filha viviam amontoadas com mais dez ou doze mulheres de vida tortuosa. Sob a batuta do casal de canalhas húngaros que as subjugava com um domínio férreo, com aquela água meio suja ela tanto lavava pisos e panelas quanto as toalhas ásperas, as calcinhas das putas ou as grossas echarpes de lã com que combatiam o gelo do inverno. Aos oito anos era encarregada de descascar batatas e de surrupiar pelas ruas o que conseguisse para preparar numa grande panela o ensopado insosso com que todas as inquilinas se alimentavam. Parte de suas tarefas na época era também arejar diariamente os lençóis de cada cama depois de seis ou sete cópulas: bem cedinho, por volta das três da tarde e às nove da noite, pois a fornicação naquela morada não respeitava horários nem feriados.

Havia acabado de completar onze anos quando a forçaram a abrir as pernas pela primeira vez: com a morte da canarina que lhe deu a vida e as exigências de um porco qualquer que babava pelas mocinhas ainda em desenvolvimento, obrigaram-na a ocupar o catre que sua mãe havia deixado livre na noite em que um bêbado polonês a asfixiara e depois saíra sem pagar. A partir daí, Lito parou de crescer. Três anos depois, certo dia em que conseguiu sair em busca de um remédio para um doloroso abscesso que torturava suas gengivas, na fila em frente ao balcão do decrépito *druggist* do bairro, topou com umas presenças grotescamente insólitas naquele reduto depravado e desenganado: duas religiosas católicas de hábito impoluto que conversavam em uma língua que evocou à jovem tempos perdidos.

Apesar da indumentária, as mulheres não estavam em missão evangelizadora: sabiam que pouca freguesia nova poderiam angariar naquele território. Seu objetivo se limitava a auxiliar alguns velhos originários da Península ou de Deus sabe que canto das Américas, pobres-diabos encalhados entre dois mundos, sem amarras daquele lado e sem um lugar para voltar em nenhum outro lugar. E como a missão apostólica das Servas de Maria era a caridade, de mês em mês as religiosas apareciam por ali para ajudar aquele pequeno monte de desarraigados: para lhes levar bicarbonato ou cortar suas unhas; para lhes oferecer consolo, limpar úlceras e escaras e lhes fazer um pouco de companhia, oferecer-lhe um pouco de tabaco de Tampa, o sinal da cruz na testa ou meio sabonete. Essa manhã, estavam justamente tentando comprar umas garrafas de láudano quando uma mocinha de aparência miserável e imunda as surpreendeu com uma frase amorfa que só poderia se ouvir em lugares como aquele:

— *You parlare, amica,* o espanhol?

Àquela altura, a pequena Lito havia desvirtuado a língua que aprendeu com sua mãe, até transformá-la em um jargão sem nome que misturava palavras e expressões das mais diversas procedências. Mas as irmãs a entenderam de cara, e ela, arrastada pelas recordações quase desvanecidas, estabeleceu uma conversa esfarrapada. O adjetivo *transtornadas* seria um eufemismo para rotular o efeito que a menina causara nas devotas mulheres quando narrou seu dia a dia com a mais chocante naturalidade, em um discurso involuntariamente cheio de obscenidades e pontapés na gramática.

Venha conosco, *niña*, murmurara atropeladamente a religiosa mais velha no ouvido de Lito. Temos que tirá-la daqui de qualquer maneira. A palavra *niña* mexera fundo nas entranhas da garota. Assim a chamava sua mãe com sua doce cadência canarina: *mi niña*, dizia sempre, de noite e de dia. Ela nunca mais ouvira aquelas sílabas juntas desde a madrugada em que a levaram morta escada abaixo enrolada em uma manta; nunca soube onde acabou aquele corpo batido que um maldito dia abandonou sua ilha afortunada para seguir um marinheiro mentiroso que lhe prometeu o amor do outro lado do mar e acabou só lhe dando tormentos, surras e amarguras. Por isso, ao ouvir aquele simples *niña* da boca da madre Corazón, uma lágrima repentina começou a descer pelo rosto de Lito.

Ela não sabia quem eram aquelas duas mulheres: não sabia de onde vinham, nem por que se vestiam tão bizarramente, nem aonde pretendiam levá-la, mas não pensou duas vezes. Olhou depressa para os dois lados na loja abarrotada e não viu ninguém suspeito que pudesse prestar contas sobre ela se alguém resolvesse perguntar. Saiu para a rua emparedada entre os amplos hábitos brancos das irmãs, com sua pequeneza meio coberta pelas dobras de algodão. Ali as esperava a velha carruagem que as freiras usavam para andar pela cidade. Em três passos já estava dentro, em quatro minutos deixava a Mulberry Bend, em cinco ruas se afastava pela primeira vez na vida de Five Points. Nunca voltou.

Com ela levara tão só uma estatura infantil, apesar de já ter completado os catorze anos, um corpo abusado até a depravação, e umas gengivas cheias de pus e sangue. Nada mais, porque nada mais tinha. Nem utensílios, nem documentos que a identificassem, nem recordações de algo que não fosse seu eterno martírio. Contudo, sem saber, a crueza também a havia provido de um arsenal de capacidades que com o tempo foram se mostrando enormemente úteis para enfrentar os infortúnios vindouros contra tudo e contra todos: um olfato infalível para detectar as misérias da condição humana, um repúdio férreo às ofensas e aos abusos, e uma demolidora ironia através da qual filtrava as sentenças ditadas por sua intuitiva lucidez das ruas.

Estabelecida com as freiras da rua Catorze, pouco a pouco ela foi se despojando de camadas de rudeza, ignorância e insolência, nutriu-se com comida substanciosa e copos de leite quente, depurou seu espanhol e seu inglês até chegar a ler e escrever em ambas as línguas mais que decentemente, e até desenvolveu um apetite pela leitura, tão imprevisto quanto voraz. À base de éter, pinças e uma cirurgia tão milagrosa quanto brutal, o vizinho doutor De Rosa consertou, compassivo, a piorreia que consumia a boca da menina.

Uma parteira do French Hospital, ali perto – depois de se persignar diante do horripilante espetáculo de ferimentos e infecções que contemplou ao examiná-la –, optou por esquecer as compressas femininas de calêndula e as leves lavagens com o azeite da árvore do chá: o que fez foi mandá-la imediatamente ao hospital católico St. Vincent, onde a trataram na marra, como teriam feito com qualquer menino de pelo no peito infectado até os ossos de gonorreia: à base de comprimidos agressivos de mercúrio e injeções diárias de arsênico e bismuto que faziam a jovem ver estrelas e intoxicaram irremediavelmente seu fígado, rins e ossos, sem que ela sequer soubesse.

Ao longo daqueles primeiros tempos, Lito também foi dando forma a algumas decisões de futuro que traçariam as coordenadas de seu porvir. Sua primeira determinação foi que jamais permitiria que homem nenhum tocasse seu corpo, nem que vivesse cem anos. A segunda, que sempre havia vivido entre mulheres, e que já não saberia fazê-lo diferente. Somando as duas resoluções, o caminho ficou claro: decidiu tomar o hábito e entrar para a ordem das Servas de Maria. Ninguém jamais lhe perguntou se acreditava ou deixava de acreditar em Deus.

Desde o início ficou evidente, no entanto, que ela jamais seria uma religiosa comum: dormia nas matinas, fumava como um trabalhador de rebocador, desafiava até a estrela matutina, soltava palavrões a torto e a direito. Na época, as componentes da pequena congregação acalentavam um sonho compartilhado com os membros mais influentes da comunidade espanhola residente em Nova York; um sonho que já tinha nome, mas ainda carecia do capital necessário para construí-lo: o Sanatorio Hispano. Havia vários anos que coletavam fundos por meio de doadores e eventos beneficentes, e as freiras pensaram que talvez devessem começar a se preparar para quando por fim conseguissem ver o projeto materializado. Assim, ofereceram a Lito um plano para dar rumo à noviça rebelde e obter, em paralelo, algo positivo para a comunidade. Por que não frequenta, filha, a Escuela de Enfermeras de Bellevue? Nem louca, foi a resposta. Mas deixem-me as tardes e noites livres e prometo que retribuirei com acréscimo o esforço que fizeram por mim.

Madre Corazón precisou pedir permissão ao arcebispo Hayes, aquele descendente de irlandeses paupérrimos que casualmente cresceu no mesmo terrível bairro Five Points. E o futuro cardeal consentiu. Depois de longos anos enfrentando a vida com vontade titânica, embora a viúva e as órfãs de Emilio Arenas ainda não soubessem, irmã Lito havia acabado sendo a primeira religiosa católica que frequentou as salas de aula da Universidade de Nova York.

CAPÍTULO 21

— Então, se bem entendi, o que vocês, minhas meninas, enfrentam é uma dúvida bem simples: se estão interessadas em voltar para a Espanha com alguns dólares escondidos nas dobras da saia, ou se seria conveniente aceitar a oferta de um italiano desconhecido que lhes promete mundos e fundo, *right*?

Remedios e suas filhas assentiram; em poucas palavras, essa era a situação.

— Pois, se eu estivesse na situação de vocês — prosseguiu a freira atarracada atrás de sua mesa —, não aceitaria nenhuma das duas opções.

Victoria e Luz se agitaram como se houvessem levado um beliscão nas nádegas.

— Como pode dizer uma coisa dessas?

— Está louca, irmã? Como vamos dizer não a tudo?

Irmã Lito as deixou desabafar; quando terminaram as queixas e exclamações, acendeu outro cigarro e, depois da primeira tragada, prosseguiu:

— Vamos começar pelo italiano: nome?

A mãe das moças tirou o cartão de um bolso e o estendeu à mesa.

— Fabrizio Mazza — leu a freira, colocando-o sob a luz da cúpula verde e semicerrando os olhinhos. A seguir, sorriu com sarcasmo e soltou de novo a fumaça pela comissura curvada para cima. — Pássaro valente...

— A senhora o conhece?

— O suficiente para saber que lhes tiraria o couro sem contemplações.

Então, deslizou o cartão de volta, mas ele não chegou às mãos de nenhuma delas: estavam tão desconcertadas que sua capacidade de reação ficou bloqueada. O cartão sobrevoou a superfície cheia de papéis da mesa e acabou caindo no chão, e nenhuma delas se agachou para pegá-lo.

— Esse sujeito é sobrinho de Marcelo Mazza, um advogado lendário para os italianos da pior espécie de Manhattan; sofreu um derrame, e hoje se encontra impedido e aos cuidados das Irmãs Missionárias do Sagrado

Coração. Em seus bons tempos, não muito distantes, era um sujeito ordinário, impulsivo, explosivo, vociferante... Mas esperto como um furão e engenhoso até o imprevisível, capaz de defender qualquer canalha de seus mais obscuros desmandos, até fazê-lo parecer aos olhos públicos um pobre-diabo mais inofensivo que São Roque na procissão de agosto.

Olhou para elas por alguns instantes, ciente do assombro das três.

— O sobrinho, que as visitou hoje, não é mais que um advogado de segunda que carece da garra e da picardia de seu tio, e que está pondo a perder o escritório que assumiu depois que o outro ficou impossibilitado. Com toda a certeza, por isso foi procurá-las com tanta rapidez: ele deve manter, sem dúvida, os mesmos informantes comissionados que seu tio tinha em lugares onde se possa encontrar clientela fácil, onde haja proletários ignorantes potencialmente expostos a acidentes e infortúnios. Nas escavações dos túneis por baixo do Hudson, na ponte de Triborough, nos edifícios em construção da Midtown... E nas docas, é claro.

As filhas e a viúva de Emilio Arenas continuavam contemplando-a atônitas enquanto falava. Em primeiro lugar – e especialmente – devido ao que narrava. E, colateralmente, porque jamais haviam escutado uma mulher se expor com tamanha eloquência e altivez. E menos ainda uma freira com manequim de primeira comunhão que acendia um cigarro no outro enquanto abria os olhos delas para sua triste realidade.

— Certamente Mazza conseguiria algo se movesse uma ação — acrescentou irmã Lito sem lhes dar trégua —, mas, quando chegasse a hora de vocês receberem a indenização correspondente, aposto que ele lhes apresentaria uma longa conta cheia de gastos ocasionais, comissões imprevistas, tarifas que tiraria da manga e sabe Deus o que mais. E, no fim, dessa suposta fatia que no início ele lhes prometesse, só lhes jogaria as cascas.

Passaram-se alguns momentos de quietude.

— E os da Compañía Trasatlántica? — atreveu-se a perguntar Victoria em voz baixa, prevendo que a resposta também apontaria para algum território ingrato.

Irmã Lito voltou a sorrir, sarcástica.

— O que o agente da Trasatlántica pretende, basicamente, é comprar o silêncio de vocês, nada mais. Que não haja processo, é isso. Que o bom nome da lustre companhia de navegação não se manche com nenhuma publicidade negativa, que nada vaze além do estritamente necessário. Se em poucos dias tirarem vocês do caminho depositando-as do outro lado do Atlântico, todos vão respirar tranquilos: morto o cão, acabou a raiva. *You follow me, right?*

Elas entendiam, claro que entendiam. E por isso assentiram com movimentos enfáticos de cabeça. Mas continuavam sem fazer ideia aonde diabos ela queria chegar.

— O que pretende que façamos, então? — sussurrou Remedios, por fim.

A freira, sempre imprevisível, saiu pela tangente.

— De que lugar da Espanha são?

Elas responderam em coro.

— E o que deixaram lá?

Dessa vez, porém, nenhuma delas respondeu de imediato, como se estivessem fazendo mentalmente uma lista.

— Algumas pessoas... — começou Victoria depois de longos instantes.

Irmã Lito a interrompeu.

— Pessoas que estão esperando de verdade que vocês voltem?

Então, Victoria baixou a cabeça, um tanto envergonhada, sem dizer nem que sim nem que não. Foi Luz que falou:

— Essa idiota — disse, irônica, apontando descarada para sua irmã mais velha — pensa que um homem a está esperando, mas ele não lhe mandou nem uma carta desde que chegamos, e isso que lhe prometeu uma carta por semana, e isso que...

Salvador Berrocal era o nome das alegrias e anseios da filha mais velha de Emilio Arenas, um eterno estudante de Direito, filho de um advogado malaguenho de renome, que alternava seus estudos intermináveis entre os exames da Universidade de Granada, os carinhos de Victoria e as farras com amigos no café de Chinitas até o amanhecer. Sua família ficava irada só de lembrar a simples existência da jovem: a garota de bairro humilde lhes parecia pouca coisa para o rebento aspirante a letrado quando por fim decidisse pôr a cabeça no lugar; quem, senão aquela morena tão bonita quanto pobre e descarada, diziam, era a causa de seus fracassos acadêmicos e de seu descontrole? Salvador, porém, jurava a ela amor eterno e morria por seus encantos: por seus olhões, afirmava, por seu rostinho glorioso, por seu corpo e o cheiro de sua pele. Mas isso só acontecia quando, de tempos em tempos, ele se lembrava dela e aparecia em La Trinidad depois de deixá-la plantada dias seguidos, porque com frequência seus profundos sentimentos e suas boas intenções se dissolviam como um pedaço de gelo na frigideira. Exatamente como havia se esquecido de lhe escrever desde que ela partira.

Victoria controlou a vontade de dar um tabefe em sua irmã boquirrota; resistiu mordendo o lábio, por respeito à freira. Seu sangue fervia quando alguém a fazia recordar que Salvador era um vigarista e trapaceiro mimado, mas sabia que era verdade. Contudo, apesar do tempo e da distância, não se passava nem um só dia, nem uma única noite, sem que pensasse nele.

— E a você, minha menina? Quem a espera?

A pergunta de irmã Lito se dirigia à própria Luz.

— Minhas amigas, minhas vizinhas, conhecidos — respondeu ela com desembaraço, erguendo um ombro.

— Conhecidos demais — murmurou Remedios com um toque de censura.

— E por que não? — replicou Luz, contrariada. — O que você quer, mãe, que eu não saia à rua, que fique trancada o dia todo, vendo a vida passar por trás de uma janela?

Victoria interveio, pronta para a revanche.

— Ela prefere morrer a ficar quieta entre quatro paredes. Na rua sempre há alguém com quem encontrar, ainda que sempre acabe sendo um sapo. Como Rafaelito, o do violão da ponte da Aurora, que foi para Antequera e não voltou mais. Ou já não se lembra? Ou como aquele Miguel que você conheceu no Corpus Chiquito, que no fim namorava outra...

Luz replicou, azeda, erguendo a voz.

— Pois estou melhor assim que você, sem ficar esperando nenhum...

A mãe a reprimiu com um *shhh* imperioso e se inclinou para lhe dar um beliscão, que Luz evitou por um triz jogando-se para trás. Então, a religiosa optou por acabar com a discussão: já tinha o suficiente para ter uma ideia da situação e formar uma imagem diáfana das duas. A mais velha, a bela jovem de traços harmoniosos e corpo esbelto, parecia prudente e responsável, mas, ao mesmo tempo, demonstrava uma clara tendência a se deixar levar com certa mansidão. A mais nova, linda também, mas de outra maneira, funcionava por lampejos de instinto, com frequência, talvez, precipitados e até imprudentes.

— E você, Remedios, o que tem a dizer?

A viúva respirou fundo antes de replicar com um gesto de dor nos lábios.

— Eu, irmã, vivo arrasada desde que meu Jesusito, meu menino que nasceu doente, se foi aos cinco meses. Minha mãe, que era quem sempre me socorria, faleceu no ano passado no Dia de Todos os Santos, e meu marido está enterrado em um cemitério perto daqui, aonde nem sequer posso ir para rezar um pai-nosso... Nem um teto debaixo do qual viver me espera, porque fomos expulsas do cortiço.

Então, ela olhou para suas filhas com seriedade.

— A única coisa que eu quero, irmã, é endireitar essas minhas filhas e encaminhá-las. Nunca tive força suficiente para lidar com elas, saíram bravas e foram criadas sem um pai e sem temor a Deus. E a senhora já vê o que são agora, estas duas e a outra que não está aqui hoje, Mona, a do meio: três mulheres como três carros que andam pela vida soltas como periquitos, rumo à perdição.

Ambas tentaram sair em sua própria defesa, mas a irmã Lito as interrompeu com um potente *shhh*.

— Esta, a mais velha — acrescentou Remedios apontando para Victoria com um movimento brusco —, a senhora já ouviu: anda enroscada de namorico com um moço que só a quer para se divertir, e a tola arrasta um caminhão por ele. E esta, a mais nova — prosseguiu, lançando o gesto para Luz dessa vez —, é rueira como um cão sarnento e cai na lábia de qualquer um que lhe diga cante para mim, menina, ou vamos dançar, até que um dia vai me aparecer com um desgosto, com uma doença ou uma barriga, ou ser encontrada por aí uma madrugada qualquer jogada em um terreno baldio...

Victoria e Luz ameaçaram continuar protestando, mas a freira as deteve, fulminante.

— Já ouvi o suficiente, não preciso de mais nada. Querem escutar minha proposta?

Nenhuma delas disse nem que sim nem que não.

— Fiquem.

Então, voltaram as vozes altas e as caras de raiva das irmãs, enquanto Remedios, atarantada, continuava em silêncio.

— Temporariamente — esclareceu a freira, tentando acalmá-las. — Afinal de contas, nada nem ninguém as requer imediatamente em nenhum outro lugar, pelo que vejo.

— E o que pretende, que nos deixemos nas mãos do italiano canalha, com tudo que acabou de nos dizer dele? — inquiriu Victoria com leve insolência.

— *No way*.

Elas a fitaram, atônitas.

— Então?

— Eu as defenderei.

Como se houvessem se transformado em estátuas de sal, assim ficaram: desconcertadas, paralisadas, sem encontrar uma palavra para reagir.

— Levará tempo — prosseguiu irmã Lito, fazendo um esforço para não rir. Não era a primeira vez que percebia essa reação de incredulidade quando apresentava suas credenciais de advogada em exercício. — Será necessário ver quais entidades estão implicadas no acidente, que grau de responsabilidade tem não só a Trasatlántica, como também a administração das docas, a autoridade portuária... enfim, todos os possíveis envolvidos.

Passou um tempo falando de coisas que elas não entenderam, mas que pareciam sérias e contundentes. Certamente a freira pretendia convencê-las de que tinha o controle do terreno no qual pretendia pisar. Até que por fim ela desceu ao nível delas.

— Querem saber por que faço isso?

Elas assentiram. Enfáticas, ansiosas para entender.

— Porque vocês são imigrantes. Porque são iletradas, ignorantes e pobres. Porque são mulheres. Ponham esses fatores na ordem que quiserem, o resultado será o mesmo. Vocês têm os números para ganhar na loteria dos mais propensos a abusos e canalhices. E ninguém vai estar disposto a ajudá-las com um mínimo de honradez, de modo que não têm outra saída que não seja confiar em mim.

Elas não encontraram argumentos para rebatê-la.

— Ah, e mais uma razão que estava esquecendo! Vou representá-las também porque, a título de honorários, espero ficar com metade do dinheiro que conseguir.

A estupefação no rosto das três fez as velhas amigas soltarem outra gargalhada.

— Mudem essa cara, pelo amor de Deus! — gritou irmã Lito. Depois, apagou seu último cigarro na terra do vaso faminto. — Cinquenta por cento pode parecer muito no início, mas como acham que esta casa se mantém, e com que recursos pretendem que atendamos a tanta gente pobre e desgraçada que aparece por aqui?

Elas continuavam chafurdadas no desconcerto quando a religiosa mais bizarra que jamais haviam visto fez seu último ataque.

— E escutem, minhas meninas. Enquanto a coisa vai se resolvendo, em vez de se compadecer de si mesmas ou sonhar com homens que nunca vão querê-las, o que acham de trabalhar?

CAPÍTULO 22

Mona continuava debaixo das cobertas, com as costas apoiadas na parede que fazia as vezes de cabeceira da cama, os cabelos desgrenhados como uma leoa morena e o uniforme de garçonete feito um trapo. Suas irmãs falavam como rios desembestados, arrancando uma a palavra da outra sem contemplações para deixá-la a par de tudo que aconteceu primeiro com Sendra e depois na Casa María.

— Mas, mas... mas como essa freira pretende que cuidemos do El Capitán sozinhas, se não sabemos como tocar o negócio e não temos nem um centavo?

Remedios interveio praticamente pela primeira vez.

— Ela pediu a dona Milagros que nos fizesse um empréstimo, e embora pareça mentira, a outra não disse que não.

Então, ela tirou um rolo de notas amassadas de um bolso do avental: o minúsculo capital com que contavam para começar a caminhar, um grotesco contraste se comparado com os dólares novinhos que os representantes da companhia de navegação haviam lhes deixado. Permanecia fresco na memória o toque firme das notas, as loucas ilusões que despertaram na cabeça delas. E ainda as mantinham escondidas dentro de uma vasilha.

— Irmã Lito disse que devemos levar as passagens e o dinheiro hoje de manhã mesmo, que nem os toquemos — explicou Victoria. — Ela os devolverá. Disse que a partir de agora tudo tem que passar por suas mãos, que não falemos com ninguém, que não contemos nada...

— E se essa religiosa é tão esquisita — insistiu Mona, ainda incrédula —, certeza que é de confiança?

Exatamente o mesmo elas haviam perguntado a dona Milagros enquanto voltavam para casa na noite anterior. Então, a galega parou em frente à taberna de Al, o escocês, e a luz amarelada de um poste iluminou seu velho rosto coberto de sulcos.

— Eu conheço essa mulher há quase quarenta anos — rosnara, segurando o pulso das garotas com seus dedos feito garras.

Se elas pudessem adentrar o cérebro da anciã, teriam visto suas recordações dar três cambalhotas para o passado e retroceder até aqueles tempos duros em que ambas foram acolhidas na Casa María, uma mais infeliz e miserável que a outra: uma criada entre a pior ralé do bairro mais imundo de Manhattan, a outra abandonada pelo marido em uma terra estranha com duas crianças e uma mão na frente e outra atrás. Mas ela não disse mais nada; retomou os passos simplesmente, atravessando a rua escura e vazia enrolada em seu xale de lã. E elas, que não tinham mais ninguém, tiveram que se conformar em aceitar o valor dessa amizade como garantia.

Diante da pergunta cautelosa de Mona e o silêncio meditativo das outras duas, Remedios, insuspeitadamente, foi quem acabou dando o assunto por encerrado.

— Não temos alternativa, minhas filhas, de modo que já podem se mexer. Levem o dinheiro e as passagens à freira, e que Deus nos proteja: vamos, andem, não há mais nada a dizer.

Por fim Mona se levantou da cama, organizaram-se, saíram e foram à Casa María certas do que iam fazer, era uma decisão unânime. Mas farelos de incerteza dançavam no estômago de cada uma, pois intuíam que dificilmente poderiam voltar atrás.

Um tempo depois, foram buscar a mãe e se dirigiram ao El Capitán. Continuava ali a placa tosca com o nome, a modesta entrada quase imperceptível no nível abaixo da rua, entre dois imóveis anódinos.

Remedios pegou o molho de chaves de seu marido; as filhas, atrás dela, esperavam, em um silêncio respeitoso, que ela abrisse primeiro um cadeado e depois a fechadura, apertando os dentes para não chorar. Sentiam-se comovidas pelo afã do pai morto, o esforço por manter ferreamente protegidas suas parcas posses para evitar intrusos e indesejáveis, como se ali houvesse algo grande, algo valioso capaz de provocar tentações. Mas não. Tão logo entraram e deram de cara com a frieza escura do local, confirmaram com tristeza que tudo continuava miserável como sempre.

Caminharam quase tateando entre as mesas com as cadeiras amontoadas em cima: patético testemunho que evidenciava que a última coisa que Emilio Arenas fez foi lavar cuidadosamente o chão, ignorando que aquele simples ato seria seu último adeus. Entraram juntas na cozinha, acenderam a luz. Estava tudo arrumado, comprimido em sua estreiteza: o balcão de pedra, o fogão apagado, as frigideiras pretas surradas penduradas em seus ganchos, a réstia de alho em um prego.

Foram de novo para o salão, continuavam caladas, lidando cada uma a sua maneira com as memórias coletivas e suas próprias tristezas privadas. Remedios se sentou e começou a chorar – coisa previsível nela. Luz ficou ao seu lado, em pé, enxugando uma lágrima com o dorso de uma mão enquanto a outra repousava no ombro da mãe. Victoria olhava para o chão com o semblante contraído, incapaz de encontrar o menor sinal de otimismo entre as pilhas de pratos lascados e os montes de desolação.

— Três latas de atum, um pedaço de bacalhau e o fundo de um saco de arroz. Mais nada.

Foi o que Mona enumerou depois de fazer um rápido inventário; era a única que ainda não havia saído da cozinha. A sua memória silenciosa voltou à residência no Upper West Side em que trabalhou na noite anterior, com sua despensa lotada e aquela sensação desconhecida de conforto e opulência. Mas não disse nada; absortas como estavam nas reviravoltas do presente, apenas Victoria havia lhe perguntado antes de saírem do apartamento, e sem muito entusiasmo: como foi ontem? Bem, murmurou ela, enquanto enfiava os braços nas mangas do casaco. Nem menção à casa e às pessoas diferentes, ao homem frágil e ao incidente com os repórteres, ou a seu longo caminho de volta atravessando metade de Manhattan. Bem, bem, insistiu. Nada mais.

O silêncio ainda durava depois da desoladora contagem de víveres, mas a Arenas do meio preferiu prosseguir ativa e levou ao fogo a grande cafeteira de estanho amassada herdada do proprietário anterior. Dez minutos depois, cada uma tinha uma xícara de café amargo na mão — nem sequer havia açúcar — e a plena consciência de que chegara a hora de decidir.

Incerteza e angústia, insegurança, hesitação. Elas não sabiam, mas todas essas sensações eram normalmente a pátria comum dos desterrados, os grandes desassossegos que atravessavam a alma de quase todos que haviam abandonado seu mundo atrás de outro melhor. Uma vez desarraigados, trasladados e recolocados, sempre havia uma decisão de futuro, maior ou menor, a tomar. Nas famílias, nos trabalhos, nas mudanças e nos amores. Nas pequenas lavanderias dos chineses, nos escuros restaurantes napolitanos, nas alfaiatarias dos judeus ou nas carroças dos ambulantes alemães; em todos os lugares havia sempre um momento em que forçosamente se devia dizer sim ou não a alguma coisa.

Em algumas ocasiões, a sorte era deixada ao acaso, em muitas outras, a decisão era seriamente avaliada. Com frequência os dilemas eram resolvidos de maneira conjunta, mas havia momentos em que a tirania se impunha de forma arbitrária sobre um grupo, um casal, um clã. Umas vezes se acertava; outras, a alternativa escolhida acabava sendo um erro monumental. Mas, de um modo ou de outro, era necessário dar o passo, não se podia fugir dele.

Essa era a situação das quatro mulheres da família Arenas naquela manhã de março do ano de 1936; elas que sempre haviam se movido segundo os ventos, sem jamais se imaginar na conjuntura de ter que tomar suas próprias decisões. Desgarradas, aturdidas, assustadas, sozinhas. Com um abismo aberto a seus pés.

A espontaneidade de Luz quebrou o silêncio.

— Então, vamos abrir o El Capitán novamente?

Atravessando o desassossego e as hesitações, pelo menos despontava uma certeza: tinham umas às outras. Com suas personalidades diferentes e seus jeitos díspares de se posicionar na vida, as três irmãs Arenas continuariam sendo uma rocha. Apoiariam umas às outras quando os ventos soprassem ferozes naquela cidade descomunal e estranha, se consolariam quando o aturdimento arranhasse a alma de cada uma e, nas noites mais duras, soprariam calor e ânimo entre si.

— Vamos — confirmou Mona, categórica.

— Vamos — confirmou Victoria.

A mãe mal mexeu os lábios, mas assentiu com a cabeça enquanto apertava na mão um lenço sujo.

SEGUNDA PARTE

CAPÍTULO 23

Passara-se mais de um mês e o El Capitán continuava capenga. Houve um pouco de movimento no início, quando as pessoas ainda apareciam para apresentar suas condolências, ocupar uma mesa para lhes fazer um favor, ou simplesmente por curiosidade, para saber como andavam aquelas garotas que pareciam tão arrogantes e distantes, e que, por azar, haviam sido obrigadas a baixar a crista e arregaçar as mangas.

Depois desses dias, no entanto, tudo voltou à moderação mais lamentável e, em consequência, a decisão de desagregação demorou pouco a chegar: assim que se deram conta de que era um desperdício dedicar oito mãos o dia inteiro para fazer funcionar algo tão precário.

A primeira a voar foi Luz: todas juntas decidiram que ela aceitaria a oferta de emprego na lavanderia do casal Irigaray, assim, ganharia alguns dólares para a bolsa comum. Em questão de dias, Mona também se distanciou. Ela sempre fora a mais rápida com números, transações e compras, por isso, assumiu inteiramente as contas e as provisões. Um dia ia ao Gansevoort Market em busca de frutas e verduras, outro, descia até o mercado da West Washington e, sem entender quase nada, comprava frangos mirrados ou coisas baratas que poucos queriam: miolo, queixada, língua, cabeça de porco; certas manhãs, bem cedinho atravessava até o East River para ir ao Fulton Fish Market, onde durante um tempo seu pai trabalhou estripando peixes gigantescos, desconhecidos no mar delas. Acordava incrivelmente cedo e as caminhadas eram extenuantes, e carregava sempre consigo a angústia das dívidas acumuladas e de não saber como saldá-las, por mais que pensasse no assunto, mas pelo menos assim conseguia minimizar os gastos ao extremo. E sempre voltava com algo substancioso que Remedios era capaz de transformar em um saboroso cozido, apesar de nunca parar de resmungar pela falta dos ingredientes mediterrâneos tão elementares com que estava acostumada a cozinhar. Amêndoas. Azeitonas. Salsinha. Louro.

Naquela manhã de abril, Mona empurrou a porta da taberna com o ombro e entrou depressa. Estava atrasada, achava que a irmã e a mãe a receberiam de cara feia. Era quase meio-dia, e ainda não havia nada no fogo. Para sua surpresa, no entanto, não encontrou as reclamações habituais, e sim um homem que nunca havia visto, sentado em um banquinho em frente ao balcão pelo qual passavam os pedidos. Remedios e Victoria estavam atrás, na cozinha, do outro lado, visíveis apenas da cintura para cima. Pela postura descontraída do desconhecido, parecia que estavam conversando.

O homem se levantou ao vê-la, e Mona o avaliou, veloz. Próximo aos cinquenta, calculou. Ou mais: ela não tinha muita experiência com homens maduros, era difícil lhes atribuir uma idade. Decentemente vestido, embora a roupa sem dúvida acumulasse uso de anos, estatura mediana e um pouco de barriga, cabelos castanhos grisalhos nas entradas, sobrancelhas grossas e escuras, um pouco de papada. Tinha diante de si um pacote de charutos; no chão, em uma pilha compacta amarrada com tiras de pano, algumas caixas com etiquetas coloridas.

— Lamento sua triste perda, senhorita — disse ele no mesmo espanhol do sul peninsular delas.

Estendeu-lhe a mão, e quando Mona tentou retribuir a saudação segurando a compra volumosa, escaparam duas cebolas do pacote, que acabaram rolando pelo chão.

— Muito obrigada — murmurou ela, agachando-se para recolhê-las.

Sem mais palavras entrou na cozinha. O desconhecido olhou o relógio, soltou algumas frases sobre outros compromissos e pegou a mercadoria que tinha a seus pés.

— Quem é esse sujeito? — perguntou a Victoria baixinho, aproximando-se do ouvido de sua irmã mais velha.

— Um que diz que conheceu papai, Luciano não-sei-o-quê.

Esperou que o sujeito acabasse de se despedir e se dirigisse à saída para indicar a caixa que ele havia deixado em cima do balcão. A tampa mostrava uma linda jovem com grandes flores vermelhas no cabelo; ao redor dela, folhas de palma, escudos e a marca Cuesta-Rey.

— Ele vende tabaco — esclareceu Victoria —, é representante de uma casa de Tampa, na Flórida. Insistiu que ficássemos com esses charutos; disse que quase todos os restaurantes os oferecem a seus clientes, que dão um bom lucro.

— E com que você pensa que vamos pagá-los, se cada dia estamos mais pobres?

— Ele os deixou de graça. Se tiverem saída, ótimo. Senão, ele os levará de volta. É um bom homem, viúvo recente.

Voltou a cabeça para a mãe e sorriu, marota.

— Eles poderiam consolar um ao outro...

Mona sufocou uma gargalhada e deu um tapa em sua irmã.

— Está pensando em enroscar mamãe com um homem, sua louca!

Mas ela também fixou o olhar em Remedios, gasta pelos anos, pelo trabalho e por seu eterno desânimo. Contudo, ainda a achava linda a sua maneira, com seus cabelos bem presos e o rosto anguloso porque mal comia, e aqueles olhos tão pretos dos quais sempre surgia uma lágrima no momento mais inesperado. Ainda manchava os panos todos os meses; até filhos poderia ter, se quisesse.

A própria mãe, ignorando o que elas cochichavam às suas costas, puxou-as de novo à realidade.

— O ruim é que temos pouca clientela. Mas pior vai ser se as pessoas começarem a chegar e não houver nada para pôr na mesa. O que é que está acontecendo aqui hoje? Querem que afundemos ainda mais?

Provavelmente estava transtornada pela pressa devido ao atraso acumulado, ou pela lembrança do marido morto que a visita do tabaqueiro avivou, ou foi uma simples distração: o fato foi que um grito perfurou os tímpanos das duas irmãs enquanto arrumavam as mesas, meia hora depois.

Correram para a cozinha e encontraram Remedios cobrindo um lado do rosto com o semblante contraído de dor. Ambas correram para ela aos gritos:

— Deixe ver, mãe!

— Não mexa, não esfregue, tenha cuidado!

A culpa foi do óleo fervente, que saltou ao fritar o frango; os espirros provocaram uma queimadura feia na pálpebra e outras menores no pômulo direito e na têmpora. Suas filhas a obrigaram a deitar a cabeça na pia para molhá-la com água fria, depois fizeram-na sentar com o rosto para o teto defumado e puseram sal nas queimaduras.

O passar das horas não acalmou a dor, e ela andou o dia inteiro apertando um pano molhado em vinagre no rosto, incomodada e queixosa, com um humor infernal. Elas ficaram gratas quando os últimos clientes foram embora, no fim do dia. Rapidamente, assim que comessem as sobras, poderiam ir para casa também. Estavam prestes a se sentar à mesa quando Luz chegou. Apesar da hora e do cansaço, com a irmã mais nova sempre parecia entrar uma rajada de frescor; rara era a noite que ela não tinha um caso para contar, uma novidade ou uma fofoca com que se esforçava para levantar o moral de todas.

— Hoje saí mais cedo da lavanderia — anunciou depois de soltar uma catarata de gritos alarmados ao ver a mãe com metade do rosto coberto. — Vão começar a ensaiar uma zarzuela à noite na La Nacional, e dona Concha me deixou ir para me informar.

Haviam distribuído panfletos com a convocatória pelos comércios do bairro. Menina, dissera a vasca, do jeito que você gosta de cantar e dançar, poderia se dar bem... Ano passado apresentaram *La Revoltosa*, contou ela enquanto sacudia uma camisa impoluta; no anterior, *La rosa del azafrán*. Todos os participantes eram meros amadores, ensaiavam na La Nacional, e depois, para a estreia, alugavam o teatro San José, na Quinta avenida, e os ingressos esgotavam. Não havia hispanófono em Nova York que não fosse e não aplaudisse com entusiasmo.

— Para este ano, estão pensando em *Luisa Fernanda* — dissera a proprietária da lavanderia.

— Mas eu nunca cantei zarzuela na vida, senhora.

— Mas tem bom ouvido, e voz não lhe falta.

— E graça — acrescentou o marido, reforçando a sugestão enquanto dobrava um casaco. — Graça você tem até para parar um trem.

Luz passou o dia inteiro pensando na ideia de se ver em cima de um palco, em como seria sentir-se rodeada pela música, as luzes, as vozes, os aplausos. Mesmo que fosse em um papelzinho irrelevante. Mesmo que fosse só mais uma voz em um coro; um rosto e um corpo quase invisíveis dentro de um pelotão. Corroída pela curiosidade, no final da tarde ela passou por lá para averiguar como funcionava aquilo. E, depois, quis compartilhá-lo com a mãe e as irmãs, otimista, animada.

— Amanhã vão fazer os testes, e acho que vou participar.

Obviamente, ela não contava com a amarga resposta de Remedios, rápida como uma navalhada.

— E o trabalho? E o luto por seu pai? — resmungou a mãe. Junto com as palavras furiosas, saíram de sua boca gotas de saliva e pedaços de carne meio mastigada.

Durante alguns momentos desconcertantes só se ouvia a torneira da cozinha pingando.

A intervenção de Mona, lenta e cautelosa, quebrou a tensão.

— Ela disse que os ensaios serão à noite, mãe, depois de fechar a lavanderia. E quanto a papai...

Não houve como terminar a frase.

— Pois se lhe sobra tempo, que procure outro emprego e esqueça o canto e a dança, que a morte de seu pai merece respeito, e bastante falta nos faz o dinheiro! Ou já esqueceram que ainda temos dívidas? — gritou Remedios, pondo-se subitamente em pé. O pano que cobria suas queimaduras caiu no chão, e ficaram à vista o rosto vermelho e a pálpebra semicerrada.

As irmãs mais velhas insistiam em ajudar a caçula.

— Mas, mas, mas mãe...

Um grito desgarrado saiu da garganta de Remedios.

— Já disse que não!

Elas a olharam atônitas; não estavam acostumadas a vê-la perder as estribeiras daquele jeito. O dia ruim que estava tendo devia ser a razão. O mais aconselhável, consequentemente, teria sido deixar o assunto para lá, para que ela o fosse digerindo a seu ritmo, e talvez retomá-lo no dia seguinte com mais calma. Mas Luz não conseguiu se conter.

— Quer saber de uma coisa, mãe? Eu trabalho nove horas por dia, e com isso já faço minha parte; se este negócio não vai para a frente, não é culpa minha. E, além do mais, se sou capaz de ganhar um salário, também posso decidir em que outras coisas gasto o pouco tempo que me sobra.

— E é isso que você decide? Desrespeitar a memória de seu pai?

A mais nova das Arenas, já fora de si, prosseguiu aos gritos:

— Eu decido que não tenho por que mostrar a ninguém uma dor que não sinto!

Suas irmãs a olharam em choque. O lábio inferior de Remedios começou a tremer.

— Luz, pelo amor de Deus, não seja tão estúpida — sussurrou Mona, enquanto Victoria pousava a mão em seu braço para acalmá-la.

Como se em vez dos dedos de sua irmã fosse a língua de uma víbora que a tocava, Luz se afastou com brusquidão.

Apesar do empenho de acalmá-la, as irmãs mais velhas entendiam seu sentimento, porque com ambas acontecia algo parecido: as lembranças de Emilio Arenas iam secando à medida que o tempo passava, como uma pequena poça sob o sol do meio-dia. A convivência com ele havia sido tão breve, tão pouca e tão frágil, que a marca que deixou quase já havia esvanecido. Guardavam carinho por ele, um afeto tão certo quanto difuso. Mas sua ausência não doía. Não mais. Para o bem e para o mal, o arranhão no coração já havia cicatrizado.

— Ele teria me incentivado — arrematou Luz, levantando-se, furiosa, com tanto ímpeto que derrubou a cadeira. — Ele sentiria orgulho de mim, de modo que muito mais eu honraria sua memória se lhe dedicasse mesmo que fosse um miserável papelzinho nessa zarzuela, que ficando na vontade por causa de um luto ridículo que a ninguém importa se guardamos ou não.

A partir daí, tudo desandou. Mais gritos, mais recriminações, fogo cruzado, munição carregada de crueza.

— Estamos aqui por sua culpa, mãe, porque você nos trouxe, maldição!

— Filha ruim, sem-vergonha!

— Você já nos amargurou bastante a vida, deixe-me em paz! — gritou Luz, e saiu batendo a porta.

Atrás dela ficou uma cadeira caída no chão e um desconcerto denso e amargo. Quando as outras chegaram em casa, meia hora mais tarde, Luz já estava deitada em sua cama dobrável, encolhida, ausente.

CAPÍTULO 24

Ninguém a viu pela manhã. Como sempre, Mona saiu antes que as outras se levantassem, e quando a mãe e Victoria o fizeram, a pequena Arenas já havia saído, deixando a cama revirada.

Embora evitassem rememorar o que havia acontecido na noite anterior, o ambiente na taberna esteve tenso e amargo desde o início. Para disfarçar, cada uma se dedicou calada às tarefas cotidianas. Como se pendessem do teto por fios transparentes ou agarrados às paredes como teias de aranha, invisíveis e silenciosos, mas reais, haviam ficado ali farrapos das recriminações e grosserias, ecos dos gritos da noite anterior entre mãe e filha.

Já eram quase oito da noite de um dia desagradável, e a essa hora não haviam atendido mais que nove pessoas para jantar, e Remedios continuava com o olho meio fechado em consequência das queimaduras, e o humor coletivo continuava igualmente obscuro. E, na rua, havia começado a chover.

— Vou sair um instante antes que a Casa Moneo feche; dona Carmen me disse ontem que estava para chegar um pedido de... de...

Mona terminou a frase em um murmúrio confuso. Na realidade, não fez diferença, porque sua mãe não lhe deu ouvidos e porque Victoria sabia que ela estava mentindo; já haviam conversado antes sobre isso. Mona não ia à Casa Moneo; não havia nenhum pedido de nada para chegar. Mas ela saiu mesmo assim.

Atravessou a rua a passos largos para não se molhar, e precisou apenas percorrer um breve trecho de calçada para chegar à porta da La Nacional. Havia gente subindo a escada com pressa, homens e mulheres com as golas erguidas ou cobrindo precariamente a cabeça sob a chuva imprevista com o que tinham mais à mão: um jornal a modo de telhado, um lenço, uma sacola de papel. Havia também guarda-chuvas que se fechavam e iam deixando sobre as lajotas uma trilha molhada.

A audição aconteceria no salão nobre, no andar principal. O amplo aposento estava abarrotado de cadeiras, já quase todas ocupadas a essa hora por garotas com roupas de domingo e rapazes com brilhantina no cabelo, embora a pressa os houvesse impedido de limpar a sujeira das unhas ao sair da fábrica, da obra ou da oficina. Mona viu também jovens mães com crianças quase dormindo, algumas matronas ressabiadas, homens de idade avançada que fumavam e a seguir pigarreavam, tentando tirar a fleuma do esterno. Alguns eram moradores do bairro, outros, gente que havia subido da Cherry Street, alguns vindos de metrô do Harlem, de Washington Heights, do Bronx e do Brooklyn, de balsa de Staten Island. Alguns, inclusive, provinham de Newark e Elizabeth, em New Jersey, do outro lado do Hudson. A notícia daquela convocatória anual chegara a todos os recantos onde residisse um grupo de espanhóis, grande ou pequeno.

A cada instante eclodiam cumprimentos entrecruzados e risos soltos, um grito de surpresa, um abraço emocionado. A língua comum fluía entre as paredes com mil sotaques diferentes, até que um homem de óculos redondos e bigode rebuscado se sentou ao piano em cima do palco de madeira ao fundo e começou a emitir notas, enquanto as vozes iam diminuindo o tom e se espalhava pelo salão uma rajada de sonoros *shhhh*.

Em pé, perto da porta, Mona procurou Luz em meio à gente. Tardou a encontrá-la porque estava de costas, sentada na quarta fila com o cabelo preso em um coque puxado enfeitado com um par de cravos. Em vista da obstinada recusa de sua própria mãe, estava acompanhada pela proteção do casal Irigaray, dona Concha a sua direita, dom Enrique do outro lado. Incapaz de ver o rosto de nenhum dos três, Mona não teve outra opção que não fosse imaginá-los: nervosos, expectantes sob fachadas de aparente seriedade. Pensou em abrir caminho para chegar até eles, mas, nesse momento, outro homem subiu ao palco e pediu a atenção dos presentes. Senhoras e senhores, por favor! As pessoas foram acabando de ocupar seus lugares, cadeiras rangiam, e as conversas se apagaram. Mona, sozinha em pé no meio do corredor, não teve mais remédio que se sentar depressa em um dos poucos lugares livres.

A audição parecia eterna, e tudo foi um tanto caótico. Mas não havia outro jeito: o potencial elenco era formado só por amadores com mais boa vontade que garganta, um enxame de modestos trabalhadores e donas de casa, entregadores, criadas, pedreiros, manicures, costureiras, garçons. À medida que os papéis iam sendo atribuídos, ouviam-se assobios, recriminações e bufos, e houve quem protestasse com língua cortante e até quem fosse embora irado e desgostoso por não ter sido escolhido para fazer o coronel, ou dom Florito, ou a estalajadeira.

Eram mais de dez da noite quando chegou a vez de Luz. A essa altura, a sala estava cheia de cadeiras fora do lugar, espaços vazios e rostos que delatavam cansaço e tédio. Tão logo a viu subir ao palco, Mona espantou a preguiça e endireitou as costas. Ali estava sua irmã mais nova, aquele rabo de lagartixa que de menina se transformara em uma mulher maravilhosa embutida no vestido de tecido barato que Mama Pepa costurou à mão para ela dois meses antes de bater as botas. Nos ombros, uma mantilha emprestada; nos lábios, um pouco de batom. O resto – o porte, a desenvoltura e o brilho que irradiava – era natural. O piano arrancou pela enésima vez. Luz olhou para o teto e inspirou, varreu a sala com os olhos, sorriu segura e começou a cantar. E, de súbito, tudo pareceu despertar de uma densa sonolência. Ali estava a filha mais nova do infeliz Capitão, lutando como um javali pelo papel da jovem costureira Rosita, que abria *Luisa Fernanda* com seu canto cintilante e descontraído.

Mi madre me criaba pa chalequera,
pero yo le he salido pantalonera...

Toda a graça do sul e todo o sol de sua terra pareciam ter se concentrado nela, apesar de nunca na vida ter cantado uma zarzuela: ora girava um ombro, ora balançava os quadris, a seguir flertava com o pianista e dava uma piscadinha. Com desembaraço e movimentos charmosos e sedutores, Luz dominou o palco como se não houvesse feito outra coisa desde que Remedios a colocou no mundo.

O salão inteiro aplaudiu em pé.

Mona, porém, não foi capaz de dar mais de três lentas palmadas: tantos sentimentos haviam se juntado dentro dela que ficou arrepiada.

CAPÍTULO 25

— Precisa ir ao médico ver esse olho, mulher. Dê-me um papel para eu anotar o endereço do doutor Castroviejo, diga-lhe que eu a mandei, ele me conhece de sobra porque levo caixas de charutos a ele o tempo todo. Ele adora Ponce de León, os mais caros. Ou não, melhor não; é melhor eu ligar e pedir uma hora a Lolita.

O tabaqueiro havia voltado aquele dia ao El Capitán; depois de mais um pouco de conversa, souberam que se chamava Luciano Barona, que sofria de acidez estomacal e que nascera em Alhama de Almería. Saíra de sua cidade havia mais de duas décadas, quando faltaram barcos para o transporte da uva ao exterior devido à Grande Guerra e os homens jovens da região ficaram sem futuro. Deixou para trás mulher e um filho; lavou pratos, esfregou pisos, picou verduras, selou pacotes de açúcar na Domino Sugar Refinery, depois foi vendedor em uma tabacaria na Atlantic Avenue que vendia cigarros de manufatura caseira; entendeu-se com o dono e este lhe ofereceu se acomodar no andar de cima, perto das mesas de bilhar onde ele costumava se reunir com seus conterrâneos para se porem a par das notícias que chegavam. Ele conseguiu economizar, mandou passagens para a esposa e o filho, tornou-se caixeiro viajante comissionado para um distribuidor local e, alguns anos depois, com a morte do proprietário, ficou com o aluguel de sua moradia e a concessão exclusiva de uma das casas que representava, a Cuesta-Rey, de Tampa.

— Queimadura é coisa traiçoeira; não descuide, senhora, que pode complicar...

Suas filhas reforçaram, em coro:

— O que quer, mãe, ficar meio cega?

— Ou acabar caolha como dona Milagros?

— Ou terminar com um tampão como aquele sujeito de Málaga, Nicasio, o dos churros?

A essa altura, três dias depois de o óleo espirrar, era evidente que de pouco valiam os panos molhados em vinagre que ela mesma punha para aliviar a dor; era necessário algo mais.

Conchavado com elas, Barona saiu em busca de um telefone e voltou logo depois com a confirmação: havia conseguido um encaixe naquela mesma tarde, no último horário.

— Mas não temos com que pagar! — protestou Remedios.

— A crédito — replicou ele.

— Mas já temos dívidas demais, homem de Deus, como vamos assumir mais gastos ainda?

— Eu me encarregarei de que seja a fundo perdido — insistiu ele, paciente. — Não se preocupe.

Nervosa e reticente, a mãe continuou criando obstáculos:

— E quem vai comigo?

Mona, a mais experiente para andar na rua, aventurou-se.

— Eu a acompanharei, mãe; não se preocupe, não vamos deixá-la sozinha.

— E nós duas ficamos para cuidar do jantar — disse Victoria, apontando para Luz com o queixo.

Luz fez uma careta, apertando os lábios. Ainda estava ressentida pela bronca por causa da zarzuela.

Sem mais pretextos, o nervosismo tomou conta de Remedios e a fez mergulhar em um estado de abatimento profundo. Só duas vezes ela havia estado cara a cara com um médico, e a lembrança de ambas a levava aos momentos mais dolorosos de sua vida: quando nasceu seu pobre Jesusito e quando, cinco meses mais tarde, depois da morte do menino, ela decidiu que também ia se deixar morrer. Mas não podia voltar atrás, o horário estava marcado e tudo em ordem nos assuntos domésticos; não havia razão. As filhas a deixaram meio apresentável a fim de enfrentar aquele que no mundo de que provinham era considerado uma eminência quase inacessível: um médico. Para sua sorte, um dos clientes meio fixos da taberna, um asturiano de corpanzil redondo que as ouviu comentar, ofereceu-se para levá-las. Passo perto todas as tardes fazendo as entregas, disse ele, paro aqui na porta meia hora antes e toco a buzina. Assim, economizariam a viagem no temerário transporte público e evitariam uma preocupação adicional a Remedios.

Mona foi absorta por todo o trajeto, aos solavancos, até a rua Noventa e Um Leste. Sem falar nem pensar, contemplando a suntuosidade de Manhattan que se tornava cada vez mais chamativa e opulenta conforme percorriam a Quinta avenida. As fachadas, os letreiros e as vitrines das lojas e dos grandes armazéns, o enxame de veículos, os pedestres. Sua mãe, espremida contra o flanco esquerdo, concentrada e sombria, nem sequer erguia a cabeça para ver o que havia do outro lado do vidro.

O aspecto de ambas não podia ser mais incongruente com a sóbria distinção do Upper East Side, com o envoltório quase aristocrático daquela clínica de tetos altos e aposentos amplos, e com o casal de pacientes elegantes com que cruzaram ao chegar. Remedios entrou acovardada diante do imponente porteiro negro que lhes abriu a porta, com Mona quase a puxando, ciente do aspecto humilde de ambas: roupa de ficar em casa e puída, sapatos sem brilho, cabelos modestamente arrumados e uma sensação de ter entrado por engano onde não deviam. Contudo, foram recebidas com cordialidade; o doutor Castroviejo jamais havia dito não a qualquer compatriota em apuros, e menos ainda sua recepcionista Lolita, uma brava galega do Lower East Side que sabia, por experiência própria, o que era passar necessidade no meio de estranhos.

— Acompanhem-me, por favor, sentem-se aqui. O doutor já vai atendê-las. Deixe-me retirar esse pano, senhora, ponha no lugar essa gaze higienizada. Querem um copo de água fresquinha, um chá?

Nunca mãe nem filha haviam sido tratadas com tanta dignidade. Em apenas dez minutos a moça as chamou a se levantar de novo. Por aqui, por favor.

Apesar da semipenumbra do consultório, Mona o identificou assim que o viu: aquele era o médico que ajudou o convidado ilustre quando este se indispôs na elegante residência na qual trabalhou a convite da Casa Moneo; o mais velho. De estatura mediana, rosto largo e amistoso, cabelos escuros em retrocesso deixando-lhe a ampla testa limpa. A grande diferença era que agora não usava terno escuro nem gravata-borboleta no pescoço, e sim um impecável jaleco branco fechado com dupla fileira de botões. Mas as maneiras rápidas de profissional competente continuavam as mesmas.

— Ora, ora, ora...

Ele nem sequer perguntou a Remedios como havia sido o acidente, certamente estava a par graças ao que Barona contou a sua enfermeira. Limitou-se a acomodá-la em uma moderna cadeira reclinável, dirigiu seu rosto a uma luz cegante, murmurou *aham* e pediu algo incompreensível a um assistente que até então estava de costas preparando o instrumental. Em condições normais, a boa mulher teria começado a gritar como uma possessa ao saber que um objeto metálico e pontudo estava prestes a espetar sua pálpebra, mas não teve oportunidade. A perícia do especialista foi tanta que em menos de dois minutos havia acabado.

— Pronto — disse ele, dando-lhe um tapinha afetuoso no rosto. — Era pouca coisa, o globo ocular estava intacto. O doutor Osorio virá agora, fará o curativo e lhe dará as instruções para os cuidados.

Ele as cumprimentou com um movimento de cabeça e saiu. Já havia terminado seu trabalho, e o riojano Castroviejo não era homem de desperdiçar tempo desnecessariamente.

Assim que Remedios o ouviu falar com alguém na sala vizinha e intuiu que não estava perto para vigiá-la, lutou para se levantar daquele monstro mecânico onde ele a havia sentado, um dispositivo demoníaco meio cadeira e meio maca. Para que esperar mais? O homem não havia dito que estava pronta? Portanto, fora dali. Então, ela cravou os cotovelos no encosto e começou a tentar se endireitar, mas teve dificuldade para encontrar o equilíbrio.

Alertado pelo bufo de esforço que ouviu por trás da porta entreaberta, o médico assistente entrou rápido e foi até ela.

— Espere, senhora, espere, não terminamos ainda!

Ele jamais havia cometido um erro desde que se tornara braço direito do reputado Castroviejo; só faltava que o primeiro fosse uma paciente caindo no chão.

— Fique quieta, mãe, pelo amor de Deus! — ouviu ele atrás de si.

O doutor havia acabado de pousar suas próprias mãos nos ombros da paciente para recostá-la de novo quando notou outro par de mãos leves em cima das suas e um torso magro e quente de mulher, que se curvou sobre ele, impedindo-o de inclinar-se. O objetivo era ajudá-lo a segurar Remedios, mas não era necessário; ela já havia acatado a ordem, submissa. A única coisa que Mona conseguiu ao involuntariamente esmagar com seu corpo o dele foi provocar no médico uma súbita onda de ardor.

— Perdão — murmurou ela ao notar sua própria veemência.

Endireitou-se, perturbada, e deu uns passos para trás até se afastar.

O médico, aturdido, levou alguns segundos para reagir.

— Terminaremos logo — disse em voz baixa, sem se virar.

Concentrou-se em seu trabalho de costas para ela, sem que Mona conseguisse ver-lhe o rosto. Ao terminar, ele ativou um mecanismo que endireitou a cadeira de Remedios.

— Agora pode se levantar, senhora.

Só então ele se virou.

Viu-a se aproximar para ajudar a mãe: a mesma garota morena e graciosa de ossos finos, sobrancelhas grossas e olhos brilhantes feito velas que serviu os aperitivos durante a recepção na casa da marquesa da Vega Real, a jovem que ele passou a noite contemplando discretamente e cuja recordação o acompanhou durante um tempo, a que o roçou com os dedos molhados ao lhe entregar um copo de água e não saiu de seu lado enquanto o ilustre doente se recuperava. Foram talvez cinco, seis, sete minutos que a sentiu perto, como calcular? Só lhe ficou gravado a fogo a recordação de suas coxas esbeltas paradas a dois palmos de seu rosto sob o tecido do uniforme enquanto ele permanecia agachado, supostamente atento à perna deteriorada do conde de Covadonga. Naquele momento, no entanto, o tônus do corpo de fêmea jovem, ou o cheiro de sua pele, ou o magnetismo de sua simples presença, ou o que diabos fosse que emanava daquela linda garota, foi mais forte que seu zelo profissional. Quando o ex-príncipe das Astúrias parecia recuperado e ela voltou a suas tarefas, ignorando o que lhe havia provocado, ele não teve mais remédio que permanecer agachado ainda alguns instantes, fingindo procurar algo no tapete, disfarçando enquanto sua excitação se aplacava.

E agora, no fim dessa longa jornada de trabalho, no arremate de um dia como outro qualquer, ali estava ela de novo para roçá-lo mais uma vez involuntariamente e fazê-lo sentir algo a que César Osorio não estava acostumado em sua vida primeiro de esforçado estudante de Medicina, e depois de incipiente e atarefado profissional. A mesma jovem, sem o coque que da outra vez emoldurara seu rosto e sem o uniforme preto e o aventalzinho, com os cabelos soltos e a roupa sem muita graça do dia a dia e um casaco tosco de lã cinza, um tanto envergonhada, talvez, por ter se jogado em cima dele de uma forma tão brusca, por ter feito que seus corpos ficassem intimamente colados por alguns segundos.

— Terá que passar esta pomada três vezes ao dia — disse, entregando-lhe um tubo quando Remedios já estava em pé com seu curativo impecável na pálpebra.

Só então a olhou nos olhos.

Mona o havia reconhecido imediatamente, mas guardou a informação para si. Ela o achara atraente a sua maneira daquela primeira vez, moderado e bonito com a risca perfeitamente retilínea dos cabelos e seu terno escuro e seus óculos de armação fina, mas tão distante de sua órbita que mal lhe dedicou dois pensamentos. Agora, de jaleco branco, continuava achando-o igualmente elegante e igualmente distante, e nem lhe passou pela cabeça que ele pudesse se lembrar dela.

Nenhum dos dois disse nada enquanto o medicamento passava de uma mão à outra. Obrigada, murmurou ela, ao guardá-lo no bolso do casaco.

A amável galega as recebeu na sala de espera vazia enquanto César Osorio fechava a porta atrás de si com o sangue pulsando nas têmporas. Havia levado semanas para tirar da cabeça aquela anônima compatriota de origem evidentemente humilde de quem não sabia nem o nome; conseguiu afastá-la de seu raciocínio cartesiano pensando que jamais tornaria a vê-la, mas, no entanto, ali estava ela outra vez.

CAPÍTULO 26

Na volta do consultório, estavam esperando na casa de dona Milagros com a porta entreaberta, atentas ao momento em que seus passos fizessem a madeira dos degraus ranger.

— Entrem — ordenou Victoria em um sussurro imperioso.

Sem lhes dar tempo de reagir, fez com que entrassem no apartamento praticamente empurrando-as, e as guiou por um escuro corredor em cujas laterais se amontoavam os pacotões de jornal velho. Cheirava a lugar fechado, a cigarro e a algo pungente que elas não foram capazes de identificar. Apesar da proximidade, era a primeira vez que entravam na residência da vizinha.

Quando chegaram no quarto do fundo, Mona e Remedios reagiram com o mesmo espanto.

— Virgem santa, irmã Lito! O que aconteceu com a senhora?

A mulher tinha o braço esquerdo em uma tipoia e o mesmo lado do rosto esfolado e tingido de mercurocromo vermelho intenso; estava sentada em uma poltrona puída que tinha uma manta feita à mão no encosto. De um lado, Luz estava em pé com uma expressão de angústia; do outro, a dona da casa fumava um cigarro com o semblante contraído e centenas de rugas quadriculando sua pele.

— Mazza — disse então Victoria.

Elas continuavam olhando para a freira atônitas, sem reação.

— Mazza, o advogado, mandou que a derrubassem da escada do metrô, o filho da mãe.

Remedios levou as duas mãos à boca para sufocar um lamento, Mona soltou um palavrão, enquanto Victoria, Luz e a vizinha erguiam a voz para narrar cada uma sua versão do incidente. Tanto se atropelavam entre insultos e recriminações ao culpado, que irmã Lito acabou pedindo silêncio aos gritos.

— Deixem que eu explico!

As três fecharam o bico, e durante alguns segundos o silêncio se espalhou pelo quarto cheio de fumaça. As cortinas da única janela estavam fechadas; uma espécie de mesa de escritório ocupava o centro do pequeno aposento, iluminada por uma luminária de luz intensa; em cima, montes de delicadas flores de papel, tão bonitas quanto fora de lugar.

— Do início ao fim, irmã — murmurou Mona. — Conte-nos tudo do início ao fim.

A religiosa encheu os pulmões de ar, segurou-o alguns instantes enquanto as cinco mulheres a contemplavam. Patética. Tristemente patética era a imagem que tinham diante de si: o hábito sujo e rasgado embaixo, o cabelo pior que nunca, despenteado, mal cortado, entre branco e cinza. A postura esgotada e todo o lado esquerdo, flanco, rosto, braço, atestando a agressão.

— Sua última estratégia foi usar dois rapazes para me fazer cair ao descer para a estação do *subway*. Ele pretendia me assustar, essa era sua intenção.

Ela fez uma pausa e varreu com o olhar os quatro pares de olhos da família Arenas.

— O que quero que saibam agora, minhas meninas, é que ele está fazendo todo o possível para arrancar de minhas mãos o caso de vocês. E que não sei até onde ele será capaz de chegar.

Apesar de suas reticências iniciais, transtornada agora pela pancada ou simplesmente certa de que não havia outra saída, irmã Lito havia decidido informá-las do que andava escondendo havia semanas: que a morte de Emilio Arenas havia deixado de ser mais um caso simples.

As três irmãs replicaram com um assalto de perguntas em uníssono, sem entender nada:

— Mas por que ele está tão obstinado?

— Por que esse empenho, se a senhora já lhe disse não em nosso nome?

— Por que ele não nos deixa em paz?

A explicação foi simples:

— Porque com o caso de Emilio nas mãos, seu poder aumentará.

Ainda perdida, Mona exigiu em um tom abrupto:

— Fale claro, irmã, por favor.

A freira inspirou pelo nariz, como se precisasse de oxigênio para expor a situação com palavras acessíveis.

— Existe um sindicato poderoso que defende os trabalhadores das docas; suas condições de trabalho são duras e os acidentes, numerosos, alguns bastante graves. O sindicato contratou um escritório de advogados sério para que defenda em conjunto todo o monte de prejudicados dos últimos meses, vão mover uma ação coletiva contra a autoridade portuária, além dos requerimentos individuais às companhias envolvidas nos incidentes.

— Mas nosso pai não trabalhava nem nas docas nem na Trasatlántica — protestou Victoria —, nós já dissemos...

— Isso é o de menos: falsificar um contrato ou um documento e arranjar algumas testemunhas dispostas a mentir não seria nenhum problema.

As três gritaram de novo. Sem-vergonhas! Abusados! Gente ruim!

— Deixem-na terminar, caralho! — gritou a galega. — Calem-se todas de uma vez!

Ciente de que melhor seria abreviar a questão ao mínimo, a freira sintetizou.

— Falta um morto para eles, ponto final. E precisam de um depressa, porque a ação coletiva já está meio encaminhada.

Nenhuma delas reagiu diante da maneira como a mulher se referira ao pai e marido: o morto, sem mais. A essa altura, a retórica era desnecessária. Pura frieza judicial.

— Sem morto — acrescentou —, o sindicato conseguiria apenas uma fatia mediana com sua ação coletiva. Com morto, a coisa seria muito mais substanciosa.

Simples assim era a questão: somado aos outros casos que compunham a longa réstia de acidentes acontecidos ultimamente nas docas, Emilio Arenas seria a peça-chave, e não porque o infeliz do malaguenho fosse relevante em si mesmo, mas porque constituiria o único acidente do pacote com vítima fatal. A gota d'água. A cereja do bolo.

— E por que esses advogados importantes não pedem o caso diretamente à senhora? — perguntou Luz.

— Já pediram meia dúzia de vezes, mas eles sabem que não vou ceder. Por isso, Mazza pensa que se o conseguir por sua conta e risco e o oferecer aos outros, eles o acolherão de braços abertos e tudo estará a seu favor: ele se aliará a um escritório grande e solvente para revitalizar o seu moribundo e sua pobre credibilidade como advogado, que vai de mal a pior.

— Por isso a está incomodando — murmurou Mona em voz baixa, por fim entendendo.

— Por isso é que eu o incomodo, isso sim. Sem mim, Mazza e os advogados do sindicato pressionariam não só a Compañía Trasatlántica individualmente, como também, e com mais contundência, a autoridade portuária e suas correspondentes seguradoras a fim de obter umas fatias substanciosas de indenização.

— E disso, para nós... — indicou Victoria.

— E disso, depois de gratificar cada elo da corrente, para vocês não restariam mais que migalhas.

Cercado por retratos difusos, situado na poltrona de sua velha amiga, o corpo compacto da religiosa parecia mais curto ainda: os pés não chegavam ao chão, e por baixo do hábito rasgado surgiam umas panturrilhas nuas cheias de marcas e manchas violáceas, dois tornozelos disformes e um par de botas infantis surradas. Contrariamente, o que ela soltava pela boca com uma narrativa desprovida de panos quentes não tinha o menor traço de infantilidade.

— O tio dele, Marcelo — prosseguiu ela, voltando a Mazza —, era outro sem-vergonha sem escrúpulos, mas pelo menos respeitava qualquer coisa que cheirasse a catolicismo, sob o qual foi criado antes de emigrar; tanto que até fundou, com alguns conterrâneos, a sociedade Madonna della Pietà. Esse sobrinho, no entanto, além de bem menos inteligente, é boi de outro pasto, já nascido na América sem esse temor a Deus que os outros levavam colado à pele. Para conseguir o que quer tanto faz atropelar um padre ou uma freira; até sua santa mãe ele venderia se fosse necessário para seus interesses.

Enquanto irmã Lito falava, elas se mantinham em pé formando um semicírculo ao seu redor. Ao cansaço do dia e à sensação de esgotamento que acumulavam, ao olho sofrido de Remedios e ao ressentimento ainda latente de Luz, somava-se agora esse novo desânimo. Era só o que faltava, pensou cada uma para si. E pela enésima vez se perguntaram se não teriam cometido um erro monumental recusando as passagens de volta e o dinheiro novinho da companhia de navegação, se não haviam sido incautas ao abrir sua vida à excêntrica religiosa que agora acendia outro Lucky Strike, erguia a cabeça e soltava a fumaça para o teto pelo lado menos prejudicado da boca.

— De qualquer maneira, minhas meninas, só quero que saibam que continuo na luta, que um vigarista como esse não me acovarda assim sem mais nem menos. Mas, depois do que aconteceu hoje à tarde, eu tinha que as pôr a par antes que alguém tentasse convencê-las de alguma coisa, ou que me vissem neste estado.

Despediram-se no corredor; irmã Lito recusou categoricamente que a acompanhassem até a Casa María. O que estão pensando – insistiu –, que vou me deixar amedrontar? Observaram-na enquanto descia pesadamente a escada com seu corpo de almôndega, o rosto massacrado tingido de um vermelho diabólico e o braço na tipoia apertado contra a barriga: a freira mais estranha que já haviam visto. Por alguma razão incompreensível, no entanto, não perdiam a confiança nela.

CAPÍTULO 27

Ainda não eram sete da manhã quando Mona foi para a rua, e às nove e meia já havia acabado de comprar as provisões do dia: era um desses raros dias em que tudo saíra nos conformes e ela não estava de língua de fora.

De volta à Catorze, ela se permitiu parar em frente a uma loja de tecidos, um estabelecimento estreito e modesto de propriedade de um judeu.

Havia rolos de tecido apoiados nas paredes de ambos os lados da porta, do dintel da entrada pendiam grandes retalhos com preços de acordo com a humilde economia da região. Ela passava por ali com frequência e parava de vez em quando, estava de olho em um enorme pedaço de tecido xadrez branco e verde do qual calculava que poderiam sair umas toalhas de mesa. Talvez fosse uma fantasia, mas a ideia de revitalizar o triste negócio não saía de sua cabeça nem de noite nem de dia, e pensava que uma mudança de aparência poderia ajudar. Desfazer-se do enxoval cheio de manchas que herdaram do velho cantábrico e dar ao El Capitán um sopro de novidade.

As contas fervilhavam em sua mente enquanto ela segurava o tecido nas mãos: avaliava se valeria a pena abrir mão das parcas economias que havia acumulado para enfrentar as dívidas do aluguel – um rolo com apenas alguns dólares escondidos no fundo da gaveta dos talheres. Nisso pensava, avaliando os prós e contras de seu potencial investimento, quando se viu obrigada a ir um passo para o lado para dar passagem a duas mulheres que saíam da loja. Na casa dos trinta, redondas, uma empurrava um carrinho de bebê, a outra havia feito um leque com algumas notas. Falavam espanhol com sotaque caribenho, e, entre risos, uma roçava com o leque a ponta do nariz do bebê. Cruzaram com Mona sem olhar para ela, mas deixaram pairando no ar algumas palavras: lucro, número, bolinha, *cash*.

Mona as contemplou enquanto desciam a rua, tentada a segui-las e lhes perguntar do que estavam falando, a que se referiam, como ela poderia também fazer isso sobre o que elas iam conversando com grandes sorrisos nos rostos cor de caramelo. Mas não as seguiu: ficou parada, com a ponta do retalho nas mãos. Quando por fim voltou a se concentrar, a vontade de fazer novas toalhas de mesa havia evaporado; de súbito, pensou que estava perdendo tempo, que não havia necessidade nenhuma de mudar nada no El Capitán se o que queriam mesmo era abandoná-lo o quanto antes e voltar a seu mundo. E se lembrou de novo do advogado italiano, de suas ambições e da jogada suja com irmã Lito, e a luz da manhã se tornou desagradável, como se uma densa nuvem negra houvesse encoberto o sol.

Foi no exato momento em que o tecido escorreu de sua mão que ele se aproximou.

Estava pondo o chapéu, vestia um terno de linho claro e amassado, saía da loja com passo ágil enquanto guardava algo no bolso esquerdo da calça. Na outra mão segurava uns papéis dobrados cheios de anotações.

Tão concentrados estavam cada um, tão absortos em suas próprias histórias, que por um triz não colidiram.

— *Sorry!* — exclamou o jovem ao parar bruscamente.

Alto, magro, afilado, desembaraçado, com um olhar esverdeado e um quê de insolência na comissura esquerda dos lábios. Ela gostaria de saber replicar em inglês, mas as palavras lhe faltavam, de modo que resmungou espontaneamente:

— Diga *sorry* a seu pai, idiota! Tome cuidado!

Nem lhe passou pela cabeça que ele a pudesse entender. Mas sim. Aconteceu que sim, que ele entendeu, e por isso surgiu em seu rosto uma irônica expressão de espanto, e ele quase soltou uma gargalhada. Mas a intenção foi efêmera: o riso estava começando a despontar quando um assobio na rua chamou sua atenção, deixando-o congelado.

O aviso havia sido próximo, mais alto que a agitação que os envolvia em frente à entrada da loja, acima das vozes do monte de transeuntes, do barulho dos carros, dos cascos dos cavalos e dos motores das caminhonetes: um assobio cortante e cúmplice que o deixou em guarda.

Prevenido, o atraente desconhecido franziu o cenho e olhou depressa para os dois lados, até que distinguiu algo que certamente preferiria não ter visto: dois policiais atravessavam a rua apressados, abrindo caminho bruscamente entre os veículos e a multidão, dirigindo-se com pontaria firme ao lugar exato onde Mona e ele permaneciam.

— Por favor, guarde isto para mim.

Sua voz foi um sussurro premente; com uma mão ele mostrou a Mona os papéis dobrados, e com a outra tirou veloz o maço de notas que havia acabado de colocar no bolso. Não esperou que ela dissesse sim ou não: sem perder um segundo, enfiou tudo na cesta que a Arenas do meio levava no braço e o afundou entre maços de acelga e um pacote de fígado. Um instante depois já havia dado as costas a ela e empreendia a fuga com passos elásticos e as mãos vazias.

Quando os policiais conseguiram chegar à calçada e ela entendeu o que havia acontecido, o homem de terno claro, ágil como um felino, já havia escapado por uma viela transversal.

Mona, assustada, atravessou a rua correndo, com o coração quase saindo pela boca, decidida a fugir também. Sem pensar sequer no rumo que tomava, ansiando apenas se afastar dali, dobrou esquinas ao acaso até confirmar que ninguém a seguia e rumou à Catorze por um caminho diferente do de todos os dias, sem conseguir parar de se perguntar como pudera ser tão incauta.

— Senhorita...

Já estava em sua rua e continuava avançando depressa, com o olhar para a frente e a cesta apertada contra o abdome, como se temesse que alguém pudesse levá-la dela. Nem lhe passou pela cabeça que a voz que ouvia atrás de si se dirigia a ela.

— Senhorita, desculpe...

Nem bola.

— Senhorita...

Ela só reagiu na terceira vez, quando uma mão roçou seu ombro. O pulo e o grito fizeram o dono da mão retrair subitamente o braço.

— Desculpe, por favor; lamento tê-la importunado... — Sem o jaleco branco e à luz do meio-dia, para surpresa de Mona, ali estava outra vez o jovem médico que fizera o curativo em sua mãe na noite anterior.

— Eu estava passando casualmente por aqui para visitar uns pacientes...

Mentira. Mentira deslavada. O jovem doutor César Osorio, assistente do prestigioso Castroviejo em sua reputada clínica no Upper East Side, nem fazia visitas a domicílio, nem jamais pusera o pé naquela parte da cidade. Na zona alta de Manhattan tinha seu trabalho, seu lar e tudo que necessitava para sobreviver. Como para tantos outros espanhóis de boa posição, as áreas de compatriotas trabalhadores em Downtown ficavam longe demais para ele, geográfica e sentimentalmente.

— ... e pensei em passar para ver como está sua mãe.

Mona o olhou com desconfiança, parada no meio da calçada enquanto por ambos os lados os transeuntes continuavam passando. Certamente esse não era o melhor dia para surpresas, ainda estava nervosa, irritada consigo mesma e com o homem que havia acabado de fugir. E como sabe que moramos por aqui?, ela já ia perguntar. Mas não foi necessário; ele mesmo esclareceu.

— Lolita, a assistente da clínica, passou-me seu endereço.

Ele continuava bem-apessoado. Os cabelos castanho-claros bem penteados, um terno sóbrio sobre o corpo bem construído, os óculos. Alguém totalmente diferente do mundo de Mona, que, ainda assim, se esforçava para parecer próximo, natural. A preocupação dela com seus próprios assuntos, no entanto, a impediu de notar detalhes por trás daquela fachada de homem sereno. Que suas mãos suavam, por exemplo, enquanto falava com ela. Que a gravata o sufocava enquanto se esforçava para que suas desculpas parecessem medianamente convincentes.

— Ela já deve estar na cozinha, venha comigo — disse Mona por fim, abandonando seus receios.

Ali estava Remedios, enfiada em seu cubículo como sempre a essa hora, laminando champignon com a pálpebra impregnada da pomada amarelada que ele mesmo lhe entregara depois do curativo. A pobre mulher jamais teria imaginado que um médico iria examiná-la por vontade própria, mas não questionou o porquê daquela visita intempestiva, nem lhe passou pela cabeça que pudesse haver algo por trás; estava se acostumando à força ao fato de que aconteciam coisas estranhas naquela estranha cidade.

— Se quiser ficar para o almoço...

Diante do espanto de suas próprias filhas, essa foi a única maneira que a viúva encontrou de tentar retribuir a deferência depois que o jovem oftalmologista supostamente examinou seu olho: agora olhe para cima, para baixo, para a direita, para a esquerda; feche, abra, feche outra vez... Na realidade, isso não era necessário, tratava-se de uma lesão externa de menor envergadura, mas a ignorância da mulher permitiu a ele tratar o assunto com a atenção própria quase de um desses transplantes de córnea que seu superior Castroviejo estava começando a praticar por esses dias. E serviu, de quebra, para atingir seu objetivo com Mona. Vê-la de novo.

Para alívio de todas, o doutor Osorio declinou o convite. Já lhe havia custado bastante esforço inventar uma desculpa para se ausentar da clínica nessa manhã, ir até essa rua fora de seu território e percorrer suas calçadas para cima e para baixo até encontrar a garota a fim de lhe contar uma mentira sobre a necessidade de acompanhar de perto o olho da mãe. Ficar para almoçar na parca taberna teria sido demais para esse dia.

— Eu o acompanho até a porta — disse Mona, agradecendo intimamente a recusa dele.

Teria exigido um esforço sobre-humano a moça comportar-se com a fingida amabilidade que requereria o interesse do médico por sua mãe. Toda a preocupação de Mona estava naquilo que continuava no fundo de sua cesta, que outro homem mais desconcertante ainda havia acabado de deixar sob seus cuidados sem que ela entendesse o motivo.

CAPÍTULO 28

Remedios se levantou da mesa para buscar a sobremesa.

— Hoje uma artista de verdade foi ver o ensaio na La Nacional — anunciou Luz em um sussurro arrebatado.

Estavam sentadas diante do jantar parco e tardio de todas as noites; a duras penas Luz havia conseguido segurar a vontade de dar a notícia. O momento exato em que sua mãe saiu por alguns instantes foi sua oportunidade. Ainda restava um rescaldo do enfrentamento entre ambas por causa do luto e da zarzuela, e ela não tinha interesse em reavivá-lo. Tirou do bolso um anúncio dobrado várias vezes.

CHANIN THEATRE 46 ST. OESTE DE BROADWAY

MAÑANA DOMINGO a las 2.30 P. M. en punto

GRAN FESTIVAL

ORGANIZADO POR

"EL COMITE DE SOCORRO ESPAÑOL"

PARA BENEFICIO DE LOS NECESITADOS DE LA COLONIA ESPAÑOLA

Presentación y actuación de la bonita zarzuela

"LA PATRIA CHICA"

dirigida por el maestro NILO MENENDEZ y CARLOS BLANC

Variedades por los renombrados artistas:

CARMEN SALAZAR, JOSE MORICHE, JUAN PULIDO y señora de PULIDO, TITO GUIZAR y NENET NORIEGA, G. VILLARINO, ANGELITA LOYO, FAUSTO ALVAREZ con la rondalla "GALICIA." Las parejas de bailes LOLA BRAVO y JOSE CANSINO, BARCELO y MARTINEZ. Orquesta "LOS CHICOS" dirigida por MANOLO GOMEZ, el caricaturista "ARROYITO."

Precios: $2, $1.50, $1., 75 centavos

— No final, ela ficou para falar comigo. Disse que quer me fazer uma proposta, que me espera amanhã de manhã ali, no mesmo teatro onde há dois anos apresentaram outra zarzuela, e onde agora ela está escolhendo gente para um espetáculo novo — acrescentou no mesmo tom baixo e apressado.

— Mas você nem sabe quem é essa mulher — protestou Victoria, áspera —, como vai aonde uma desconhecida a manda ir, sem mais nem menos?

— Ela se chama Marita não-sei-de-quê e é de confiança, com certeza. Algumas pessoas a conheciam.

— Você não pode confiar em qualquer um — insistiu Mona dessa vez.

— Ela disse que eu tenho garra e uma voz excelente, que talvez com um pouco de estudo...

— Isso e nada é a mesma coisa.

Assim continuaram as três, em um cabo de guerra agressivo em voz baixa e ao mesmo tempo rápida e pungente; Luz defendendo sua opção promissora e suas irmãs só vendo o lado ruim de tudo. Até que a caçula não aguentou mais:

— O que é que há com vocês duas? Estão amarguradas e ficam irritadas porque alguma coisa está dando certo para mim?

Remedios, alheia, voltou nesse momento com frutas nas mãos.

— Hoje só temos duas peras.

Isso acabou com a discussão; Victoria e Mona recuaram e Luz apertou os lábios com uma expressão desafiadora e inequívoca. Conhecendo-a como a conheciam, as outras duas sabiam que ela não ia desistir.

Embora não totalmente consciente, Luz não estava errada ao intuir que alguma coisa estava acontecendo essa noite com suas irmãs. Separadamente, cada uma concentrada em si mesma, ambas acumulavam longas horas de desânimo.

Longe ficaram aqueles dias em que Victoria era a mais mundana das três – se por mundano se pudesse interpretar sair de vez em quando dos limites do modesto bairro de La Trinidad e adentrar, de braços dados com Salvador, as ruas mais prósperas e centrais, onde havia cafés e terraços, mulheres bem-arrumadas e lojas com vitrines. Em Nova York, ao contrário, ela era a que levava uma vida mais fechada: enquanto Mona e Luz iam quebrando a casca e dando pequenos passos rumo aos novos cenários que as cercavam, ela permanecia trancada no dia a dia do El Capitán, sem mal tirar a cabeça do porão escuro e de seu próprio desânimo. Ainda doíam as feridas pelo malquerer daquele homem que lhe jurou paixão eterna, de quem nada mais soube apesar dos apelos desesperados que ela lhe lançou por escrito desde sua chegada, com teimosia semanal: cartas fogosas transbordando de erros de ortografia e descaradas confissões de amor.

Quando queria enganar a si mesma, Victoria sempre encontrava um pretexto ao que se agarrar ilusoriamente. Às vezes optava por pensar que ele não respondia porque sua família altaneira confiscava as cartas que ela mandava; outras vezes imaginava que elas escapavam, em um passe de mágica, dos malotes do correio, voavam como gaivotas e caíam no oceano no meio da travessia, diluindo a tinta e, com ela, suas palavras. Porém, quando a lucidez a embargava e por fim ela aceitava a realidade em sua versão mais crua, não tinha dúvidas de que o canalha já não sentia afeto por ela e que só dedicava uma olhada a suas páginas de parágrafos esfarrapados antes de queimá-las com um isqueiro, ou talvez as guardasse no bolso e depois as lesse em voz alta para seus amigos nas noites de farra, para rirem juntos da ingenuidade, da ousadia e da péssima letra dessa garota tão bonita quanto primária que algumas vezes ele tirou de seu bairro para fazê-la sonhar. E assim continuavam as coisas na cabeça e no coração de Victoria, com dias em que ela pensava que o futuro haveria de se tornar luminoso quando conseguissem embarcar de volta para casa, e com outros em que suas próprias entranhas lhe aconselhavam que seria melhor ir esquecendo aquele ontem.

Tudo isso mantinha a Arenas mais velha mergulhada em uma melancolia que não desaparecia, e por essa razão, porque seus pesares a oprimiam, naquele dia, na hora do almoço, ela não notou que o cliente a que estava atendendo, prestes a encher seu primeiro prato, que com frequência murmurava um ou outro comentário procaz, estava assanhado além da conta. E diante do vestido leve que a cobria, e diante da ausência de clientes nas mesas próximas, o canalha ficou ousado, e enquanto ela estava com as mãos ocupadas servindo a sopa de miúdos, ele pegou a face dianteira da coxa dela com sua tosca mão aberta, deslizou-a até a virilha e apertou seu púbis como se estivesse tentando tirar suco de um limão. Que delícia você é, filha de uma puta, rosnou ele, lascivo. Muito gostosa.

O grito, o caldo e o macarrão caindo da sopeira, o estrépito da louça caindo no chão e se quebrando, a cabeça dos outros clientes se voltando para o escândalo, os insultos a plenos pulmões: sujeito nojento, porco, desgraçado... Seus tapas raivosos no abusador, a covardia constrangida dele. Tudo isso ainda retumbava em Victoria por dentro, e por isso naquela noite ela não estava com humor para as fantasias borbulhantes de Luz. Embora aparentemente ela houvesse recuperado a calma, ainda a queimava por dentro o pranto que a dominou depois que dois clientes jogaram o indesejável na rua, um desconsolo que brotou quando encontrou refúgio na lúgubre despensa vazia, sentada em um caixote de madeira, com a costas encurvadas, os ombros encolhidos e o rosto escondido nas mãos. Humilhada, envergonhada, doída, suja.

Remedios, sempre tão temerosa, mais uma vez havia passado a tranca por dentro essa noite depois que o último cliente deixou o local. Mal haviam começado a cortar as peras para dividi-las entre as quatro quando ouviram alguém de fora mexendo na maçaneta da porta. Sem conseguir abrir, a pessoa bateu com os nós dos dedos.

Mona se levantou, fazendo um esforço enorme para empurrar a fruta garganta abaixo. Assim como Victoria, ela também passara o dia inteiro com o coração apertado e o ânimo pungente, também sem humor para se deixar contagiar pelas ingênuas ilusões de Luz. Não conseguia tirar da cabeça a trombada matutina com o desconhecido que descarregou nela aqueles pertences que cheiravam a coisa turva. Não sabia como se livrar daquilo que tirou da cesta e escondeu na despensa atrás de um saco de arroz, talvez voltando à loja de tecidos e entregando tudo ao dono, talvez jogando tudo em algum bueiro. Tão sufocada se sentira ao longo das horas que nem sequer suspeitou da visita disfarçada do doutor.

— Vou ver quem é — sussurrou quando conseguiu engolir. Uma intuição atravessava sua alma: imaginava que poderia ser ele.

A caminho da porta, parou um instante na despensa; levou um segundo para pegar o que buscava, comprimiu o pacote debaixo do braço, cobrindo-o com o casaco.

Sua conjectura se confirmou assim que ela abriu a porta: ali estava. Com seu corpo ossudo dentro do terno claro e amassado e seu rosto anguloso e os cabelos meio revirados e a gravata frouxa, exibindo no rosto um sorriso conciliador.

— Ando procurando você desde hoje de manhã, achei que não conseguiria encontrá-la.

Para evitar que as outras o vissem, ela fechou depressa a porta atrás de si. Ficaram na calçada um em frente ao outro, iluminados pela luz mortiça da velha lâmpada inserida na fachada. Mona olhou para os dois lados para se certificar de que não havia ninguém conhecido; e quando se assegurou de que circulavam apenas as silhuetas escuras e distanciadas de alguns transeuntes anônimos, cuspiu sua raiva aos borbotões.

— Como me encontrou? E como se atreve a vir aqui? E que ideia foi aquela hoje de manhã de me usar daquele jeito tão... tão... tão...? — Não encontrou a palavra que procurava, de modo que não colocou nenhuma no lugar. — Você é imbecil, ou o quê? — prosseguiu.

E a seguir, pegou os papéis mal dobrados cheios de anotações e o grosso maço de notas desparelhas e velhas.

— Tome — rosnou, empurrando tudo contra o abdome do homem. Preferiu não perguntar do que se tratava; melhor não saber. — E agora, suma daqui e me deixe em paz.

— Não vai permitir que lhe dê uma explicação...

Ela o interrompeu bruscamente:

— Não é necessário.

— Minha intenção não foi comprometê-la, eu juro...

— Vá embora, já disse.

— Mas...

— O que estava pensando, seu cara de pau? — inquiriu ela, explodindo de novo diante de sua insistência. — Nem me perguntou, nem se importou de me envolver em seus problemas, sendo que não o conheço e nunca o vi mais gordo. Nem se importou que depois de ir atrás de você, a polícia pudesse vir atrás de mim.

Enquanto ela liberava toda a angústia que acumulava dentro de si, ele, sem se alterar, ficou simplesmente observando aquela mulher temperamental: os lábios maleáveis e o olhar brilhante e escuro de seus olhos enormes, a maneira de mexer a cabeça ao compasso das palavras, os gestos irados para enfatizar.

— Isso é tudo?

Quer mais, imbecil!, ela quase gritou. Mas optou por se conter: havia vomitado sua raiva, era melhor deixar como estava.

— Pode voltar por onde veio, é a única coisa que me resta dizer.

Ele levou dois dedos à têmpora, simulando uma continência. Ela murmurou, seca:

— Vá com Deus.

Ele devia beirar os trinta, era um palmo mais alto que ela, o cabelo era castanho-claro e grosso, o rosto era afilado e os olhos continuavam meio verdes sob a pouca luz. Atraente, reconheceu ela, a seu pesar. Contudo, depois do que havia acontecido, a única coisa que ela queria era que ele desaparecesse para sempre. E assim, voltou-se para entrar no El Capitán enquanto ele guardava seus pertences.

— Uma última coisa...

Mona já estava de costas para ele, prestes a empurrar a porta.

— Não quer saber se me pegaram?

Ela não se virou. Não respondeu. Prefiro não saber, pensou enquanto batia a porta e o deixava plantado na calçada. Nem louca queria saber dele de novo; nem seu nome sequer ele havia dito. Era bonito e atraente, mas cheirava a problemas.

CAPÍTULO 29

O encontro estava previsto para as onze. Chegaram à altura da rua Quarenta e Seis na parte superior de um ônibus de dois andares; dona Milagros havia lhes dado as explicações necessárias: como pagar, como andar dentro do veículo enorme, onde subir, onde descer.

Bem cedinho, engolindo seu receio, Mona havia perguntado a Luz suas intenções.

— Vou pedir a dona Concha que me acompanhe — replicara ela, resoluta. — Ela acredita em mim.

Voltara à memória da Arenas do meio a recordação da audição da zarzuela na La Nacional, a triste sensação que percorreu seus ossos ao ver sua irmã mais nova acompanhada pelos donos da lavanderia enquanto ela permanecia sozinha no fundo da sala e sua mãe, enfurecida, negava-lhe uma simples migalha de apoio. Depois de repassar na memória as provisões que foram sobrando ao longo dos dias no El Capitán, calculou que poderiam sobreviver sem fazer compras essa manhã.

— Melhor eu ir com você.

Luz usava uma blusa nova, branca, com um grande laço na frente. Ela a havia comprado no saldo da S. Klein, uma loja de preços populares na Union Square, depois de guardar algumas moedas do que ganhava lavando e passando com os Irigaray e de burlar as contas que fazia com sua mãe no final de cada semana. Com a peça de estreia, não só realçava sua aparência, como também, calada, mas intencionalmente, desafiava a férrea oposição de Remedios a suas aspirações. O resto da indumentária, no entanto, transpirava modéstia e desgaste; nem sequer usava meias, porque não tinha nenhuma fina, só as grossas de inverno, já fora de lugar com as temperaturas de final de abril. Para mitigar a humildade da vestimenta, assim que entraram no ônibus ela tirou um batom do cós.

— Alguém o esqueceu no bolso de uma capa que mandaram lavar na lavanderia — disse, entregando-o a sua irmã. — Passe em mim.

Mona deslizou o *lipstick* pelos lábios de Luz, e depois deu duas batidinhas com ele nas faces para lhe dar cor.

— E se soltar o cabelo todo?

As duas arrancaram os grampos com que Luz saiu de casa e espalharam sobre os ombros sua cabeleira castanha, ondulada, lustrosa, com uma mecha que tendia a cair sobre o olho esquerdo.

— Agora você parece um pouco mais artista — disse Mona, dando uma piscadinha.

E riram feito bobas, e entre elas brotou a cumplicidade de novo.

Quando desceram do ônibus, já fazia tempo que haviam tirado a blusa de tricô. Estavam de rosto corado e braços de fora, acaloradas. O ambiente da região lhes pareceu muito diferente do da Catorze e suas proximidades. Poder-se-ia dizer que todo mundo andava com mais brio: com chapéus e ternos de primavera, uma multidão de homens e mulheres entrava e saía com passos garbosos das lojas, dos escritórios, dos restaurantes, das agências e dos cafés. *Watch out!*, rosnou um sujeito mal-encarado quando quase trombou com Luz enquanto ela contemplava abobada uma vitrine. *Sorry, babe!*, desculpou-se outro com Mona depois de dar-lhe um pisão no pé.

Cientes de que não tinham muito tempo, esforçaram-se para se adequar ao ritmo dos demais transeuntes e iam desviando com perícia de tudo que representava um obstáculo: dois velhos esfarrapados que pediam esmola estendendo mãos encardidas e canequinhas de latão, um indivíduo que lia absorto enquanto caminhava e comia um cachorro-quente, vendedores de jornal, jovens que carregavam grandes anúncios nos ombros.

Veja, olhe, diziam uma à outra a todo momento. E trocavam cotoveladas, ou um tapa, ou esticavam o braço e apontavam com o polegar.

Electric razors, o melhor espetáculo do momento, o alfaiate mais rápido da cidade, *photos while you wait*. Cada um cuidava de sua vida e tudo se movia depressa, depressa, depressa. O trânsito era constante, as buzinas soavam com estrondo, os edifícios se elevavam até quase o além. Estavam, definitivamente, em outra Nova York.

Hesitaram algumas vezes, retrocederam, reencontraram o caminho e por fim comprovaram que estavam no lugar certo erguendo a cabeça para a imponente fachada com três arcos sobre uma marquise e um cartaz na vertical. CHANIN THEATRE, leram. Com vinte minutos de atraso, empurraram juntas as barras de cobre que atravessavam as portas.

Em contraste com a agitação da rua, o vestíbulo as acolheu silencioso como um cemitério; ambas sentiram uma súbita sensação de frio. Não encontrando a quem avisar que estavam ali, optaram por avançar, tentando, sem sucesso, disfarçar o som dos pregos das solas de seus sapatos velhos.

Começaram a ouvir notas soltas de piano; atrás de grossas cortinas de veludo encontraram o espaço do público, grandioso, opaco e vazio. A única luz provinha de dois holofotes sobre o palco. Mal haviam assomado a cabeça quando a música parou subitamente para dar lugar a um vozeirão.

— Já era hora, não?

Percorreram o corredor central quase trotando enquanto a tal Marita Reid descia do palco com cautela extrema para não tropeçar na penumbra; ao se aproximarem, foram percebendo-a com mais nitidez. Era alta, atlética, passava dos cinquenta e usava uma espécie de sobretudo florido um tanto extravagante. Maquiada com generosidade: as sobrancelhas pintadas com um traço preto, a boca de um vermelho raivoso demais para aquela hora do dia.

Suas primeiras frases foram em espanhol com sotaque andaluz, e a cadência gerou nelas certa confiança de cara. Mas ela intercalava palavras e expressões em inglês: tanto as chamava de garotas como *you girls*, dizia *El barbero de Sevilla* e logo *The Barber of Seville*.

— Então, vocês são de Málaga? — perguntou depois de lhes dar uma bronca pelo atraso. — Pois eu sou de perto, minha mãe era espanhola de La Línea e meu pai de Gibraltar, onde eu nasci, mas deixei logo o Peñón. Pisei no primeiro palco com uma trupe de comediantes antes de fazer sete anos, percorri metade da Espanha de carroça fazendo espetáculos ambulantes, aos dezesseis vim para Nova York em um cargueiro italiano que aportou em Algeciras. Todo mundo dizia que aqui havia um futuro promissor. Por isso vocês vieram também, não é?

Elas deram de ombros, sem contrariar sua ingênua suposição. Não, elas nunca foram atrás de nada promissor. A vida as arrastou simplesmente, nunca tiveram ambições nem sonhos. No entanto, com aquele gesto vago preferiram não dar explicações; afinal, daria no mesmo para aquela mulher tão presunçosa.

— Estive com a Compañía de Teatro Español desde que Zárraga a fundou, em 1921 — prosseguiu —, fui Malvaloca, dos irmãos Álvarez Quintero, e María em *El nido ajeno*, de Benavente. Participei da montagem que Narcisín Ibáñez Menta trouxe de Buenos Aires, conheci o poeta García Lorca quando esteve por aqui há alguns anos fascinado com os pretos do

Harlem; fiz sainetes, *astracanadas*, operetas e *vaudevilles*. Fortunio Bonanova quis me levar para Hollywood em 1932 e eu disse nãnão...

Mona e Luz a contemplavam em silêncio tentando disfarçar sua ignorância: nada do que ela dizia era familiar para elas. Por isso, suspiraram aliviadas quando a própria artista acabou pisando no freio.

— *So let's go*; vamos, que já estamos bastante atrasadas.

Antes de voltar ao palco, ela olhou fixamente para Mona.

— Você também aspira a ser artista, *honey*? Quer fazer um teste também?

A mulher deu um passo em direção a ela, segurou seu rosto com dedos em pinça, afundando-os nas bochechas.

— Com esses olhões pretos, você faria uma noiva divina em *Bodas de sangue, my dear*...

Sem esperar resposta, soltou-a, subiu de novo os degraus e foi se sentar em frente ao piano, jogando para trás seu casaco cheio de brilhos e gladíolos.

— *Come on*, menina! — gritou para Luz. — Suba aqui, *come on*! O que está esperando, ganhar asas? Que um príncipe encantado a carregue?

O teatro frio e nu foi se enchendo de música, e com ela parecia que entrava também um pouco de calor. Diferente do dia em que cantara na La Nacional para ganhar um papel na zarzuela, dessa vez ninguém aplaudiu a filha mais nova de Emilio Arenas. Mas Mona, sentada sozinha na terceira fila, percebia na distância as reações apreciativas da artista veterana cada vez que sua irmã atendia às ordens que ela lhe dava.

Uma onda de orgulho percorreu seu corpo ao ver que Luz não se acovardava diante de nada. Agora uma *taranta*, menina; uma *copla*, garota; vamos com um *cuplé*...

CAPÍTULO 30

Tudo estava pronto no El Capitán para começar a servir o almoço, apesar de que Remedios e Victoria, diante da ausência inesperada de Mona, haviam tido que se virar com os restos mais que parcos que sobraram de dias anteriores. As panelas no fogo, as mesas postas e a porta semiaberta aguardavam os primeiros clientes; em geral, eram três pedreiros de Gijón que desciam dos andaimes do edifício que estavam construindo na Oitava avenida.

Contrariamente ao costume, no entanto, não foi o trio de asturianos que entrou primeiro naquele meio-dia, e sim um homem sozinho, que, diferente dos outros, não usava macacão de trabalho nem boné proletário. E chegou de carro. Dentro ficou esperando outro sujeito mais jovem, mais retraído, como se seu lugar fosse sempre a retaguarda.

Nenhuma delas respondeu ao cumprimento do recém-chegado. Victoria parou com o braço erguido, a caminho de pendurar uma frigideira em seu gancho; a mão de Remedios, que enxugava uma travessa, ficou paralisada.

Fabrizio Mazza, o advogado italiano, avançou com passo decidido para o balcão que separava o salão da cozinha. Assim como quando as visitou no apartamento, vestia-se com elegância e uma vistosa gravata violeta; ao tirar o chapéu, de novo mostrou aquele cabelo escuro, ondulado, reluzente de brilhantina. Sorriu para elas, com mais artifício que verdade.

— Seja o que for que esteja cozinhando hoje, *signora* Arenas, o cheiro é maravilhoso — disse, inclinando a cabeça em um gesto de cortesia. A seguir, dirigiu o olhar a Victoria. — Se bem que com um anjo de tamanha beleza ao seu lado, *è molto difficile* que lhe falte inspiração...

Forçou um novo sorriso mostrando os dentes, mas nem mãe nem filha conseguiram reagir: limitaram-se a fitá-lo, mudas e acovardadas, ainda segurando os utensílios nas mãos.

— *Io voglio parlare* — prosseguiu ele sem se alterar — sobre o mesmo assunto que me levou a visitá-las depois da morte do *signore* Emilio, *Dio benedica la sua anima*.

Persignou-se, então, e nisso também elas não o imitaram. Nem sequer pestanejaram, quase não se atreviam a respirar. Apesar da pegajosa bajulação e a fingida piedade, mãe e filha sabiam que estavam diante do homem que, em tese, se ofereceu para defender seus interesses e escondeu que pretendia ficar com a parte do leão. O mesmo que mais tarde decidiu acossar irmã Lito para que deixasse de representá-las e, diante da recusa da mulher, mandou que a machucassem.

Diante do férreo silêncio, o italiano decidiu mudar de estratégia, não as distrair mais com palavrório e apresentar de outra maneira o motivo da visita. Que estava farto da recusa da freira a negociar com ele, disse, e por isso preferia discutir com elas diretamente. Que estavam cometendo um erro ao confiar o caso àquela louca, que ele estava mais a par de tudo e era mais bem relacionado, que reconsiderassem, por favor. Como resposta, encontrou somente uma barreira insuperável de silêncio: ambas continuavam paralisadas, caladas como túmulos.

Cada vez mais constrangido diante da prolongada quietude das mulheres, ele continuou expondo suas razões, acelerando cada vez mais, mencionando prazos e avanços, quantidades, negociações e datas; referindo-se às vítimas de outros acidentes similares, a indenizações espetaculares e compensações pouco menos que milionárias. E quando acabaram seus argumentos, a moderação com que havia começado a falar foi dando lugar a um nervosismo crescente.

— *Porca vacca* — cuspiu, atacando a religiosa sem rodeios. — *Figlia di puttana*...

O italiano prosseguia com seus impropérios quando Victoria, de soslaio, percebeu que sua mãe havia começado a chorar, como sempre que as coisas a oprimiam. Longe de contagiá-la, o que as lágrimas de Remedios conseguiram foi um efeito radicalmente diferente: uma espécie de angústia fez a mais velha das filhas se remexer por dentro. Suas narinas começaram a se dilatar e ela começou a absorver o ar cada vez com mais força. Até que não aguentou mais.

Nem sequer se preocupou em pendurar no lugar a frigideira que ainda segurava; jogou-a com fúria em cima da pia, sem se importar quando a viu escorregar até a borda e acabar no chão. Só quando o local vazio se encheu do ruído estrepitoso do metal batendo nas lajotas foi que o italiano, desconcertado, fechou a matraca.

Em meio ao silêncio momentâneo, o grito feminino atravessou seus tímpanos.

— Saia daqui!

Remedios tentou segurá-la pelo braço, mas ela se soltou, brusca.

— Solte-me, mãe — rosnou com raiva. — Solte-me.

Saiu da cozinha e parou em frente ao advogado, a dois palmos de seu rosto, apontando com o braço para a saída.

— Saia desta casa, esqueça-nos!

Mazza tentou dizer algo, parecia querer apaziguá-la com outro dos seus sorrisos hipócritas. Mas o máximo que conseguiu esboçar no rosto foi uma careta grotesca.

— *Signorina, prego*...

Mas Victoria, a essa altura, já estava acesa como o pavio de uma bomba. Todos os dissabores acumulados nos últimos meses, toda a tristeza e a saudade, a frustração pelo desprezo do miserável Salvador, pela lentidão com que as coisas andavam, pelas mãos abusadas do porco que espremera suas partes íntimas, pelo paupérrimo desempenho do El Capitán... Tudo ganhou a forma de uma montanha de ira que estava começando a arder em chamas.

— Eu disse para se mandar daqui! — gritou Victoria fora de si. — Para a rua, desapareça!

Já não havia nenhum sorriso condescendente na boca de Mazza: sua paciência estava se esgotando, ele havia esquecido que se propusera a não deixar de se mostrar cordial. Contudo, não se mexeu. Até que ela, em reação à rigidez dele, deu-lhe um tapa nas lapelas e tentou empurrá-lo em direção à porta, ainda soltando um jorro de impropérios. Canalha, vigarista, filho da puta, desgraçado...

Era só o que me faltava, parecia pensar o advogado, subitamente tenso. Que essa vadia, além de atrapalhar meus interesses, venha falar assim comigo. Foi nesse exato momento que ele começou a erguer o braço para fazê-la calar.

Tanta era a tensão entre a primogênita de Emilio Arenas e o advogado, tão cegos estavam ambos, que não notaram que alguém se dirigia a eles a passos largos. Só quando estava praticamente em cima deles foi que Victoria viu duas mãos masculinas, largas e rudes, que pegaram o italiano pelas costas um segundo antes de ele descarregar nela a primeira bofetada. Uma vez imobilizado o advogado, o recém-chegado o fez girar como quem vira um saco de batatas, dobrou o cotovelo para preparar o golpe e acertou-lhe um soco.

Mazza cambaleou, aturdido, apoiou a mão no encosto de uma cadeira, fazendo-a cair e, por sua vez, arrastar mais duas para o chão. Ao tentar se endireitar, ele tropeçou em uma mesa pronta para o almoço, e a derrubou também. Entre o estrépito de pratos quebrados e talheres tilintando ao bater nas lajotas, o advogado mais ou menos recuperou o equilíbrio e pretendeu torpemente devolver o soco. Mas era tarde demais: seu agressor já havia se afastado uns passos levando consigo Victoria, refugiada em seu torso. Mas mantinha o punho direito fechado, por via das dúvidas, e atento ao que pudesse acontecer.

A chegada dos três asturianos de todos os dias pôs fim aos momentos de desconcerto. Não precisaram de explicações para interpretar a situação: com uma simples olhada, tiraram suas conclusões. Se dona Remedios estava na cozinha pedindo a gritos histéricos a intercessão de Maria Santíssima, e se o tabaqueiro andaluz abraçava a linda garota, protegendo-a, mas sem baixar a guarda, o que evidentemente sobrava da cena era o quarto elemento. O engomado despenteado com a gravata torta que levava uma mão à mandíbula com expressão de dor. Aquele que ainda não havia conseguido recuperar totalmente a postura vertical.

— O que prefere, amigo, ir sozinho, ou que nós o ponhamos para fora?

Eles conheciam Barona de vista, sabiam que era um compatriota íntegro que aparecia no bairro de vez em quando vendendo seus cigarros, sem se meter com ninguém.

— Deixem-no.

Foi Victoria quem respondeu por ele, soltando-se do abraço protetor do tabaqueiro com um puxão. Irada ainda, não estava disposta a se acovardar: com dois passos à frente, parou desafiadora diante do italiano de novo. Seu coque se desmanchara e algumas mechas rebeldes caíam sobre seu rosto, e o leve vestido azul tinha dois botões abertos. Respirava agitada, seus olhos estavam tomados de uma fúria orgânica, primitiva, quase animal.

Nenhum dos homens pôde deixar de olhar para ela.

— Saia de nossa vida — rosnou. — E não se atreva a voltar aqui.

CAPÍTULO 31

Do palco do Chanin Theatre haviam passado a um camarim abarrotado de figurinos, uma mistura de peças decadentes cheias de brilhos, babados e penas penduradas em cabides e ganchos por todos os cantos. Em cima de uma mesa, em frente a um espelho, três perucas em seus suportes e um monte de potes de cosméticos.

— Tenho menos de meia hora para almoçar antes que chegue a próxima leva de aspirantes — disse Reid. — Se vocês não tivessem chegado atrasadas, já teríamos terminado; venham comigo para o camarim e conversaremos lá.

Sem se importar em esperar a resposta, obrigou-as a sair pelos bastidores laterais e fez que a seguissem por um lúgubre corredor. Assim que entraram, fez um gesto impreciso.

— Sentem-se onde puderem.

Mona e Luz se olharam de soslaio, mas não ousaram dizer nem uma palavra: dentro do estreito camarim, a grande presença de Marita Reid tornava-se ainda mais imponente. Enquanto elas abriam espaço, a artista, cantarolando com sua voz profunda a peça que havia acabado de tocar ao piano para Luz, deu as costas a elas para acender um fogareiro e colocar sobre ele uma caçarola de estanho. Nos minutos que se seguiram, enquanto o aposento se enchia de um cheiro indecifrável, ela as ignorou por completo e prosseguiu com seus afazeres, mexendo, provando, sacudindo uma toalhinha e colocando talheres, enchendo um copo de água. Ao término da sequência, quando estava tudo em ordem, desabou em uma poltrona que havia conhecido tempos melhores; as laterais de seu sobretudo extravagante se esparramaram pelo chão em uma catarata de dobras cheias de papagaios e frutas tropicais.

— Passem-me uma bandeja, por favor.

Já com ela sobre os joelhos, colocou o guardanapo no pescoço e espetou algo que parecia um pedaço de carne banhado em um molho escuro e grosso.

As irmãs, coladas uma à outra como siamesas em um banco estreito, continuavam mudas e nervosas, à espera de um veredicto que não chegava nunca.

— Aceitável. Mais que aceitável — acrescentou por fim com a boca meio cheia apontando o garfo para a mais nova das Arenas.

Elas pensavam que se referia à comida, mas imediatamente a mulher demonstrou que não.

— Você superou minhas expectativas, menina; para o que tenho em mente, você se encaixaria perfeitamente.

Enquanto Luz sentia uma onda de calor tomar seu rosto, a artista remexeu o conteúdo da caçarola e espetou um segundo pedaço.

— Eu sempre fui uma atriz de raça, e quem dera pudesse continuar me dedicando ao teatro sério, ao verdadeiro: o dos grandes dramaturgos e do público refinado e entendido. Mas, hoje em dia — acrescentou, estalando a língua —, isso dá pouco dinheiro, porque o público é o que é.

Fez uma breve pausa e rosnou isto está sem sal, e retomou o fio da meada.

— Os espanhóis com dinheiro que vivem em Upper West Side e em Midtown; os empresários, aqueles que têm interesses comerciais, os cultos e bem alimentados, bem preparados e bem relacionados, vão às festas de gala e às óperas do Met, aos concertos no Carnegie Hall e às grandes produções da Broadway. Se de vez em quando há algo interessante nosso, se, por exemplo, Pau Casals ou Andrés Segovia tocam no Town Hall, ou se Argentinita monta um espetáculo, eles vão também, claro. Mas quando não há nada com sabor da pátria, eles sobrevivem sem o menor problema com os espetáculos para americanos, e se divertem igualmente contentes com um balé russo ou com a orquestra de Duke Ellington.

Ela parou uns instantes e limpou delicadamente os lábios com umas batidinhas de guardanapo, como se estivesse almoçando em um restaurante de luxo, e não naquele muquifo.

— A maior parte da colônia, no entanto, é muito diferente; vejam por si mesmas. Assim como quase todos os hispânicos de Nova York, costuma se tratar de gente modesta, pura classe trabalhadora que deixou suas misérias para trás e agora trabalha dia e noite para criar os filhos, ou para mandar dinheiro para os que ficaram na aldeia, ou para economizar para um modesto negócio, ou simplesmente para sobreviver. Como vocês, mais ou menos, não?

Ela continuava comendo enquanto falava, alguma coisa ficou entalada e, para se ajudar a engolir, deu-se duas sonoras palmadas debaixo da clavícula.

— O que a maior parte desse público busca não é arte soberba, e sim puro entretenimento: espetáculos que lhes permitam passar um bom momento, que os distraiam do cansaço e dos problemas do dia a dia e depois os façam voltar para casa com um sorriso no meio do rosto para ir para a cama e dormir. *You know what I mean, right?*

De novo fizeram um gesto que tanto servia para afirmar como para contrariar. Na realidade, elas estavam aturdidas diante de tanto palavrório misturado com carne com molho, mas não ousavam interrompê-la.

— Essa gente quer agito; temos que fazê-los bater palmas, bater o pé no chão e gargalhar. E se lhes oferecermos uma boa dose de nostalgia, de *morriña*, como dizem os galegos, nunca é demais. E se pusermos um pouquinho de pimenta — acrescentou, dando uma piscadinha —, muito melhor: já temos o show completo, *voilà*!

Já estava raspando a caçarola, resgatando do fundo os últimos bocados.

— Por tudo isso, meninas, ando com a ideia de montar uma companhia; uma pequena companhia para fazer uma longa turnê por lugares onde haja colônias de trabalhadores espanhóis: começaríamos aqui, em Nova York, e viajaríamos depois à região das pedreiras de granito de New England, subiríamos até o Maine e Vermont, depois faríamos o cinturão industrial inteiro: Canton, Dayton e Cleveland, em Ohio, para atuar para o pessoal da metalurgia, que esses ganham bem, e depois seguir por Donora, na Pensilvânia, e pela zona das minas de West Virginia, imagino como essas pobres criaturas ficariam gratas, tão sozinhas por ali, enfiadas dia e noite naquelas grutas... Não chegaríamos às pradarias nem à Califórnia, embora haja por ali também bastante compatriotas, mas ali não dá certo. Mas poderíamos ir para Saint Louis, Missouri, pois por ali anda o pessoal do zinco, ou talvez descer até Tampa, na Flórida, onde se ganham bons dólares nas fábricas de tabaco...

Imóveis em seu banco, Mona e Luz a contemplavam aparentemente atentas, disfarçando. Na realidade, não havia maneira humana de conseguir absorver aquele precipitado trajeto pela geografia norte-americana que a artista traçava diante delas.

— Essa é a razão pela qual estive percorrendo os locais da cidade, para espalhar a notícia e encontrar potenciais artistas, mesmo que se trate de humildes *amateurs*; logo irão se polindo. E por isso fui ontem à La Nacional. Economizei alguma coisa ao longo dos anos: embora nesta profissão não se ganhem milhões, trabalhei como uma mula, não tive família e soube me administrar razoavelmente bem.

Ela arrancou o guardanapo do pescoço e dirigiu uma expressão imperiosa a Mona para que retirasse a bandeja de seus joelhos.

— Mas as coisas estão mudando — disse, alavancando-se com os braços para se levantar. — *Oh, my God*, e como estão mudando... O cinema sonoro vai ganhando o terreno dos palcos a enormes passos e eu vou ficando mais velha, *so, to make a long story short*, o que pretendo é ganhar o suficiente para garantir uma velhice digna.

— Então... — interveio Luz, tentando esclarecer de uma vez por todas sua possível participação naquele assunto confuso. — Então, o que quer montar é um... um...

— Chama-se espetáculo de variedades ambulante, *sweetheart*: um pouquinho de zarzuela como a que estão ensaiando na Catorze, um pouco de humor que faça as pessoas rirem, boas doses de folclore, alguns números de violão, um galã que recite uns versos bem sentidos, uma artista com bastante desenvoltura que cante a *copla* com picardia... E você, depois de vê-la hoje, quero que contribua com a parte andaluz leve, da *copla* e da *tonadilla*, você sabe...

Marita Reid endireitou seu corpo grande, e com ele em pé, encheu de novo o aposento. Elas a imitaram, e cada uma se esforçou para exprimir, a sua maneira, o que acabavam de escutar.

Deixando de lado as referências a concertistas de prestígio e a grandes orquestras de jazz, a única coisa que Mona conseguiu entender foi que tudo parecia disparatadamente avassalador e desmesurado, excessivo para sua irmã, uma mocinha malaguenha que ainda era um tanto ingênua e que jamais havia pensado em se tornar uma artista de verdade, mesmo que fosse com uma companhia itinerante de pouco *pedigree*. E, além disso, sua mãe não permitiria nem morta: Remedios preferiria amarrar a filha mais nova ao pé da cama a lhe permitir partir sozinha por esse mundo de Deus.

Alheia aos pensamentos de Mona, no entanto, os de Luz seguiam caminhos muito diferentes.

— Uma pergunta, senhora — atreveu-se Luz enquanto Marita Reid, pronta para retomar suas atividades, aproximava o rosto do espelho e ajeitava o cabelo tingido.

— *Shoot, my dear.*

— Até quando eu teria que decidir?

Reid se voltou e cravou os olhos pretíssimos cheios de *kohl* em Luz.

— Quero viajar antes que o verão chegue. E, para isso, preciso de sua resposta o quanto antes; dois dias, três no máximo. Preciso começar os ensaios, e pretendo fazê-los em um pequeno teatro no Bronx. Deixo este depois de amanhã; foi cedido por um velho amigo por apenas uns dias, mas ele tem outros assuntos, e tenho que sair.

CAPÍTULO 32

O enfrentamento começou ao deixarem o teatro, assim que saíram para o burburinho da rua.

— Vou pensar — anunciou Luz.

O grito de Mona fez vários transeuntes virarem a cabeça.

— Você ficou maluca, ou o quê? Como vai viajar com essa louca por este país de gente estranha, cantar e dançar nas minas e nas fábricas com um bando de saltimbancos?

Paradas no meio da calçada, as irmãs se enroscaram em uma discussão que foi esquentando até se transformar em uma escandalosa confusão: gritos, impropérios, gestos amplos e puxões de mangas; inclusive, quase chegaram às vias de fato. Depois, fizeram a viagem de ônibus sem sequer se olhar, em pé grande parte do caminho, até que Luz conseguiu um assento livre no fundo e Mona ficou na frente, segurando-se na barra e olhando pela janela.

Continuavam sem se falar quando chegaram à taberna; mal tiveram tempo de estranhar ao encontrá-la fechada àquela hora; antes, foram recebidas pela gritaria de umas meninas que pulavam corda na calçada.

— Elas foram para a Casa María, disseram para vocês irem para lá!

Denominar aquele espaço de *biblioteca* era um tanto ostentoso; na realidade, tratava-se de uma sala ampla com algumas prateleiras nas paredes e uma grande mesa central: livros, não devia haver mais de quinze ou vinte, mas cumpriam sua função. Para lá, outra religiosa da casa conduzira Remedios e Victoria, à espera de que irmã Lito chegasse; o tabaqueiro estava com elas. Não vai demorar, disse a freira, está chegando. Matavam o tempo sentadas ao redor da mesa; Barona permanecia em pé, apoiado em um console, sem paletó e com olhar sombrio, o primeiro botão da camisa aberto e o nó da gravata três dedos abaixo do lugar certo.

— Por que fecharam o El Capitán? — perguntaram Mona e Luz ao entrar, alarmadas.

A mãe começou a gaguejar, sem se fazer entender; Victoria a interrompeu abruptamente.

— Porque eu meti os pés pelas mãos.

Em quatro frases concisas ela narrou o acontecido desde que o advogado italiano irrompeu no restaurante envolto em palavrório e sorrisos hipócritas, até que, meia hora depois, foi parar na rua humilhado, aturdido e confuso; havia acabado de chegar ao fim do relato quando ouviram irmã Lito avançar pelo corredor.

— Não pode ser o que estou imaginando! — chegava gritando.

Adentrou a sala com o estrambótico aspecto de sempre: estatura baixa, cabelo revirado, as velhas botas mais adequadas para um rapaz acostumado a dar pontapés em bolas que para uma fiel servidora do Senhor. Ainda restavam em seu rosto sinais da queda pela escada do metrô; debaixo de um braço levava uma pasta cheia de documentos; o outro, o prejudicado, parecia movimentá-lo mais ou menos bem.

Apertou com brio a mão do tabaqueiro quando este lhe foi apresentado, depois se sentou, acendeu um Lucky Strike do pacote amassado que tirou, como sempre, das dobras do hábito e, enquanto expulsava a fumaça, varreu os rostos com o olhar.

— Uma trombada com Mazza, não?

A parca biblioteca de súbito se transformou em um galinheiro, até que irmã Lito obteve uma ideia nítida da situação. Então, farta dos cacarejos que já não levavam a nenhum outro lugar, ergueu a voz:

— O senhor, Barona, tem algo a dizer?

— Que o sujeito é um mal-intencionado indesejável, irmã, o que quer que lhe diga? O filho da mãe já havia erguido o braço e, se eu não o detivesse, quebraria a cara desta pobre criatura. Mas, também reconheço, Deus bem sabe que eu poderia ter poupado o soco. Só segurá-lo teria sido suficiente...

Ele inspirou com força, e seu peito pareceu se expandir. Depois, expulsou o ar, sonoro, com um gesto de impotência.

— Mas não foi possível.

A serva de Maria assentiu em silêncio; eu cuido disso, parecia dizer. Mas escondia que a dúvida a consumia já fazia semanas; que com frequência pensava que teria sido melhor se houvesse recomendado àquelas pobres mulheres que esquecessem os pleitos e a confusão; que pegassem o dinheiro e as passagens da Trasatlántica e rumassem de novo para seu mísero passado. Mas resistiu. Mesmo sem conhecê-las, recusou-se a deixá-las voltar. Não previu, no entanto, as consequências colaterais de sua decisão.

Todos foram pegos de surpresa pelo contundente tapa que ela deu na mesa. E com a batida, como em um passe de mágica, chegou uma radical mudança de atitude.

— Eu me encarregarei de detê-lo, vou mudar de estratégia. Vou tentar negociar com ele, não haverá mais problemas — disse com uma resolução tão falsa quanto convincente.

Mal se notava que sua suposta segurança era frágil como cristal.

Enquanto as tranquilizava, irmã Lito se permitiu alguns instantes para observar um a um os rostos lindos e atribulados das Arenas, emoldurados por seus cabelos escuros, com aqueles olhos outras vezes tão vivos consumidos agora pela preocupação. Então, decidiu fazer das tripas coração.

— Sabe o que estou pensando, Barona? Que se quiser expiar sua culpa por ter quebrado a mandíbula do italiano, há uma maneira.

— Basta dizer como, irmã; estou a sua inteira disposição.

— Conhece El Chico, o restaurante na Grove Street?

— Como não? Vendo umas boas caixas de cigarros a Benito Collada de vez em quando.

— Pois então, leve as meninas para jantar lá.

Todas olharam para a freira como se ela fosse um espectro.

— Leve-as para sair — insistiu —, para que se distraiam um pouco, pois não está fácil para elas. Diga a Collada que eu os mandei lá; com certeza lhes dará a sobremesa de graça, pelo menos.

Nenhuma das irmãs Arenas aplaudiu o plano. Não sabiam o que era o El Chico nem estavam com humor para isso. Quanto a Remedios, colocou na cara uma expressão de angústia, como sempre que se propunha a ela qualquer coisa que fosse diferente do elementar.

A freira não lhe deu bola; dando por certa sua autoridade, deu outro tapa na mesa, mais forte ainda.

— Andando, minhas meninas, vão se arrumar um pouco, fiquem bonitas e esqueçam o fogão, os advogados miseráveis e os problemas. Saiam pelo menos uma noite para se divertir.

CAPÍTULO 33

Foram de táxi, embora não fosse longe: ele propôs, para dar à coisa um toque de formalidade. Luciano Barona ia sentado na frente, ao lado do motorista; elas no banco de trás. Victoria no meio, ainda perturbada pelo desagradável encontro com Mazza, com pouca vontade de farra e muita de enfiar a cabeça debaixo do travesseiro e esquecer o mundo. Luz e Mona, separadas pela irmã mais velha, seguiam tensas e absortas, negando-se a palavra ainda, uma avaliando ignorar todo o mundo e se juntar à trupe de Marita Reid, a outra angustiada diante dessa mesma possibilidade.

Além de suas aflições pessoais, as três estavam reprimidas, cientes da estranheza da situação. Ainda que o tabaqueiro tivesse livrado Victoria do tabefe do italiano, amontoados na intimidade de um automóvel descendo pelo Village, os quatro não tinham nada a se dizer. O desconforto quase podia ser acariciado enquanto elas fingiam olhar pelas janelas e contemplar as calçadas praticamente vazias.

A sensação era também desconcertante para o tabaqueiro: não era todos os dias que se via um viúvo recente com tal companhia. Mas havia sido um pedido daquela freira esquisita que cuidava do assunto da morte do pai delas, e... e, bem, no fundo... Bem, para que ficar remoendo o assunto?, pensou. A questão era que ali estavam as três jovens compatriotas atrás dele, caladas, coisa estranha nelas. Ainda conservavam o calor do ferro quente com que haviam arrumado o cabelo correndo; cheiravam a perfume barato e a mulher jovem; cheiravam bem. Como única indumentária usavam modestos vestidos caseiros; não tinham outra coisa para cobrir o corpo. Para temperar a pobreza das roupas haviam passado batom no patamar do primeiro andar, longe da censura materna.

Aproximavam-se do Sheridan Square, e surgiu na memória de Luciano Barona a recordação da última vez que levou sua mulher ao El Chico. Quantos anos fazia já? Cinco ou seis, pelo menos, calculou. Quando Valentín Aguirre, o do hotel Santa Lucía e do Jai-Alai, fez um pedido dos grandes, três dúzias de caixas, e ele insistiu em comemorar. Antes que Encarna adoecesse e os tumores a fossem consumindo; antes que Chano fosse embora, quando ainda moravam os três na casa da Atlantic Avenue e ela lhe dava uma mão com as contas enquanto ele saía para atender aos clientes de Manhattan, e à noite se sentavam juntos à mesa e aos domingos iam ver os conterrâneos de Alhama em Park Slope. Antes de tudo se desbaratar e a solidão entrar em sua vida como uma enxurrada.

Mas não era hora para nostalgia, o táxi havia acabado de parar. O nome do estabelecimento aparecia nas laterais do grande toldo que cobria a entrada: EL CHICO. Um recepcionista barrigudo embutido em uma longa casaca vermelha abriu a porta traseira para as garotas enquanto ele pagava o taxista.

Foram recebidos por um jorro de música, vozes altas, gargalhadas, fumaça densa e luz tênue, garçons que se deslocavam entre as mesas equilibrando as bandejas no alto, clientela contente, cheiro de comida misturado com perfumes femininos, tabaco e loções masculinas. Festa, enfim. Gente, muita gente se divertindo.

Aproximou-se um funcionário com gravata-borboleta e a testa brilhante de suor. Bem-vindos ao El Chico, muito boa noite, bem-vindas, senhoritas, prazer em vê-lo outra vez, amigo, disse ele dando um tapinha no braço do tabaqueiro.

— Deem-me só um minutinho, estamos lotados, não sei o que está acontecendo hoje...

Desapareceu em meio ao tumulto e os deixou à espera. Elas, espremidas como um miolo de alface, contemplavam o ambiente abduzidas; ele ficou separado do trio por dois passos, com as mãos enfiadas nos bolsos. A decoração destilava uma homenagem à pátria distante, tão efusiva quanto estridente: arcos mouriscos, gerânios, azulejos, lustres de ferro fundido, falsas coberturas de carruagens. No centro, uma pista por ora vazia, e ao fundo vislumbrava-se o palco reduzido; nele, um casal estava acabando de interpretar um número entre o cômico e o flamenco, para deleite de um público entusiasmado. Ele usava um chapéu cordobês, ela, um manto de bolinhas; entre música, brincadeiras e gracinhas flertavam e brigavam, interpelavam-se com ânimo e picardia. Culminaram com um último sapateado, um último acorde no violão, uma última gargalhada. O aplauso final foi clamoroso; o suposto cigano se despediu dobrando a espinha enquanto jogava cravos às mulheres das mesas próximas; sua parceira agradeceu fazendo arabescos com as pontas do manto.

O *maître*, de volta, quebrou o encanto.

— Por aqui, por favor, sigam-me...

O movimento era incessante depois do número, foi difícil abrir caminho até chegar à mesa, em uma lateral: depois da saída dos clientes anteriores, estavam arrumando-a nesse instante com toalha de mesa amarela e quatro serviços sob um mural do aqueduto de Segóvia. Haviam acabado de se sentar quando subiu ao palco, com um salto ágil, um homem de torso grande e cabeça de cabelos praticamente raspados sobre um pescoço poderoso, expelindo solvência e dotes de comando.

— Esse é o dono de quem irmã Lito falou? — perguntou Luz.

Barona assentiu, ao mesmo tempo desdobrando o guardanapo e encaixando uma ponta na gola da camisa.

No centro do palco, o sujeito pigarreou, olhou ao redor enquanto ajustava o nó da gravata, e esperou alguns segundos, dando o tempo respeitável. Até que começou.

— Adoráveis senhoras, insignes amigos...

Os últimos clientes voltaram a seus lugares, amansaram-se as vozes e o movimento das cadeiras; os garçons se esforçaram para fazer menos barulho ao servir as taças e retirar os pratos.

— Respeitadas senhoras, reputados amigos...

Por fim o silêncio se espalhou pelo salão, e Benito Collada, asturiano de Avilés apesar do ardoroso folclorismo do estabelecimento, começou a falar:

— Aproxima-se a data em que comemoraremos um ano daquele infeliz acidente aéreo que partiu o coração dos espanhóis e hispânicos desta cidade e do mundo inteiro.

Nem todos os clientes eram capazes de entendê-lo; havia também um amplo contingente de americanos, alguns acompanhados por amigos e outros por conta própria. Porque essa cultura remota com reminiscência de Dons Juans, toureiros e belezas apaixonadas era atraente para eles, porque alguns dias antes haviam lido uma resenha elogiosa em um guia gastronômico ou no *The New York Times*, ou porque essa noite não tinham nenhum lugar melhor para ir que àquela inclassificável mistura de cabaré, restaurante sofisticado, pequeno salão de festas e célebre *night club*. A questão era que Collada não estava nem aí se entre bebidas e aperitivos eles entendiam ou não. O vizinho de mesa que traduzisse para eles, devia pensar. Ou que interpretem, ou que imaginem, ou que inventem.

— Quase um ano se passou desde aquele maldito acidente em Medellín que acabou com a vida desse homem cuja recordação jamais morrerá...

Um garçom se aproximou da mesa do tabaqueiro e das garotas para pegar o pedido, mas tão abduzidas estavam elas que nem sequer haviam olhado o cardápio.

— Um ser único — prosseguiu o mestre de cerimônias —, um ser mítico, lendário, inesquecível...

— Preferem que eu escolha? — perguntou Barona, cúmplice.

As três assentiram com o queixo, enfáticas e aliviadas. Jamais haviam tido outro cardápio nas mãos que não fosse a simples lista de pratos comuns que seu pai criara para o El Capitán; não saberiam o que pedir.

— Esta casa foi sua nos dias em que a Paramount o trouxe para gravar nos estúdios Kaufman Astoria, no Queens — continuava Collada com seu vozeirão. — Aí, nessa mesma mesa, o pássaro *criollo* aportou muitas noites depois das longas horas de filmagem de *El día que me quieras* ou *Tango Bar*...

Um facho de luz focou de súbito uma mesa vazia; sobre ela, um chapéu de feltro solitário e a fotografia emoldurada de um homem de sorriso deslumbrante. Quase todo mundo se levantou, esticando o pescoço para ver a pequena montagem; espalhou-se pela sala uma ovação sentida. As irmãs hesitaram, ameaçando se levantar, mas inseguras; ainda não haviam se erguido totalmente quando a clientela em bloco se sentou de novo, e elas também.

— De quem ele está falando, Luciano? — perguntou Luz, assumindo a ignorância das três.

— De Gardel.

— Aaaahhh... — replicaram juntas.

O nome lhes era familiar, sabiam que ele cantava e que estivera na moda, mas pouco mais: os gostos musicais do universo de que provinham andavam por outros territórios.

Mergulhadas em sua profunda ignorância, desconheciam que ele havia morrido na Colômbia em um acidente aéreo no ano anterior; também não tinham nem ideia de que diabos seria Paramount, e só o nome Queens lhes parecia remotamente familiar, porque ali haviam enterrado o pai. De qualquer maneira, somaram-se aos aplausos quando Collada anunciou:

— Mas a grande notícia é, senhoras e senhores, que tudo indica que o rei do tango canção já tem um herdeiro!

Abrindo os braços para recebê-lo, ele deu passagem a um jovem de andar cadenciado, terno sóbrio com grandes lapelas e cabelos negros brilhantes penteados para trás.

— Com vocês, o grande Fidel!

Apesar dos aplausos e da expectativa inicial, o cantor logo perdeu forças. "Por una cabeza" foi a primeira música, interpretada com uma intensidade impostada claramente excessiva. O público a celebrou sem muito entusiasmo e continuou comendo, bebendo e conversando enquanto o suposto artista atacava "Sus ojos se cerraron", de novo com pouco sucesso. De um canto saiu um forte assobio, de outro um impropério seguido de uma gargalhada coletiva.

— Você não é Carlitos nem em sonho, *cara*! — gritou um indivíduo que não se deixou ver.

De cenho franzido, Collada observava na retaguarda: o número do galã tangueiro que estreava nesse dia não estava saindo como ele supusera, maldição. Por mais que desse o sangue, o imitador não era convincente; a maioria dos presentes certamente havia visto o verdadeiro Gardel no cinema, ou o escutara pelo rádio ou nos discos que gravou para a RCA Victor, ou foi ao teatro para a estreia de *Cuesta abajo*, no Campoamor. Hoje mesmo me livro desse idiota, pensou o asturiano; esta noite demito esse patético incapaz.

E seguro o touro pelos chifres, pensou, diante do pouco ardor que a atuação estava despertando; tinha que fazer alguma coisa.

Então, ele foi até uma das mesas e tirou para dançar uma loura deslumbrante de ombros nus. A pista não tardou a se encher de casais, apesar da mediocridade do número. O cantor deixou de ser o centro das atenções; Collada lhe ordenou, entre uma canção e outra, que se limitasse a interpretar do seu jeito, que não pretendesse imitar ninguém, e assim insistiu o jovem, brigando e suando, cantando, intimidado, mais dois tangos.

Entre o que levavam à boca e o que entrava por seus olhos e ouvidos, as irmãs Arenas continuavam com todos os sentidos embriagados. O advogado Mazza e Marita Reid, as tensões, as incertezas, haviam passado para o fundo do pensamento momentaneamente. Já não se importavam por ter consciência fidedigna de que eram as mulheres mais malvestidas da noite, embora para uma boa quantidade de homens ao redor isso não parecesse importar nem um pouco, a julgar pelos olhares que lhes lançavam com cada vez menos discrição. Amanhã será outro dia, pensou Victoria chupando um mexilhão, enquanto Luz balançava a cabeça de um lado para o outro imaginando como seria atuar em um lugar assim. Mona, por sua vez, contemplava tudo maravilhada diante do esplendor do estabelecimento, imaginando a receita substanciosa que devia gerar. Foi quando uma luz se acendeu em sua mente. E se... E se...

— Vejam a gorda dos cachos, seu vestido vai explodir se continuar dançando assim!

A exclamação de sua irmã mais nova tirou Mona de seus pensamentos. Victoria e ela procuraram pela gorda, sem disfarçar, e caíram na gargalhada enquanto Barona tentava contê-las, sem sucesso. Ele também fora relaxando; não teve mais remédio que rir com o crescente desembaraço e as categóricas ignorâncias das garotas, com seu frescor e sua cada vez mais solta descontração.

Algo parecido com orgulho correu por suas entranhas ao saber que, pelo menos por duas horas, havia conseguido distraí-las. Talvez por isso se atreveu.

— Alguma de vocês quer dançar?

Todas morriam de vontade, embora preferissem ter por parceiro um galã diferente daquele compatriota maduro. Então, Victoria recordou que lhe devia uma:

— Eu.

Soavam os acordes cadenciosos de "El día que me quieras" quando o tabaqueiro viúvo e a filha mais velha de Emilio Arenas puseram os pés juntos em uma pista de dança pela primeira vez.

CAPÍTULO 34

Mona começou a manhã acelerada; tanto que já estava de volta quando sua mãe e Victoria ainda estavam abrindo as fechaduras e os cadeados da taberna. Parou apenas para lhes entregar os víveres do dia e logo se despediu, apressada, dizendo vagamente que ia ao matadouro em busca de miolo, ou de rim, ou do que fosse que houvesse dentro dos animais. O que importava uma mentira a mais?

Antes de abandonar a Catorze, passou pela lavanderia dos Irigaray e olhou disfarçadamente: por trás do vidro, ao fundo, percebeu a silhueta de Luz concentrada no ferro de passar, afastando do rosto com o dorso da mão uma mecha de cabelos que a incomodava. Sentiu por dentro uma onda de orgulho: a menininha da casa transformada em uma jovem mulher trabalhadora e competente, embora ainda estivesse pensando na proposta do *vaudeville* ambulante.

Satisfeita com o que viu, Mona voltou a seus planos. O ônibus a levou de novo ao burburinho de Midtown, tornou a abrir caminho entre os transeuntes com passo apressado e em apenas alguns minutos entrou no Chanin Theatre, atravessou o vestíbulo decidida e assomou a cabeça na plateia sem se deixar ver, meio escondida pela grossa cortina de veludo. Viu que a artista ainda estava sozinha, organizando umas partituras em frente ao piano; atreveu-se a entrar.

— Posso falar com a senhora um instante, dona Marita?

Sua voz se misturou com as primeiras notas, não obteve resposta. Depois de alguns segundos, pigarreou e tentou outra vez, mais alto:

— Senhora, posso lhe falar?

Nem bola. Depois de alguns instantes, fez a terceira tentativa, em um volume mais elevado ainda:

— Senhora!

Por fim, recebeu como resposta um grito irado.

— Já ouvi, já ouvi! Primeiro termino, depois falo com você.

Na realidade, Mona não achava que ela tivesse nada para terminar, porque o que a formidável Marita Reid estava fazendo era simplesmente encadear notas soltas com alguns pedaços inconclusos de melodias. Por via das dúvidas, não ousou mais interrompê-la e, sentando-se calada em uma poltrona, ficou esperando até que a artista deu por finalizada a ladainha de aquecimento.

— Pronto — disse depois de um tempo. — Pode falar.

— Eu estive... estive ontem aqui com minha irmã... — avançou ela com voz firme e pescoço erguido.

— Acha que sou tão velha a ponto de não me lembrar?

Ela não vai facilitar, pensou Mona pela enésima vez. Melhor ir direto ao ponto e não incomodar além da conta.

— Vim lhe propor um negócio, senhora.

— Um negócio? — repetiu a outra, irônica. E percorreu uma escala com a mão esquerda: dó, ré, mi, fá, sol, lá, si, dó. As notas vibraram no cenário vazio. — Você pretende oferecer um negócio a mim?

Mona controlou o nervosismo retorcendo os dedos.

— O que quero lhe dizer é... é... é... por que não montamos um espetáculo meio a meio?

A rouca gargalhada da gibraltina ecoou por todo o local.

— Para isso eu me basto, *sweety*. Não preciso de você.

Seja direta, repetiu Mona a si mesma. Direto ao ponto, já.

— Conhece o El Chico, dona Marita?

— O *night club* de Collada no Village? Como não?

— Pois eu lhe ofereço participar de uma coisa parecida.

Era nisso que ela pensara a noite inteira, durante a vigília com os olhos abertos e nos leves cochilos com eles semicerrados. Um espetáculo para tentar reavivar a taberna e oferecer uma oportunidade a Luz. Essa era a ideia que martelava na cabeça de Mona desde que surgiu, na noite anterior, ao contemplar ao vivo o sucesso do negócio do asturiano.

— El Chico Júnior, é nisso que quer embarcar? — perguntou a artista com ironia. E dedilhou o piano para lhe arrancar outro enérgico compasso. Não a estava levando a sério, naturalmente.

— Nosso restaurante se chama El Capitán.

Sem nem respirar, tão rápida quanto sucinta, disse-lhe onde se situava, qual era sua origem, que capacidade aproximada tinha e o que serviam para comer.

— Mas não funciona — acabou reconhecendo. — E nós não sabemos mais o que fazer. Por isso, pensei que poderíamos transformá-lo, colocar alguns números na hora do jantar e depois, até bem mais tarde, com dança, e com...

— Sei. Como El Chico, então? — interrompeu Reid.

— Parecido, senhora. Algo assim.

A artista se levantou da banqueta, percorreu o palco fazendo ranger o tablado e desceu cuidadosamente a escada para não quebrar o pescoço com um tombo. Agora que a via de perto, Mona notou que ela usava outro vistoso sobretudo cheio de aves pernaltas e flores, parecido com o do dia anterior. Nessa estampa ela se concentrou, na confusão de cores e brilhos, para não a olhar nos olhos e não se deixar intimidar.

Apenas dois passos as separavam quando Marita Reid disse sem uma ponta de sarcasmo:

— Você sabe o que pretende, menina? Um sujeito como Benito Collada, um asturiano pilantra que já deu sete voltas ao planeta e é capaz de capar porcos com os dentes do siso, pode se permitir manter um *night club* nesta cidade, mas você? — Olhou-a de cima a baixo, avaliando sua insignificância. — Você tem alguém disposto a financiá-la? Um pai, um marido, um irmão, namorado, amante, protetor?

— Não, senhora — respondeu Mona em voz baixa. — Só tenho minha mãe e minhas irmãs.

— Têm *cash* próprio, pelo menos? Ou algo que as avalize, alguma propriedade a hipotecar?

Mona negou com a cabeça, e Reid soltou um estalo de desdém pela boca, como se dissesse você não bate bem da bola, garota. Mas Mona não desanimou; não ainda. Continuou insistindo, oferecendo a ela usar seu estabelecimento para apresentar ao público o espetáculo que a gibraltina pretendia montar; que em vez de montar um espetáculo itinerante para as colônias de trabalhadores espanhóis espalhadas pelo mapa norte-americano, que os artistas que ela contratasse ficassem em Manhattan e subissem no palco do El Capitán.

Ouvidos de mercador foi tudo que ela recebeu como resposta a partir daí. E quando Mona começou a ficar sem argumentos e seu olhar vagou pela sala como se procurasse desesperadamente razões para continuar, descobriu, surpresa, outras pessoas que haviam chegado enquanto isso. Três jovens magérrimas que estavam trocando de sapatos enquanto cochichavam entre si; certamente iam fazer um teste de dança. Um pai e um filho com vestimentas humildes, o rapaz de uns treze ou catorze anos segurando um acordeão. Sem dúvida, estavam ali para suas audições, e Mona percebeu que estava sobrando.

Então, Marita Reid concentrou o olhar em um papel que tirou das dobras de sua excêntrica vestimenta e consultou a ordem de testes prevista.

— Trio Las Montero! — gritou, dando as costas a Mona sem a menor cortesia. — Vão se preparando, *please*!

Ficou atravessado na garganta de Mona o desejo de suplicar. Mas a artista veterana já estava concentrada em outra coisa; de nada ia adiantar uma insistência obstinada. O murmúrio que emitiu como despedida ficou sem resposta; sua única opção, àquela altura, foi percorrer o corredor rumo à saída com lágrimas de raiva prestes a saltar de seus olhos. Quando chegou ao vestíbulo vazio, ouviu na distância o início de um vibrante sapateado; em alguns passos estava outra vez na rua, envolta em ruído e luz.

— Ouça...

Ela girou a cabeça, engolindo a angústia, e viu um jovem. Ele aguardava no lado direito da porta e, à primeira vista, pareceu-lhe remotamente familiar.

— Eu a ouvi enquanto propunha o negócio à velha.

Sob o sol do meio-dia que se aproximava, no meio do movimento matutino, Mona não conseguia situá-lo ainda.

— Pode me dar cinco minutos para eu falar com você?

CAPÍTULO 35

Ela o conhecia de algum lugar... o rosto, o tipo, a voz, inclusive. Tudo lhe era familiar, mas, de onde?

— Nós nos conhecemos quando você foi com suas irmãs ao estabelecimento de minha família para acertar as contas do enterro de seu pai — adiantou ele diante do olhar de estranheza de Mona.

O rapaz da funerária? Era mirrado igual, de fato. E, de perto, viu que ele tinha aqueles olhos esbugalhados. Mas não parecia o mesmo, a coisa não se encaixava. Associava-o com algo próximo, quase presente. Mas, com quê?

— Não me reconhece por causa do cabelo — esclareceu ele apontando sua cabeça com o indicador. — Mudei. Tingi de preto e alisei em um salão.

— Sei... — murmurou ela, desconcertada.

— Por causa de Gardel.

Então, Mona abriu a boca com cara de surpresa imensa; agora sim o situou. Aquele magrelo que agora usava uma simples camisa clara e um colete marrom puído de tricô era o cantor de tango contra o qual alguns clientes, na noite anterior, acabaram lançando impropérios e assobios no El Chico. Na distância da mesa onde elas estavam sentadas, entre a fumaça, a penumbra e o vaivém da clientela, com aquele cabelo pintado de preto asa de corvo e vestindo um terno bem armado, nenhuma das irmãs suspeitou que o conhecia. Ele, no entanto, apesar de sua infeliz atuação, não deixou de notar a presença das Arenas no local.

— Não foi meu melhor dia — confessou ele, dando de ombros. — Mal terminei, Collada me pagou de má vontade e me disse para não voltar mais. Um pontapé na bunda, *you know*...

Talvez ele esperasse umas palavras compassivas, ou talvez que Mona lhe dissesse que no fundo não havia ido tão mal. De qualquer maneira, tão atônita ela ficara que não conseguiu abrir a boca.

— Mas não estou disposto a jogar a toalha — prosseguiu ele diante do prolongado silêncio dela. — Tenho que continuar tentando. Agora, depois de devolver o terno alugado, vim ver se arranjava outra coisa, soube que Reid anda procurando gente para um espetáculo.

— Não trabalha mais na funerária?

— Sim, por enquanto, mas não quero continuar. Está com pressa?

— Bastante.

Na verdade, era mentira, mas ela também não tinha interesse nenhum em continuar falando com o fracassado aspirante a tangueiro. Queria ficar sozinha; precisava: ainda tinha que acabar de engolir o sapo da abrupta recusa de Marita Reid.

— Como veio? — insistiu o garoto.

— De ônibus.

— Vou com você, então.

Meu nome é Fidel, Fidel Hernández, quero ser cantor e para mim Gardel é Deus: essa foi sua tripla declaração enquanto esperavam no ponto, quando Mona aceitou a ideia de que não ia se livrar dele.

— Tanto o admiro e venero que não me atrevo a chamá-lo de Carlitos nem em pensamento. Acho uma falta de respeito que as pessoas se dirijam a ele como se fosse um qualquer. Carlitos — rosnou com uma expressão de desprezo. — Car-li-tos — repetiu, cuspindo as sílabas —, como se o conhecessem desde sempre...

Por fim entraram no ônibus abarrotado, abriram caminho entre os viajantes quase aos empurrões, sem que por isso o rapaz parasse de falar.

— Confesso que comecei a conhecê-lo tarde, não senti essa paixão até que o vi de perto. Antes, eu não tinha seus discos nem havia me dado o trabalho de ir ver seus filmes; achava um exagero a multidão que ele arrastava, mulheres gritando como loucas e homens que o imitavam até no penteado. Você ainda não estava na cidade quando ele estreou *Cuesta abajo*, no Campoamor, há dois verões, não é?

— Não, nós chegamos há apenas uns meses.

— Pois não imagina o que foi aquilo, as ruas transbordando de gente sem ingresso, centenas, milhares gritando o nome dele, tiveram que atrasar o início três horas devido à massa humana que se formou nas portas. Por fim, puseram alto-falantes para que todos pudessem ouvi-lo de fora.

O ônibus avançava chacoalhando os viajantes com seus solavancos sobre os paralelepípedos. Não haviam conseguido se sentar, estavam em pé, apertados entre outros corpos, embutidos quase, Mona se segurando em uma barra rememorando sua infrutífera conversa com Marita Reid enquanto o filho do funerário continuava falando, desenfreado.

— Quando o trouxeram da Colômbia foi que tudo mudou. Oito dias, nove noites ele esteve conosco, e eu mal me afastei dele. Então, a curiosidade despertou em mim e comecei a descobrir sua verdadeira magnitude. A partir daí, roubei alguns discos na loja do Castellanos, decorei as letras, ensaiei seus tons e a maneira de pronunciar as palavras...

Continuavam espremidos, fazia cada vez mais calor. Os buracos no caminho e as freadas jogavam os viajantes para a esquerda e a direita, para a frente e para trás. Ele mesmo se encarregou de guardar o corpo, prosseguiu narrando; foi seu acompanhante o tempo todo durante aquela última estadia...

— Por isso levo tão a sério, porque isso quase se transformou em minha razão de ser. Mas percebo que ainda me falta um longo caminho, *a long, long way*...

Se o balanço do ônibus dificultava para Mona seguir o fio narrativo, também não ajudava o sotaque daquele filho de porto-riquenhos nascido em Manhattan que às vezes dizia coisas com um sotaque e umas palavras que ela não entendia, e outra vezes hesitava e engasgava e ia para o inglês e depois tinha que retroceder para começar de novo.

— Ajudo meu pai e meu tio na funerária desde os doze anos — contou a seguir — e sonho com o dia em que possa abandoná-la. Desde que minha mãe foi embora, farta de uma empresa com tanto morto e de um marido também meio apagado, meu pai começou a me obrigar a lhe dar uma mão depois da escola. Eu era pequeno ainda, mas minha missão com o cadáver da vez já era fazer o que antes ela fazia. A primeira coisa que aprendi foi fazer a maquiagem, pois algumas famílias querem que os seus cheguem ao céu bem *handsome*, bem bonitos. Por isso conheço gente; conheço muita gente — esclareceu. — Quando alguém deposita a confiança em você para que prepare o corpo de um ente querido, para que o lave e o vista e o coloque em seu caixão e feche sua boca e ajeite as mãos sobre o peito, é como se ficasse estabelecido *forever* um elo, uma união. Depois, se a pessoa não tem família ou não aparece nem um amigo sequer, quando acabo o trabalho até me sento e derramo umas lágrimas, ou rezo uns pai-nossos.

Assim prosseguiu o garoto, entre mais freadas e mais sacudidas, com uma Mona cada vez menos atenta ao seu lado, ansiosa para chegar a seu destino e pôr o pé na rua outra vez; não estava acostumada a veículos a motor e, se a paixão por Gardel pouco lhe importava, as entranhas do ofício funerário interessavam-lhe bem menos ainda. Estava prestes a pedir-lhe que fechasse o bico um pouco e a deixasse em paz quando o monólogo desviou abruptamente para uma direção muito diferente.

— Sei que a velha nem cogitou a possibilidade de se associar com vocês. Mas, se me permite, eu sim. Posso ajudá-la a captar clientela; posso ajudá-la a preparar um show para seu restaurante. Também conheço gente do *newspaper La Prensa*, porque eu cuido dos obituários; com certeza posso conseguir um anúncio, e certamente os convenceria a que mandassem um repórter para fazer uma matéria no dia da inauguração.

Mona fez um esforço para espantar o desânimo e se virou para seu companheiro de viagem com um brilho de lucidez. O que havia acabado de ouvir não era nenhuma bobagem. Ainda sem ter a menor ideia de como esses negócios funcionavam, intuía que não se tratavam de ingredientes a desdenhar. Clientes, pelo menos no início. Anúncios públicos. A notícia se espalhando. Pela primeira vez no dia, despontou um sorriso tímido nos lábios da Arenas do meio. Não estava disposta a se deixar derrotar. Sua opção inicial havia fracassado escandalosamente, mas poderia haver outras saídas. Ela não conhecia esse ambiente, mas sua intuição lhe dizia que o mundo dos artistas espanhóis em Nova York não começava nem terminava com Marita Reid.

Haviam quase chegado ao ponto, estavam em pé de novo prestes a descer do ônibus. De soslaio, Mona, reavivada, observou o garoto com um olhar diferente; com um toque quase terno. Pobre criatura, pensou. E se compadeceu por sua vida inteira, do começo ao fim.

— E o que você gostaria de me pedir em troca, se tudo vingasse, seria entrar no espetáculo também, não?

— Posso melhorar, eu prometo.

Tanto faz, pensou Mona. Faltavam-lhe referências, ela não sabia nada de tango. Para fazer uma ideia, ela se atreveu a perguntar:

— Seu amigo Gardel já o ouviu cantar?

— Não, não, não — protestou ele, perturbado. — Jamais tive a honra de conhecê-lo em vida. Ele morreu queimado naquele acidente em Medellín e ficou enterrado lá até dezembro; depois, em janeiro deste ano, trouxeram o caixão a Nova York para que fosse de navio para a Argentina, mas as autoridades sanitárias demoraram a conceder a permissão. E, enquanto isso, eu simplesmente cuidei do peremptório: velar por seus restos torrados dentro de uma caixa de zinco.

CAPÍTULO 36

Haviam convidado Barona para almoçar com a família no El Capitán; sentiam-se obrigadas após ele as ter levado para jantar na noite anterior. Sentados à mesa tardia, Victoria, Luz e ele rememoravam detalhes do El Chico, casos, momentos, pareceres.

A única que permanecia calada era Mona. Seu corpo continuava ali, sentado à mesa, entre suas irmãs, arrematando o final de seu prato de ensopado com um pedaço de pão. Seu cérebro, no entanto, andava muito longe. Havia decidido propor a elas sua ideia quando já estivessem de volta ao apartamento, à noite; por alguma difusa razão, acreditava que o entorno doméstico seria mais propício. Por isso, surpreendeu-se quando ouviu brotar de sua própria garganta uma corrente de palavras que não previra soltar ainda.

— Estou pensando que talvez poderíamos fazer o mesmo.

Olharam-na com uma expressão intrigada, e ela se amaldiçoou interiormente por sua súbita reação. Mas era tarde demais para morder a língua, o caminho já estava aberto, para que esperar?

— Não seria tão difícil, talvez pudéssemos ganhar um pouco mais de dinheiro enquanto irmã Lito resolve o outro caso; não seria tão complicado, com certeza vale a pena tentar...

— Está maluca, garota? — gritou a mãe. — Quer transformar este negócio em um cabaré sórdido? Vai bater outro prego no caixão de seu pai?

Antes que o soco de Remedios explodisse em cima da mesa, as outras duas já haviam pulado: Luz bateu palmas, eufórica, em meio a frases entusiasmadas e gargalhadas. Victoria exigiu explicações de imediato. No meio da confusão, Mona continuou se esforçando para apresentar ordenadamente o que lhe restava por dizer.

— Vocês estão perdendo a pouca vergonha que tinham! — sentenciou a mãe sem a escutar. — Vão acabar se tornando umas degeneradas, não haverá homem decente que olhe na cara de vocês, vão me matar de desgosto!

Quanto mais Remedios gritava, mais as filhas elevavam o tom, e os gritos se sobrepunham uns aos outros e as mãos voavam pelo ar enfatizando as palavras e davam tapas nas próprias coxas; e a mãe, no fim, como quase sempre, acabou chorando.

Fez-se um silêncio antipático; enquanto os soluços sufocados prosseguiam, elas se deram conta de que o tabaqueiro, sentado à mesa, havia engolido a rude discussão sem abrir a boca. Tudo bem que entre eles ia se tecendo uma confiança crescente, e que a ida ao El Chico aumentara a proximidade. Mas ainda assim.

Longe de se sentir agredido, Barona optou por não dar maior importância àquilo e levou o indicador aos lábios, pedindo discretamente uma trégua às garotas.

— São coisas de filhos, Remedios, não se agonie tanto — disse, conciliador.

Então, levou a mão ao bolso interno do paletó, pegou um envelope e o deixou em cima da mesa. Todo seu afã era para acabar com a tensão naquele momento.

— Veja, hoje de manhã mesmo recebi notícias de meu filho, ele me escreveu da Filadélfia.

Ele já havia mencionado que tinha um filho, mas nunca houvera oportunidade para que entrasse em detalhes. Que já era grande e não morava perto era praticamente tudo que elas sabiam.

— Ele pretendia vir semana que vem, faz cinco meses que não o vejo; e agora, do nada, avisa que desta vez também não vai poder vir. E o que eu faço quando fico sabendo? Pois aguento, Remedios, não há opção. Sigo com minha vida, embora por dentro fique revoltado. Isso que quando era pequeno, cada vez que me ouvia pôr a chave na fechadura, saía correndo como um louco e se jogava em meus braços...

Continuou narrando pequenas histórias de sua família, até que atingiu seu propósito: que se diluísse no ar a ideia de transformar a taberna em um *night club* e que os soluços da mãe fossem desaparecendo. Mona respirou aliviada, lançou-lhe um olhar cúmplice. Obrigada, murmurou.

— E o que ele faz agora? — perguntou Luz, sempre indiscreta.

O tabaqueiro soltou um suspiro.

— É boxeador.

Boxeador, repetiram as três em voz baixa. Nada mais alheio a seu mundo, não sabiam o que pensar. Em vista da falta de entusiasmo, a mais nova arriscou.

— E você não gosta de boxe, Luciano?

Ele ergueu um canto dos lábios com ironia antes de responder.

— Claro que gosto, filha! Que homem em seu juízo perfeito não gostaria? Há pouco tempo estive no Madison Square Garden vendo o basco Uzcudun, que é amigo de Valentín Aguirre, um monstro entre os pesos-pesados, um orgulho para a colônia. Se bem que naquela noite sofreu o único nocaute de toda sua carreira, e depois de umas semanas...

Mas se deteve: pareceu notar, de súbito, que suas anfitriãs não se interessavam nem um pouco pelo universo dos ringues.

— Mas não quer — insistiu Victoria — que seu filho viva trocando socos por aí, não é?

O tabaqueiro sorriu com tristeza diante da espontaneidade da irmã mais velha.

— Minha alma treme cada vez que penso que um dia qualquer vão me devolver meu filho dentro de um caixão. Ou cego, ou transtornado e babando. — Então, ele suspirou e balançou a cabeça, como se quisesse tirar dela seus temores sinistros. — É a lei da vida, Remedios, não pense mais nisso. Nós plantamos a semente e eles decidem. Você não insistiu em trazer suas filhas para Nova York? Pois, agora, tem que aguentar as consequências: é a mesma coisa que eu faço, o mesmo que fazemos todos nós.

Bebeu o último gole de café, arrancou o guardanapo do pescoço e se levantou, pesado. Malditos ardores. A seguir, retirou algumas notas do bolso e as deixou em cima da mesa sem perguntar quanto devia.

— Ele herdou o nome de mim, assim como de meu pai e de meu avô, mas, em casa, desde pequeno sempre o chamamos de Chano; coisas de minha mulher, devia ser para nos distinguir. Apesar de tudo que fizemos para lhe transmitir o nosso mundo, ainda me pergunto onde foi que erramos.

CAPÍTULO 37

Encurralaram-na com sussurros precipitados enquanto vestiam a camisola, não queriam que a mãe as ouvisse do outro lado da parede.

— O que disse a velha do espetáculo? Tem certeza de que isso que você pretende não é uma loucura?

— Acha mesmo que o El Capitán pode se transformar em algo parecido com o El Chico? E eu poderei cantar o que me der na telha na frente de todo mundo?

Fingindo uma certeza que corpo adentro ainda cambaleava, Mona acalmou suas irmãs com outros tantos sussurros.

— Falei com alguém que pode nos ajudar, fiquei de encontrá-lo de novo amanhã. Ele disse que vai fazer uma lista com tudo que seria necessário e quanto teríamos que gastar. Ele entende de números porque trabalha na empresa da família.

Preferiu omitir por ora que aquele contato promissor era o rapaz da funerária: os assobios de Luz e os protestos de Victoria teriam sido ouvidos até no telhado.

Para não contrariar mais a mãe, que já andava apagando as luzes elétricas, que ainda pareciam criações satânicas para ela, que se criou à luz de velas, foram logo para a cama. Contudo, Mona não pegou no sono.

Dinheiro. Seria necessário dinheiro: era isso que rondava sua cabeça enquanto seus olhos ainda abertos atravessavam a escuridão. Todo o resto poderiam arranjar de alguma maneira, artistas em potencial havia aos montes, já os havia visto no ensaio da zarzuela e no teatro de Marita Reid. E, do resto, segundo ele mesmo havia afirmado, Fidel poderia cuidar. Mas talvez não devesse confiar. Ou talvez sim. Ou talvez não...

— Ei, Mona, está acordada?

A voz abafada de Victoria, na cama ao lado, tirou-a de seus pensamentos.

— Não esqueça amanhã, quando for fazer as compras, de trazer a outra pomada.

— Que pomada? — respondeu Mona, também sussurando.

— Para o olho de mamãe, que o doutor mandou. Não falei?

Seu tom se tingiu de incredulidade.

— O médico veio aqui outra vez?

Sim, fora, mas, no tumulto do dia, tanto Remedios quanto Victoria haviam esquecido de comentar com ela. Elegante, profissional, cheirando a loção boa depois de um cuidadoso barbear, o jovem doutor Osorio passara de novo pelo El Capitán naquela manhã. Tudo em ordem, senhora, disse depois de examinar a mãe pela segunda vez, mas não devemos baixar a guarda, vou lhe receitar outra pomada, continue usando-a por uma semana. Parecia mais tranquilo nessa ocasião, até aceitou um café, que se sentou para tomar no meio do salão vazio; ainda faltava para o meio-dia. Sem saber o que dizer, a mãe e Victoria se mostravam retraídas. Uma coisa era trocar meia dúzia de palavras com clientes de sua classe e condição, e outra muito diferente era se atrever a conversar de igual para igual com um médico.

Foi ele quem quebrou o tenso desconforto. Perguntou pelo negócio: como ia, como estavam se virando. Perguntou ainda pela região, por outros estabelecimentos, se eram boas as comidas da Casa Moneo, que tipo de atividades havia na La Nacional. Estou pensando em talvez ficar sócio também, disse como quem de súbito se ilumina com uma ideia genial. Não tinha a menor intenção, naturalmente: que sentido havia em que um profissional de Uptown que trabalhava para o doutor Castroviejo fizesse parte de uma instituição de beneficência destinada a velar pelo bem-estar dos trabalhadores que davam o couro por menos de cinquenta centavos a hora? Mas falou mesmo assim: para se fazer próximo, para que elas não o vissem tão distante. Para que relaxassem e conversassem e esclarecessem de uma vez por todas por onde andava aquela irmã que nessa manhã não parecia disposta a aparecer.

— Como são muitas mulheres na família — atreveu-se a propor enquanto se levantava para partir —, talvez alguma esteja interessada em um emprego.

Não, não, não, negaram as duas com gestos eloquentes; vamos nos virando, não se incomode, doutor. Nem loucas estavam dispostas a lhe permitir conhecer as catastróficas finanças da família, limitaram-se a explicar que a irmã mais nova trabalhava na lavanderia e que a do meio cuidava das compras e das tarefas na rua. Aham, concluiu ele. Por fim, entendia a ausência.

— De qualquer maneira, deixo meu cartão; liguem se mudarem de ideia. É um trabalho bem simples: acompanhar minha madrinha, que está impedida, em seus passeios de manhã, e talvez, no começo da tarde, até por volta das três ou quatro, mais ou menos. Ela não fala inglês e quer alguém com quem possa se entender. O salário é semanal, a combinar.

— Nem lhe demos bola — concluiu Victoria enquanto batia no travesseiro para ajeitá-lo e deitava de novo. — Mas, para não fazer desfeita — acrescentou — mamãe guardou o cartão no bolso do avental. Já temos coisas demais para fazer, só nos faltava também ter que fazer companhia para uma inválida.

O silêncio retornou ao quarto minúsculo quando a irmã mais velha terminou o relato da visita do oftalmologista. Sua respiração ia ficando compassada enquanto Mona continuava lutando com seus pensamentos. Cantores, dinheiro, clientes. Anúncios, contatos, dinheiro. Fidel, Reid, dinheiro, teatro. Dinheiro, dinheiro, ossos de Gardel. E agora, também o doutor.

Não tinha a menor ideia de que horas seriam quando decidiu se levantar. Duas, três, quatro, pouco importava. Cansada de lutar contra a falta de sono, descalça e cautelosa, tentou andar com passo leve para evitar o ranger da madeira. Mas as dobradiças rangeram quando ela empurrou a porta do quarto contíguo, e ela parou de imediato. Para seu alívio, ao assomar a cabeça vislumbrou na penumbra que sua mãe dormia mais ou menos tranquila, com seu tampão no olho e a dobra do lençol até o queixo.

Ela costumava pendurar o avental do dia a dia na parede da direita, em um simples prego. As três filhas já estavam fartas de repetir que o deixasse na cozinha do El Capitán, não andasse com ele pela rua, que ninguém andava assim em plena Nova York, mas a mãe não ouvia. Essa noite, por sorte, sua teimosia agiu a favor de Mona. Evitando adentrar o quarto materno, ela esticou o braço o máximo possível até conseguir alcançar a velha peça; tateou pausadamente em busca de uma abertura. No primeiro bolso encontrou um osso, dois grampos de cabelo enferrujados e alguns fósforos já queimados. Continuou apalpando com o braço enfiado pela porta entreaberta, até localizar o segundo bolso.

Estava introduzindo os dedos quando ouviu o estrado ranger. Tirou a mão depressa, recuou sobressaltada, ouviu alguns bufos e sua mãe se virar na cama. Esperou alguns segundos, até que intuiu que continuava dormindo, que tudo havia sido uma mera mudança de posição; repetiu depressa o movimento às cegas e entre um punhado de grão-de-bico encontrou o que buscava.

Tornou a se aconchegar entre os lençóis com o cartão apertado no punho. Já não se importou com o barulho de seus passos no assoalho.

CAPÍTULO 38

Fidel a esperava no meio da manhã seguinte, abraçando uma pasta cheia de papéis. Em plena rua, no mesmo ponto de ônibus onde se despediram no dia anterior.

— Vamos — disse assim que a viu.

Viraram na Onze, caminharam brevemente e desceram três degraus até um modesto estabelecimento; acima da porta havia uma placa escrita em um alfabeto desconhecido. Atrás do balcão amontoavam-se pães, bolos e doces estranhos; os donos, homem e mulher, eram um casal robusto de cabelos claros e pele corada, pareciam gêmeos e falavam uma língua estranha.

São russos, esclareceu o filho do agente funerário, e quase todos os seus clientes também, de modo que ninguém nos entenderá. A seguir, pediu ao casal algo incompreensível e arrastou Mona para os fundos puxando-a pela manga do casaco até uma das quatro mesas capengas; todas as outras estavam vazias. Uma vez sentados, ele depositou a pasta sobre o mármore e a olhou com seus olhos de sapo.

— Quanto mais eu penso, mais claro fica.

Sem mais explicações, abriu a pasta e começou a desdobrar jornais inteiros e páginas soltas, panfletos, cardápios, recortes de revistas. Veja isto, e isto, e isto, dizia, fazendo seu indicador pular de uns papéis a outros, cravando-o sobre as letras com movimentos nervosos. Veja, o Stork Club, que agora fica na Cinquenta e Três, foi montado há seis ou sete anos, em plena lei seca, por um sujeito de uma cidade de Oklahoma, e o El Morocco, na Cinquenta e Quatro, foi aberto por um italiano há quatro ou cinco anos, que depois se associou a um potentado argentino, mas isso não importa. Sabe o que são agora? São os lugares onde vão os mais ricos e os mais famosos e os mais... os mais mais de toda a Nova York.

Mona tentou protestar, mas ele ergueu a mão para contê-la.

— Eu sei o que você vai dizer: que a Catorze não é Midtown e que diabos têm a ver os ricos e famosos com seu restaurante, perfeito, entendido. Eu só queria que você soubesse que estamos na época em que todo mundo anda enlouquecido com os *night clubs*, mas veja, veja isto também...

Puxou a ponta de uma revista que estava entre o monte bagunçado que cobria a mesa; ao fazê-lo, caíram no chão alguns papéis que ele não se deu o trabalho de recolher.

— Aqui está, veja, o Cotton Club abriu no Harlem, puro bairro negro; também não é a mesma coisa, eu sei; este foi montado por um contrabandista, e as melhores orquestras de jazz tocam lá. Eu sei que no El Capitán não cabe uma orquestra inteira, o que quero dizer é que fica em um lugar aonde antes ninguém sensato pensaria em ir, e agora, agora veja, veja estas fotografias, filas na porta todas as noites e carros luxuosos e mulheres com joias e casacos de pele.

— Mas, Fidel...

— Sim, sim, eu sei que você vai dizer o que tudo isso tem a ver com sua ideia, mas veja também isto, veja aqui — insistiu ele, exaltado, abrindo um exemplar do *La Prensa* com os braços abertos como um crucificado.

Então, o dono se aproximou envolto em seu aventalzão, trazendo o que pareciam dois cafés com leite em xícaras altas de vidro meio opaco devido ao desgaste; um tapa involuntário do eufórico Fidel quase os derramou. Diante da falta de lugar, o homem, sem palavras, optou por deixá-los em cima da mesa vizinha e voltou ao balcão.

— Veja, escute, escute isto...

Começou a ler atropeladamente, virando páginas, mostrando coisas, obrigando-a a prestar atenção, abrindo e fechando novos exemplares a um ritmo frenético. Veja, aqui está El Chico, sai quase todos os dias. E esses outros, olhe. La Fiesta, Casa Valencia, El Toreador... E veja, Marta, um jardim espanhol em Greenwich Village, e El Patio, um castelo espanhol no número 17 da Barrow Street, e veja aqui também...

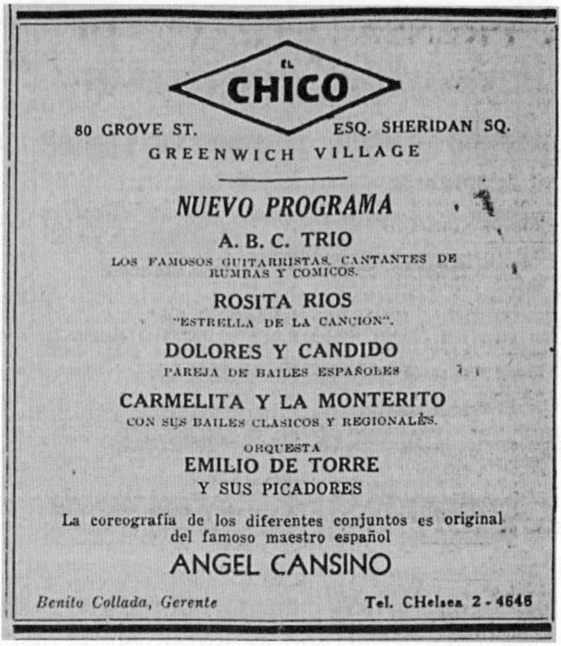

EL CHICO
80 GROVE ST.
ESQ. SHERIDAN SQ.
GREENWICH VILLAGE
NUEVO PROGRAMA
A. B. C. TRIO
LOS FAMOSOS GUITARRISTAS, CANTANTES DE RUMBAS Y COMICOS.
ROSITA RIOS
"ESTRELLA DE LA CANCION".
DOLORES Y CANDIDO
PAREJA DE BAILES ESPAÑOLES
CARMELITA Y LA MONTERITO
CON SUS BAILES CLASICOS Y REGIONALES.
ORQUESTA
EMILIO DE TORRE
Y SUS PICADORES
La coreografía de los diferentes conjuntos es original del famoso maestro español
ANGEL CANSINO
Benito Collada, Gerente
Tel. CHelsea 2 - 4646

ESPAÑA EN EL CORAZON DE GREENWICH VILLAGE
TODA GENTE DE BUEN GUSTO ADMIRA
LA FIESTA
¡EXITO! Presenta a la eminente Vedette ¡EXITO!
CONCHITA VILA
Recién llegada de los principales teatros de Europa y Sur América, donde ha triunfado por su arte y fastuoso vestuario en todas sus representaciones.
DON CASANOVA
Afamado tenor.
ALFONSO Y RAFAEL
Dúo de canciones mejicanas.
La orquesta "LA FIESTA" con su magnífico programa Hispano y Americano
CENA ESPAÑOLA O AMERICANA $1.50
15 BARROW STREET, N. Y.
Tel. WAtkins 9-9156 y CHelsea 2-8994.

CASA VALENCIA
300 West 45 St. & 8a. Ave. New York
El Cabaret Hispano Céntrico — Amplio — Cómodo — Económico.
Programa Artístico:
ADELITA VARELA
Soprano mejicana.
LA GITANILLA
castiza bailarina y cantante flamenca.
DOLORES ROCHA
rumbera cubana.
CARLOS VIVAN
Famoso cantante de tangos y maestro de ceremonias.
CUARTETO GUAYBANÁ
Ambiente alegre
Exquisita cocina hispana
Escogidos Vinos y Licores
Cocteles sin rival
Cena, $1.00 y $1.25
JAMAS "COVER" NI CARGO MINIMO
Para informes o reservas:
José García ME 3 - 8886
DON GILBERTO y su ORQUESTA HABANA
Amplio local para banquetes hasta de 500 comensales.

¿LE GUSTA
EL AMBIENTE ESPAÑOL?
"EL TOREADOR"
(CABARET HISPANO)
7 WEST 110th STREET
(Frente Parque Central)
FRANK MARTIN GTE.

MARTA
Un Jardín Español en Greenwich Village
Abierto hasta las 4 a. m.
NO COVER CHARGE
RAMON GUIDO, Gte.
23 WEST 8th ST.
Entre 5a. y 6a. Aves.
Tel. ST. 9-9634—9-4809
Criolla, $1.00 y $1.50
Comida Americana y Selecto surtido de Vinos y Licores
NINA Y ZABAL
Estupenda pareja de bailes flamencos
ANGELITA SANTOS
Rumbera y Tonadillera.
JOSE MORICHE
Afamado tenor español.
PEDRO TELLERIA
y su Orquesta Típica Cubana.

17 BARROW ST.
En Sheridan Sq., a unos pasos de la estación Christopher, del 7th Ave. subway.
EL PATIO
Un Castillo Español en el Village.
Tel. CHelsea 3-9580.
MAÑANA GRAN APERTURA
Actos de variedades, con magnífica orquesta hispana.—Selecta cocina española y criolla. Comida $1. (No cover charge). Cerveza, vinos y licores.

Mona já havia parado de protestar e absorvia as palavras como se não existisse nada ao redor.

— E há, ainda, outro monte de restaurantes que de vez em quando apresentam artistas convidados; não que eu os frequente, meu orçamento não dá para isso, mas me informei, e aqui estão também, veja: o Jai-Alai, o Internacional, o Fornos, o Segovia, o La Chorrera, o El Mundial... De cabo a rabo — concluiu, fechando o último jornal e dobrando-o com dobras amorfas —, esta cidade, Mona, está cheia de cabarés e *night clubs* que oferecem o mesmo que você pretende.

Até bem pouco antes, o pequeno estabelecimento havia permanecido vazio; agora, sem que houvessem notado sua chegada, aproximava-se um velho arrastando os pés; com gengivas desdentadas dava mordidas em um bolo que certamente os russos haviam lhe dado por caridade, e que certamente era do dia anterior. Pela sujeira nas mãos, o sebo nos cabelos e o casaco encardido e desfiado, não parecia um cliente sólido, nem devia entender uma palavra da língua que eles falavam. Por via das dúvidas, Fidel baixou a voz.

— Ontem passei o dia inteiro perguntando quem eram os donos de todos esses lugares anunciados no *La Prensa*, e sabe o que descobri?

O velho acabava de se sentar ao lado da mesa onde os dois cafés continuavam intactos já fazia tempo. Alheio a eles como se fossem transparentes, apesar da pouca distância que os separava, ele apoiou a nuca na parede, semicerrou os olhos e começou a cantarolar uma melodia monótona em um timbre rouco. Ainda segurava o bolo meio mordido com os dedos de unhas pretas.

— Que todos são gente como nós, essa é minha conclusão. Ou pelo menos foram: imigrantes, ou filhos de imigrantes, gente trabalhadora, ou ousada, ou temerária inclusive, que um belo dia se atreveu a dar o passo. Ninguém chega a esta cidade com o bolso forrado, Mona, nem com as linhas do destino bem traçadas, nem seguro de nada; aqui todo mundo vem abrir caminho, e aí estão as oportunidades, escondidas em todas as esquinas para quem se atrever a ir buscá-las. Ninguém nos obriga a buscá-las, mas também ninguém nos nega.

Como ruído de fundo, continuava o cantarolar do indigente enquanto Mona pensava.

— Você acha, então, que não é uma loucura arriscarmos? —atreveu a perguntar, por fim.

Ele assentiu, pigarreou, tornou a falar com cautela, como se aquele pobre velho meio abobado fosse um infiltrado ou um inimigo.

— Será necessário muito trabalho, mas acho que conseguiríamos.

— E o dinheiro?

O cantarolar crescia; o sujeito havia recolhido do chão uma das folhas caídas, um cardápio do clube Havana-Madrid que pretendia ler de ponta-cabeça. O russo disse algo de longe, parecia estar lhe dando bronca. Agora havia duas matronas em frente ao balcão, com lenço na cabeça, uma estendia a mão esperando o troco, a outra guardava uma fogaça redonda de casca escura em sua cesta.

— Eu tenho algumas economias; meu pai mal me paga, mas, depois dos enterros, as pessoas costumam me dar gorjetas substanciosas.

Com um de seus olhos esbugalhados, ele pretendeu dar-lhe uma piscadinha cúmplice; certamente a havia ensaiado dezenas de vezes em frente ao espelho, como fazia com os sorrisos e os gestos de Gardel, mas saiu péssima.

— Chegam quase a cem dólares — reconheceu com uma ponta de orgulho — e estão a sua disposição.

Mona sentiu um nó em algum lugar por dentro.

— Mas, criatura, você ganhou isso sozinho, não pode comprometê-lo com...

— Justamente por isso. É um investimento; depois, se a coisa der certo, você me devolve com um pouco de lucro.

— E se não der certo?

— Pois, paciência.

Mona abriu um sorriso forçado que mesclava desassossego com ternura. Obrigada, murmurou.

Acabaram a conversa na rua, para trás ficou o velho molhando seu bolo nos escassos restos dos cafés deles. Fidel tinha que voltar à funerária, um enterro o esperava. Amanhã no mesmo lugar e à mesma hora, combinaram, ainda temos muito que conversar.

Cada um tomou seu caminho entre os transeuntes, ele com seu andar impostado e o cabelo tingido já sem brilho, ela com a cabeça fervilhando como uma panela de caldo ao fogo, olhando para o chão.

— Fidel!

Uma breve corrida a aproximou de novo do garoto, só poucas dezenas de metros os separavam.

— Isto fica muito longe daqui?

Mona pôs diante dos olhos do rapaz o cartão que acabava de resgatar de um bolso de seu velho vestido de tricô azul.

O mesmo que havia furtado do bolso do avental de sua mãe de madrugada.

CAPÍTULO 39

Liguem para mim se alguma de vocês se interessar pelo trabalho, dissera o jovem doutor a Victoria e sua mãe. O olho da boa mulher não tinha mais o menor problema, mas César Osorio continuava tendo suas razões para fingir que sim. Ou melhor, continuava tendo sua razão. Uma, uma única e incontestável razão: ansiava ver Mona, seu rosto não saía do pensamento dele. Nem seu rosto, nem seu corpo, nem seus cabelos, nem seu cheiro.

Afinal de contas, não havia mentido tanto: era verdade que sua madrinha andava querendo contratar uma nova funcionária; apenas alguns dias antes acabara brigando com a enésima moça que atuava como empregada, cuidadora, passeadora e sofrida destinatária de suas manias e arroubos, mas ele jamais entrava nessas brigas, nunca havia se preocupado em consertar situações nem propor substitutas, ela se virava sozinha. Porém, nessa ocasião, suas pretensões sopraram em seu ouvido que talvez agora fosse conveniente intervir. Liguem-me, disse à mãe e a Victoria. Elas haviam acabado de reconhecer que os negócios estavam péssimos e que Mona era quem cuidava das compras: a única que não tinha horários fixos nem chefes exigentes nem clientes a atender. Abreviando, a única sem amarras, essa fora sua conclusão. E em vista do parco negócio, e às custas de sua madrinha lhe oferecendo alguns dólares extras, pensou que talvez ela pudesse aceitar.

Mas Mona não estava no El Capitán naquele momento, de modo que não o ouviu. E, além do mais, nunca havia telefonado a ninguém na vida, nem jamais havia anunciado sua chegada a lugar nenhum, por isso, simplesmente percorreu com Fidel uma parte do caminho, meio aturdida no *subway* rumo ao Upper West Side, sem lhe confessar que era a primeira vez que usava o trem subterrâneo, um desses gigantescos vermes metálicos, mecânicos, barulhentos, que, segundo diziam, transitavam como lombrigas velozes pelas tripas da cidade toda. Depois, ele lhe deu instruções para chegar a pé ao domicílio, na Setenta e Três Oeste.

Apertou a campainha do número que constava no cartão, mas não precisou esperar; só de roçar a porta com o braço, notou que estava aberta. Uma vez dentro, para sua surpresa, percebeu que a porta correspondente à moradia, no primeiro andar, estava aberta também.

Empurrou devagar. Com licença, disse, tímida, assomando a cabeça. Ninguém respondeu. Com licença!, tornou a dizer, e adentrou um passo. Mas também nada. Nem à terceira vez. A entrada, simples, dava para um salão médio, meio escuro e abarrotado. Quadros, luminárias de pé e de mesa, tapeçarias, porcelanas, enfeites, cortinas duplas de veludo vermelho nas janelas.

— Você é a garota nova?

A voz trovejou provinda de algum aposento de dentro, Mona teve um sobressalto. Parecia remotamente voz de mulher, mas, por sua potência, poderia ser de um trabalhador dos matadouros. Antes de responder, hesitou. Na realidade, não sabia se a mulher se referia a ela; não havia avisado, tomou a decisão no caminho.

— Perguntei se você é a garota nova! — ouviu depois de alguns instantes, com um tom mais categórico ainda.

Adentrou outro par de passos, limpou a garganta. Por outro lado, pensou depressa, talvez Victoria não houvesse se explicado bem, talvez houvesse feito o médico acreditar que alguma delas iria perguntar pelo trabalho, ou houvesse dito veremos, ou algo assim. Só por dizer alguma coisa, para ficar bem.

— Sim, senhora, sou eu!

— Estou com o massagista, venha mais tarde, agora não posso atender!

Mais hesitação.

— Ou melhor, volte amanhã!

Uma coruja dissecada a olhava com olhos imensos, um cervo ferido parecia querer fugir da tapeçaria sobre a qual corria, do console da lareira dois gatos roliços de porcelana observavam sua pasmaceira.

Engoliu em seco. Melhor ir embora, sim. O que estava fazendo em uma casa como aquela, com aquela voz que não dava as caras e todos aqueles móveis e todos aqueles animais inquietantes?

— Ei, garota! Leve a mala que está ao lado do porta-guarda-chuvas e venha apresentável. Já estou farta de mortas de fome desastradas!

Retornou à entrada, encontrou-a no lugar indicado. Mediana, gasta, embora de boa qualidade. Hesitou alguns instantes, sim, não, não, sim. Até que optou por pegá-la e saiu.

Havia se passado um tempo quando viu uma jovem se aproximar, caminhava com passo incerto enquanto checava os números das fachadas. Devia ter sua idade, um ano a mais, um a menos. Cabelo castanho-claro, roupas melancólicas, bons modos, panturrilhas fortes e bochechas vermelhas. Humilde, evidentemente, como ela mesma. Também espanhola, certamente.

Ao chegar a sua altura, parou na calçada para conferir o número da casa com o do papel que tinha na mão. Mona a esperava sentada em um degrau, sob o sol do meio-dia, com os joelhos juntos e a mala aos pés.

— Veio pela vaga de emprego?

A outra assentiu, desconcertada.

— Nem se incomode em bater porque já foi preenchida.

TERCEIRA PARTE

CAPÍTULO 40

A seleção de artistas para o espetáculo avançava, tarde após tarde, na pensão Morán da Dezesseis, no telhado de uma hospedaria de quatro andares estreitos dirigida por uma asturiana atarefada enquanto seu marido, cozinheiro, passava metade da vida embarcado. Não era uma mulher particularmente expansiva, mas tinha apreço por Fidel desde que a funerária Hernández se encarregara, meses atrás, do enterro de seu sogro, e ela, grata, agora lhes permitia usar esse espaço e fazia vista grossa: por gratidão, por deferência, sem cobrar.

Tal como prometeu, Fidel se encarregou de espalhar, ampla mas discretamente, a notícia da convocatória: conhecia pessoas aos montes, ou conhecia pessoas que, por sua vez, conheciam outras, que, por sua vez, poderiam chegar até mais alguém. O chamamento, em consequência, espalhou-se como bruma de cabo a rabo pela colônia, e os primeiros candidatos tardaram pouco a chegar.

Estavam havia duas semanas avaliando o potencial dos aspirantes que apareciam em um gotejar desequilibrado; o mesmo tempo, mais ou menos, que Mona trabalhava com dona Maxi, madrinha do doutor. O mestre Miranda, um velho hóspede da pensão que desembarcou anos antes com o dançarino de flamenco Vicente Escudero, havia aceitado acompanhar com o violão os números que assim requeressem, e com eles também estava o murcho cigano cordobês sentado em sua cadeira baixa: cadavérico, quase sem dentes e sem cabelos, duro como um pau, com os olhos vidrados, a puída camisa branca fechada até o pescoço e uma garrafa de leite no chão, ao lado dos sapatos remendados até o infinito e sem as meias-solas. Era parco em palavras, mas a dona da pensão contava que havia tido seus dias de glória; que as americanas brigavam por ele devido a seu porte de toureiro melancólico e que até chegou a atuar no Radio City Music Hall quando o álcool ainda não lhe provocava tremores nas mãos nem o fazia cair no meio das atuações. Inclusive se ouvia por aí que uma bebedeira de três dias e três noites o levou a perder o navio de volta à Espanha com sua companhia, e que jamais conseguiu economizar o suficiente para comprar outra passagem. Agora, reabilitado, sobrevivia mal e porcamente dando aulas avulsas e aliviando a úlcera à base de leite.

Nem Mona nem Fidel tinham a mais remota ideia teórica de como montar um espetáculo de variedades, de modo que a intuição e o instinto eram seus únicos recursos. Se o número que alguém apresentava conseguia lhes arrancar um sorriso ou uma expressão de espanto; se conseguia fazê-los marcar o ritmo com a palma da mão ou a ponta do pé, então o consideravam interessante e mandavam repeti-lo. Se, ao contrário, o faro lhes dizia que aquilo não se encaixava, agradeciam com bons modos e diziam fica para a próxima.

Pelo *roof top – rufo*, como chamavam por ali, em espanhol, os telhados dos edifícios – já haviam desfilado jovens e maduros, gente de meia-idade e algumas crianças precoces. Entre eles, cantores e músicos, humoristas, de tudo um pouco, até um mágico e um maluco que dizia ler o pensamento pela saliva. Quando apareciam, alguns aspirantes não conseguiam disfarçar seu desconcerto diante da sordidez do lugar: um telhado capenga perto da Union Square, coroado por uma caixa d'água e montes de cagadas de pombas; um exíguo espaço a céu aberto cheio de roupa estendida, com uma gaiola de frangos em um canto, um violonista parecendo uma múmia em outro e, no comando do espetáculo, um garoto e uma garota sem nome nem mérito algum no mundinho artístico local.

A maioria, contudo, optava por ficar e tentar a sorte. Alguns duvidosos e céticos, outros esperançosos, otimistas, com vontade de fazer direito. Haviam chegado depois de longas viagens de metrô, de ônibus ou de trem elevado, de balsa, ou a pé. Vestidos com humildade quase todos, tentando agradar, aceitavam o copo de água fresca que lhes ofereciam e o bebiam de um gole só. Depois, alguns puxavam instrumentos ou apetrechos e outros se trocavam atrás da roupa pendurada nos varais. Muitos nem isso: atuavam sem acompanhamento nem artifícios, na cara e na coragem. Desconheciam qual era especificamente o projeto que os convocava, mas haviam ouvido as palavras mágicas – espetáculo espanhol – e se lançavam com os dedos cruzados, como faziam toda vez que havia chamados para o dinâmico circuito das sociedades de compatriotas: iam tanto à Casa de Galicia, ao Centro Asturiano ou ao Club Obrero, quanto ao Centro Andaluz do Brooklyn, ao Hispano-Americano da Quinze ou ao Español de Elizabeth, em New Jersey, que eram alguns dos mais ativos e populosos.

O último turno daquela tarde de meados de maio era composto por um casal de Estremadura que começou sua *jota* com os lençóis do varal como pano de fundo. Por mais que se empenhassem, não houve maneira de Mona e Fidel os considerarem viáveis; sem que precisassem mais que uma brevíssima troca de olhares, Fidel se levantou, fingiu tossir para limpar a garganta e agradeceu o esforço. A um canto do telhado haviam deixado uma menina magrinha que contemplava ensimesmada os frangos enquanto outra menor se distraía brincando com um pano amassado. Mona sentiu um nó no estômago quando, depois da rejeição, o casal pegou as crianças no colo e começou a descer a escada com a cabeça baixa e os lábios apertados, arrastando seus parcos utensílios e a enésima desilusão.

Luz, depois de seu dia de trabalho, havia acabado de chegar. Victoria não estava tão ativamente envolvida, mas as respaldava na retaguarda com tato e prudência para que Remedios não desconfiasse. Assim haviam decidido as três: vamos tentar montar o espetáculo sem contar com mamãe, não há necessidade de a enfrentarmos, para que a preocupar antes da hora? Se a coisa prosperar e conseguirmos um repertório digno, aí lhe contaremos e aguentaremos a tempestade. Se tudo der errado e acabarmos quebrando a cara, teremos poupado esse desgosto à pobre mulher.

E nisso estavam as duas irmãs mais novas para encerrar o dia, repassando com Fidel as opções, fazendo contas e confirmando veredictos sentados os três sobre caixas de frutas vazias, quando foram interrompidos pelo mestre Miranda com seu porte de cabo de vassoura, subitamente em pé.

— Vão precisar de mim ainda, ou já posso descer?

Luz se levantou depressa e prendeu as bordas da blusa no cós.

— Espere um instante, dom Manuel, vamos dar uma repassada no "Anda jaleo".

O falso Gardel e a Arenas mais nova eram os únicos integrantes indiscutíveis do futuro programa, ambos tinham total clareza de seu repertório: Fidel, três tangos, e Luz, pura canção andaluza, seu forte, o que sentia e dominava. Tão entusiasmada estava com sua atuação, tão a sério a estava levando, que se recusava a passar um dia sem um pouco de ensaio.

— Quando quiser, mestre... — anunciou ao mesmo tempo que encaixava as castanholas nos polegares.

Soaram os primeiros compassos, ela ergueu os braços para o céu e traçou uma filigrana. A seguir, com seu garbo natural, começou a cantar balançando o corpo, harmoniosa, fazendo repicar as castanholas. *Yo me subí a un pino verde/ por ver si la divisaba/ por ver si la divisaba...* Sorria, balançava os ombros e dava uma piscadinha, erguia a saia descolorida de todos os dias como se fosse uma airosa túnica de bolinhas; com os joelhos e parte das coxas à mostra, entregava-se a um vigoroso sapateado como se atuasse diante de uma audiência arrebatada, e não no telhado de uma pensão de imigrantes diante de um violonista derrotado e dois sonhadores.

Mona cantarolava a letra baixinho sem sequer fitá-la; continuava concentrada, fazendo listas e contas; Fidel, porém, desde que os ensaios haviam começado, contemplava-a cada dia mais encantado: cada vez que Luz cantava, cada vez que falava ou dançava ou respirava ou transpirava ou existia, ele a devorava com seus olhos esbugalhados enquanto mantinha as mãos duras sobre os joelhos e a boca meio aberta, rendido, fascinado. Contudo, nenhum dos dois a aplaudiu quando acabou; nunca o faziam, não fazia sentido.

Naquela tarde, no entanto, algo imprevisto quebrou a tônica de todos os dias.

— *Wow*.

O categórico monossílabo surgiu do fundo do telhado. Depois, três palmadas lentas, ocas, sonoras, rasgaram o início da noite.

Os quatro giraram a cabeça em bloco. Ao fundo, à contraluz, percebia-se a silhueta de um homem. Compacto, estatura mediana, casaco claro e leve sobre os ombros. Na cabeça, um chapéu estilo fedora que escondia um cabelo claro e fino, bem penteado.

Com passo cadenciado e tirando o chapéu, deixou Mona e Fidel para trás sem nem olhar para eles, ignorou o violonista e se dirigiu direto a Luz.

— *Wonderful* — disse, estendendo-lhe a mão.

Ao falar, revelou uma dentição branca e linear.

Aturdida, Luz hesitou alguns segundos; ele, impassível, não desistiu. Até que pouco a pouco ela esticou o braço e, lenta, timidamente, depositou seus dedos sobre a palma do desconhecido. Sem imaginar quem era, sem saber ainda que ele estava prestes a entrar em sua vida com o firme propósito de dar uma guinada em seu futuro.

CAPÍTULO 41

— A *huge pleasure*, senhorita — murmurou o estranho. — Um enorme prazer.

Em resposta, Luz esboçou um sorriso tímido. Não sabia como responder, jamais nenhum homem havia se dirigido a ela de uma maneira tão formalmente obsequiosa; hesitava entre retirar a mão ou esperar que ele a soltasse. Pele com pele ainda, o recém-chegado prosseguiu:

— Meu espanhol não é muito bom, desculpem meus erros, por favor. Alguém me disse que estão preparando um show e decidi vir.

A última luz da tarde estava começando a desaparecer. Embaixo, na rua, as luzes dos postes já estavam acesas e na distância se percebiam os milhares de pontinhos brilhantes lançados pelas janelas dos arranha-céus.

— Já estávamos indo embora, mas, fique à vontade...

As palavras de Mona fizeram o resto reagir subitamente: Luz se soltou do homem, Fidel se levantou. Até o mestre Miranda, sem soltar o violão, remexeu os ossos e mudou de posição.

— Se tem algo a nos oferecer — acrescentou —, vamos atender-lhe, claro.

— Não, não, não, *I beg your pardon* — esclareceu o homem erguendo as mãos como se se declarasse inocente de uma grave acusação. — Não vim com a intenção de oferecer nada, ao contrário: minha intenção é buscar algo.

Uma buzina tocou, insistente, no cruzamento próximo, depois ouviram o som de uma carroça puxada por cavalos. Das janelas abertas dos edifícios vizinhos saíam vozes e ruídos domésticos: vaivém de mulheres nas cozinhas, brigas familiares, homens que se asseavam debaixo da torneira para arrancar a sujeira que tinham colada no corpo depois de um dia nas docas, nos túneis, nas fábricas e nos andaimes.

Ninguém replicou, não sabiam o que dizer.

— Permitam que me apresente, sou um *talent broker* — acrescentou o sujeito. — Um *talent scout*, um caçador de talentos. Detecto promessas, futuros artistas. Em uma loja de discos do Harlem hispânico soube que vocês andam preparando um show.

— Na Tatay, da Cento e Dez? — perguntou Fidel para se assegurar.

Se assim fosse, tudo se encaixava, mais ou menos. Ele mesmo havia divulgado o anúncio.

— Exatamente; estava lá esta tarde quando ouvi a conversa entre alguns clientes. E decidi vir.

Eximiu-se de falar dos comentários que escutou ali a respeito de Fidel: sabe Deus em que desvario o garoto de Hernández, o agente funerário, está se metendo agora; lembram quando o pobre-diabo deu para adorar os ossos carbonizados de Gardel? Em resposta houve uma gargalhada, mas o homem que agora estava diante deles decidiu tentar. Nisso consistia seu trabalho, basicamente. Em estar alerta, atento às tendências, ao que acontecia na indústria do espetáculo, para depois procurar promessas nas margens, poli-las e tentar recolocá-las no melhor lugar. Nunca se sabe onde pode aparecer um filão, uma joia, costumava dizer.

— Mas receio que houve um *misunderstanding*, acho que não captei bem a ideia.

Os três ficaram com uma expressão interrogativa no rosto, e o velho violonista deixou escapar um arroto e pediu desculpas discretamente.

— Pensei que vocês estavam ensaiando para um show latino.

— Bem — esclareceu Mona —, teremos música espanhola, tangos argentinos...

— Não, não, não...

Para enfatizar sua rejeição, o sujeito fez um movimento oscilante com o indicador.

— Só com a canção que acabei de escutar já sei que a música de vocês é totalmente contraposta a meus interesses, desculpem a franqueza. O que eu tinha em mente era um show de outro tipo. Pensei que se trataria de um espetáculo tropical, cubano, caribenho, *you know what I mean*.

Não disse mais nada, como se quisesse que o impacto de suas palavras batesse fundo. Limitou-se a tirar do bolso um maço de Camel, puxou um cigarro e o acendeu sem pressa com um isqueiro dourado, nem se incomodou em oferecer. O mestre Miranda, digno herdeiro da estoica sabedoria cordobesa, pegou do chão sua garrafa de leite vazia, levantou-se segurando o violão pelo braço e, arrastando os pés, dirigiu-se à escada. Para mim, essas batalhas não têm o menor interesse, pareceu dizer sem abrir a boca. Vocês que se entendam, eu não vou ficar sem jantar.

Mona se levantou de sua caixa, nervosa e mal-humorada. Era praticamente noite, estava em pé desde antes das seis da manhã. Nada havia dado resultados positivos ainda, tudo era incerteza, e, como se não bastasse, ainda tinham que suportar que um petulante desconhecido aparecesse para dizer quão pouco seus esforços o agradava.

— Abreviando, mister; se já sabe que não lhe interessamos, há algo mais que queira nos dizer, ou já está indo?

Ele deu uma tragada funda e esboçou um sorriso com uma ponta de cinismo, como se visse graça na desfaçatez dela.

— Desculpe por fazê-los perder seu valioso tempo, senhorita — replicou ao mesmo tempo que soltava a fumaça. — Tem toda a razão: como eu disse, nada tenho a lhes oferecer. A menos...

Fez outra longa pausa, enquanto na mente das Arenas e do filho do agente funerário retumbava um mudo a menos que o quê?

— A menos que aceitem um conselho.

Com uma segurança exagerada, deu outra lenta tragada.

— E é um conselho valioso, permitam-me dizer, porque, do contrário, vocês irão direto a um fracasso certo.

Os três franziram o cenho; continuavam confusos, aturdidos, hesitando entre se seria conveniente escutar atentos o que o indivíduo pretendia lhes dizer, ou se mais valeria enfrentar sua insultante ousadia e expulsá-lo do telhado a empurrões.

— Rumba. Conga. Bongo. Maracas. Dança cubana — recitou o desconhecido, alheio aos pensamentos deles. — Ainda não descobriram que o que faz sucesso aqui agora são esses ritmos? *Everybody is crazy*, todo mundo é louco por esse tipo de música do Caribe, é a última moda, *the must*.

A noite havia caído, praticamente; milhares, milhões de luzinhas brilhavam nas alturas de toda a cidade; no horizonte, despontavam com sua beleza moderna e arrogância as torres do Chrysler Building e do Empire State. Eles continuavam imóveis, transfigurados, ninguém sabia o que dizer.

— A canção que esta *gorgeous woman* acabou de nos oferecer *is absolutely marvelous*, isso ninguém pode negar. Sincera, sentida, harmoniosa... E ela, como artista, tem um potencial gigantesco.

Enquanto falava, deu alguns passos para Luz e pousou a mão em seu ombro esquerdo, perto do pescoço; quando ela sentiu os dedos masculinos através do tecido da blusa, teve um calafrio.

— Pena — acrescentou, estalando sonoramente a língua — que seu estilo tem muito pouco futuro aqui.

A brisa da noite balançou os lençóis estendidos, ouviu-se o bater de asas de um frango, passaram dois ou três automóveis, alguém soltou uma gargalhada na rua. Nenhum dos três pestanejou.

— O flamenco, a música típica espanhola, toca em Nova York há décadas, mas nunca se consolida, nunca arrasa. *It's beautiful, deep, exotic*, mas jamais conquistará o país, nunca chegará a lugar nenhum fora dos círculos de imigrantes e de alguns *wealthy snobs*, alguns ricos que voltam de seus tours pela Europa e querem se fazer de entendidos.

O sujeito deu uma última tragada no cigarro e jogou a bituca ao vazio; então, continuou falando. Sobre os atuais gostos e estilos musicais no mundo mutante em que viviam, sobre canções, vaivéns e nomes de artistas que para eles diziam pouco ou nada. Sem interrupção, com os três jovens silentes parados diante de seu discurso avassalador, até que fechou o círculo argumentativo e, como conclusão implacável, chegou ao mesmo que havia anunciado antes: o que eles buscavam para seu espetáculo estava absolutamente defasado, totalmente *outdated*, e se seguissem esse caminho equivocado, teriam um futuro muito negro.

Fazia tempo que a complacência de Luz havia desaparecido de seu rosto, como se houvessem passado um pano nele; agora, ela apertava os lábios em uma careta de decepção. O ufano deleite e a momentânea chama de orgulho que os elogios dele lhe haviam provocado extinguiram-se de uma vez: não estava acostumada a que ninguém questionasse aquilo a que ela entregava a alma, sempre havia sido uma pequena estrela em seu modesto firmamento, a que mais brilhava, a que enfiava todo mundo no bolso com sua graça e desenvoltura. Agora, com um sopro, com apenas umas frases categóricas e cortantes, aquele indivíduo caído do céu havia acabado de dinamitar seus alicerces.

— Há outros estabelecimentos que fazem a mesma coisa e não vão mal.

Foi Mona quem falou. Com insolência, em busca de uma vingança.

— Sim, *my dear lady*, claro que sim, mas estão mudando, preparando-se para não perder o trem. No El Chico, por exemplo, suponho que o conhecem, o dono já está em tratativas para contratar Estela e René, um dos mais famosos casais de rumba; certamente vai estrear um show com eles *next month*. E o resto, El Patio, El Toreador, El Mundial, e outros tantos estão na mesma linha. Por ora, alternam o espanhol com o latino, mas em breve todos vão se inclinar para o mesmo lado.

Tudo eram sombras no telhado. Quem é esse homem que vem nos inquietar, de onde saiu, o que pretende, perguntavam-se as três mentes confusas. Até que, com o orgulho ferido e de saco cheio de tanta condescendência e tanto palavrório, Luz interveio com um grito agudo.

— Por que não nos deixa em paz?

Um cachorro latiu no quintal de uma casa próxima, ouviu-se um casal discutindo alto no edifício em frente, de algum rádio soava um locutor com garganta gutural. Mal se vislumbravam os contornos, tudo eram meras silhuetas na penumbra.

— Já vou indo, não se preocupem. Não sei se um dia tornaremos a nos encontrar; de qualquer maneira, meu nome é Frank Kruzan, cá, erre, u, zê, a, ene. Desculpem por não lhes dar um endereço fixo, é que estou de mudança. Mas qualquer loja de música do Uptown me conhece.

CAPÍTULO 42

Assomados ao parapeito, viram-no sair e se afastar rumo à Sexta envolto em seu paletó claro. Assim que se diluiu na distância, Mona e Fidel começaram a soltar palavrões sem nenhum pudor: tratante, agourento, escroto, filho da mãe. A primeira não sabia muito bem a que diabos o sujeito se referia com ritmos tropicais, mas sua arrogância a tirara do sério. Fidel, filho de porto-riquenhos e bem ciente do tipo de música de que o homem falava, protestava pelo sacrilégio de se atrever a considerar aqueles sons como algo artisticamente mais valioso que o que sua venerada Luz interpretava, ou que os tangos de Gardel. De qualquer maneira, ambos protestavam aos gritos, o que aquele sujeito sabia do que eles pretendiam, como se atrevia a aparecer sem que ninguém o chamasse e agredi-los assim, grosseiramente, em sua própria cara?

Entretidos em sua teia de insultos e ofensas, mal se deram conta de que Luz se mantinha em silêncio, dividida, confusa, aturdida. O desprezo que o tal de Frank Kruzan havia mostrado diante de suas querências musicais continuava ferindo seu amor-próprio; seus comentários a haviam desanimado, a deixado sem ânimo nem vitalidade.

Só pararam ao se dar conta do tempo desperdiçado, ai, meu Deus!, gritou Mona, vejam que horas são! O filho do agente funerário não teve mais remédio que sair voando para ganhar a enésima bronca de seu pai; as Arenas já deveriam ter voltado para casa havia um bom tempo.

— Amanhã conversamos, Fidel — encerrou Mona, apressada. — Você, Luz, corra para La Nacional que ainda chega para o final do ensaio; eu vou para o El Capitán, mamãe vai me matar...

Despediram-se na esquina, cada um seguiu seu rumo. Com tal ímpeto ia caminhando quando se viu sozinha, tão apressados eram seus passos e tanta raiva a corroía por dentro, que ela foi incapaz de perceber a presença sinuosa que surgiu às suas costas no trecho mais escuro da rua.

A primeira coisa que sentiu foram os dedos férreos cravados em seu braço; em paralelo, uma garganta masculina descarregou um rouco sussurro em seu ouvido:

— *Signorina, prego*...

Sua reação instintiva foi tentar gritar, assustada; quando ia fazê-lo, o indivíduo cobriu sua boca.

Tapas sem tino e cotoveladas, pontapés no ar: fúria que não chegou a lugar nenhum. Em apenas alguns instantes, o homem cujo rosto ela ainda não havia visto a colocou dentro de um automóvel. Uma vez ali, ela gritou a plenos pulmões, socou os vidros com raiva, mas não conseguiu nada: sua cólera foi engolida pelo barulho do motor quando o carro começou a se afastar na noite levando-a dentro.

A ação foi rápida, impecável, mera questão de segundos. Não se ouviu uma voz mais alta que outra na rua e nenhum transeunte – poucos a essa hora – notou o acontecido. Ninguém percebeu nada exceto eles três: o jovem que a havia forçado e que agora estava ao volante, a própria Mona e o outro que aguardava no banco de trás que seu subalterno concluísse a operação: o advogado Fabrizio Mazza, com seu cheiro de loção varonil e seu porte inconfundível, tamborilando os dedos sobre seu próprio joelho.

— Calma, calma. Não se enfureça, *signorina*; só pretendo conversar.

Suas palavras tiveram o efeito contrário: enfurecê-la ainda mais. Filho da puta, vigarista, tire-me daqui, pelo amor de Deus. Mais impropérios, mais tapas desesperados nos vidros, sacudidas, pontapés no banco da frente; ela inclusive tentou abrir a porta, disposta a pular do veículo em movimento, mas o condutor havia tido a lógica precaução de travá-la por fora. Até que suas forças faltaram, ou até que seu instinto de sobrevivência lhe mostrou que sua cólera não a levaria a lugar nenhum.

Por fim desistiu, raivosa, e optou por se encolher na ponta do banco, espremendo o flanco esquerdo na porta, o mais longe possível do italiano. Com o coração acelerado e a respiração entrecortada ainda, Mona atravessou a janela com o olhar: não tinha a mínima ideia de aonde a estavam levando, só via ruas despovoadas, silhuetas de indigentes e almas solitárias arrastando suas misérias, alguns cachorros magros, casas nuas. De vez em quando, uma luz amarelada na fachada de um edifício grande e quadrado, industrial, vazio.

— Estamos só dando um pequeno passeio noturno; não fique nervosa, *cara mia*.

Mona não respondeu, nem sequer o olhou. Limitou-se a cruzar os braços apertados sobre o peito e se conteve, com o coração batendo enlouquecido e o medo torcendo suas tripas. Pouco depois, o automóvel pegou um desvio, diminuiu a marcha, passou pelo vão aberto em uma paliçada e acabou parando em uma esplanada deserta. Ao fundo, balançando, viam-se pequenos barcos ancorados, velhos rebocadores, barcaças. Atrás, a água negra do Hudson e, na distância, embora ela não soubesse, as luzes dos atracadouros e os espigões de Hoboken, do outro lado do rio.

— Prefere caminhar um pouco? — perguntou Mazza, endireitando as costas e abrindo sua porta.

O condutor, diligente, já havia abandonado seu lugar ao volante e estava introduzindo a chave na porta do lado de Mona. Mas ela não se mexeu; não estava disposta a facilitar as coisas para aquela dupla de cretinos, para que no fim a largassem jogada como um fardo.

O advogado captou sua mensagem e tornou a se recostar no banco. As portas, não obstante, ficaram abertas, e Mona ficou grata pelo o ar da noite que entrava e suavizava o cheiro de homem agressivamente perfumado, de desânimo e de receio. O condutor – o pau-mandado que a seguira, cobrira-lhe a boca e a enfiara no carro – se afastou alguns passos, dando-lhes as costas. Devia estar seguindo instruções, Mazza devia ter lhe ordenado que se afastasse. Até então, ela só havia percebido que era jovem e moreno, compacto, não muito alto; nesse instante, vendo-o tomar distância, comprovou que tinha as pernas tortas, e que ao andar as separava mais ainda.

— Por que não me jogou de uma escada, como fez com irmã Lito? Ou por que não me deu uns bons socos, como pretendeu fazer com minha irmã? Assim, não teria que se dar o trabalho de me trazer até aqui, teria economizado tempo e gasolina.

A arrogância de Mona provocou uma ponta de sarcasmo na comissura dos lábios do advogado. *Pazza ragazza*, pensou. Garota louca, com sua insubmissão e ousadia.

— Primeiro, a queda da freira foi um acidente; digamos que fui mal interpretado. E segundo, o caso de sua bela irmã não foi mais que a natural resposta a uma provocação.

— Ainda bem que Barona quebrou sua cara; pena que...

— *Shut up* — rosnou ele, rude. — Cale a boca.

Ele falou em tom áspero e cortante, sem nenhuma sombra de cinismo: seu sangue ainda fervia quando recordava o soco que o tabaqueiro lhe dera na frente das duas mulheres. Mas tentou se livrar da recordação: pertencia a outra categoria dentro de seu catálogo de preocupações, ia por outro caminho, e agora não vinha ao caso.

— Decidi falar com você porque me parece a mais sensata da família.

Fez uma pausa artificial, como se quisesse deixá-la absorver o impacto de seu suposto golpe de efeito. Logo prosseguiu.

— Você é a que faz as compras e as contas do negócio, a que trabalha em uma boa casa em Midtown e sabe mais ou menos andar pela cidade. A única, enfim, que demonstra alguma ambição além de servir comida ou lavar roupa e cantarolar.

Com a enumeração de suas próprias tarefas e as de suas irmãs, ele pretendia fazer Mona ver que controlava milimetricamente seu dia a dia, que vigiava as três. Contrariamente à reação que Mazza esperava, no entanto, ela não pareceu se alterar: também não estava disposta a lhe dar essa satisfação.

— Por isso, peço que reflita, *cara mia*, e convença as outras e sua mãe. Façam um favor a si mesmas e livrem-se daquela freira grotesca de uma vez por todas. Não é nada pessoal, entenda; mas isso interessa a todos nós. Se vocês colaborarem e eu por fim conseguir fazer a defesa dele, o caso de seu pai será integrado a um grande pacote de casos; e assim, todos sairemos ganhando. Avançando sozinhas, porém, vocês não chegarão a nada. *Niente di niente*. Mas o prazo está acabando, eu sofro pressões... Portanto, decidam-se já.

Inexpressiva, aparentemente imperturbável, ainda de braços cruzados com o olhar perdido na distância do outro lado do para-brisa, assim permaneceu Mona. Preferia morrer a deixá-lo ver que estava com a boca seca e todos os músculos do corpo tensos, que seu sangue pulsava nas têmporas como um tambor enlouquecido.

Mazza acendeu um charuto; a fumaça e a luz alaranjada da brasa somaram-se ao silêncio asfixiante. Porém, nada saiu da boca de Mona. Então, ele deu uma segunda tragada no charuto, continuou aguardando, mas só conseguiu mais fumaça, mais peso no ar. A terceira tragada foi mais longa e profunda, o italiano estava começando a ficar farto.

— Nenhuma resposta? — rosnou.

Mona virou o pescoço e, pela primeira vez em todo o tempo que estavam ali sentados juntos, olhou-o cara a cara. Apesar da escuridão, intuiu seus traços. As bochechas carnudas, a pele ensebada, as sobrancelhas povoadas. O nó proeminente da gravata apertando seu pomo de adão, os cabelos reluzentes de brilhantina.

— É sério que me trouxe até aqui para insistir outra vez em toda essa merda?

O italiano tirou a mão do joelho esquerdo, onde a mantinha, e Mona, instintivamente, escondeu o queixo no ombro e apertou os olhos, como se quisesse proteger o rosto do golpe que pressentia. Mas o tapa não chegou, talvez Mazza estivesse se contendo, ou talvez seu objetivo fosse outro desde o início. Só quando ela sentiu a sensação de calor pegajoso em sua coxa tornou a abrir os olhos, espantada. Ali, comprimindo sua pele, sua carne, avançando, rastejando para cima, estavam os dedos grossos de Mazza, o ouro do anel com sua pedra vermelha, o dorso da mão carnudo e peludo.

Sentiu ânsia de vômito enquanto se atirava para fora do carro; tão logo pôs o pé no chão, virou a cabeça para todos os lados. Em nenhuma direção viu nada que aliviasse seu espanto; ainda assim, saiu correndo. Às cegas, movida pelo nojo e pela fúria, rumo à noite, rumo a lugar nenhum.

— Tomasso! — gritou o advogado.

O condutor e ajudante, afastado até o momento, entendeu a ordem e saiu atrás dela. Mona corria cega, furiosa: para o atracadouro, para os barcos, para a água, para o nada.

Passos rápidos, respiração entrecortada, pisadas violentas sobre os pedregulhos. Foi difícil alcançá-la, a filha de Emilio Arenas tinha pernas ágeis. Até que chegou o inevitável: o agarre, a rejeição, a luta. O subalterno achou que já a dominava quando sentiu a mordida na mão, o uivo do tal Tomasso se espalhou entre as sombras.

Mesmo dolorido, conseguiu segurá-la e começou a arrastá-la para o automóvel parado no meio da esplanada, com as portas ainda abertas e os faróis acesos. Seu abraço forte imobilizava o torso e os braços de Mona, mas ela continuava resistindo. Dava pontapés e joelhadas, sacudia os ombros e a cabeça, seu cabelo cobria o rosto. Sua saia estava erguida quase até a virilha, uma manga rasgada, o vestido todo retorcido ao redor do corpo. E gritava, gritava, gritava. Como um animal acossado pelos lobos, com a voz afiada como uma faca, angustiante, descarnada.

Ninguém ouvia seus gritos, naturalmente: para isso Mazza havia tido o cuidado de levá-la até aquele lugar desolado onde um corpo podia ficar jogado como um saco até a manhã seguinte.

Restavam apenas dois metros para chegar ao carro quando Tomasso a soltou e ela prendeu a respiração. Entre, rosnou. A seguir, levou o dorso da mão à boca e chupou a parte mordida. Sangrava.

Mazza havia mudado de lugar; do banco de trás havia passado para o do passageiro. Continuava fumando seu charuto com a nuca apoiada no encosto.

— *Andiamo.*

Não se ouviu nem uma sílaba enquanto o motor arrancava e traçava um amplo O na esplanada, apenas a respiração ainda agitada de Mona e do condutor; ao cheiro de tabaco se somava o do suor de ambos. Rodaram umas dezenas de metros e saíram de novo pelo vão da paliçada, reintegraram-se à cidade. Ficaram para trás as silhuetas das embarcações, a água negra, as luzes do outro lado.

— Deixe-me no Moneta.

Essa ordem seca foi a única coisa que saiu da boca do advogado enquanto percorriam ruas que Mona não sabia se conhecia ou não, porque embora estivesse com os olhos cravados no vidro, fitava o exterior sem distinguir nada. Como se a cidade fosse uma tela em branco, erma, monocromática, vazia.

Continuaram rodando; adentraram as entranhas da zona italiana, ruas descuidadas e barulhentas apesar da hora. Bem perto do bairro dos chineses pararam na Mulberry Street sem desligar o motor do automóvel. Um toldo vermelho e curvo protegia a entrada do restaurante. Havia movimento em frente à porta, clientes tardios, um ou outro automóvel, despedidas ruidosas, transeuntes caminhando pela rua, o balanço do trem elevado nas proximidades.

O advogado ajeitou o nó da gravata, passou as palmas das mãos pelas têmporas e disse, áspero:

— Não demore.

— *D'accordo, zio.*

Tudo bem, tio, foi a resposta: então, Mona intuiu que os dois eram parentes.

Mazza desceu do carro; primeiro as pernas, depois a cabeça, por fim o torso. Sem olhar para o banco de trás, sem dirigir nem mais uma palavra a Mona ou ao sobrinho, entrou no local.

Em um silêncio absoluto fizeram o trajeto de volta à Catorze, cada um recolhido em si mesmo. Várias vezes, no entanto, o tal Tomasso a olhou pelo espelho retrovisor. Tão logo parou em frente ao El Capitán, abandonou o volante com a intenção de lhe abrir a porta de trás: uma grotesca cortesia totalmente desnecessária, porque ela já a havia aberto por si mesma e corria para a calçada como se fugisse do diabo.

A título de despedida, o sobrinho de Mazza lhe lançou umas palavras enquanto acariciava a mão que ela havia mordido: dois arcos de marcas roxas atestavam a violência de seus dentes.

— Cuidado, *baby*, porque ele está assustado — disse em voz baixa. — E quando um miserável é tomado pelo medo, pode se tornar muito perigoso.

CAPÍTULO 43

Remedios, em vez de receber Mona com suas habituais frases de censura pelo atraso, continuou fazendo suas coisas. Todos os clientes já haviam ido embora, suas irmãs ocupavam a mesa de sempre, e com elas estava Luciano Barona; antes ele ia só na hora do almoço, mas ultimamente estava adquirindo o costume de passar por lá também na hora do jantar. De qualquer maneira, isso não lhe interessava: nem que o bom homem decidisse aparecer de madrugada. A única coisa que ela ansiava nesse momento era fundir-se em silêncio com eles, desviar do ponto de mira de sua mãe antes que ela lançasse sua artilharia. E, especialmente, proteger-se, não só física, mas também emocionalmente. De Mazza, do tal Tomasso. Da esplanada e da violenta corrida no escuro, do medo, de uma súbita ponta de dúvida sobre ter deixado irmã Lito cuidar da defesa delas, que ia de mal a pior.

No carro, no último trecho, ela havia se esforçado para domar a cabeleira desgrenhada, disfarçar a manga rasgada, endireitar o vestido ao redor do corpo e apagar o espanto do rosto. Havia tentado se recompor, em resumo, para que ninguém suspeitasse de nada. Porque se havia algo que Mona sabia depois de sua obscura experiência, era que de sua boca não sairia nem uma palavra a respeito.

Os cumprimentos secos de suas irmãs confirmaram, para seu alívio, que não havia desconfiança nenhuma: que hora de chegar, por pouco fica sem jantar... Percebeu, então, que talvez sua ausência não houvesse sido tão longa, embora lhe houvesse parecido durar metade da vida. Mesmo assim, sentou-se em uma cadeira sem dar um pio e fingiu se interessar pelo que o tabaqueiro estava contando. O filho ausente, os compatriotas, as recordações de sua cidade de sol e parreiras, o sonho de voltar um dia: os territórios recorrentes no imaginário de todos os emigrados.

A mais velha e a mais nova das Arenas pareciam escutar concentradas, mas, apesar do nervosismo, Mona demorou um pouco a perceber que a coisa não era bem assim. Victoria olhava fixamente para Barona enquanto brincava com a bainha da toalha de mesa; Luz estava com o cotovelo apoiado na mesa e o queixo na mão, e parecia ouvir suas palavras com a mesma má vontade com que ouviria um sermão dominical. Por trás da fachada, ambas estavam mergulhadas em suas próprias preocupações.

Luz ainda estava mordida pela atitude do caçador de talentos; o desconhecido Frank Kruzan que, pouco antes e com apenas algumas frases contundentes, havia conseguido fazer tremer os alicerces de sua inocente segurança e a havia jogado de cabeça na dúvida.

E Victoria, por sua vez, lutava por dentro para digerir o que havia acontecido nessa mesma tarde, quando estavam prestes a sair de casa rumo ao El Capitán para o turno do jantar.

Fora quando, enquanto mãe e filha recolhiam chaves e casacos para sair, ouviram as batidas de nós de dedos na porta do apartamento. Entreolharam-se com estranheza, e Victoria colou a orelha na madeira e perguntou, cortante:

— Quem é?

— Trago uma carta.

Ela abriu, arrebatada, sem a mínima cautela. A sua frente encontrou um rapaz de orelhas grandes que lhe pareceu remotamente familiar.

— Venho da parte de dom Paco Sendra, do La Valenciana.

O jovem funcionário do antigo patrão do pai de Victoria, o mesmo que naquela tarde levara a Luz e a ela da Cherry Street até a Catorze em uma caminhonete; Victoria por fim o reconhecia.

— Hoje de manhã chegou isto para vocês nas sacas do correio do *Cristóbal Colón*. Um dos navios que vêm da Espanha, a senhora sabe...

Estendeu-lhe um envelope, ela sentiu um nó no estômago.

— Dê aqui — rosnou, praticamente o arrancando das mãos do rapaz.

Estava prestes a fechar a porta na cara dele: tinha pressa de saber quem lhes havia escrito, se era quem ela esperava. O garoto a conteve, tinha algo mais a entregar.

— Dom Paco também lhes mandou isto, para que façam bom proveito, e disse que espera que estejam bem.

Remedios pegou o salsichão que o bondoso Sendra lhes mandava: uma pequena gentileza para com a viúva e as órfãs de seu velho funcionário. Victoria nem prestou atenção, só queria decifrar o remetente e rasgar o envelope com dedos ansiosos. O garoto continuou falando algumas futilidades, ganhando tempo enquanto retorcia o boné nas mãos à espera de uma gorjeta ou de um pouco de conversa com uma daquelas gloriosas irmãs cuja recordação continuava povoando muitas de suas noites.

Mas a viúva de Emilio Arenas nunca havia dado uma gorjeta a ninguém na vida, e não seria aquele o dia em que mudaria seus costumes, e Victoria estava atribulada demais puxando as folhas para fora para dar atenção ao rapaz, de modo que ele não teve mais alternativa que murmurar uma desajeitada despedida, pôr de novo o boné deixando expostas suas orelhas proeminentes e voltar por onde havia chegado.

Que seja de Salvador, que seja de Salvador, que seja de Salvador... murmurava Victoria em uma ladainha confusa. Mas não. Salvador Berrocal, o indesejável que jurou amá-la com a força dos mares, continuava sem dar sinais de vida. A carta provinha de Málaga, sim, mas quem a enviava eram as vizinhas maduras do cortiço de La Trinidad, as velhas comadres de Mama Pepa. Uma delas escrevia a lápis, Sebastiana, a única capaz de juntar letras porque durante um tempo trabalhou na casa de um professor, e ali aprendeu a fazê-lo mais ou menos. Mas todas contribuíam com algo pessoal – um novo nascimento na família, um falecimento ou um casamento recente, um pequeno acontecimento. E, ao mesmo tempo, mandavam uma mensagem coletiva. Soubemos da morte de Emilio por um cunhado de Engracia, um marinheiro que voltou da América há alguns dias, diziam as mulheres. Sentimos muito, que Deus o tenha em sua glória. Mas há mais notícias: queremos que saibam que aqui pelo bairro estamos há um tempo ouvindo que a prefeitura vai construir moradias para os pobres, casas baratas e mais cortiços, e pensamos que talvez aí em Nova York vocês tenham economizado alguma coisa, ou talvez Emilio tenha lhes deixado algum capital, por menor que seja, e vocês andem pensando em voltar. Estão muito longe, e certamente muito sozinhas sem um marido e um pai que as guarde, pois um homem sempre dá boa sombra, por pior que seja. Aqui continuamos com os mesmos afazeres e as mesmas fadigas e o mesmo céu sobre a cabeça e as mesmas ruas sob os pés.

Victoria foi desfolhando a desajeitada caligrafia frase por frase enquanto Remedios balançava a cabeça e apertava os lábios, esforçando-se, como sempre, para reter as lágrimas que investiam contra ela do fundo de seus olhos. Sua gente, seu mundo, rostos e vozes que ficaram para trás: saudades que saltavam, imprevistas, dentre as linhas, e que lhe custavam um trabalho monstruoso digerir.

Quando terminou de ler, a Arenas mais velha amassou as folhas escritas, colou as costas na parede e, dobrando os joelhos, foi deslizando lentamente até acabar sentada nas tábuas do piso. A seguir, apoiou os cotovelos nos joelhos e escondeu o rosto nas mãos.

A carta, ou melhor, a ausência dessa carta que ela esperava havia tanto tempo somou-se ao acúmulo de desânimo que crescia dentro dela desde já algumas semanas. Algumas das contrariedades que feriam seu ânimo eram as mesmas de sempre: o negócio da indenização que não se resolvia, a incerteza de continuar nessa terra estranha sem saber o que seria delas, o cansaço de servir e tirar as mesmas tristes mesas no almoço e no jantar todo santo dia, as obscenidades e os maus modos de alguns clientes.

Tudo isso a atribulava e a desgastava, embora, a essa altura, houvesse se transformado em pesares cotidianos com os quais mais ou menos ia aprendendo a conviver. Havia, no entanto, algo mais. Algo adicional que nos últimos tempos havia se somado a seu dia a dia sem fazer alarde, e talvez fosse isso que mais a angustiava, o que, enfim, a confundia. E esse algo não era uma sombra do passado nem um revés do presente, não. Era algo diferente, uma espécie de desassossego que, paradoxalmente, não lhe causava desagrado, mas sim certa excitação.

Nas primeiras vezes sentiu-se desconcertada, não sabia como interpretar aqueles olhares, os gestos mascarados: um tímido elogio ao se aproximar da mesa, uma frase com duplo sentido. Depois, chegaram os agrados, aquele frasco de perfume Myrurgia da perfumaria Gómez, a caixa com três lenços bordados; agrados inócuos, mas cada vez mais evidentes que ela foi escondendo dentro de si mesma, nos bolsos ou debaixo da cama, mantendo tudo encoberto, seus pensamentos, suas sensações e os presentes, às costas de sua mãe e suas irmãs porque não sabia como processar tudo aquilo, não sabia o que sentia nem o que fazer, exceto deixar que as coisas seguissem seu próprio rumo.

Fique um pouquinho, Luciano, sente-se com as meninas à mesa, disse a mãe essa noite quando o tabaqueiro acabou de jantar; vou lhe trazer um chá de camomila para que depois não sinta acidez. Então se retirou, para continuar com seus afazeres, pensaram eles, enxugar pratos e talheres com o eterno pano que levava sempre sobre o ombro, separar as colheres tortas dos velhos garfos e os velhos garfos das facas amassadas que imploravam por um afiador.

O tabaqueiro aceitou o convite, esforçando-se para se mostrar neutro. Está bem, mulher, disse; já que insiste, vou ficar um pouco, mas só um pouquinho, amanhã tenho que acordar cedo. Entretanto, uma luta de sentimentos se travava dentro dele. Sabia que tinha que se conter, não se expor ainda, mas, no fundo, estava exultante. E embora se empenhasse com todas as suas forças para que nem suas palavras nem sua atitude o traíssem, por dentro a felicidade arrebentava suas entranhas.

Já fazia um tempo que não era o mesmo, que ia para a cama à noite, sozinho em sua casa no Brooklyn Heights, com um único pensamento na mente e dormia com ele colado no travesseiro e não parava de pensar nisso o dia inteiro enquanto negociava seus cigarros com seus clientes pelos restaurantes de metade de Nova York. No início, ele se negava a aceitar, resistia. Tentava se justificar pensando que suas frequentes visitas à família de Emilio Arenas não eram mais que uma atenção à viúva e às órfãs do infeliz falecido, um nostálgico retorno aos sabores de sempre, ou, talvez, um modo de combater sua própria solidão. Essas garotas soltas da mão de Deus, a mesma terra, os mesmos cheiros, o mesmo sotaque: simples pretextos, enfim, para justificar o que intuía que era uma grande loucura, um desvario que tinha que tirar da cabeça.

Mas, desde a noite no El Chico e tudo que aconteceu nesse dia com o advogado italiano, ele optou por ceder: esqueceu-se de arranjar desculpas e explicações, deu a si mesmo a absolvição. Desde então, admitia com plena certeza que não era nem a compaixão nem a solidão que o levava, um dia depois do outro, à insignificante taberna. Era outra coisa que ele ainda não se atrevia a pronunciar em voz alta, algo que acelerava sua pulsação quando se aproximava da Catorze e retorcia seu ventre cada vez que empurrava a porta precária do El Capitán. E já estava decidido: tinha que dar o passo, para que esperar. Por isso, ultimamente se arrumava com mais esmero e fazia a barba diariamente na barbearia do compatriota Pedro Flores, e depois pedia que passassem Floïd; até havia comprado várias camisas e três gravatas novas no Wanamaker's da Quarta avenida, e levava um pente no bolso do paletó e todas as manhãs em frente ao espelho enchia o peito, encolhia a barriga e apertava o cinto dois buracos mais.

A conversa entre o tabaqueiro e as garotas prosseguiu um tempo, era quase meia-noite, mas Remedios não apressou ninguém; pelo contrário. Resguardada na cozinha, ajeitava desnecessariamente de novo as panelas mil vezes ajeitadas e repassava pela enésima vez as superfícies com o mesmo pano. Que o tempo passasse, enfim. Porque Remedios sabia o que Barona sentia. E como sabia, e como aprovava, não intercedia.

Os bocejos de Luz por fim indicaram a hora de voltar para casa; as três mal haviam falado; tudo que haviam vivido naquele dia se acumulava dentro delas como um caos de imagens, sons e sensações que cada uma tentaria digerir quando se aconchegasse entre os lençóis e o silêncio, e a penumbra fizesse ninho na cabeça delas.

Não havia uma alma nas calçadas da Catorze quando saíram, o tabaqueiro as acompanhou até o edifício. Muito tarde para pegar o metrô, pensou depois de lhes dar boa-noite. Atravessou a rua e ficou parado na esquina, aguardando até ver que uma lâmpada se acendia no quarto andar. Então, ergueu o braço quando viu passar um táxi, deu seu destino e partiu.

Você nunca foi sentimental, pensava enquanto atravessavam a parte sul da Union Square e pegavam a Quarta avenida. Em sua cabeça sempre houve mais contas e balanços que emoções, e agora, olhe para você. Continuava pensando a mesma coisa enquanto o táxi avançava. O que está acontecendo com você, irmão, perguntava-se enquanto o automóvel chacoalhava atravessando a ponte do Brooklyn sobre as águas negras do East River. O que será de você?

Manhattan foi ficando para trás, com seus milhares de luzes transformados em minúsculas cintilações sobre os retrovisores. E ali ia Luciano Barona. Aturdido, melancólico, confuso e louco de amor.

CAPÍTULO 44

— Hoje vou almoçar mais cedo — anunciou Luz no dia seguinte.

O casal basco assentiu, tranquilo, e continuou fazendo suas coisas; ele, ocupado acionando a grande máquina automática de lavar, ela engomando colarinhos. A cada dia estavam mais satisfeitos com sua jovem funcionária; não só contribuía com duas mãos bem-dispostas, como também com um sopro cotidiano de frescor. Por isso, embora o normal nela fosse fazer uma pausa para almoçar mais tarde com sua família na taberna, nenhum deles desconfiou.

Havia pouca gente na Casa Moneo naquele meio-dia, um remanso de paz depois da manhã agitada.

— Rosalía pode sair um instante?

Rosalía!, gritaram em uníssono as outras funcionárias, virando a cabeça para o armazém. De trás da cortina a garota se assomou, fazendo um esforço para engolir o bocado de pão com queijo que havia acabado de enfiar na boca; morava no Lower East Side e não tinha tempo de voltar para almoçar em casa, também não lhe sobrava dinheiro para comer em algum estabelecimento próximo, de modo que diariamente comia um simples sanduíche nos fundos.

Entre, entre, disse a Luz com um gesto da mão e a boca meio cheia. Dona Carmen foi almoçar em casa, mora pertinho, disse quando conseguiu engolir; depois sempre faz a sesta. Venha comigo aos fundos enquanto termino.

Era uma castelhana caipira com os cabelos cheios de caracóis crespos, estava havia quase uma década em Manhattan e se conheciam dos ensaios da zarzuela; haviam se tornado mais ou menos amigas, embora só se vissem duas vezes por semana.

— Você não me disse outro dia que uma prima sua a levou num sábado a uma loja no bairro dos porto-riquenhos onde vendiam discos de música em espanhol? — perguntou Luz de um fôlego só.

A outra assentiu enquanto cravava outra vez os dentes no almoço.

— Chama Taray, sim, ou Titay, ou algo parecido. — Ao falar, deixou escapar algumas migalhas. — Mas, espere um instante — acrescentou, engolindo com esforço ao mesmo tempo que dava tapinhas no decote, como se quisesse ajudar o sanduíche a descer até a barriga.

Começou a remexer nas estantes; Luz aproveitou para olhar em volta: estavam no mesmo depósito onde a proprietária do estabelecimento as recebeu no dia seguinte ao enterro de seu pai, quando tudo era ainda estupor e incerteza. As mesmas estantes cheias de produtos e cheiros, os mesmos sacos e gavetas lotados, os bacalhaus secos pendurados no teto e o telefone de baquelita preta pendurado na parede, sobre o balcão onde anotavam os pedidos. A voz satisfeita de sua meio amiga a impediu de mergulhar nas recordações: brandia uma edição antiga do *La Prensa*.

Encontraram o que procuravam em um pequeno quadro no final da sexta página, entre um anúncio com os últimos artigos da Casa Victori e outro do restaurante La Chorrera. Tatay era o nome. “Discos. Partituras. Violões. Cordas. 1318 Fifth Ave, esq. 110 St.” E, no final, um telefone: University 4-8729.

Baixinho, Luz soltou, então, o que passara metade da manhã pensando:

— E... Rosalía, você me deixaria ligar daqui?

A mão de sua colega de ensaios ficou paralisada, com o sanduíche a caminho da boca.

— Dona Carmen nos proíbe de usar o telefone.

— Só um minuto, eu juro, um minutinho para perguntar se... se eles têm um disco que minha irmã quer — mentiu. Que disco alguma irmã sua podia querer se jamais haviam visto uma vitrola de perto?

— Não, Luz, é arriscado para mim se a dona ficar sabendo.

— Um minuto, Rosalía. Só um minuto, pelo que você mais ama. Um minuto e pronto.

Apesar de suas reticências, negar era difícil: todos os colegas da zarzuela sentiam uma especial simpatia pela mocinha do El Capitán; ela os conquistara com sua beleza categórica e sua espontaneidade, com seus rompantes de graciosa ingenuidade. Depois de um bufo, não teve mais remédio que ceder.

— Espere um instante.

Abriu levemente a cortina, assomou metade do rosto à parte da frente da loja. Continuava havendo pouca clientela, mas suas colegas, por sorte, pareciam ocupadas.

— Venha, corra, depressa — sussurrou, imperiosa, apontando o aparelho.

— Eu não... não sei como se faz.

A outra estalou a língua e rosnou você vai me meter em confusão! Entregou o sanduíche a Luz e pegou o jornal para ver o número; com este em uma mão, foi girando a roda com o indicador contrário, a seguir, estendeu-lhe o fone.

— Vou ficar olhando para que ninguém entre; fale baixo e apresse-se, pelo amor de Deus. Se alguém contar a dona Carmen, ela vai me pôr na rua amanhã mesmo.

Mas Luz já estava alheia; com a pulsação agitada, levou o fone ao ouvido à espera da conexão. Um triiim. Outro triiim. Outro triiim. Assim até sete. Então, quando seu coração já quase lhe saía pela boca, ouviu um *Hello?* masculino. Gaguejou, enroscou a língua; era a primeira vez que falava com alguém à distância, o corpo gritava para que falasse, mas era melhor controlar o volume da voz. Queria deixar um recado para um homem americano que se chamava Kuchan ou Krutan ou Kuflan ou algo assim, disse ao aparelho. Sim, sim, ela sabia que ninguém com esse nome trabalhava ali, mas o conheciam, com certeza, ele mesmo o havia dito; ele... ele... procurava novos artistas. Sim, esse, esse, Frank Kruzan, esse mesmo. Uma mensagem, sim, faça o favor de anotar. Que... que Luz Arenas ligou, diga-lhe, Luz Arenas, isso, a garota que ele escutou cantar ontem. Que... que gostaria de falar com ele. Que...

Rosalía lhe lançou um olhar premente.

— Ande, termine!

Se ele poderia voltar a seu bairro para falar com ela, prosseguiu, nervosa. Sim, seu bairro. Que o estaria esperando amanhã, diga-lhe, e se não puder ser amanhã, pois no outro dia, ou no outro. Mas que não subisse ao telhado; não, isso, ao telhado não. Que a esperasse em...

— Desligue já!

Que espere na... na... na porta do Banco de Lago!, gritou.

— Desligue, ou desligo eu! — advertiu Rosalía, aproximando-se.

Quando pronunciou a última frase, Rosalía já estava lhe tirando o fone da mão. Que espere na porta do Banco de Lago, a... a... às seis!

Havia tomado a decisão de madrugada, depois de pensar milhares de vezes em seu catre. As palavras do tal Kruzan se repetiam em seus tímpanos com uma consistência cada vez mais clara. Eu tenho talento, está no sangue, repetia a si mesma para se convencer. Talvez ele tenha razão, talvez o que eu canto, as coisas de minha terra, não façam sentido aqui, tão longe como estamos e tão pouquinho que somos. Talvez, se eu mudar de estilo, se abra um futuro diante de mim, todo mundo diz que neste país os sonhos se realizam. Mas se eu ficar amarrada ao El Capitán e aos planos de Fidel e minha irmã, o mais certo é que nunca ninguém saiba do que sou capaz, e, além disso, se o negócio do *night club* acabar fracassando, terei deixado esse trem passar e ficarei o resto da vida lamentando o que não fiz, apodrecendo na lavanderia.

Abraçou Rosalía em um gesto de gratidão e mordeu um pedaço do sanduíche. Quando voltou à rua, a voz da consciência gritava que ela era uma traidora maior que o transatlântico que as levou até Nova York.

CAPÍTULO 45

Recebeu o primeiro impropério do dia assim que começou a empurrar a cadeira de rodas na direção errada.

— Mas, menina, hoje também não sabe o caminho, sua desajeitada?

A mulher tinha razão: não, Mona não conhecia a rota. Em outras ocasiões se preparava antes, perguntava a Fidel ou a Barona ou a dona Milagros, ou consultava o mapa da cidade que comprou na livraria Galdós, perto da igreja, um dobrável por meio do qual ela pouco a pouco foi abrindo caminho com o dedo pelas linhas de ruas e avenidas. Mas não havia tido tempo de se informar. Nem ânimo. Nem vontade. A recordação da noite sombria com os italianos ainda pulsava dentro de si, a mão tosca de Mazza em sua perna, o eco dos passos correndo triturando os pedregulhos da esplanada.

Se me chamar de desajeitada mais uma vez, murmurou a Arenas do meio, vou largá-la na rua e deixá-la aí até que um ônibus passe por cima. Desde o início, ela e a madrinha do jovem oftalmologista estabeleceram uma relação estranha: intensa, mas distante, quase nunca cordial, infernal às vezes. Você tem que chegar cedo, embora eu não seja de madrugar, mas, por via das dúvidas; depois, veremos, conforme o decorrer do dia você poderá ir embora antes ou depois. Esses foram os requisitos de dona Maxi na segunda manhã que Mona apareceu em sua casa no Upper West Side. Nem louca, pensou ela; se lhe permito que faça de mim o que quiser, acaba comigo em uma semana. De modo que rebateu suas condições: antes das dez não posso chegar porque tenho outras coisas para fazer; depois das três também não fico. Cinco horas diárias de segunda a sexta a cinquenta centavos por hora são doze e cinquenta por semana, fora o transporte: é pegar ou largar, senhora, mas garanto que sou muito melhor que qualquer uma que possa responder a seus anúncios.

Depois de um cabo de guerra, foi contratada, embora sem compromisso de nada duradouro de ambas as partes. Mona soube por Fidel quanto uma empregada comum ganhava; ao valor que ele deu, ela acrescentou um quarto pelo tempo que perderia para ir e voltar. Os horários inflexíveis ela determinou para poder continuar fazendo as compras e os ensaios. E quanto aos descarados elogios a suas pretensas qualidades, simplesmente pensou que era melhor se fazer respeitar desde o início, ou aquela mulher terrível poderia infernizá-la. Porque Máxima Osorio, dona Maxi, era terrível, torrencial, apavorante. De corpo e de ânimo, em público e em particular, desde que Mona atravessava o limiar de sua porta às dez da manhã em ponto e até que a devolvia a sua casa empurrando a cadeira de rodas com tempo exato para pular veloz dentro de um ônibus e depois subir à mesma velocidade a escada da pensão a caminho do telhado; para se encontrar com Fidel e continuar erguendo a estrutura do *night club*.

Não a tinha que assear nem vestir, disso cuidava uma velha criada meio surda que ela trouxe de Madri. Além disso, a imobilidade da mulher não era total; quando não havia mais remédio, mesmo mancando, ela se virava para andar sozinha. Contudo, o trabalho em si era qualquer coisa menos estimulante. Mas ganhava algum dinheiro com dona Maxi, e essa era sua única intenção: graças às horas que passava levando-a para passear, atendendo a suas demandas e suportando suas impertinências, Mona conseguia algumas economias, que escondia amarradas em um lenço no fundo do armário. Para ir pagando dívidas, mentiu para sua mãe; Remedios não suspeitou.

No dia em que fecharam o trato, na segunda visita à casa, Mona pôs um dos vestidos da mala que levou atendendo à ordem que a mulher lhe deu aos gritos durante sua sessão com o massagista; a mala que, justiça seja feita, a outra garota que chegou um pouco mais tarde e de quem Mona roubou o emprego com uma leve onda de remorso deveria ter levado. Só ao chegar em casa, quando a abriu em cima da cama, viu seu conteúdo: roupas como elas jamais haviam tido na vida, usadas, sem dúvida, e um tanto recatadas, mas de uma qualidade maravilhosa e em um estado mais que decente. Saias e blusas, três vestidos, dois pares de sapatos que infelizmente ficavam pequenos para ela. O que ela não soube foi que tudo havia pertencido àquela tal de Nena, filha da marquesa em cuja casa Mona havia trabalhado uma noite: filha e mãe haviam se transformado em alvo das obsessões e ações da velha. Uma de suas últimas atividades conjuntas havia sido a organização de uma rifa de caridade: a isso se destinava a mala cheia de roupas que a mulher pegou para si para melhorar a aparência de suas damas de companhia.

Mesmo que com um toque de cruel ironia, Mona conseguiu a aprovação naquela segunda manhã, vestindo umas roupas que ficavam um pouco largas e um pouco curtas nela, mas que mais ou menos cumpriam seu papel. Uma camisa leve cor de baunilha, uma saia verde-garrafa.

— Se você não tivesse esse sotaque andaluz, essa cabeleira de cigana e essas sobrancelhas tão povoadas, até pareceria que vem de boa família — disse a mulher sem um pingo de consideração.

E se a senhora não fosse uma solteirona manca e não tivesse essa bunda que quase não cabe na cadeira e essas três papadas uma embaixo da outra, não precisaria que uma romaria de pobres garotas passasse por sua vida para empurrar sua cadeira de rodas e para permitir que as asfixie com suas exigências antes de colocá-las no olho da rua sem piedade. Mas, enquanto precisasse de um emprego e se mantivesse no carrossel de contratadas e despedidas, Mona sabia que era melhor ficar calada.

Já estava havia algumas semanas a seu serviço, pouco a pouco ia se acostumando a suas obrigações. Visitar compatriotas em suas residências naquela área onde também havia uma pequena colônia espanhola, embora de um nível social muito diferente do da Catorze ou da Cherry Street, levá-la a algum evento beneficente na igreja da Milagrosa, para se encher de ensopado no restaurante Madrid da esquina com a Columbus Avenue, ou ao hotel Ansonia, nas proximidades, para surrupiar uma revista ou ver se conseguia puxar conversa com algum compatriota, pois a sede do clube de exportadores ficava ali: essas eram algumas das tarefas de Mona. E, especialmente, acompanhá-la para fazer compras. Ou para fingir que comprava.

— Amanhã vamos à Macy's, menina; prepare-se, porque será um bom passeio.

Isso a mulher anunciou no dia anterior, quando Mona ainda não sabia que um arrogante caçador de talentos apareceria na pensão Morán com o propósito de desbaratar seus planos; quando ainda também não imaginava que o advogado italiano e seu sobrinho Tomasso a levariam à força para uma doca abandonada para assustá-la, de tal modo que na manhã seguinte o susto ainda não havia passado.

— À direita, vire a cadeira e empurre, vamos — exigiu dona Maxi.

Demoraram uma eternidade para chegar até a Herald Square, Mona morrendo de calor devido ao esforço físico naquela manhã de plena primavera, e a mulher acomodada e fresca com suas arrobas de carne confortavelmente esparramadas na cadeira de rodas e o busto proeminente à frente, como uma figura de proa. Para distanciar seus pensamentos da ingrata tarefa, a filha do meio de Emilio Arenas ia atenta às ruas, aos cruzamentos e estabelecimentos, à gente, aos anúncios, letreiros e vitrines. Isso era a única coisa positiva de seu trabalho: graças a ele estava conhecendo novas partes de Manhattan; o burguês e aprazível Upper West Side; o agitado Midtown, seu pedaço central. E, enquanto isso, ao ritmo dos passos e das ruas, ia pensando e tomando decisões sobre o projeto para transformar o El Capitán em um *night club*: a bola continuava rolando nos ensaios vespertinos, ainda havia muito a fazer.

As dessa manhã não eram as primeiras grandes lojas de departamentos a que dona Maxi levava Mona; a cada três ou quatro dias iam a uma diferente; às vezes mais luxuosas e distintas, como a Lord & Taylor ou a Saks Fifth Avenue, e às vezes mais populares, como a Franklin Simon ou a Alexander's. Os olhos de Mona se arregalavam dentro daqueles templos do consumo abarrotados de roupas e objetos inalcançáveis, mas sua pouca margem de movimento a impedia de parar diante de qualquer coisa: cumprir ordens era sua única missão. Vamos à seção de luvas, menina, exigia sua empregadora. Ou à de cosméticos, ou à de porcelanas... Vire à direita, depois à esquerda, cuidado com essa imbecil do cachorrinho, vire aqui, agora.

Contudo, a Macy's apavorou Mona de tal maneira que depois de abrir caminho com um esforço titânico empurrando a cadeira entre a massa de transeuntes e clientes que pululavam em frente à fachada, ao entrar ela não pôde evitar estacar e soltar um sonoro Santa Mãe de Deus. Diziam que era a maior loja de departamentos do mundo, espalhada por um quarteirão inteiro, com sua torre anexa e um interior de colunas forradas de mármore, detalhes em bronze, luzes cintilantes e aroma *art déco*.

— Preciso de um presente, um bom presente — rosnou a velha —, para que meu sobrinho se mostre um senhor.

Apesar de ele morar com sua tia e madrinha, Mona ainda não havia cruzado com o jovem médico em nenhuma ocasião: ele saía para o trabalho antes de ela chegar e voltava para casa quando já não estava. De fato, ele provavelmente nem sequer tinha conhecimento de que aquela jovem que tanto o aturdia ia diariamente a seu próprio território. Ninguém lhe telefonou, como pretendia, e ele mesmo controlou a vontade de voltar ao El Capitán com a falsa e já bastante duvidosa intenção de examinar mais uma vez o olho da mãe da moça. Dificilmente poderia ter sabido por dona Maxi, porque de Mona ela não sabia nem o nome. Chamá-la de menina, como fazia com todas as suas predecessoras, era suficiente para ela; assim, livrava-se do incômodo de ter que se acostumar a uma identidade diferente em seu eterno carrossel de substitutas. E se o nome pouco interessava à mulher, menos ainda de onde provinha: jamais perguntou a Mona por sua origem, por sua família, nem quais eram suas aspirações, nem onde morava.

Porém, em um ostensivo desequilíbrio, dona Maxi aporrinhava Mona sistematicamente com memórias e referências a seu passado. O grande cortiço de que era coproprietária na rua Santa Isabel, em Madri, e de cujos aluguéis vivia em Nova York; o chorado irmão – tão viril e bonito, afirmava – que faleceu depois de um fatídico acidente de automóvel em Cuesta de las Perdices, deixando seu único filho órfão e ela meio inválida. A cunhada frouxa e melancólica – a mãe do sobrinho –, que foi incapaz de resistir ao parto e morreu, a pamonha, de uma septicemia poucas semanas depois. A carreira de sucesso do garoto sob as asas do doutor Castroviejo, que ele conheceu na Faculdade de Medicina em uma das viagens deste a Madri; a insistência do rapaz para que ela o acompanhasse quando foi se especializar em Nova York; suas muitas, muitíssimas amizades em Manhattan; os compatriotas de linhagem que tanto a estimavam e o tempo todo requeriam sua presença em almoços, encontros e reuniões...

Poucas semanas depois Mona já conhecia até o mais ínfimo detalhe dessa bem particular versão da vida da mulher, porque era rara a vez que dona Maxi conseguia manter a língua dentro da boca. O que ela nunca contava, no entanto, era o que havia por trás daquela vitrine. O casarão da rua Santa Isabel havia sido obscuramente legado a seu irmão, um procurador de poucos escrúpulos tendente a malvadezas, por uma idosa sem descendência. O acidente de automóvel ele mesmo provocou depois de comer uma costela de cordeiro e beber uma garrafa e meia de vinho tinto na Casa Camorra, um restaurante de beira de estrada. A falecida esposa não foi mais que uma jovem submissa e frágil que ele engravidou quando tinha apenas dezesseis anos. Os constantes convites que dona Maxi agora recebia deviam-se, em grande medida, a sua desavergonhada insistência ou ao impertinente costume de aparecer onde ninguém a chamava. E essa aliança tão supostamente harmoniosa que mantinha com seu sobrinho se devia, acima do afeto familiar, a um obstinado elo em forma de cláusula testamental que os amarrava com a força de um lais de guia, que o irmão e pai moribundo assinou no leito do hospital La Princesa, onde esgotava suas últimas horas. Mediante um arrevesado emaranhado de estipulações, disposições, testamenteiros e intermediários, ele deixou estabelecidos seus últimos desejos para que seus dois únicos parentes nunca se desmembrassem: ou se manteriam tia e sobrinho juntos e conformes sob o mesmo teto, fosse onde fosse, ou a fonte secaria e a herança passaria direto para o asilo das Mercedes.

CAPÍTULO 46

Inúmeros clientes perambulavam essa manhã pela seção de acessórios masculinos da Macy's: senhoras elegantes sozinhas ou em grupo, casais maduros, muitos homens sozinhos, um senhor alto e meio míope que precisava aproximar tudo dos olhos exageradamente...

— Pare aqui; bem aqui, mas não ponha a trava.

A partir daí, dona Maxi começou a impulsionar ela mesma as grandes rodas de sua cadeira, xeretando entre os cachecóis leves e as mantilhas, os lenços, os *foulards* de seda estampada, as luvas de verão.

Meia dúzia de vendedoras atendiam a uns e outros com eficácia e refinada cortesia, usavam rímel, tinham lábios e unhas pintados, cabelo esticado em coques perfeitos. Quase todas eram só alguns anos mais velhas que Mona, quatro ou cinco, não mais; ela as contemplava encantada enquanto sua patroa andava por conta própria. Acima das mercadorias dispostas com um esplendor tentador; mais que os grandiosos tetos e as impactantes escada rolantes movidas por sabia Deus que forças ocultas, aquelas jovens eram o que mais fascinava Mona em suas visitas aos grandes magazines. Uma delas estava embrulhando algo com dobras impecáveis de papel fino, outra colocava em cima do balcão uma variedade de gravatas, e uma terceira se despedia de um cliente com um sorriso radiante.

Dona Maxi demorou pouco a se decidir: apontando com seu dedo infalível, porque mal falava inglês, escolheu uma caixa de lenços brancos, provavelmente os mais baratos. Embrulharam a caixa, ela a pagou e colocou o pacote em cima das coxas, disparando a ordem seguinte.

— Empurre, menina; vamos agora para a seção de relojoaria.

Vitrines de cristal impoluto, expositores forrados de veludo. Outra vez ambiente distinto, clientes adequados, vendedoras requintadas e Mona boquiaberta.

— Vou ficar aqui mais um pouco; vá dar uma volta, mas não se afaste.

Enquanto dona Maxi laçava uma das vendedoras e, de novo com o indicador, começava a exigir que lhe mostrasse primeiro uma peça, depois outra, depois uma terceira, e assim até a exaustão, Mona percorreu os corredores próximos e contemplou de soslaio as cenas. Um homem maduro com corpo de botijão punha no pulso de uma deslumbrante loura lindos relógios com finas pulseiras de ouro; um pouco mais adiante, uma dama extravagante de turbante pretendia se fazer entender em uma língua incompreensível; em outro canto, um jovem casal consultava timidamente alguns preços... De vez em quando, Mona lançava olhares a dona Maxi para ver se ela continuava concentrada em suas compras, disparando seu dedo roliço em diferentes direções, obrigando a sofrida vendedora a abrir sem parar estojos, gavetas e vitrines. Um pouco farta, Mona continuou observando.

— Menina! Menina, ei, menina!

Dona Maxi estava se aproximando pelas costas de Mona girando energicamente as rodas da cadeira; falava impaciente, imperiosa, de repente parecia estar com uma pressa descomunal.

— Venha, venha, menina, vamos, vamos, vamos!

Acostumada a suas imprevisíveis mudanças de humor, Mona, sem protestar, colocou-se atrás da cadeira e começou a empurrá-la, mas só conseguiu avançar alguns metros. Ao chegar à metade do corredor, um homem interceptou seu caminho. Largo, louro, forte, vermelho. Pernas semiabertas, mãos com os punhos fechados apoiados nos quadris. Uniforme pardo, cara de poucos amigos e um quepe na cabeça.

Mona parou, dona Maxi virou o pescoço para ela e sussurrou, nervosa:

— Continue, continue, não pare...

Mas não havia como: o sujeito uniformizado as bloqueava e não parecia ter intenção de se mexer.

Desconcertada e confusa, Mona olhou ao redor em busca de algo que a ajudasse a entender o que estava acontecendo. Notou, então, que às costas do homem, quatro ou cinco passos atrás, havia duas mulheres sérias. Uma senhora já, sem sombra de maquiagem, de terninho escuro, lábios apertados e segurando com força uma pasta contra o peito; parecia uma encarregada, alguém que ocupava um cargo de certa responsabilidade. Ao lado dela, a vendedora que estava atendendo a velha: já sem sombra de cordialidade no rosto, evidentemente contrariada.

Então, a primeira deu alguns passos para elas, esquivou-se do sujeito de uniforme, parou na frente da cadeira de rodas e disse algo em inglês.

— Não entendi nada, bonita — murmurou dona Maxi, grosseira. — Ou fala espanhol, ou não entendo nada.

Impassível, a do terninho escuro prosseguiu com sua peroração enquanto apontava, acusadora, a fina manta de felpa que cobria as pernas da velha; dona Maxi costumava levá-la em todos os seus passeios, uma espécie de xale que cobria seu corpo disforme da cintura até abaixo dos joelhos.

— É disto que está falando? — replicou a velha com insolência, estendendo, brusca, a caixa de lenços. — Estão bem pagos, espertinha, se quiser, lhe mostro o recibo...

Ainda impassível, a outra pegou a caixa, colocou-a sem olhá-la em cima de um balcão próximo e continuou falando em tom áspero, ainda apontando para o colo de dona Maxi; Mona, agoniada, contemplava a cena na retaguarda da cadeira sem saber o que fazer, sem compreender.

Mas dona Maxi não se dava por vencida:

— Não entendo, sua pamonha! Ande, menina, diga a esse grandalhão que saia do caminho, que temos que ir embora!

Os clientes próximos haviam desviado sua atenção momentaneamente e olhavam para o grupo com curiosidade, dois inclusive se aproximaram uns passos para ver mais de perto. Tentando acabar o quanto antes com a cena embaraçosa, a encarregada ameaçou levantar ela mesma a manta; como réplica, levou um tapa.

— O que é isso? — gritou dona Maxi, perdendo a compostura. — Não ponha a mão em mim, sua porca! Ande, menina, tire-me daqui agora mesmo!

A angústia de Mona crescia cada vez mais, misturada com a impotência por não entender nada; cada vez mais clientes assistiam. Prestes a perder a calma, a encarregada se dirigiu ao homem com firmeza:

— *Please, proceed.*

O sujeito de uniforme agiu sem contemplações: apesar da resistência e dos tapas de dona Maxi, com um forte puxão arrancou a manta.

Não foi só a saia de Máxima Osorio o que ficou exposta. Para confirmação das suspeitas dos outros e para o assombro de Mona, entre suas coxas carnudas a tia do oftalmologista tinha um saquinho de veludo e um relógio.

A partir daí, Mona queria cavar um buraco e desaparecer. Custodiadas pelo segurança e pela severa encarregada, com dona Maxi ainda cuspindo vitupérios e ela empurrando a cadeira, envergonhada, iniciaram uma vexatória travessia ao longo de seções e corredores, seguidas pelos olhares de alguns clientes indiscretos que se viravam ao vê-las passar. O destino foi uma sala afastada da área pública, sem janelas, iluminada com luz amarelada. Pregados nas paredes havia tabelas e avisos, normativas, um calendário; como único mobiliário, duas mesas, quatro cadeiras e dois arquivos. Nem sombra do glamoroso esplendor de fora, como se houvessem sido desterradas a outra galáxia.

Em dois minutos apareceu um terceiro homem, de bigode, terno cinza e cara de escriturário pedante; a encarregada lhe explicou o acontecido com uma expressão de nojo estampada no rosto, o outro deu uma ordem quase sem desgrudar os lábios. Que as revistassem. De cima a baixo. Mona tentou não permitir, mas não conseguiu, e ficou vermelha até a raiz dos cabelos quando o velhaco de uniforme aproveitou a revista forçada para enfiar suas mãos enormes dentro de seu sutiã e sovar seus seios de forma obscena.

Os gritos de dona Maxi ecoavam como tiros de canhão; por insistência do sujeito, a encarregada a estava tentando obrigar a abrir as pernas. Foi quando, no meio do escândalo, entre os chacoalhões de uma e a brusca rejeição da outra, começaram os espasmos. Primeiro, moderados, logo, mais violentos. Os olhos de dona Maxi perderam a visão e rolaram para dentro; ela continuou convulsionando com fortes sacudidas, até a cadeira de rodas parecia tiritar.

— Cha... cha... chame meu sobrinho, menina.

Foi a última coisa que saiu de sua boca antes de perder a consciência.

CAPÍTULO 47

Três dias seguidos, às seis da tarde, Luz ficou plantada na porta do Banco de Lago. Na realidade, aquela entidade financeira espanhola em Manhattan havia quebrado antes do *crash* de 1929, quando seu proprietário, Jaime Lago, um galego esperto, sem-vergonha e bico-doce, a levou à ruina, arrastando junto as suadas economias de milhares de compatriotas. Agora, sua antiga sede era ocupada por uma empresa de importação e exportação americana, mas ninguém no bairro se incomodou de aprender o nome; todo mundo continuava chamando de Banco de Lago essa esquina sul da Sétima com a Catorze.

Três dias ela chegou às seis em ponto, esperançosa e nervosa, com os lábios pintados às escondidas, blusa branca nova e cabelo solto bem penteado. Mas nas três ocasiões deram seis e quinze, depois seis e meia, e depois sete, e Frank Kruzan não apareceu. Tola, boba, imbecil, incauta, repetiu mil vezes para si mesma. Você não é mais que uma pobre iludida. Bem merecido esse bolo que tomou por ter tentado enganar sua irmã. Por ser traiçoeira, desleal.

Tudo seguia seu ritmo na manhã seguinte, no dia em que Luz prometeu a si mesma que não o esperaria mais; estava colocando umas roupas dentro de um balde de água nos fundos da lavanderia quando o proprietário a chamou com seu vozeirão.

— Luz! Venha aqui!

Do outro lado do balcão, no lugar dos clientes, um rapaz com um uniforme cinza e um bonezinho ridículo esperava com um buquê de flores apoiado na dobra do cotovelo.

— *Miss Lus Erinas*? — pronunciou desastrosamente.

O casal contemplava a cena entre alegre e enternecido.

— So... sou eu.

Ainda estava secando as mãos quando o entregador estendeu os braços e, por cima do balcão, lhe entregou as flores e um envelopinho; dom Enrique tirou uma moeda do caixa para a gorjeta.

— Depois conte-nos quem é o galã — disse, dando uma piscadinha para a esposa.

Sem encontrar palavras para responder, Luz voltou para dentro sentindo as pernas bambas. Jamais alguém lhe dera um buquê de flores, não sabia como segurar aquela exuberância de caules, rosas e papel celofane.

"Perdão pelo atraso, recebi seu recado ontem", dizia o cartão que ela tirou arrebatada do envelope. Cheirava a tinta e era de um branco impoluto, parecia recém-impresso com o nome Frank Kruzan e um endereço. Embaixo, outra frase manuscrita. "Por favor, venha a meu escritório hoje às 5 p.m."

Seu coração quase parou.

Não tirou os chefes de sua inocente conjectura: melhor que pensassem que as flores provinham de um suposto pretendente. Assim, quando lhes pediu com timidez para sair um pouco mais cedo, supuseram que era para se encontrar com ele e concordaram.

— Poderiam também me adiantar metade do salário da semana?

Concordaram igualmente. Ela também quer fazer um agrado ao garoto, como vamos dizer não, pensaram ambos enquanto dom Enrique lhe entregava um punhado de dólares. Eram quatro e vinte quando Luz entrou sozinha em um táxi pela primeira vez na vida: não tinha a menor ideia de como chegar ao 362 da rua Quarenta e Cinco, nem tranquilidade para tentar.

O escritório do caçador de talentos ficava no fundo de um longo corredor, no quarto andar de um edifício comercial próximo à Broadway. Para subir usou a escada, nem louca ia entrar em um desses temerários elevadores. Antes de localizar o lugar específico indicado no cartão, ela se perdeu algumas vezes. Tudo era apavorante, avassalador, tantos corredores idênticos, tanto número e flecha indicativa, tanta gente andando apressada. Passavam alguns minutos das cinco, era hora da saída, os escriturários e as secretárias trotavam rumo ao *subway*, aos *elevated trains*, às últimas compras, à volta para casa. Homens de todas as idades, mulheres jovens e outras nem tanto que caminhavam apressadas enquanto fechavam bolsas, jogavam o casaco nos ombros e retocavam o batom. No contrafluxo de todos eles, Luz avançava.

Já estava no caminho certo quando ouviu as marteladas; ao chegar à porta aberta, viu Kruzan em mangas de camisa em cima de uma cadeira, tentando pregar algo na parede.

— Ei, Miss Arenas! *Please, come in!*

Estava com a gravata frouxa e tudo era caos ao redor. Caixas de papelão lotadas de papéis, pilhas de discos e revistas, quadros sem pendurar. Ele parecia menos ameaçador de perto, sem casaco nem chapéu. Maior também: com olheiras e a pele do rosto vermelha, ressecada em algumas partes.

— Importa-se de me ajudar, por favor?

Apontou para um quadro com o indicador, ainda em cima da cadeira.

Luz se agachou para pegar a fotografia emoldurada e a entregou a ele: um *plongeé* de uma jovem atraente com cabelos ondulados e os ombros de fora. Já pendurado no lugar, o retrato se somou ao conjunto de imagens que povoava metade da parede: rostos e corpos femininos, lindas mulheres sozinhas ou em grupo diante de um microfone, ou em cima de um palco, ou em poses estudadas para mostrar um ângulo sedutor.

Então, ele desceu da cadeira pedindo desculpas pela bagunça, jogou o martelo, indolente, em cima de um pacotão de pastas e abriu caminho por entre as caixas. Depois de fechar a porta, estendeu uma mão a Luz e, para espanto dela, não lhe dirigiu uma saudação: segurando-a, puxou-a para conduzi-la pela confusão até um sofá do outro lado. Ela sentiu a pressão de sua palma a envolvendo, e de algum lugar incerto subiu por seu corpo uma espécie de queimação.

— Não posso lhe oferecer nada, *I'm truly sorry*, ainda estou me instalando.

Com um gesto minúsculo, Luz replicou que não tinha importância, tão perturbada estava que a voz não saiu de sua garganta. Sentada onde ele lhe havia indicado, com os joelhos bem juntos e os lábios apertados, só foi capaz de formular a si mesma uma ladainha de perguntas para as quais não encontrou resposta. Que está fazendo aqui sozinha, sua insensata, perdida no fundo desse corredor, em um edifício que já está praticamente vazio, em uma zona da cidade que você não conhece, sem ter dito a ninguém que veio, diante desse homem que não sabe quem é.

— Gostou das flores?

— Muito.

A resposta foi quase inaudível.

Kruzan não se sentou ao seu lado, limitou-se a apoiar o final das costas na beira da mesa, cruzou um braço sobre o peito segurando o cotovelo do outro, e com a outra mão cobriu a mandíbula. Então, contemplou-a sem pressa, intensamente.

— *Superb* — murmurou.

O rosto de Luz ardia enquanto os olhos claros do caçador de talentos a analisavam de uma maneira penetrante, reflexiva; estava vermelha até as orelhas. Saia correndo, vá embora, insistia sua própria consciência. Vá para casa, com sua família, por mais pobre que seja, suportar a falação de sua mãe, brigar com suas irmãs, qualquer coisa é melhor que se meter em algo de onde não tem ideia de como vai sair. Mas não se mexeu, nem sequer quando ele avançou os dedos para seu rosto. Apenas engoliu em seco e prendeu a respiração.

Ele não chegou a roçar-lhe a pele, limitou-se a levantar a mecha de cabelo castanho que lhe caía sobre a testa, como se quisesse checar a linha da raiz do cabelo. Torceu a boca com uma expressão de complacência. *Good, good*, murmurou. A seguir, ergueu-lhe o queixo com a ponta do polegar e o virou para a direita e para a esquerda, examinando ambos os lados de seu rosto, o perfil, a linha do queixo. *Good, good, good.*

— *Now, shake your head.*

— Não entendi — balbuciou ela.

— A cabeça. Balance a cabeça — insistiu ele diante da imobilidade da moça. — De um lado para o outro, assim.

Ela obedeceu timidamente.

— Mais.

Obedeceu de novo.

— Mais, mais, mais! — Para animá-la, ele bateu palmas três vezes. — Balance o cabelo! *Shake it! Move it! Fantastic*; abaixe a cabeça agora, assim, completamente.

Sentada ainda, com o pescoço inclinado para a frente, ela sentiu os dedos masculinos adentrando sua nuca, abrindo as mechas, separando seu cabelo.

— Para cima agora, rápido!

Ela ergueu a cabeça de supetão, e a sacudida levou sua cabeleira para trás, afofada como uma leoa morena. Seus olhos brilhavam, os pômulos acesos.

— *Wonderful* — murmurou Kruzan, saboreando as sílabas. — *Wonderful* — repetiu. — Estou pensando em sua *photogenicity*. Como se diz em espanhol?

Fotogenia era o termo, mas ela não sabia e deu de ombros.

— Temos muito trabalho pela frente; você vai ter que mudar a cor do cabelo, depilar-se, abrilhantar a pele e pensar em um nome artístico, *maybe* emagrecer uns quilos, *let me see*.

Fez que se levantasse, pousou as duas mãos em sua cintura, apalpou-a com mãos experientes. A impulsiva Luz, sempre tão franca, sem papas na língua, descarada e expansiva, não deu um pio e ficou ali parada.

— *Good, good, good*... — murmurou ele, apreciativo, pela enésima vez. Terminado o exame, deu seu veredicto.

— Se quiser, *honey*, posso fazer algo grande com você. *Something big*. Você vai ter que fazer aulas; técnica, muita técnica, porque a graça, o ritmo e a força expressiva você já tem naturalmente, pude ver isso outro dia. Você é linda, graciosa e vivaz, tem algo especial.

Luz sentiu seu corpo inchar por dentro, quase arrebentando sua pele. E um dia alguém vai tirar uma fotografia minha como as dessas mulheres que agora sorriem na parede, pensava, e subirei a um palco de verdade, e ganharei aplausos, e...

Kruzan deteve seu desvario.

— Mas há certas coisas que você deve saber.

— Diga, senhor — conseguiu dizer Luz com voz sufocada.

— Muito bem. Você tem dinheiro para investir em sua preparação?

— Não, senhor.

— Alguém disposto a apostar em você?

— Não, senhor.

Dando-lhe as costas, o caça-talentos se dirigiu à cadeira atrás de sua caótica mesa de trabalho. Sentou-se, cruzou os dedos na nuca com os cotovelos abertos como asas. Atrás dele, pela janela sem persianas nem cortinas entrava a luz já frouxa do fim da tarde.

— Nesse caso, eu poderia assumir isso. Mas, se aceitar, precisarei de um retorno assim que conseguirmos os primeiros contratos e você começar a ganhar dinheiro. Você assumirá um compromisso comigo, está claro?

CAPÍTULO 48

Assim que comprovaram que as convulsões da cliente da cadeira de rodas que haviam acabado de pegar furtando um Rolex Queen não eram fingidas, os três funcionários da Macy's tentaram controlá-las: o vigia segurou com firmeza os ombros dela para que não tombasse a cadeira, a encarregada segurou sua cabeça e o sujeito de bigode, fazendo das tripas coração, enfiou-lhe os dedos na boca, caso fosse um ataque epiléptico. Dona Maxi, sem sentidos, não se deu conta de nada; Mona, por sua vez, contemplava-os aterrorizada em um canto. Não entendia o que estava acontecendo, não sabia como ajudar.

Talvez aquilo não tenha durado mais que breves minutos, mas para ela pareceram angustiantemente eternos. Até que as sacudidas começaram a espaçar e a velha pareceu ir saindo do desvanecimento, recuperando-se. Todos respiraram aliviados, Mona quase começou a chorar. Foi quando a porta se abriu de repente e os três funcionários se ergueram como se houvessem ouvido um apito. Um indivíduo elegante, calvo, de barba grisalha e óculos de armação de ouro, acabava de entrar na sala; sem dúvida, tratava-se de algum gerente, a julgar pela atitude acovardada com que os três se dirigiram a ele tentando lhe explicar a situação. Assim que deixaram espaço livre, Mona se aproximou de dona Maxi: desconcertada, confusa e desgrenhada, a mulher ia pouco a pouco reencontrando a realidade. Já passou, já passou, já passou... dizia Mona enquanto segurava a mão da velha. A outra, ainda aturdida, cabeceou, como se dissesse que sim.

Embora Mona não conseguisse entender o recém-chegado, deduziu, pelo tom seco, que não aprovava em absoluto o modo de agir de seus subordinados. O que ela não intuiu foi que as recriminações daquele gerente não tinham nada a ver com defender a dignidade ultrajada das duas estrangeiras, e sim com a propaganda ruim que poderia acarretar ao grande magazine se houvesse acontecido algo grave com a mulher da cadeira de rodas.

Terminadas suas recriminações, e se certificando de que a mulher estava meio restabelecida, sibilou duas ordens que os outros se apressaram a cumprir. Imediatamente as tiraram da sala sombria, o próprio vigia empurrou a cadeira pelos corredores enquanto a encarregada abria caminho engolindo o orgulho a duras penas, e Mona, morrendo de vergonha, caminhava ao lado de dona Maxi, que ainda segurava sua mão; o terceiro envolvido fechava a comitiva. Foram conduzidas a uma sala de reuniões acarpetada, com amplas janelas sobre a Herald Square e paredes acetinadas em tom de marfim. O vigia rude ficou na porta, o do bigode não viram mais e a cara de pamonha teve que engolir o sapo e lhes servir refrescos, por ordens de seu superior, em uma bandeja de casco de tartaruga. Dona Maxi, já meio recuperada do susto e reconfortada ao ver o tratamento deferente que lhes ofereciam, pareceu recuperar grande parte de sua segurança natural.

— Ligaram para meu sobrinho? — foram suas primeiras palavras tão logo bebeu os dois copos inteiros.

— Ainda não — sussurrou Mona, curvando as costas e se aproximando de sua orelha. — Não deu tempo, não...

— Pois que liguem agora mesmo, porque depois dessa coisa estranha que me deu, daqui não saio sem ele.

Foi difícil convencer o gerente; o que o sujeito pretendia era despachá-las assim que confirmasse que a velha estava totalmente bem. Eles não tornariam a mencionar o assunto do caro relógio, nem ela falaria da crise que havia sofrido devido à violenta revista a que foram submetidas. Ponham as duas na porta da Trinta e Cinco assim que a gorda der sinais de que está bem, havia dito ao vigia e à encarregada; deem a elas um presentinho, se for necessário, um calendário de brinde ou qualquer outra bobagem. Não contava com que a velha fosse recusar.

— Dê minha bolsa, menina.

Mona a soltou do gancho atrás da cadeira onde estava pendurada; a velha remexeu dentro até encontrar uma agendinha. Umedeceu o polegar com saliva, passou três ou quatro folhas, percorreu a página com a ponta do indicador, e quando encontrou a linha, cravou-lhe a unha.

— Aqui está o número da clínica de Castroviejo, aqui. Escolham: ou vocês ligam, ou me levam a um aparelho e ligo eu.

O cabo de guerra foi tenso, embora eles não se entendessem, mas ela logo ficou farta. Se o primeiro ataque fora totalmente imprevisto, o segundo teve muito a ver com sua vontade. Diante da oposição dos funcionários, ela começou a se sacudir e a balançar a cadeira fingindo mal e porcamente um novo episódio de espasmos. O gerente calvo, para conter sua irritação, pôs uma mão dentro da outra e estralou os dedos enquanto decidia o que fazer. Aquela mulher era uma incapacitada de idade avançada, e poderia cair dura se forçassem a situação. E além disso, tinha contatos com uma clínica do seleto Upper East Side, não era uma simples turista deslocada nem uma pobre imigrante sem recursos. Melhor seria não brincar com fogo. Por via das dúvidas.

Não era a primeira vez que o doutor César Osorio se via obrigado a lidar com os desatinos de sua tia, já tinha outros ingratos antecedentes: um caro bracelete que ela tentara levar da Bloomingdale's, o açucareiro de prata que pusera na bolsa depois de um chá na Rumpelmayer's. Depois do último papelão, ela jurara pelo que havia de mais sagrado que isso não tornaria a acontecer, mas provavelmente houve outros disparates similares; ou não a pegaram, ou de alguma maneira se safara sozinha.

O que nem de longe o jovem médico esperava quando lhe ligaram da Macy's era que, além de tirar sua madrinha de uma nova encrenca, aquele dia marcaria em sua vida o início de algo mais. Assim que entrou, sua expressão mudou. A madrinha, o gerente, a sala de paredes acetinadas e o grande magazine inteiro se borraram até desaparecer de seu campo de visão. Diante dele, fora de lugar, abanando-se com um folheto de ofertas a modo de leque, trabalhando agora para sua madrinha, estava Mona. E ela, ao vê-lo de novo, sentiu um fogaréu de alívio que a percorreu da cabeça aos pés.

Todo o resto passou em uma sequência agitada: os gritos exagerados de dona Maxi, as explicações do gerente, as incursões da encarregada... A tudo ele disse sim, tudo lhe pareceu correto, como se houvessem absorvido sua capacidade de ser prudente. Inclusive aceitou que chamassem uma ambulância a fim de levar sua madrinha a fazer exames, tal como exigiu ela com sua despótica pouca vergonha. Vai que me dá essa coisa estranha de novo, meu filho. Ele, normalmente sensato, apesar de não haver a menor razão para isso, concordou.

— Bem, vou indo, então.

Essa pretendeu ser a despedida de Mona enquanto dois socorristas colocavam dona Maxi na ambulância pela porta de trás. Já estavam sozinhos ela e o doutor na esquina da Trinta e Quatro, os funcionários já haviam esquecido o incidente, tudo era agitação ao redor. Gente, carros, gritos, ônibus.

— Se... se... seria muito pedir que nos acompanhasse?

Ela ia responder que seu horário de trabalho acabava em meia hora, que havia feito jus a seu salário esse dia suportando aquela imbecil da tia dele, que havia passado momentos de cão por sua maldita culpa, que estava farta, que queria ir embora para seu bairro com os seus, subir ao telhado da pensão e pensar em seu negócio, esquecer toda essa gente.

— Acompanhe-me, meu carro está estacionado aqui. Depois, arranjo-lhe um táxi que a leve até sua casa. — E, um pouco mais baixo, acrescentou: — Ou eu a levo.

Em meio à agitação da cidade palpitante, a alguns passos daquele abominável ser humano que era sua tia, o doutor César Osorio parecia tão sensato, tão resoluto, de modo que Mona foi incapaz de dizer não.

Dona Maxi passou dois dias no hospital tiranizando as enfermeiras e deixando os médicos loucos, insistindo que lhe fizessem exames da cabeça aos pés. Os mesmos dois dias em que o promissor oftalmologista e a humilde aspirante a empreendedora do show business pátrio, contra qualquer prognóstico, começaram a se conhecer.

CAPÍTULO 49

— Atenção, atenção! — gritou o ajudante do fotógrafo. — Atenção, coloquem-se de frente, olhem para a câmera. Vamos lá, todos prontos. Um, dois...

Haviam acabado de abandonar a fresca escuridão da igreja e estavam na calçada sob o sol dominical de um verão antecipado, formando um grupo compacto no qual os parabéns voavam misturados com sonoros abraços, toques de mãos e beijos nas faces. Victoria, radiante com seu vestido de cetim branco e um longo véu de renda, recebia os parabéns sem soltar o braço de seu recém-estreado marido, Luciano Barona, triunfal dentro de um terno comprado na Varela Hermanos na Lenox Avenue, sem se esforçar em disfarçar seu grandioso orgulho. Diante do padre Casiano e da Virgem de Guadalupe haviam prometido se amar e respeitar até o fim de seus dias, amém. E ali mesmo, em plena rua Catorze, o fotógrafo da La Artística estava prestes a imortalizar o momento com um retrato em grupo, isso se seu ajudante conseguisse fazer com que todos olhassem para a câmera.

O sofrido assistente se esgoelava, vamos, senhoras, vamos, senhores, por favor!, mas não havia jeito, cada um continuava fazendo o que queria: mais cumprimentos, mais presentes, mais congratulações que iam e vinham. Dona Milagros havia desempoeirado um vestido de décadas que fedia a naftalina; irmã Lito ostentava um hábito imaculado, polira suas botas infantis surradas e até havia colocado a touca branca de sua congregação. O casal Irigaray transbordava de deleite e Paco Sendra, do La Valenciana, havia ido do Lower East Side levando de presente uma caixa de moscatel.

Estavam presentes também algumas vizinhas do bloco de apartamentos, não faltou também a asturiana da pensão Morán com o marido recém-desembarcado de um lado e o velho mestre Miranda do outro. Mais Fidel. Mais a mãe e as irmãs da noiva, claro, deslumbrantes as duas com seus vestidos de seda floridos, as luvas claras de primavera e os vistosos chapéus de palha da Nortons que o noivo lhes havia dado de presente. Não, Luciano, não; pare com isso, homem, como vai gastar um dinheirão desses... protestou Remedios na ocasião. Mas não houve jeito: roupa fina para a família inteira, insistira Barona. Era só o que faltava...

Ele, por sua vez, havia convidado alguns tabaqueiros, e de Park Slope, no Brooklyn, haviam chegado alguns casais de conterrâneos de Alhama. Elas, estranhas no bairro, eram as mais silenciosas no caos que se formara em frente à porta da paróquia: haviam conhecido bem a primeira mulher de Barona, e, por isso, esse casamento tão imprevisto lhes causava receio. Pouco mais de um ano que a pobre Encarna morreu e o viúvo já está pronto para pôr outra em seu lugar, repetiam desde que receberam os convites. Mas por acaso o homem não tem direito a refazer sua vida?, protestavam os maridos; quase todos eles haviam chegado à América antes de suas mulheres e sentiram na própria carne como a solidão podia ser dura.

Uma única mácula ofuscava a satisfação do noivo: seu filho. Deu-lhe a notícia por telefone em uma chamada de longa distância cheia de interferência; ele ficou em silêncio alguns instantes e a seguir, com voz serena, disse você que sabe. Ligou de novo dias depois para lhe comunicar a data, o lugar e a hora, calculou que então o garoto já teria digerido o impacto. Ele prometeu que tentaria comparecer, e dois dias antes telefonou e confirmou que sim, que estaria ali, que depois de sua última luta em Baltimore pegaria o trem noturno. Mas a cerimônia já havia acabado e ele não aparecera, e ao sentir sua ausência, algo como uma pontada se cravou no coração do tabaqueiro. Não importa, preciso ser compreensivo, pensou. Não deve ser fácil para ele aceitar que outra mulher substitua sua mãe; vamos dar tempo ao tempo, ele vai assimilar a ideia.

O fotógrafo Paul Pérez, encarregado de testemunhar com imagens quase todos os momentos significativos da colônia, estava começando a perder a paciência. Sua câmera estava pronta fazia tempo e o suor se acumulava sob sua boina preta. Farto de esperar, optou por se dirigir diretamente ao noivo. Faça o que for preciso, amigo, ou vou embora, tenho outro compromisso no JaiAlai de dom Valentín Aguirre, advertiu-o com impaciente educação.

A fim de evitar sua partida, Barona baixou de sua glória e assumiu o comando terreno: venham, vamos, todos prontos para o retrato; você, Remedios, aqui ao meu lado, e vocês, as irmãs, aqui em frente também... Por fim, parecia que o grupo estava pronto formando uma meia-lua. Luz deu os últimos retoques no véu de Victoria para que ficasse perfeito, Mona endireitou seu chapéu, a noiva ajeitou o grande buquê de flores. Prontos?, perguntou o tabaqueiro.

Justo quando ia dizer vá em frente, amigo, bata a foto, Barona ficou com a voz presa na garganta.

Avançando para o grupo a passos largos, segurando o chapéu pela coroa, um homem jovem estava prestes a alcançar a cena. Caminhava apressado, ciente de seu atraso tão involuntário quanto inoportuno; *damn train*, malditos atrasos, ia pensando. À medida que se aproximava, sua figura ia ficando cada vez mais definida: musculoso sem excessos, fibroso, firme. Com a mão direita segurava uma mala robusta; a esquerda, a do chapéu, estava enfaixada. No queixo, entre a barba por fazer, viam-se partes roxas; usava um terno simples azul-chumbo terrivelmente amassado depois de uma noite inteira de balanço em um vagão de segunda classe. Onde deveria estar a aba do chapéu, um olho roxo e uma sobrancelha rasgada e costurada. Embaixo, um pômulo roxo também; mais embaixo ainda, na comissura do lábio superior, um corte escuro com sangue meio coagulado.

Assim que intuiu sua presença, Barona rompeu a harmonia do grupo e deu um passo para a frente, desbaratando subitamente o enquadramento.

— Chano, filho... — murmurou, abrindo os braços.

Porém era tarde demais: o fotógrafo já havia apertado o obturador e nessa placa ficaria gravada para a eternidade a imagem borrada de um noivo maduro que seu próprio movimento manchou como tinta na água, e de uma jovem noiva que plasmou em seu rosto um desconcerto abismal quando subitamente percebeu que o casamento com que acabava de se comprometer perante Deus e os homens poderia ter sido um erro descomunal.

Os convidados só precisaram atravessar a rua e percorrer alguns metros da calçada oposta para chegar ao La Bilbaína; foram em bando, sem dispersar. No andar superior os aguardava o banquete – nisso também Barona não quis poupar gastos, apesar de que Remedios teria preferido que não houvesse celebração. Estamos de luto, pelo amor de Deus bendito, repetiu a mulher até a exaustão. Como não vamos festejar, mãe?, bramaram suas filhas em coro. E igual quando propôs que a noiva vestisse preto por causa do luto pelo pai. Por acaso enlouqueceu, mãe?, gritaram as três.

Não sofra, Remedios, tudo vai ser discreto. Foi o que prometeu inicialmente o futuro genro tentando semear paz na família, e ela optou por parar de protestar. No entanto, animado pela energia avassaladora das jovens e por sua própria felicidade, a coisa acabou fugindo a seu controle, e isso que dinheiro não lhe sobrava, que o negócio da venda de tabaco estava em queda fazia um tempo devido aos cigarros do demônio e das malditas criações industriais e, além disso, grande parte das economias de uma vida inteira havia sido consumida com médicos, medicamentos e as hospitalizações de sua falecida mulher. Não, não sobrava dinheiro a Barona, e isso ele bem sabia, mas qualquer coisa era pouco para registrar sua felicidade.

Exultantes e acalorados, deram início a um banquete que as mulheres da família Arenas jamais poderiam ter imaginado nos anos magros e descalços de sua simples infância mediterrânea, quando o máximo que comiam eram carapau, gaspacho e anchovas. Sentadas agora no salão do La Bilbaína diante de longas mesas, com olhos cheios de incredulidade, primeiro receberam as grandes travessas repletas de entradas, depois os magníficos troncos de merluza à basca em suas panelas de barro, depois os cortes de carne vermelha – *beefsteaks*, diziam. Até um bolo de noiva da Valencia Bakery houve de sobremesa. E vinho, que não faltasse vinho. E sidra El Gaitero e conhaque espanhol Lepanto e anis Las Cadenas, tudo procedente da adega Mediavilla da Cento e Dezesseis. E em paralelo a tantas delícias, cercadas de rostos que transbordavam afeto, enquanto encaixavam os guardanapos ou mordiam uma rodela de linguiça ou levavam as taças aos lábios e a boca se enchia de borbulhas, sem que nenhuma delas dissesse em voz alta, pela mente das quatro, da mãe e das filhas, em algum momento passou uma sensação fugaz de confusão, como se a consciência de súbito as alertasse de que a partir daquele casamento tudo mudaria um pouco: sem se dar conta de que iam cada vez mais se penetrando na vida da cidade.

Quando as janelas já estavam abertas para que circulasse o ar; quando os estômagos estavam cheios e os ânimos, eufóricos, e as cabeças, meio anuviadas, espalhou-se pelo salão um chamamento, acompanhado por golpes compassados de nós dos dedos nas mesas e um repique de dúzias de garfos contra o cristal das taças: discurso!, discurso!, discurso! Não foi difícil convencê-lo; Barona, preparado para a ocasião, arrastou a cadeira para trás, levantou-se e encheu o peito de ar. Sua eloquência estava longe de ser brilhante, mas soou pletórica e sincera: as palavras de um homem que acumulava nas costas desarraigamento, vicissitudes, desacertos e dores, e por um súbito capricho da sorte, havia trombado com a felicidade.

— O que sinto ao saber que esta mulher aceitou compartilhar sua vida comigo — disse, erguendo sua taça emocionado — é algo tão grande, tão profundo, que não sou capaz de expressar.

Estendeu a mão a Victoria, então, e a fez se levantar.

A noiva ficou em pé com cautela para não perder o equilíbrio. Suas faces estavam coradas, ela meio tonta, morrendo de calor. Haviam enchido sua taça três ou quatro vezes e ela, obediente, havia bebido até a última gota; haviam trocado seu prato em outras tantas ocasiões e ela comera sem reclamar tudo que lhe serviram. Havia sorrido a quem lhe sorria e respondido muito obrigada, muito obrigada, muito obrigada cada vez que alguém elogiava seu vestido, ou o marido, ou o penteado, ou o futuro, ou o véu. Muito obrigada, muito obrigada, muito obrigada, repetira sem mal perceber uma vez, e outra vez, e outra vez, e outra vez...

O que ninguém havia percebido foi aquilo que mais a perturbava. Os olhares. Os olhares dele. Sentado em frente, no lado contrário da mesa, com o rosto castigado, ausente da algazarra, o filho de seu novo marido não deixou de contemplá-la entre aturdido e confuso durante todo o almoço, como se lhe perguntasse sem palavras de onde você saiu, mulher?

Em pé agora com o sorriso congelado nos lábios, sabendo que os olhos machucados de Chano continuavam sobre ela, Victoria notava que as frases emotivas do homem a quem havia acabado de aceitar em matrimônio entravam por suas orelhas, atravessavam o cérebro e ali pareciam se derreter sem que ela chegasse a processá-las, escorregadias, incompreensíveis. Não lhe diziam respeito, não eram com ela. Não mais.

Por sorte, tão logo o tabaqueiro acabou sua comovente intervenção, Esteban Roig e seus Happy Boys irromperam torrencialmente no salão ao ritmo de "El gato montés". Os presentes se levantaram, entusiasmados, e começaram a bater palmas ao compasso do trompete, do acordeão e do clarinete; os garçons correram para arrastar mesas e cadeiras para improvisar uma pequena pista de dança. Não havia festa que se prezasse na colônia espanhola sem a banda desse compatriota que durante a semana trabalhava como recepcionista de uma empresa de seguros do Midtown: ninguém como ele para transportar tanto expatriado com a emoção da música até o mundo que deixaram para trás.

Barona conduziu uma submissa Victoria ao espaço recém-aberto, e os presentes formaram um amplo círculo ao redor. Ele ficou de frente para ela, pegou-lhe a mão e a cintura e começou a seguir o pasodoble no canônico ritmo de dois por quatro. Deixando que seus pés fossem para um lado e sua cabeça para outro, Victoria apoiou a face sobre o peito volumoso dele e fechou os olhos. Cheirava a perfume de homem, a tabaco, a suor depois de tanta agitação. Ele me ama, disse a si mesma. Ele me ama, ele me ama, ele me ama como Salvador nunca me amou, pensou. E você tem que aprender a amá-lo também.

A pequena orquestra concluiu a primeira música, mas não deu trégua. Dando tempo apenas para que os recém-casados recebessem um forte olé, sonoros aplausos e o grito esgoelado de viva os noivos!, os rapazes de Roig começaram com "España cañí", e os demais convidados seguiram em bando para o centro do salão. Passou um bom tempo de dança coletiva, sucederam-se os pasodobles e os boleros, até que o tabaqueiro sussurrou no ouvido de Victoria: venha.

Chano estava sentado sozinho ao fundo, perto de uma varanda aberta, na ponta de uma das mesas arrastadas ainda cheia de pratos com restos do bolo de merengue. Apoiado no batente de uma janela de guilhotina com a parte inferior totalmente aberta, fumava com o lado menos machucado da boca um desses cigarros que seu pai tanto odiava, enquanto segurava um copo com uma bebida cor de âmbar e muito gelo. Endireitou-se quando os viu se aproximar; e então, sem querer, seu rosto traiu uma expressão de dor.

Barona passou o braço sobre os ombros do filho e o sacudiu com afeto profundo. Todas as tensões, todos os desencontros e as dolorosas distâncias que haviam crescido entre eles nos últimos anos pareciam ter evaporado naquele dia.

— Você não vai tirar minha mulher para dançar?

Uma onda de calor brotou das entranhas de Victoria, por um momento ela achou que o chão estava se movendo sob seus pés. E a proposta pegou Chano tão de surpresa que ele não soube o que dizer. Como querendo se justificar, indicou a roupa desalinhada depois da viagem noturna e arranjou uma desculpa naquele espanhol de sua infância que agora tinha dificuldade para falar, mas as palavras não chegaram a sua boca. O tabaqueiro o incentivou com uma palmada sonora nas costas e uma gargalhada.

— Vamos, filho, não se intimide! Para que comecem a se conhecer!

Ele bebeu um gole de seu drinque, ela engoliu em seco, ambos sabiam que não havia escapatória. Caminharam sem se tocar até a pista; os convidados imediatamente abriram espaço. Os dois ainda levaram alguns instantes para se segurar e ajustar os corpos, até que conseguiram encaixar mão com mão, tronco com tronco, pele com pele.

Conscientemente rígidos, tensos e distantes: assim dançaram Chano e Victoria no dia em que se tocaram pela primeira vez. Ele se virava a duras penas com os passos castiços, ela adotou uma postura que destilava arrogância impostada: um mero escudo para se proteger, na realidade. Contudo, nenhum dos dois foi capaz de resistir a sentir o outro. Victoria o percebia musculoso e compacto sob o terno todo amassado: os braços fortes e as mãos grandes, uma áspera, a outra enfaixada. O lábio cortado, o pômulo roxo, o queixo forte e arranhando. E o cheiro, esse cheiro de pele de homem jovem sem adornos nem artifícios. Um cheiro tão diferente do de seu pai, cativante, absorvente, quase animal.

Chano, aturdido, por sua vez sentiu o corpo de mulher jovem e plena. Embora se esforçasse desde que a viu na porta da igreja, não conseguia vencer seu desconcerto. Se lhe houvessem proposto adivinhar entre cem candidatas qual poderia ser a escolhida por seu pai para ser sua segunda esposa, aquela jovem haveria ficado, na melhor das hipóteses, no número noventa e nove. Tão esbelta e leve, tão diferente. Tão sensual.

Não trocaram mais de três frases, terminou a canção, olharam-se nos olhos. Nenhum dos dois sabia o que fazer. Foi Victoria quem quebrou a tensão.

— Preciso... preciso ir...

E desviou o rosto para um lado do salão.

— Claro, claro... — disse ele, soltando-a.

Com olhar ansioso, ela buscou suas irmãs entre as pessoas.

— Para que me ajudem — murmurou, recolhendo a aparatosa saia do vestido de noiva fazendo ranger anáguas e forros.

— Claro, claro... — repetiu ele. — E eu... eu... *I should be leaving too.* Acho que vou indo.

Mona e Luz não a haviam perdido de vista nem um instante; assim que intuíram suas intenções, aproximaram-se apressadas.

Entraram no banheiro juntas, passaram o trinco com um tapa. Assim que se sentiram a salvo, Victoria apoiou as costas na parede.

— O filho veio para ficar.

As perguntas saíram aos borbotões da boca de suas irmãs.

— Com vocês? Na mesma casa? Os três?

CAPÍTULO 50

Antes de deixar o banheiro, ajeitaram os penteados com os dedos e passaram de mão em mão e de boca em boca o mesmo *lipstick* vermelho escuro. Estavam saindo quando Victoria, depois de hesitar alguns instantes, arrancou o véu com um suspiro de alívio: sem os metros de renda e sem a infinidade de grampos que espetavam seu crânio, era reconfortante sentir de novo a cabeça leve.

— O que está acontecendo aqui? — perguntaram, surpresas, quando saíram, ao ver que não havia mais música nem casais na pista, e sim conversa e rodinhas compactas.

Estavam tão absortas trancadas no banheiro que não notaram que os músicos haviam parado de tocar por ora. Um garçom asturiano que passava com uma bandeja cheia de pratos sujos esclareceu:

— Os *boliteros* acabaram de chegar, senhoritas; corram, não vão ficar sem jogar, que eles saem correndo em cinco minutinhos.

Os *boliteros*: vendedores de loteria clandestina que povoam as ruas de Nova York, ao sentir cheiro de festa, já estavam ali também. O jogo da *bolita* havia chegado de Cuba anos antes e, depois de se arraigar, não parava de crescer. Proibido e perseguido pela lei, e seus responsáveis condenados até com penas de prisão, sua popularidade resistia contra tudo e contra todos. Loteria dos pobres, diziam alguns; com pequenas apostas, a pessoa podia ir se deitar pobre como um rato e acordar na manhã seguinte dona de uma soma mais ou menos substanciosa.

As três irmãs distinguiram alguns rapazes estranhos à celebração misturados entre os convidados; pouco mais que adolescentes que pegavam notas e moedas, entregavam papeletas em troca e anotavam números com uma habilidade vertiginosa. A alegria, ou talvez a nostalgia, ou talvez tudo junto, parecia fazer abrir as carteiras dos homens e os porta-moedas das mulheres; havia poucos que não estivessem dispostos a se deixar levar pela ilusão de ganhar um dos prêmios que as bolinhas de marfim cuspiriam quando, nessa noite, pulassem aleatórias em dezenas de bancas ilegais espalhadas por toda a cidade.

Alheia a esse intercâmbio, Victoria percorreu o salão com o olhar e constatou que Chano não estava mais ali. Bem, pensou com firmeza, muito melhor assim. Tendo recuperado a compostura, endireitou o tronco, ergueu o queixo e se dirigiu, decidida, a seu marido, disposta a começar sua vida de casada como mandava o sagrado sacramento que havia acabado de contrair. Entregue, solícita, segura. Alguns minutos antes, sentada no vaso sanitário diante de suas irmãs, com a calcinha abaixada até os joelhos e a saia erguida formando uma imensa confusão de dobras e franzidos ao redor de suas coxas, ela havia se convencido de que isso era a única coisa a fazer. Comportar-se como era devido. Ser séria e consequente. Esforçar-se para fazer feliz o homem a quem havia prometido amor e fidelidade. Cumprir.

Diferente de Luz, que ziguezagueava entre os convidados perseguida por Fidel procurando onde deixar o véu de noiva que carregava embolado no braço esquerdo, Mona ficou parada ao lado de um cabideiro carregado de xales e paletós, os pés imobilizados no chão como se os houvesse enfiado em uma poça de piche.

Ali estava, respirando o mesmo ar denso carregado de fumaça e transpiração humana, pisando o mesmo piso de madeira. O jovem que uma vez a usou acidentalmente a fim de evitar um problema com a polícia, que depois a procurou para recolher seus pertences e lhe oferecer uma gratidão que ela recusou. Ali estava ele de novo, entre todas as infinitas alternativas que a tarde de um domingo de primavera em Nova York oferecia.

Ela o contemplou imóvel, nervosa, sem saber o que fazer. Vestindo um fresco terno de linho claro, com camisa branca e gravata frouxa, cabelos castanho-claros indômitos, alto, flexível, rosto e ombros afilados, quadris estreitos. Estava com ambas as mãos nos bolsos da calça e parecia descontraído; não obstante, com o pouco que o observou tentando disfarçar seu desconcerto, Mona percebeu que a atenção dele estava bifurcada em duas frentes. Uma metade conversava amigavelmente com Avelino Castaños, dono do local. Ambos separados da confusão em um canto do salão, o recém-chegado escutava e até soltou uma gargalhada em certo momento que o fez jogar as costas para trás e erguer a mandíbula de uma maneira que fez a pele dela se arrepiar. Em paralelo, no entanto, a outra metade restante de sua atenção mantinha-se em guarda, sem tirar o olho do movimento da sala: os garotos que aceitavam dinheiro, distribuíam papeletas e anotavam transações com uma perícia quase profissional. Sua missão parecia ser controlá-los, notou Mona, como se fossem sua responsabilidade.

Mona continuou o observando sem sair do lugar, hesitando entre se esconder ou dar as caras, e durante alguns instantes, inconscientemente, passou por sua memória a figura diferente de César Osorio, subitamente tão distante, tão fora daquele mundo buliçoso e barulhento da Catorze e sua gente, onde o homem das papeletas se movia como peixe em um tanque de água limpa. Até que o proprietário do estabelecimento consultou com discrição o relógio e, sem necessidade de palavras, o outro entendeu o que tinha que entender: que o tempo combinado havia acabado; era um risco para Castaños que os rapazes continuassem negociando em seu estabelecimento. Por mais que o cordial empresário quisesse contentar seus compatriotas oferecendo-lhes a opção de jogar naquela loteria proibida em um entorno privado e seguro como seu estabelecimento, também tinha plena consciência de que se tratava de algo ilegal, e cada vez que a polícia sabia de um encontro com mais de quinze ou vinte almas juntas falando espanhol, iam desconfiados atraídos como moscas ao mel. E o La Bilbaína, ou o estabelecimento da vez, poderia sofrer uma correção disciplinar séria e até uma multa, dessas que deixavam o balanço contábil tiritando por alguns meses. Os dois homens sabiam disso – esse que Mona olhava e o proprietário –, e, por isso, quanto antes liquidassem o assunto e antes os vendedores de ilusões monetárias desaparecessem, melhor seria para ambos.

O jovem ergueu os braços e bateu sonoras palmas para chamar seus subalternos; assim que conseguiu atrair a atenção do mais próximo, fez um gesto, que o outro interpretou, e por sua vez soltou um forte assobio. Os demais rapazes se viraram para ele obedecendo a um protocolo preestabelecido: todos haviam entendido a mensagem. Hora de cair fora, rapazes, vamos. Disciplinados como recrutas, acataram a ordem e aceleraram as últimas transações, empurraram dinheiro e papéis no fundo dos bolsos e, em questão de segundos, estavam prontos para sair voando dali.

Ele varreu pela última vez a sala com um olhar veloz a fim de se assegurar de que nenhum dos seus ficava para trás; sempre fazia isso. Por segurança, por precaução, para não correr riscos desnecessários. Foi quando, na metade de seu minucioso procedimento, ele a viu.

Meio encoberta pelas peças de roupa que pendiam do cabideiro, mas suficientemente exposta para que ele a reconhecesse, com seu vestido leve coberto de grandes flores e os cabelos escuros meio rebeldes apesar de ter tentado domá-los com os dedos em frente ao espelho do banheiro. Com suas poucas carnes e seus muitos ossos e suas sobrancelhas grossas e suas primeiras meias de seda e algum resquício da luz do Mediterrâneo ainda colado na pele.

Contemplou-a com surpresa genuína. A seguir, sem abrir os lábios, esboçou o início de um sorriso e foi se aproximar. Alguém, no entanto, o deteve.

— Ei, jovem!

Barona o interpelou em voz alta e se precipitou para ele, abordando-o sem preâmbulos nem cautelas. O outro desterrou subitamente o sorriso destinado a Mona, retesou os músculos e ficou em alerta, pronto para pular e fugir como um gato de rua acostumado a ter os cachorros famintos latindo ao seu redor.

Mas o tabaqueiro, com esse excesso de familiaridade tão comum em quem leva no corpo alguns drinques a mais, pegou-o pelo braço para chamar sua atenção.

— Desculpe, rapaz, mas eu o vi por aí, pelas ruas, duas vezes, e sempre penso que é a cara de alguém que eu conheci em outros tempos...

Barona estava acalorado e exultante, já sem paletó, com o nó da gravata frouxo, a camisa suada e um palito entre os dentes: totalmente inofensivo. Ainda assim, o outro não baixou a guarda, por via das dúvidas. Com desconfiança felina e um movimento rápido e quase imperceptível – por ter sido repetido centenas de vezes –, o jovem olhou para os quatro cantos em busca de algum sinal ameaçador. O que encontrou, no entanto, foi o panorama mais pacífico possível. Os músicos voltavam a pegar os instrumentos, as mulheres matraqueavam agitando o leque, as crianças se perseguiam descontroladas correndo entre as cadeiras e os homens continuavam esvaziando garrafas transoceânicas nos balcões do bar. Tudo em ordem, confirmou. E relaxou um pouco. Só um pouco.

— Cada vez que cruzo com você, rapaz — prosseguiu Barona, ignorando a desconfiança do outro —, sempre penso a mesma coisa: esse garoto... esse garoto é igual, igualzinho... Mas nunca se sabe, evidentemente. E, além disso, já se passou tanto tempo... Enfim, certamente são desvarios meus, nada mais, mas... Mas, agora que está aqui, pensei, que diabos, por que não aproveito e lhe pergunto: você, filho, por acaso não tem nada a ver com Tampa?

O outro se permitiu alguns instantes antes de responder, previamente calculando o risco e se debatendo entre mentir e ser sincero; afinal de contas, estava acostumado a fazer malabares diariamente com as duas opções, a transitar entre o claro e o escuro, atravessar da luz às sombras e das sombras à luz.

Castaños, o grato proprietário do restaurante, havia lhe explicado momentos antes que o homem maduro que agora estava lhe perguntando sua origem com uma curiosidade aparentemente inócua era o afortunado que havia acabado de se casar com a belezura que andava pela sala vestida de noiva, de modo que ele supôs que nesse lugar e sob tal conjuntura, pouco perigo poderia representar reconhecer a realidade.

E, além disso, ali estava ela, Mona, sozinha ao lado do cabideiro, sem deixar de olhar para ele com o cenho franzido de curiosidade. Em frente, linda, testemunha muda da cena imprevista. Talvez por ela tenha concordado.

— Tenho relação com Tampa, sim.

— Ora, ora, então não estou tão enganado!

Na porta soou um assobio agudo; ele se virou e fez um sinal ao garoto que o chamava, um dos seus *boliteros*. Já estou saindo, queria dizer. A seguir, voltou o rosto para Barona:

— E à outra pergunta que pretende me fazer, respondo também que sim.

— Então, estou certo?

— Afirmativo: sim, sou filho de quem o senhor acha que sou. E agora, se me permite...

Sem lhe dar oportunidade de reagir ou de prosseguir com suas indagações, o jovem apertou a mão do tabaqueiro e dirigiu o olhar a Mona. Levando dois dedos à têmpora direita, deu-lhe uma piscadinha a modo de despedida fugaz.

— Eu fui amigo de seu pai; você não sabe quanto lamento o que aconteceu! — gritou o tabaqueiro enquanto o jovem se retirava. — Volte para conversarmos um dia, rapaz! Venha me ver, costumo estar aqui ao lado, no El Capitán!

Mas a nuca, as costas e as pernas ligeiras do filho desse alguém cujo nome nenhum deles havia pronunciado ainda já estavam saindo velozes pela porta, trotando escada abaixo para a rua, de volta a seus esquivos negócios e a seus incertos afazeres.

Mona, então, já estava se aproximando de seu cunhado, até ficar ao seu lado, ombro a ombro, ambos contemplando a ausência daquele que havia acabado de sair.

— Quem é o pai dele, Luciano?

Ele tirou um lenço do bolso e o passou lentamente primeiro pelo bigode, depois pela testa brilhante de suor.

— Antonio Carreño, agente da tabacaria CuestaRey e depois proprietário de um *night club* em Ybor City — disse com os olhos fixos no vão vazio.

— E que fim levou ele?

As dobras do lenço percorriam agora seu pescoço congestionado.

— Levou dois tiros na barriga por se meter em negócios que não entendia.

CAPÍTULO 51

Não houve oportunidade para mais explicações: a orquestra de Roig atacou de novo, Barona deixou Mona aturdida atrás de si e foi em busca de sua mulher.

A fadiga do longo dia estava cobrando seu preço, e cada vez eram menos os casais que ocupavam a pista já definitivamente arruinada. O pessoal de Park Slope tinha muito chão pela frente, as mulheres estavam com uma terrível dor nos pés e avisavam seus maridos que já era hora de voltar para casa; dona Milagros, que depois do almoço havia virado dois copos de aguardente, cochilava com a cabeça apoiada na parede e a boca meio aberta. Com ela, irmã Lito, que havia bebido um pouco menos, mas também não estava cem por cento sóbria, parecia contemplar o salão desbaratado, embora seus pensamentos já andassem por outros lares fazia tempo.

Assim como o tabaqueiro, ela também nunca fora uma mulher romântica; na aspereza de sua infância e juventude jamais houve lugar para os afetos, a delicadeza ou a ternura: demorou muitos anos para saber que essas palavras constavam nos dicionários. Algumas vezes, no entanto, em momentos e cenários como aquele, carregados de sentimentos, a religiosa se perguntava como teria sido sua vida se houvesse nascido em um ambiente estruturado, em uma família qualquer, cercada de gente comum, e não de depravados. Com total certeza não teria uma personalidade tão combativa, descrente e insolente, não teria estudado leis, não brigaria pelo bem alheio com a garra e o empenho que lhe eram comuns. Porém, algumas outras coisas também seriam muito diferentes. Seu corpo, por exemplo, não teria se constituído de um jeito tão amorfo se não a houvessem maltratado como a um cão sarnento desde a infância; também não teria acabado em uma ordem religiosa nem teria se blindado para sempre do contato carnal com qualquer homem. Muito pelo contrário, teria convivido com eles com sadia naturalidade, teria se deixado cortejar por desejos masculinos robustos, mas impecáveis, acariciar em sua noite de núpcias pelas mãos de um homem que a adorasse, como em poucas horas aconteceria com Victoria e seu tabaqueiro. Haveria homens em sua vida, sem dúvida alguma. E ela os teria beijado, amado, tocado, ansiado...

— *Jesus, Mary and Joseph!*

Seu próprio grito a tirou do devaneio; os filhos das vizinhas, em uma de suas corridas malucas, haviam puxado a toalha de uma mesa próxima cheia de copos, taças e garrafas, criando um estrondo demoníaco. Irmã Lito sacudiu bruscamente a cabeça, como se quisesse arrancar dela seus pensamentos febris. Pelas chagas de Cristo, murmurou, endireitando as costas e recuperando com esforço a compostura; cada vez tinha mais dores e menos energia, um dia desses preciso ir ao médico, decidiu, sabendo de antemão que não o faria. É melhor pensar em como você vai tirar essas mulheres do atoleiro em que continuam enfiadas, em vez de fantasiar pateticamente que é uma jovem linda como elas e que um monte de homens vai aparecer e lhe pedir seu amor. Porque o filho da mãe do advogado continua invejoso, e embora você continue escondendo isso delas, a coisa tem que entrar nos eixos antes que chegue a um fim indesejável para todos.

— *Come on*, galega, *wake up*! — disse, chacoalhando sua amiga. — Livre-se dessa bebedeira e vamos embora.

Enquanto a vizinha tentava se reajustar ao presente com a ajuda dos puxões no braço que irmã Lito lhe dava, os Happy Boys estavam acabando de tocar "Granada" com o respeitável público cantarolando em coro a letra; quando os aplausos finais diminuíram, Esteban Roig, com um repique de tambor, pediu silêncio.

— E para finalizar esta celebração inesquecível, para cumprimentar os noivos e lhes desejar um futuro cheio de coisas boas — gritou o líder da banda, profissional e enérgico, apesar das horas de trabalho —, vamos atender a um pedido muito especial!

A curiosidade se espalhou pelo La Bilbaína enquanto se ouvia outro repique. Rá-tá-tá-tá-tá-tá.

— Senhorita Luz Arenas... ao centro do salão, por favor!

Todas as cabeças se voltaram para localizá-la; a própria Luz, surpresa, apontou o indicador para si mesma e moveu os lábios perguntando, desconcertada, eu? O salão imediatamente se encheu de palmas compassadas. Luz! Luz! Luz!

Ela obedeceu sem se fazer muito de rogada; embora todos tentassem manter os ensaios para o *night club* no maior segredo possível, ela imaginava que devia ser algo tramado por suas irmãs, que a fariam cantar as canções que supostamente ofereceriam no show, "El vito" ou "Los cuatro muleros", ou um fandango, ou qualquer outra *copla* ou *tonadilla* de sua terra. Mal havia chegado ao centro do salão, no entanto, quando entrou o trompete e, de imediato, como uma avalanche, o resto do acompanhamento musical.

Uma expressão de incredulidade se desenhou em seu rosto assim que identificou a cadência de uma rumba: os Happy Boys não se intimidavam com nada, conheciam de cima a baixo o leque musical da diversificada colônia latina, assim como os temas peninsulares e os ritmos caribenhos. Uma rumba haviam lhes pedido, e uma rumba haveria de ser.

Luz, aturdida, cética ainda, pegou as maracas que um jovem músico lhe entregava enquanto olhava ansiosa ao redor, como se procurasse um rosto específico entre os convidados. Um rosto que não viu, naturalmente, porque ninguém o havia convidado para aquele casamento, mas ela tinha certeza de que ele estava por trás daquele pedido desconcertante. Ciente da expectativa que havia se criado, começou a rebolar, primeiro tensa e retraída, depois com desenvoltura crescente, até que, mais ou menos relaxada, prosseguiu ondulante, sensual, projetando os quadris e jogando o torso para trás, chacoalhando os ombros ao compasso de "Ay mamá Inés"...

Não ficou nem um convidado, nem uma convidada, nem um homem, nem um garçom, que não se levantasse para acompanhá-la com palmas, com o cacarejar do estribilho e um vaivém corporal compassado. Até irmã Lito e dona Milagros acabaram largando a modorra para acompanhar a cadência com um movimento seco do queixo ao ritmo de *Ay mamá Inés, ay mamá Inés* e os negros e o café...

A ovação final fez tremer as paredes do La Bilbaína enquanto Mona e Fidel trocavam um olhar de absoluto desconcerto.

Nenhum dos dois sabia onde diabos Luz havia aprendido a dançar a rumba cubana com aquela desenvoltura. Nenhum dos dois se deu conta, também, de que passara pelos olhos da mais nova das filhas de Emilio Arenas a sombra de algo parecido com estupor.

CAPÍTULO 52

Todos os anos, no início de junho, o tabaqueiro tinha uma tarefa a cumprir: subir a Las Villas para deixar suas correspondentes remessas de tabaco. Mas o que são Las Villas, Luciano?, quis saber Victoria dias antes do casamento, quando ele lhe propôs combinar aquela viagem obrigatória com uma breve lua de mel.

– O destino de férias mais popular da colônia, quando podem se permitir.

Tanto era assim que havia quem chamasse a região de Alpes Espanhóis. Disseminados nas Catskills, mais de vinte estabelecimentos ofereciam instalações de todo nível, desde pequenas pousadas até hotéis de conforto mediano. Villa Rodríguez, Villa Madrid, Casa Pérez, Villa Nueva, La Granja, La Cabaña... Em todos havia quartos de aluguel, cardápios típicos e promessas de diversão entre compatriotas: uma opção tentadora próxima e econômica para quando o calor caía como chumbo e a cidade se tornava asfixiante; um paraíso acessível para reencontrar essa vida de campo aberto, céu limpo e leite grosso de que tanta falta sentiam aqueles que haviam deixado para trás seus povoados e aldeias, seus casarios, chácaras e fazendas.

Para lá partiram o tabaqueiro e Victoria a bordo do carro de Avelino Castaños em sua primeira manhã de casados; o dono do La Bilbaína havia se oferecido para levá-los – tinha também um negócio na região, precisava ir preparando-o para a temporada.

Em Villa Nueva o casal começaria o primeiro estágio de sua convivência, mas voltariam logo, porque as obrigações urgiam: assim ficou estipulado na breve lista de condições que Victoria estabeleceu antes de dar o sim. Condição número um: assim que o negócio da indenização se resolvesse, ele se comprometia a voltar à Espanha com elas. Condição número dois: ela poderia continuar dando uma mão no El Capitán. Condição número três: ele deveria se comprometer a ajudar Mona no iminente projeto de seu *night club*, mesmo achando que era um desatino. Ou aceita minhas exigências, ou não me caso com você, disse ela firme; você é quem sabe.

Apaixonado como um adolescente, o tabaqueiro disse amém a tudo. Por isso, a *honeymoon* seria simples: quatro dias, pois os negócios tinham que continuar; e além do mais, embora Victoria houvesse guardado isso para si, também não a entusiasmava a perspectiva de passar muito tempo sozinha com ele naquelas montanhas sem mal se conhecerem, entre vacas e pinheiros lá onde Judas perdeu as botas.

Castaños os pegou com seu Hudson Essex às dez, eles já o estavam esperando com as malas na calçada da Vinte e Três, Barona exultante, Victoria vestida de jovem senhora casada com o primeiro terninho de sua vida, a fina aliança de ouro no anular e um chapeuzinho de feltro posto com graça de lado na cabeça.

Os homens se acomodaram na frente, Victoria sozinha no banco de trás, contemplando em silêncio as ruas conforme subiam a Décima avenida, deixando para trás bairros e entornos. Chelsea, o Garment District com suas oficinas e lojas de roupa, Hell's Kitchen com seus proletários irlandeses, San Juan Hill cheio de negros, o Upper West Side com suas casas boas, sua gente fina e seus muitos judeus quando a avenida já era Amsterdam, Bloomingdale District, Washington Heights, onde voltavam os comércios com anúncios em espanhol. Atravessavam a ponte George Washington quando Barona se virou um instante para ver a reação dela diante de tamanha maravilha da engenharia, mas ela nem se alterara.

— Você está bem? — perguntou.

Victoria assentiu, esforçou-se para sorrir; ele ficou tranquilo e retornou a vista à frente. Não, ela não estava bem, embora fingisse: muitas sensações no corpo e na cabeça, e aqueles ovos estranhos que haviam lhe servido no café da manhã, e o cheiro concentrado de gasolina, tabaco, loção e couro dentro do carro, e o calor...

Então, Avelino, o que acha de Azaña, para onde acha que vai a República? Os homens continuavam entretidos em sua conversa; já haviam comentado os negócios de ambos, agora era a vez da política da pátria distante, os vaivéns do outro lado do mar que todos acompanhavam com avidez. As esquerdas, as direitas, candidatos, eleições, disputas, alvoroços...

Victoria havia fechado os olhos e recostado a cabeça na lateral, mas não dormia: embalada pelo balanço do carro, simplesmente deixava que sua mente vagasse pela memória recente. Também não foi tão difícil que depois da festa acontecesse o que tinha que acontecer. E enquanto seu marido continuava falando com Castaños sobre socialistas e conservadores e sindicatos e agremiações, a mais velha das irmãs Arenas tornou a rememorar flashes de sua noite de núpcias por trás dos tijolos vermelhos da imponente fachada do hotel Chelsea.

Ele suspirando ao enroscar os dedos nos cabelos escuros dela espalhados no travesseiro, beijando-lhe os olhos, a boca, o pescoço, a testa, ao mesmo tempo lutando para puxar a camisola joelhos acima e ombros abaixo e fazendo-a acabar enroscada ao redor da estreita cintura de Victoria. Ela pensando nos mil vincos que depois teria que passar colocando um pano em cima da seda. Ele ficando louco ao acariciar seus seios jovens, suas nádegas firmes, sua pele lustrosa. Ela quieta como uma balsa encalhada, sentindo as mãos ávidas de cima para baixo, de baixo para cima, o tórax volumoso dele aprisionando sua magra anatomia, esmagando-a, deixando-a quase sem ar. Ele abrindo caminho entre suas coxas firmes, até entrar nela com um rugido triunfal. Ela imóvel, com a cabeça voltada para a varanda entreaberta, seu corrimão de ferro entalhado e as cortinas que flutuavam como fantasmas com um sopro de ar que entrava da rua, notando algo se cravar em suas entranhas com uma dor aguda, escutando em sua orelha esquerda a respiração masculina tórrida e entrecortada.

O carro chacoalhava em direção noroeste, já se viam apenas campo e fazendas, pinheiros, planície. Os homens continuavam enredados em sua conversa alheios a Victoria, haviam tirado o paletó e aberto as janelas, e com os cotovelos para fora, continuavam fumando. Alcalá Zamora, Largo Caballero, Indalecio Prieto, Martínez Barrio, a Lei de Reforma Agrária, o rei no exílio, a CEDA, a Falange, a coisa está tensa, Avelino, está ficando cada vez mais feia, sabe Deus no que vai acabar...

Atrás deles, a mente de Victoria continuava rebobinando. Ele mexendo os quadris para trás e para a frente, para a frente e para trás, sem descolar o torso dela, arfando a cada investida com estridência de macho faminto. Ela concentrada na porta que se abria para um banheiro privativo, tirando sua mente da cama e a distanciando, volátil, do que estava acontecendo em cima do colchão, imaginando-se descalça nas lajotas frias do chão, parando, irreal, em frente ao grande espelho, observando a porcelana reluzente dos sanitários e as torneiras brilhantes, afundando em pensamento as pontas dos dedos nas toalhas macias. Ele empurrando mais depressa, mais forte, mais depressa, mais forte, gemendo rouco de prazer. Ela esquecendo o ardor que a queimava por dentro e o corpo opulento que a aprisionava e a asfixiava, com a mente ainda no banheiro, pensando se poderia levar para casa os pequenos sabonetes Ivory que havia em cima da pia envoltos em *tissue*. Ele suando, investindo furioso com os dentes apertados colados no pescoço dela, outra vez, outra vez, outra vez. Ela ausente, alheia às bruscas arremetidas, perguntando-se se aqueles rolos de papel branco leve que havia visto ao lado do vaso sanitário estariam incluídos no preço do quarto, calculando se caberiam dois na mala, porque no apartamento só tinham pedaços de jornais velhos enfiados em um gancho de arame na parede.

E o exército? O que acha que vai acontecer com o exército, Avelino? Não esqueça o caso das Astúrias, não faz nem dois anos. E os comunistas, e os padres, e os anarquistas, e a CNT...

Victoria já nem os ouvia, tão isolada, tão absorta em suas recordações. Ele explodindo em espasmos, emitindo um grito bronco, jogando a cabeça para trás com uma sacudida violenta. Ela pensando se em vez de dois rolos de papel, talvez coubessem três na mala. Ele imóvel por uns instantes prolongados, como se houvesse se transformado em uma estátua de granito que cada vez pesava mais, depois saindo dela, girando até cair como chumbo sobre suas próprias costas, vermelho, esgotado, com os olhos semicerrados e a boca aberta, sem recuperar a respiração totalmente. Ela notando que sua própria mente abandonava a distância e voltava à cama, unindo-se consigo mesma. Ele sussurrando algo incompreensível enquanto ela, acoplada de novo a seu corpo, por fim se levantou de verdade, fez a camisola amassada deslizar até o chão e, cambaleando, nua, adentrou – agora sim – o banheiro enquanto sentia algo escorrer por entre suas pernas, denso e quente como tinta de lula.

Deixando o homem exausto, já mergulhado no torpor antes que a silhueta escura dela fechasse a porta às suas costas, por fim, ela se olhou no espelho, dolorida, mas orgulhosa. Orgulhosa de si mesma porque durante todo o tempo que durou a consumação carnal de seu casamento, apesar de outra presença viril a ter rondado mentalmente com anseios de lobo, com o rosto machucado e uma mão enfaixada, ela conseguiu manter a cabeça sob controle, sem permitir que nem seu pensamento nem seu desejo convidasse aos lençóis outro homem, que mesmo se chamando igual, não era o mesmo Luciano Barona a quem havia prometido respeito e fidelidade diante do padre Casiano.

CAPÍTULO 53

O apartamento havia ficado um caos depois do grande dia, mas os cômodos eram pequenos e as mãos de Remedios, rápidas: ainda não eram dez horas quando já havia terminado seus afazeres. Então, fez um pacotão com os vestidos floridos e o de noiva com o barrado imundo, disposta a levar tudo à lavanderia para que lhes devolvessem a elegância de antes, quando haviam escolhido o vestuário para o casamento naqueles magazines a que o noivo as conduziu de surpresa em uma tarde de sábado, a primeira vez na vida que ela viu tanto pano junto e tanta gente comprando e descobriu a existência daquelas boneconas imóveis que se chamavam manequins.

Abandonou sua casa com o grande monte de roupa debaixo do braço e deu três voltas de chave na porta enquanto recordava o medo que havia sentido ao subir na escada rolante daquela grande loja – Nortons era o nome –, sufocando um grito e segurando-se em suas filhas com dedos em garras; rememorou também sua recusa a escolher um vestido que não fosse preto, por causa do luto, sua categórica negativa a ficar só de anáguas dentro de uma cabine para prová-lo... Mas valeu a pena, pensou enquanto descia a escada. Ora, se valeu a pena, sem dúvida.

A celebração não lhe interessou nem um pouco: nem os pasodobles, nem os parabéns, nem o bolo de merengue de dois andares lhe provocaram a menor emoção, e isso que jamais em sua miserável vida ela se vira cercada de tantos manjares. Para ela, o importante era o importante, o íntegro: o casamento, o vínculo indissolúvel que havia garantido a sua filha um homem, um teto, comida na despensa e algum dinheiro na carteira; o acordo bem firmado que a protegia dos indesejáveis que pretendiam enfiar a mão nela até as entranhas e lhe sussurravam indecências e lhe propunham porcarias. Um homem sempre dá boa sombra, diziam as vizinhas do cortiço malagueño em sua carta. Quanta razão, suspirou. Quanta razão, Senhor.

Se bem que aqui em Nova York as coisas são diferentes, refletiu Remedios com sua sabedoria parda. Aqui, disse a si mesma parada no vão da escada, parece que as pessoas conseguem sair do buraco com mais facilidade; parece que ninguém está sentenciado por ter tido o azar de nascer onde lhe coube nascer. Aqui, concluiu, é como se todo mundo pudesse mais facilmente conquistar mais.

Remedios estava tão satisfeita com o casamento de Victoria, absorvendo pela primeira vez a essência desse *american dream* que havia mais de dois séculos atraía navios carregados de imigrantes do mundo inteiro, que sua mente começou a fazer planos à medida que descia os últimos lances, organizando suas ideias degrau após degrau.

Quando chegou à rua, seu destino era diferente do que tinha na cabeça ao sair. Iria aos Irigaray mais tarde, não havia pressa: outro assunto começou a urgir.

— Bom dia nos dê Deus, venho em busca de irmã Lito — disse sem se dirigir a ninguém especificamente ao entrar na grande cozinha da Casa María.

Duas freiras e algumas jovens que faziam o ensopado coletivo retribuíram o cumprimento, o resto continuou cuidando da vida enquanto ela entrava.

— Ora, Remedios! A senhora por aqui? Eu estava pensando em ontem, que estava tão bom...

Ali estava a irmã Lito de sempre, sem touca, com o mesmo cabelo grisalho retalhado e o mesmo olhar de lebre velha, um pouco menos vigorosa, talvez. Cantarolando brincalhona, fez um patético rebolado ao ritmo de *ay mamá Inés, ay mamá Inés*... Mas logo se deteve: a maldita dor nas costas a impediu de continuar.

— É justamente disso que quero falar, irmã.

— Pois diga, mulher.

— Quero lhe pedir um favor, mas, antes, preciso que me diga de verdade como anda nosso processo.

Irmã Lito se permitiu alguns segundos.

— Está caminhando — respondeu, esquiva.

Remedios respirou fundo, como se quisesse enfiar nos pulmões a coragem necessária para continuar falando.

— Veja, irmã, eu de pleitos e documentos não entendo patavina. Nem de pleitos, nem de documentos, nem de quase nada, porque sou analfabeta e a duras penas os dedos das mãos me chegam para contar até dez. Mas, estive pensando — disse, dando batidinhas na cabeça com os nós dos dedos —, o que quero para minhas filhas eu sei muito bem.

A religiosa franziu o cenho com uma expressão interrogativa.

— Já lhe explico. A única coisa que me falta, agora que já encaminhei a primeira, é arranjar marido para as mais novas. Se possível, homens mais velhos, como Luciano, não qualquer moleque sem ofício nem benefício, entende?

— Enfim, Remedios, eu acho que elas é que deveriam...

A viúva ergueu a palma da mão.

— Por acaso não viu Luz ontem, rebolando na frente de todo mundo, balançando a bunda como uma... como uma...

Irmã Lito tentou interrompê-la de novo, mas Remedios estava embalada.

— Eu não sei o que ela anda aprontando, mas está muito estranha ultimamente. E a outra, Mona, igual; as duas andam metidas em algo estranho. E não gosto disso, não gosto — disse, dando tapinhas no coração —, sinto isso aqui...

Irmã Lito tirou um cigarro do pacote que estava em cima da mesa e o levou à boca devagar.

— E a única solução que a senhora vê para que as meninas assentem a cabeça são maridos que as mantenham em rédea curta, é isso? — perguntou com ironia ao mesmo tempo que riscava um fósforo.

— Isso está claro como água benta em minha cabeça, irmã — disse enquanto a freira tinha um ataque de tosse com a primeira tragada. — Como disse, justamente para isso estou aqui, para lhe pedir que a senhora os arranje.

Dando por resolvida a primeira missão, Remedios percorreu o trecho de calçada que separava a Casa María da lavanderia dos Irigaray com o grande pacote de roupa debaixo do braço; um pedaço da cauda do vestido de noiva havia escapado do monte de peças e pendia como uma bandeira branca pedindo paz, mas ela estava tão ensimesmada que nem se deu conta.

Estava pouco acostumada a andar sozinha na rua; quase sempre saía com uma de suas filhas, mas, nessa manhã, sentia-se diferente, mais segura, mais decidida: com um casamento resolvido e mais dois solicitados, seus temores cotidianos pareciam ter se evaporado como as bolhas do sabão gorduroso com que diariamente lavava a louça na pia do El Capitán. Nesse dia, os automóveis que outras vezes lhe pareciam diabólicos não a intimidavam; nem os furgões que a aterrorizavam com suas buzinas estridentes, nem as carroças de entregadores que chacoalhavam puxadas por cavalos que sempre lhe pareciam gigantescos.

Enquanto a viúva de Emilio Arenas continuava caminhando, satisfeita com sua decisão, alheia à agitação da rua, irmã Lito, enterrada entre seus livros e papéis, recostava-se em sua velha cadeira e levava a mão ao abdome com uma expressão de dor. E se Remedios tivesse razão, por mais iletrada e iludida que fosse a pobre mulher? Talvez sua elementar tabela de valores não fosse totalmente desacertada, pensou; talvez bons maridos, dispostos a proteger a todo custo suas jovens esposas, fossem a melhor solução para essas garotas cuja causa ia ficando mais turva com o passar dos dias. Porque a freira não havia contado nem à mãe nem às filhas, mas nada estava se endireitando no assunto da indenização; muito pelo contrário. O processo transcorria lento, as complicações com a autoridade portuária e a Compañía Trasatlántica estavam se tornando infinitamente mais tortuosas do que ela havia previsto. E Mazza, o advogado, desde aquele dia em que Victoria o desafiara no El Capitán e Barona em sua defesa lhe dera um soco, declarara uma guerra sem trégua. Nos tribunais ou no pessoal, logo veriam como ele executaria sua vingança; a religiosa ainda não sabia com certeza, mas já previa. Inclusive, embora as garotas não dissessem nada, talvez ele já houvesse ampliado suas ameaças.

Por isso irmã Lito, cuja missão fundamental na vida havia sido ajudar as jovens mais desfavorecidas a se valer por si mesmas; ela, que sempre fora defensora da causa de não dar o peixe, e sim ensinar a pescar, dessa vez parou para pensar que talvez naquela ocasião houvesse se equivocado de cima a baixo, e que aquelas três irmãs só precisavam de um guarda-chuva que as protegesse das inclemências, um escudo protetor. Em outro momento, a freira teria ridicularizado a mãe, dado meia dúzia de gritos e lhe passado um sermão mencionando princípios básicos como a dignidade e o respeito. Agora, e muito a seu pesar, duvidava de tudo aquilo que até então julgava inalterável.

Enquanto a religiosa continuava concentrada em seus pensamentos esperando que passasse aquela dor intensa que a cada dia a incomodava mais, aquela Remedios sempre tímida que nesse dia havia se erguido para defender resoluta suas intenções para com suas filhas, entrava com passo firme na lavanderia onde a mais nova delas ganhava um modesto salário.

CAPÍTULO 54

Seu bom dia nos dê Deus chegou compassado com o repique do sino sobre a porta. Os Irigaray a receberam cordiais, satisfeitos e calorosos como sempre, ela com seu jaleco branco, ele com as mangas da camisa arregaçadas e os pelos grisalhos enrolados saindo pelo colarinho aberto.

— Trago tudo isto — anunciou, colocando o pacote de roupa em cima do balcão.

O proprietário pegou o fardo com seus braços peludos.

— Fique tranquila, Remedios, que vamos deixar tudo como novo outra vez, você vai ver.

— Ai, quem dera — interrompeu sua mulher —, quem dera sua filha pudesse se vestir de noiva outra vez e pudéssemos reviver outra celebração igual, nos divertimos tanto ontem...

A conversa os entreteve por dois minutos, até que entrou uma nova cliente.

— Digam à menina que venha aqui um instante, por favor — pediu Remedios antes de se despedir. — Temos que decidir o que vamos comer, pois como hoje não abrimos o El Capitán...

O casal de bascos se entreolhou.

— Ela não está.

Remedios franziu o cenho.

— Como não está?

Deixaram passar alguns instantes, intuindo que havia algo que a mãe da funcionária deles desconhecia.

— Eu perguntei — insistiu ela, séria — como é que minha filha não está.

Marido e mulher tornaram a se entreolhar.

— Ela nos pediu o dia de folga hoje.

— Um descanso depois do casamento, disse. Com tanta agitação...

Um silêncio constrangedor ficou pairando no ar, misturado com os vapores e o cheiro de detergente.

— Sei... — murmurou a viúva depois de alguns segundos. E deu meia--volta para sair, disfarçando seu desconcerto a duras penas. Mas não chegou a pegar a barra de cobre da porta, virou-se antes. — Ela faz muito isso?

Não pareceram entendê-la. Ou preferiram fingir que não a entendiam.

— Ela lhes pede com frequência permissão para sair por aí?

Os dois deram de ombros, divididos entre ser sinceros ou dar cobertura a Luz.

— Não, mulher, que nada — disse ele, tentando ser conciliador. — Ela é uma garota maravilhosa, trabalhadora como só ela; pode se sentir bem orgulhosa, fique tranquila.

— Sei... — murmurou Remedios outra vez.

— Veja — acrescentou a esposa para enfatizar suas virtudes —, desde que nos propôs trabalhar meio período, nunca mais voltou a perder um... nem um...

A expressão de Remedios fez a voz de dona Concha enfraquecer até se transformar em um fiozinho.

— Meio período, você disse? — perguntou a mãe com o cenho mais franzido ainda. — Ela pediu para trabalhar menos horas, é isso que estão querendo dizer?

Passaram-se alguns segundos, até que dom Enrique respondeu, esquivo:

— Mais ou menos.

A curta resposta não foi suficiente; Remedios insistiu, acalorada, erguendo a voz:

— Como mais ou menos?

— Há mais ou menos um mês ela propôs sair às duas da tarde.

O vidro da porta tilintou perigosamente quando a viúva abandonou a lavanderia remoendo pragas e recriminações. O otimismo com que saíra à rua de manhã havia explodido como quando um prato escorregava de suas mãos na cozinha e se espatifava no chão. Nesse dia, pela primeira vez desde que pôs os pés naquele mundo estranho, ela se vira enfrentando o futuro com um pouquinho de entusiasmo, mas a realidade acabava de pô-la em seu devido lugar, fazendo-a se sentir de novo miserável como todos os dias. O futuro de suas filhas imediatamente passou a segundo plano, sua prioridade era de novo o presente e o aqui, um problema concreto: sua filha mais nova a estava enganando com descaro insultante, fugia de suas obrigações e passava metade do dia por aí. Sabia Deus onde. Sabia Deus com quem.

Descobrir até onde chegavam as mentiras de Luz tornou-se fundamental nesse momento. Onde esse demônio de menina anda metida faz semanas, perguntou-se a mulher, indignada. Com quem andava desde as duas até a hora do jantar tardio na taberna, quando já não havia clientes e raspavam as sobras? Dois dias, supostamente, ia à La Nacional ensaiar sua zarzuela, mas Remedios sabia que lá só começava depois das sete, porque muitos dos participantes, espalhados por toda a cidade, iam depois de longos dias de trabalho. E de que ganhava menos para trabalhar menos horas também não ficara sabendo, pois era Mona quem cuidava do dinheiro e das contas.

Decidiu ir à Casa Moneo, então; pela própria Luz, sabia que uma das funcionárias de lá participava da zarzuela também, e foi para lá sem pensar, para tentar saber mais. Furiosa, apertando os dentes, com os braços tenazmente cruzados sob o peito e suas sapatilhas de todo dia, desceu da calçada pronta para atravessar a rua sem se incomodar de olhar para os lados. Uma caminhonete freou a dois palmos de seu corpo, quase a atropelou. Os pneus cantaram, os transeuntes próximos viraram a cabeça alarmados, a carga de engradados de garrafas de *seltz* – de sifões, como diziam em sua terra – se chocou com estrépito e cambaleou perigosamente enquanto o condutor, furioso, tirava metade do corpo pela janela e gritava uma réstia de impropérios em italiano. É a mãe, desgraçado!, gritou ela em resposta. E decidida seguiu seu caminho para a outra calçada, alheia ao entorno e ao burburinho da rua que de súbito tornou a ser como sempre o havia percebido: agressivo, ameaçador, hostil.

— Boa tarde, Remedios!

A proprietária da Casa Moneo, cercada de morcelas, *sobrasadas* e fileiras de linguiças, cumprimentou-a com simpatia do fundo da loja ao vê-la entrar.

Sem responder, a viúva abriu caminho entre as clientes quase aos empurrões. Uma vez parada diante de dona Carmen, lançou sua pergunta como quem joga uma pedrada.

— Rosalía, é esse o nome, sim — respondeu dona Carmen no balcão de mármore. — Ali está, a que está atendendo à romana, pesando a páprica — acrescentou, apontando-a com o queixo.

A funcionária seguiu Remedios enquanto limpava no avental o pó vermelho que manchava as pontas de seus dedos. Dona Carmen Barañano havia oferecido que conversassem nos fundos, mas a viúva preferiu a rua.

— Minha filha continua indo aos ensaios? — perguntou sem rodeios assim que abandonaram a loja.

A jovem olhou coibida para aquela mulher de rosto fino, coque apertado e semblante avinagrado.

— Sua filha é Luz?

— Essa.

— Pois...

Hesitou, não sabia até que ponto criaria problemas para sua amiga se dissesse a verdade.

— Pois o quê?

— Pois faz tempo que não a vejo.

Desde o dia em que lhe permitiu usar o telefone, especificamente.

— Ela participa só do início da zarzuela, e já acabamos de ensaiar essa parte.

Remedios a perfurou com os olhos semicerrados; a garota, intimidada, sentiu seu lábio inferior tremer.

— Sua filha é uma artista muito boa, senhora — disse quase em um sussurro, tentando acrescentar uma nota positiva que aliviasse a fúria do rosto da mãe. — Parece uma profissional...

Mas Remedios já não a escutava, estava dando de ombros, encurvando-se sobre si mesma. Sem dirigir nem mais uma palavra à funcionária, deu meia-volta. Nem obrigada, nem tudo bem, nem adeus.

Pelo menos antes, cada vez que alguma delas se descarrilava, sempre havia alguém que, com melhor ou pior intenção, a avisava. As vizinhas, a família, as comadres de Mama Pepa, alguma fofoqueira em qualquer esquina do bairro ou o primeiro dedo-duro que passava por sua porta. Não descuide, Remedios, advertiam, que há um rapaz rondando a mais velha com ar de soberba; fique de olho, mulher, viram a do meio por aí muito solta; fique atenta, que a mais nova gosta muito de farra; você tem que estar sempre em cima, Remedios, pois as três podem lhe dar um desgosto qualquer dia.

Mas nada é a mesma coisa nesta maldita cidade, lamentou, amargurada, a viva voz no meio da rua. Aqui cada um cuida de sua vida e ninguém vem com avisos nem conselhos. Vá à merda, Emilio Arenas, praguejou, recordando seu falecido marido. E enxugou as lágrimas com os punhos enquanto se dirigia ao apartamento vazio. À merda você e todos os de seu sangue, por nunca ter se preocupado conosco, por ter nos arrastado até aqui.

Quando começou a subir a escada, sentiu uma solidão abismal nos ossos.

QUARTA PARTE

CAPÍTULO 55

Mona acompanhou os recém-casados até a saída do El Capitán; tão logo se viram na porta longe dos ouvidos da mãe, comunicou sua decisão:

— Precisamos tirá-la daqui. Durante três dias pelo menos, a partir de depois de amanhã, que é quando Fidel e eu pretendemos começar a reforma. Temos que inventar alguma coisa, mas ela não pode ficar enquanto os carpinteiros e os pintores mudam a cara deste lugar.

Já a par do projeto de sua cunhada, Barona queria reforçar que aquilo era um absurdo, que uma coisa era Nova York oferecer oportunidades aos imigrantes para prosperar graças ao trabalho, e outra muito diferente era pretender que o sonho descarrilado de qualquer insensato se tornasse realidade. Mas mordeu a língua: havia prometido a sua mulher não atrapalhar os planos de Mona, e não era questão de voltar atrás recém-chegados de sua breve lua de mel.

— E se a levarmos para o Brooklyn?

As palavras de Victoria fizeram o tabaqueiro ficar tenso. A noite anterior foi a primeira que a recém-casada passou no lugar que a partir de então seria seu lar, aquele modesto segundo andar na Atlantic Avenue em cima da tabacaria, um dos tantos estabelecimentos da colônia espanhola na proximidade das docas, ao sul do Brooklyn Heights, espalhados pela avenida e pela Hicks Street, pelas ruas Henry, Joralemon, Court... Até então, Victoria só estivera ali duas vezes: a primeira quando Luciano a levou para conhecer seu bairro, e a segunda com a mãe e as irmãs uma semana depois. Havia observado disfarçadamente os móveis da outra esposa, os utensílios domésticos e as tranqueiras que a falecida Encarna foi acumulando com o passar dos anos. Sua roupa, pelo menos, já não estava lá, porque Luciano se encarregou de levá-la pouco antes do casamento à paróquia do Pilar. Ainda assim, com a pressa ou esse descuido involuntário dos homens para com os detalhes pequenos e médios, ainda eram muitos os pertences alheios espalhados pelos cantos. Um avental pendurado atrás da porta da despensa, uma caixa com bigudinhos, uma caixinha de costura onde guardava, entre carretéis de linha, um pacote de cartas dos seus.

Sentir-se menos intrusa naquela casa foi uma das razões que levaram Victoria a agarrar a inesperada oportunidade que sua irmã havia acabado de lançar: a presença de sua mãe no Brooklyn a ajudaria, sem dúvida. Mas isso, enfim, era o de menos; havia outra causa mais poderosa, mais perturbadora.

Eram quase sete da noite do dia anterior quando o casal chegou de sua breve estadia em Las Villas, sem anunciar, logicamente: ninguém pensa em avisar quando volta para sua casa. Tão logo abriram a porta, notaram que o apartamento não estava vazio. Billie Holiday cantava "No Regrets" no rádio, corria o ar entre as janelas abertas, havia sinais de vida. À medida que foram adentrando, outros testemunhos foram aparecendo. Um casaco deixado com descuido sobre uma cadeira, cheiro de pão torrado. Ao fundo, na cozinha, ele.

Ali estava Chano, com seu rosto redondo um pouco menos massacrado e o olho direito um pouco mais aberto, mas ainda ostentando as marcas inequívocas do último combate. Cercado pelas mesmas paredes entre as quais foi criado, comendo um sanduíche de queijo, presunto e ovo, como tantas vezes fez em sua infância e juventude, bebendo descontraído uma cerveja enquanto escutava um programa musical na NBC e lia as crônicas esportivas do *New York Herald*. Sem esperar ninguém, descalço, com a camisa aberta sobre uma camiseta, deixando entrever o torso de peso médio curtido em centenas de treinamentos e assaltos.

Sua reação foi de puro desconcerto: não imaginava que eles chegariam tão cedo. O rosto de Luciano, porém, se iluminou. Enquanto seu filho abaixava o volume do rádio até emudecer a voz trêmula da cantora de jazz, ele se aproximou e revirou os cabelos castanhos do filho como se ele ainda fosse um menino. Deixou cair sua mão afetuosa no ombro de Chano; com ela, além de transmitir seu afeto paternal, involuntariamente o impediu de se levantar da cadeira enquanto o enchia de perguntas, que o jovem foi respondendo com voz rouca e monossílabos. Victoria, enquanto isso, esperava muda à porta, com o chapéu vermelho ainda sobre a cabeleira escura que agora estava solta e um pouco mais curta, com seu corpo de espiga e seus olhões, ignorando a luz perturbadora que sempre irradiava, sentindo-se uma intrusa, desejando se transformar em fumaça.

— Entre, entre, garota, não fique aí parada — instruiu o tabaqueiro quando reparou em sua presença distanciada.

Enquanto o pai se virava para incentivá-la a se juntar a eles, Chano tornou a cravar nela aquele seu olhar; como na festa, parecia lhe perguntar, confuso e sem palavras, de onde você saiu, mulher, o que está fazendo aqui. Ela o sustentou por brevíssimos instantes; então, aturdida, desviou os olhos para a pia cheia de pratos sujos.

— Deixe esse sanduíche aí, vamos preparar alguma coisa — insistiu Luciano totalmente alheio àquela troca de reações. — Ou podemos ir nós três a algum lugar, talvez à *trattoria* do pai de seu amigo Ricco, comer aquele *spaghette all'amatriciana* de que você tanto gostava quando era pequeno, e assim Victoria vai conhecendo o bairro, ou talvez...

Chano criou um parapeito de desculpas para escapar: estão me esperando, tenho um compromisso, *maybe* amanhã... Seus movimentos ecoaram pela casa por só mais alguns minutos; depois, Victoria, enquanto pendurava sua pouca roupa no armário grande e vazio da alcova da outra mulher, ouviu pai e filho se despedirem e o som seco da porta quando Chano a fechou atrás de si.

Não conseguiu se conter. Com uma blusa em uma mão e um cabide na outra, caminhou na ponta dos pés até a janela. Colocou o rosto entre o vidro e a cortina e o viu sair; contemplou suas costas fortes e musculosas, os passos atléticos, seu pescoço firme, sua nuca. Estava anoitecendo, a temperatura estava boa, não levava casaco e caminhava rápido com as mãos nos bolsos da calça. Ao chegar à esquina com a Court Street, antes de dobrar à esquerda, ele se virou e ergueu os olhos; ela puxou o corpo para trás, rápida. Impossível saber se a viu.

Jantaram sozinhos por fim, uma simples omelete e um pouco de frios sem mais companhia que o barulho dos talheres sobre os pratos de borda florida da pobre Encarna, sentados frente a frente à mesa daquela sala de jantar escura que tantas vezes unira a família Barona antes que o filho voasse para quebrar até a alma nos ringues, antes que a doença devorasse a mãe e que Victoria, sem intenção, inquietasse os sentimentos mais primitivos do pai e viúvo. De vez em quando trocavam uma frase ou um frágil sorriso, nada mais. Deitaram-se cedo e cumpriram a obrigação do sagrado matrimônio da maneira que já começava a ser habitual – ele esforçado, ela ausente. Sem mais o que fazer, e com a noite já avançada, a única opção era dormir.

Luciano, pleno e satisfeito, caiu rendido de imediato. Victoria, porém, não. Deitada ao lado do corpo do tabaqueiro de cujo abraço possessivo conseguiu a duras penas se safar, as horas foram pontilhando a madrugada entre as sombras mortiças que entravam da rua. Muito de vez em quando ouvia passar um automóvel indo em direção às docas, ou talvez voltando; o resto do tempo, só tivera a si mesma por companhia.

Eram quase três da manhã quando ouviu o barulho da chave. Imóvel, com os olhos cravados no teto e acordada como se fosse meio-dia, sentiu-o entrar: seus passos fazendo ranger o assoalho apesar do esforço de evitar o barulho, a porta do banheiro ao se fechar, sua urina ao bater violentamente na porcelana do vaso sanitário, a água ao sair aos borbotões da caixa d'água, o trânsito até o quarto, os pés da cadeira que arrastou no chão e logo freou bruscamente ao notar o barulho, o silêncio enquanto se despia, os rangidos do estrado quando seu corpo caiu em cima da cama, a quietude tensa que chegou por fim.

Ao longo de toda a sequência Victoria permaneceu rígida como um mastro de bandeira: com a garganta áspera, intuindo a presença masculina do outro lado da parede, imaginando-o na penumbra. Até lhe pareceu, de vez em quando, ouvir sua respiração.

Por tudo isso, porque com a proposta de Mona de afastar a mãe para secretamente remoçar o El Capitán ela viu o céu se abrir depois daquela noite longa e turva, Victoria propôs levá-la imediatamente: nem depois de amanhã, nem amanhã. Hoje, já. Precisava quebrar a tensão daquele triângulo de qualquer maneira, necessitava que entrasse na casa algum elemento dissuasivo que a ajudasse a não perder a razão.

CAPÍTULO 56

Continuavam à porta da taberna, conversando agitados; a mãe estava dentro, sozinha, não era bom que atiçassem sua suscetibilidade. Victoria insistia, Mona dizia que tudo era precipitado demais, Barona escutava cada vez mais desassossegado. A chegada de Luz interrompeu a discussão.

— O que você fez no cabelo? Deixe eu ver, e essas sobrancelhas? Mas onde estão suas sobrancelhas, sua imbecil?

Em vez de um cumprimento adequado, as perguntas feitas aos gritos cheios de espanto foram a reação de Victoria assim que viu diante de si a nova versão de sua irmã caçula. Seus cabelos castanhos haviam passado a ruivos, depilara as sobrancelhas até transformá-las em dois finos traços arqueados que pareciam pintados com um pincel.

Como sempre que algo não lhe interessava, Luz saiu pela tangente. Nada, bobagem minha, falem vocês, e a viagem, como foi tudo... Não se viam fazia alguns dias, desde que o casal partiu para Las Villas, desde que ela, na manhã seguinte ao casamento, pediu permissão na lavanderia para tirar o dia de folga.

Várias semanas antes havia dado o sim a Frank Kruzan, o caçador de talentos: um sim coibido, duvidoso e incauto, mas um sim, afinal. Aceitara sua proposta, queria que ele a transformasse em uma garota como as das fotografias que forravam sua parede. Nada de castanholas, nem de xales, nem de *peinetas*. Uma artista moderna, na moda, como as americanas, dessas de verdade.

A partir daí, tudo se precipitou para a Arenas mais nova; era um caos de nervosismo, dissimulações, idas e vindas. Pediu a redução de sua jornada aos Irigaray, começou a comer menos e a contar mentiras. Kruzan lhe arranjou um professor, Revuelta se chamava, um cubano amaneirado e magérrimo de pele cor de café com leite que tinha uma *school of dancing* na Cento e Nove Oeste, uma sala enorme de paredes descascadas em um edifício que um dia devia ter sido uma residência bastante aceitável, mas que agora estava à beira da demolição. Sem que ninguém de seu entorno soubesse, Luz começou a ir para lá tarde após tarde para aprender, acelerada, os passos e movimentos da rumba e de outros ritmos tropicais, noções de carioca e *peabody*, tango e foxtrote.

No início você vai ser *chorus girl*, corista, garota do coro, foi antecipando Kruzan ao longo daqueles primeiros dias; depois, tentarei fazê-la entrar no corpo de baile de uma grande orquestra, e não muito depois você dará o salto. Passará para um musical na Broadway, um de qualidade, *we'll see*, ou talvez tentemos em algum *night club*, o Stork, talvez, ou o KitKat, ou o El Morocco, se tivermos sorte; em breve poderemos ir pensando no cinema... Veja só a filha de Eduardo Cansino, um compatriota seu, outro pobre imigrante da colônia espanhola que chegou jovem com seu pai e seus irmãos em busca de um futuro. Casou-se com uma irlandesa, batizou sua filha de Margarita del Carmen e lhe ensinou desde pequenina a dançar flamenco, até que agora ela caiu nas mãos certas, enfrentou o pai e se reinventou. Abreviou o nome, colocou o sobrenome de solteira da mãe, tingiu seus cabelos escuros de cor de fogo e com uma técnica nova puxaram para trás a raiz dos seus cabelos, para dar mais amplitude a sua testa e ao olhar; já está começando a fazer filmes em Los Angeles como Rita Hayworth, e não pense que ela é muito mais bonita nem que tem mais charme que você...

Luz engoliu tudo como se engolisse uma poção mágica que em parte a estimulava e em parte transtornava sua cabeça. Não questionou todas aquelas perspectivas promissoras, nem parou para pensar em que grau aquele Frank Kruzan estava realmente envolvido no verdadeiro *show business* para poder determinar seus passos futuros com tal precisão. Nunca se questionou, com sua eterna inocência, por que aquele homem que dizia estar tão firmemente posicionado na indústria do espetáculo nesse momento não representava mais ninguém além dela, ou por que andava pechinchando baixinho o preço das aulas de dança do cubano Revuelta; também não chegou a saber que ele acabava de mudar de escritório porque havia sido despejado do anterior por falta de pagamento.

E quando a confiança foi aumentando, e a cada elogio à graça e às capacidades da Arenas mais nova foi se somando uma mão que adentrava o decote da blusa ou lhe apalpava a bunda ou corria por suas coxas por baixo da saia, e a cada nova promessa de futuro esplendoroso se acrescentava uma boca ávida em busca de seus lábios, e cada suposta perspectiva triunfal era acompanhada de um corpo ardente se esfregando nela, Luz fechou os olhos, apertou os dentes, cravou as unhas nas palmas das mãos e se deixou levar. Acreditava – ou preferiu acreditar – que isso era natural e correto, que assim deviam funcionar as coisas nesse país entre um representante e uma aspirante no formidável mundo dos verdadeiros artistas. Acreditou que tudo era normal.

Até que chegou o dia do casamento de Victoria e Luciano, quando Roig, o maestro da pequena orquestra, a convidou a se apresentar com "Ay mamá Inés" diante de todos os convidados. Desde os primeiros compassos, Luz intuiu que aquilo era coisa de Frank Kruzan, e se sentiu traída porque nunca haviam combinado isso. Eu verei um jeito de contar a minha família, ela havia repetido com insistência, encontrarei a hora certa. Ficava angustiada de pensar em como ia decepcionar sua irmã e seu sonho do *night club*, confiava poder convencer Frank a lhe permitir que não os deixasse na mão e pudesse alternar suas novas ambições, mesmo que fosse com um pequeno número no El Capitán.

— *No way, baby*. Esqueça isso, já lhe disse cem vezes. Seus objetivos agora são outros, você sabe.

Mas Luz queria ganhar tempo; que inocente, pensava que no final conseguiria persuadi-lo, conseguiria sua aprovação. Contrariamente a seus ingênuos prognósticos, porém, Kruzan não só frustrou suas intenções, como também a expôs: dançar uma rumba em público provocaria desconfianças, ela teria que dar explicações, e aí não haveria mais volta.

Por isso, naquela manhã de segunda-feira que se seguiu ao dia do casamento, ela mentiu a seus chefes e saiu correndo em busca dele: porque estava magoada, furiosa. Mas não o encontrou em seu escritório, e quis perguntar nos escritórios vizinhos se alguém sabia seu horário, mas ninguém a entendeu, e ficou na porta esperando. E ninguém chegou. Depois de horas de guarda inútil, optou por ir procurá-lo nas lojas de música que ele frequentava no Uptown, mas também não o encontrou. Teve que esperar a tarde para encontrá-lo no lugar de sempre, na porta do estúdio do cubano. Ele a esperava fumando um cigarro encostado no batente, com os cabelos úmidos de quem acabara de acordar e um tornozelo cruzado sobre o outro, tranquilo, ufano, a mil milhas emocionais das angústias dela. Já exausta de bater perna, frustrada, acalorada, morrendo de fome, furiosa com ele, com si mesma e com o mundo, Luz não conseguiu se conter.

— Quem mandou, seu imbecil, me fazer dançar rumba na frente de minha mãe e de minha gente, hein? — disse aos gritos, dando-lhe dois tapas no peito.

Ele esboçara uma falsa expressão de surpresa; a seguir, conciliador, jogou o cigarro no chão e tentou segurá-la com suavidade.

— *Calm down, baby, let me explain...*

— Você é um cretino e um enrolador, isso não se faz, não era o que nós havíamos combinado!

Kruzan alegou algumas justificativas: é a melhor maneira de descobrirem de uma vez por todas, você tem que cortar essa relação de dependência com sua família, elas têm que saber que você tem outras aspirações, que não vai participar daquele show miserável... Mas Luz não aceitou suas desculpas; nem sequer pareceu ouvi-las e prosseguiu a discussão calorosa, expelindo aos borbotões todo o desassossego que acumulava.

— Quem você pensa que é? Quem lhe... Quem...

Já sem explicações, o caçador de talentos continuava contemplando seu rosto irado, seus gestos furiosos, o porte quase felino. A pequena Luz está mais bonita que nunca com esse ar selvagem, pensou; tão dramática, tão desgarrada. Regozijando-se internamente, ele se limitou a aguentar com um sorriso cínico nas comissuras dos lábios, sem tentar acalmá-la, prevendo um desenlace que conhecia de sobra. Todas são iguais, concluiu com ironia. Todas. Basta esperar.

O momento preciso chegou quando ela começava a ficar sem forças, os gritos transformaram-se em meras frases entrecortadas, e as lágrimas apareceram. Pronto, pensou ele. Agora você não me escapa.

Então, pegou-a pelos pulsos dizendo calma, *honey*, calma, tranquila, e a arrastou para dentro. O mulato Revuelta estava terminando sua aula anterior com três quarentonas louras que se esforçavam sem graça nenhuma com os compassos caribenhos de “Siboney”; Kruzan fez um gesto, e o outro, sem parar de mexer pés e quadris, devolveu um assentimento: não era a primeira vez nem seria a última que se davam esses conchavos entre ambos. Então, ele conduziu Luz pela mão até os fundos do salão decrépito, onde ficava a área privativa do professor de dança, um aposento com o papel de parede de arabescos dourados desbotado e meio arrancado. Os únicos utensílios ali eram um fogareiro em cima da mesa, sopas de pacote, um aquecedor a querosene, montes de partituras e uma cama dobrável.

Como me excita vê-la brava, *baby*, murmurou Kruzan enquanto fechava a porta atrás de si. Dessa vez, falou em sua própria língua, mas tudo era tão evidente que não foi necessária tradução. Luz, desconcertada, debilitada pela tensão e o arroubo sufocante, não conseguiu reagir. Ir embora, ficar, acalmar-se, gritar, reconciliar-se, fugir... As possibilidades pulavam enlouquecidas dentro de sua cabeça, mas seu corpo não se mexia.

Lucy, Lucy, Lucy, não seja tão cruel comigo, sussurrou ele deslizando sua boca úmida pelo pescoço dela e ao mesmo tempo pressionando-a contra a parede que os separava da música, do mestre e dos torpes movimentos das americanas. Tudo que eu faço é por seu bem, *sweetie*, vou transformá-la em uma estrela, em uma diva, murmurou com voz trêmula enquanto abria o cinto. Todas as minhas ideias são sempre pensando no melhor para você, *my love*, disse enquanto abria a braguilha. Tudo, tudo, tudo para você, sussurrou enquanto puxava a calça para baixo.

O que aconteceu depois fora áspero e rápido, brusco, destemperado. Em pé ainda, Luz sentiu uma dor aguda primeiro, depois uma estranha sensação de obstrução. As mãos masculinas espremiam seus seios causando-lhe uma dor intensa, ouvia sua própria nuca bater contra a parede ao ritmo das investidas, o tilintar das moedas nos bolsos caídos da calça enquanto ele se mexia em um vaivém frenético, e, no final, o som gutural e bronco que saiu da garganta de Frank, como se estivesse sendo rasgado.

Hoje não haverá ensaio, murmurou ele, deslizando para fora dela. *You can leave now*. Vá embora.

Voltou de metrô à Catorze aturdida, com uma queimação por dentro e outra consumindo sua alma, segurando-se a uma das argolas que pendiam do teto do vagão, sacudindo-se com o movimento, incapaz de fixar o olhar, sem conseguir encaixar as peças. Depois, subiu lentamente a escada da estação do *subway* com a cabeça baixa. Como se lhe faltassem as forças, como se não quisesse ter um destino a chegar.

O telhado da pensão Morán foi o único lugar onde lhe ocorreu se refugiar, ansiava encontrar sua irmã ali, pular em seu pescoço e esconder o rosto em sua proteção como nas noites de tempestade quando eram pequenas e dormiam juntas no velho colchão de palha compartilhado. Precisava chorar até tirar toda aquela angústia que a estava sufocando, explicar a ela seus sentimentos e sensações, falar de seus anseios, de seus medos, contar o que havia acabado de acontecer, perguntar se havia errado por ter sido incapaz de reagir.

— Posso saber onde andou o dia todo?

O grito irado de Mona a paralisou. Estava nervosa e alterada, pois preparavam os últimos ensaios e os participantes ainda não haviam chegado. Cega por suas próprias preocupações e alheia ao abatimento de sua irmã, ao ver Luz entrar, soltou com cara de poucos amigos uma catarata de ordens e queixas:

— Faça o favor de me dizer agora mesmo onde se meteu, o que anda fazendo e com quem! Os Irigaray disseram a mamãe que faz semanas que você escapa do trabalho. Depois de ontem na festa, sei que você está aprendendo a dançar em algum lugar, mal aparece aqui no telhado, anda nos enganando, por que está mentindo desse jeito?

Certamente ela nunca ouvira o ditado que diz que a melhor defesa é o ataque, mas, naquele instante, intimidada, confusa, incapaz de se defender e corroída pelo desalento, Luz só pensou em se voltar contra Mona também aos gritos.

— Não vou lhe dizer nada porque não estou a fim! E saiba que não pretendo participar dessa merda de espetáculo que vocês estão montando!

Fidel, impressionado com o ataque daquela Luz que cada dia adorava com mais fúria, em quatro passos estava ao lado delas; até o mestre Miranda havia se levantado com seu violão na mão. Os três prenderam a respiração enquanto a Arenas mais nova berrava descontrolada:

— Eu tenho outras aspirações, tenho outras ambições, fique sabendo! Eu tenho talento, sou uma verdadeira artista, e tenho... tenho...

A partir daí, sua voz começara a tremer.

— Tenho a-a-a... alguém que confia em mim, e-e-e... e vai me abrir as portas para atuar em lugares que valham a pena de verdade, porque eu, eu, eu...

Ninguém a interrompeu; ela mesma parou um instante, ergueu o queixo e, engolindo as lágrimas a duras penas, falsamente altiva, lançou seu último desplante:

— Eu mereço muito mais.

Fora nesse exato momento que Mona soltou a bofetada.

Desde então, quase uma semana antes, haviam parado de se falar.

CAPÍTULO 57

Não levaram Remedios ao Brooklyn tão precipitadamente como Victoria ansiava, mas sim dois dias depois. E tão logo a pobre mulher saiu do bairro enganada, a atividade entrou como uma avalanche no El Capitán.

As mesas e as cadeiras foram empilhadas nos cantos, os utensílios e coisas da cozinha cobertos com jornal para que não se enchessem de sujeira enquanto entravam e saíam operários, entregadores, os artistas integrantes do repertório e montes de vizinhos curiosos.

Conforme havia prometido, com seus contatos e suas parcas economias, Fidel contribuiu o máximo possível para ajeitar o local. Dois jovens pintores conhecidos dele haviam começado a mudar a cara da taberna a pinceladas, ainda que usassem três cores diferentes de tinta, que conseguiram surrupiar no edifício de luxo onde trabalhavam. Pegar várias latas iguais teria sido muito suspeito. Verde-jade para a fachada, um laranja forte e um turquesa luminoso para as paredes internas: um ruído cromático que, no mínimo, prometia ser arrebatador. Estava justamente discutindo com eles quando ouviu Fidel gritar na porta:

— O toldo! O toldo chegou!

Mona desceu da banqueta em que havia subido para pendurar umas banderinhas e saiu em disparada para a porta.

Inicialmente, sua intenção havia sido deixar de trabalhar com dona Maxi tão logo recebesse alta depois da intenção de roubo na Macy's: se o aperto que a fez passar ao furtar o relógio tirou da Arenas do meio a vontade de continuar ao seu lado, os dias de internação hospitalar a levaram à beira do desespero. Só a proposta do sobrinho conseguiu convencê-la:

— Eu dobro seu salário se ficar — propôs ele. — Mas sem que ela saiba, por favor.

— Por quê? — perguntou Mona, aturdida. — Você pode arranjar outras garotas pela mesma quantia, até por menos, se forçar.

A resposta foi uma mentira, mas ela não chegou a suspeitar.

— Pela simples razão de que confio em você.

Bem pouco importava ao jovem médico a confiança na maneira como Mona tratava sua tia, seu interesse era outro radicalmente diferente. Para César Osorio, tê-la por perto havia se transformado em um prazer inesperado. As horas de trabalho na clínica de Castroviejo agora passavam com uma lentidão exasperante entre córneas, pupilas e cristalinos: o zelo profissional que antes era sua motivação transformara-se quase em um estorvo inconveniente, só ansiava dispensar seu último paciente para arrancar o jaleco branco e sair para o sol da rua, voltar a casa e vê-la outra vez.

Aquela era sua ilusão crescente, a queimação pela qual as noites lhe pareciam eternas e as manhãs insuportáveis: encontrar Mona na cozinha, ver seu corpo se movendo apressado de um lado a outro, ouvi-la suspirar acalorada e praguejar baixinho em resposta ao temperamento de sua madrinha, a seus caprichos absurdos e suas demandas volúveis. Seu frescor o desarmava, sua arrebatadora naturalidade o fascinava, os braços ágeis saindo das mangas curtas das blusas, essas mãos que gesticulavam como as asas de um pássaro raro e lindo, seu cabelo escuro indomável, o corpo esbelto e o pescoço longo, o brilho limpo nos olhos daquela mulher tão diferente de todas as que diariamente tinha ao seu redor.

Costumavam se cruzar pelos aposentos – ele se encarregava disso, apesar da dificudade que era fazê-lo. Trocavam frases curtas, breves pedaços de conversa banal, ele lhe perguntava como iam as coisas, franzia o cenho, solidário, quando ela soltava sem pudor suas recriminações ao temperamento de sua madrinha, acalmava-a quando por vezes ameaçava partir, farta de tanta tirania absurda.

Mona, ainda alheia à profundidade dos sentimentos que despertava, com os dias ia aumentando seu afeto pelo médico: era sólido e ao mesmo tempo afável, muito distante dos homens com quem ela tratava, e, de certa maneira, próximo também. Depois do que acontecera na Macy's, ultimamente, ele costumava voltar cedo depois de cumprir sua jornada reduzida na clínica de Castroviejo; estava havia dois anos e meio sem férias, e o pretexto de cuidar de sua tia parecia uma causa razoável para justificar seu pedido; como o eminente oftalmologista ia imaginar que era uma razão totalmente diferente que motivava seu discípulo?

Em uma ocasião, levou uma caixa de bombons a Mona, embrulhada em delicado papel de seda, alegou que era presente de uma paciente e que ele preferia que não ficassem em casa para evitar que sua madrinha se sentisse tentada pelo açúcar, dada sua condição. Não era certo, ele mesmo os havia comprado, com ela no pensamento. Em outra, foi um ramalhete de petúnias brancas; alegou que a velha vendedora de rua havia insistido tanto que não pôde negar. Certas tardes, com a desculpa de uma necessária saída casualmente paralela à hora em que ela terminava seu trabalho, acompanhava-a ao ponto de ônibus, apertando o passo para seguir o ritmo acelerado de suas pernas.

Se a breve hospitalização foi para dona Maxi uma distração fascinante, a volta para casa transformara-se no prolongamento de sua nova grande aventura de vida. Mandou publicar a notícia de seu transtorno no jornal *La Prensa*, insistiu que todas as visitas seriam bem-vindas, pressionou conhecidos para que espalhassem a notícia e acabou transformando seu domicílio em uma espécie de salão social. Pretendeu fazer Mona vestir uniforme, para dar mais seriedade ao assunto, mas ela se recusou. Mesmo assim, durante vários dias não se livrou de abrir e fechar a porta constantemente, de acompanhar para dentro senhoras enfadonhas e senhores obrigados, de servir chás, cafés e grandes copos de água com gelo, e de atender a centenas de caprichos cada vez mais inusitados. Contudo, ficou: aceitou o aumento de salário que o doutor lhe propôs e sepultou seu descontentamento repetindo a si mesma nos momentos mais desesperadores que precisava daquele dinheiro como de ar, que graças a ele poderia conseguir algo mais para o El Capitán. Contribuir com a compra de um toldo, por exemplo, para que seu restaurante tivesse na fachada um similar ao do El Chico, vistoso, atraente, com personalidade. Só por isso continuava trabalhando na casa dos Osorio, para cumprir religiosamente os prazos que ela mesma havia escolhido e negociado, para tornar realidade aquela ilusão. E, agora, o toldo havia chegado.

Não demoraram muito para instalá-lo, ela não perdeu nem um minuto da operação enquanto curiosos iam se juntando ao seu redor. Quando por fim foi aberto em toda sua magnitude, soaram aplausos espontâneos na rua e Mona sentiu o chão tremer a seus pés. Impresso em tecido vermelho e grandes letras brancas, acabava de nascer Las Hijas del Capitán.

CAPÍTULO 58

A agitação prosseguiu entre marteladas e o som raspado da serra dos carpinteiros; entre o cheiro enjoativo da tinta e as pessoas que entravam e saíam trazendo, levando, perguntando ei, amigo, ei, senhorita, onde deixo estas caixas de vinho que mandaram do armazém de Unanue, este capote de toureiro que um compatriota que vive em Washington Heights emprestou, esses cartazes promocionais que pediram no Patronato de Turismo de España da Quinta avenida...

Em meio ao vaivém, Fidel entrou como um ciclone.

— Consegui... consegui...

Chegava com o fôlego entrecortado, dando palmadas no peito como se com isso quisesse que o oxigênio voltasse a seus pulmões.

— Consegui que metade da banda de Esteban Roig toque para nós neste fim de semana — disse, meio sufocado devido à corrida.

— A banda de quem?

— Os Happy Boys de Esteban Roig, os do casamento de sua irmã. Mas só três deles; o restante vai estrear a temporada em Las Villas das Catskills. Os que vão ficar é porque têm um trabalho que não podem abandonar.

Os Happy Boys eram homens da Marina Alta alicantina, homens entre tantos outros que abandonaram suas aldeias e terrenos quando a filoxera pulverizou os vinhedos e comprometeu o centenário negócio das uvas-passas. Alguns partiram para estados distantes, muitos ficaram em Nova York e se tornaram pedreiros, porteiros de edifícios, operários nas fábricas; no tempo livre, para alguns a música era uma forma de ganhar um dinheirinho extra.

Fidel continuava respirando com sofreguidão, incapaz de conter sua euforia.

— Vão nos cobrar bem menos que o habitual: será só meia banda, e o líder não estará. O único problema é que temos que nos apressar e antecipar o dia da abertura, para que comecem na sexta-feira e fiquem conosco pelo menos duas noites inteiras.

Mona soltou uma gargalhada irônica.

— Você está maluco? Hoje é terça-feira, caso não se lembre.

— Perfeito; agora mesmo vou ao *La Prensa* encomendar os anúncios e ao Argeo para os panfletos...

— Está falando sério que só nos restam amanhã e depois para acabar de arrumar tudo?

— *You're absolutely right.* Sexta-feira à noite abrimos as cortinas.

Mona foi aceitando a ideia enquanto detinha a atividade por breves minutos e ambos se sentavam em cima de duas caixas na cozinha para compartilhar fora de hora uma simples lata de sardinha. E com a data adiantada, surgiram mil perguntas. E se a clientela não vier? E se não gostarem dos números? E se tudo fracassar antes de começar?

— Pena que não temos ninguém que sirva de gancho, como quando Gardel ia ao El Chico. Alguém com poder de convocatória que deslumbre com sua presença pelo menos no primeiro dia, mesmo que venha só tomar um drinque. Alguém célebre, conhecido... Mas rei do tango só houve um, e não veio ninguém interessante da Espanha ultimamente, maldição; a colônia inteira saberia se houvesse vindo, e eu arranjaria um jeito de atraí-lo.

Enquanto Fidel continuava se lamentando, algo sepultado nas dobras da memória de Mona pulou como uma fagulha. Haviam se passado alguns meses, claro. Mesmo assim, naquela época ele era recém-chegado, e seu plano, pelo que ouviu, era ficar só uma temporada.

— Eu sei de alguém que talvez... — arriscou, sem muita segurança.

Fidel a interrompeu, incrédulo.

— Você? Quem você conhece?

— Um marquês. Ou um conde, não me lembro bem. Mas alguém importante de verdade devia ser, porque foi encurralado em plena rua por uns homens para lhe fazer perguntas e bater fotografias.

— Uns repórteres queriam tirar fotos dele? — perguntou Fidel, franzindo o cenho. — E não se lembra do nome dele?

Ela negou com a cabeça enquanto mastigava.

— Mas ele me deu um cartão — anunciou com a boca meio cheia — e se ofereceu para me ajudar se eu precisasse.

"Sou-lhe infinitamente grato; aqui estão meus contatos, caso eu possa lhe servir um dia." Essas foram as palavras exatas daquele homem um segundo antes de se perder com seu carro entre as luzes noturnas da cidade. Mona o livrou de uma queda que teria sido um desastre; o que ele nunca soube era que, por esse motivo, ela teve que voltar a pé para casa, aterrorizada e sozinha, atravessando metade de Manhattan entre as sombras da madrugada.

— E por que não vai a sua casa e o pega, para que saibamos quem é? Podemos tentar...

Antes que ele terminasse a frase, Mona já estava em pé sacudindo os farelos da saia enquanto engolia o último pedaço de sardinha. Com o dorso da mão limpou um resto de óleo do queixo; em alguns minutos estava de volta, e ambos juntaram a cabeça para ler.

Alfonso de Borbón y Battenberg, dizia na primeira linha. Na seguinte, Conde de Covadonga. Depois, riscado com tinta azul, um endereço em Evian, França. Por fim, e à mão, o nome de um hotel nova-iorquino: St. Moritz.

— E você acha que esse sujeito pode ser atraente para alguém? — perguntou Fidel, ainda incerto.

— Naquela noite todo mundo o esperava, e os homens da rua, já disse, pareciam estar loucos para saber coisas dele. De modo que acho que sim, que certamente poderia ser bom para nós.

O garoto coçou atrás da orelha, Mona lhe deu uma palmada nas costas para animá-lo e, ao fazê-lo, esforçou-se em silêncio para convencer a si mesma de que aquilo não era um desatino.

— Ande, Fidel, vá à funerária e telefone; pergunte apenas se ele continua hospedado lá. Se disserem que sim, depois ligamos de novo, pedimos para chamá-lo e eu falo.

Sem lhe dar a opção de recusar, ela tornou a mergulhar no presente, no velho El Capitán que estava prestes a entrar para a história e em sua entrada cheia de tranqueiras, equipamentos e trabalhadores a quem nesse instante Luciano Barona acabava de se juntar, contemplando o novo toldo do Las Hijas del Capitán com a cabeça erguida, os braços na cintura e os nós dos dedos apoiados nos quadris.

— Bonito, não é? — disse Mona atrás dele a modo de cumprimento.

Talvez devesse ter perguntado primeiro como estava sua mãe, como ia a convivência com ela no Brooklyn, mas estava tão entusiasmada com a nova aquisição decorativa que alterou a ordem.

O tabaqueiro mexeu o queixo de um lado para o outro com os olhos ainda no letreiro, cético. Continuava pensando que todo aquele negócio de *night club* era um verdadeiro absurdo, mas, a essa altura, com o local à beira da estreia e sua sogra detida na casa dele como se fosse uma refém, preferia não reiterar sua opinião em voz alta. Deveria tê-las detido, recordou a si mesmo pela enésima vez. E deveria tê-las convencido a também fechar a triste taberna, e ajudado as garotas a arranjar um emprego melhor, menos exposto e mais seguro. Sua primeira esposa nunca trabalhou, mas outras mulheres da colônia sim, e nos jornais saíam diariamente dezenas de anúncios procurando garotas como elas. Costureiras no Garment District, plissadoras de telas para abajures, operárias em pequenas fábricas de enfeites; inclusive, em sua própria casa elas poderiam montar algo, fazendo *piecework*. Salários parcos, certo, mas nem sequer precisavam aprender inglês. Porque as dívidas continuavam as oprimindo, e o negócio da freira não tinha perspectiva de se resolver, e ele também não tinha dinheiro sobrando para poder ajudá-las, e...

— Não gostou, Luciano?

— Sim, é vistoso... — murmurou, sem tirar os olhos da grande estrutura de pano vermelho, sem parar de pensar ainda.

Devia ter assumido as rédeas, de fato. Mas Victoria insistiu que devia apoiar sua irmã, e um homem apaixonado como ele era capaz de aceitar tudo, mas a situação o preocupava. Justamente por isso havia combinado de falar com certa pessoa, e estava agora à espera de que esse alguém aparecesse ou não.

— Ele está lá! Ele está lá! Ele está lá!

Ali vinha Fidel de novo, atravessando a rua veloz como uma lebre, gritando e ao mesmo tempo desviando de um Chevrolet e dando um olé na carroça de um vendedor de utilidades domésticas. Nem a buzina nem os insultos lhe causaram o menor impacto.

— Seu ilustre amigo continua no hotel, estava indisposto e faz três dias que não sai — anunciou a Mona com o fôlego entrecortado. — Mas ele pode receber visitas no quarto, e...

Sem o deixar terminar, a Arenas do meio o arrastou pelo braço e soltou um *shhh* furioso: Barona continuava ali perto, falando com um dos carpinteiros, constatando, para seu pesar, que aquilo já não parecia ter volta. Não queria que seu cunhado soubesse a quem pretendiam convidar, preferia que ninguém soubesse de nada por ora.

— A telefonista está encarregada — prosseguiu Fidel, diminuindo só um pouquinho seu ardor — de dizer a mesma coisa cada vez que alguém perguntar por ele: que está em repouso, mas que qualquer interessado em visitá-lo só precisa anunciar sua chegada e será atendido em seu quarto, de modo que...

Um tapa de Mona foi a única coisa que por fim o obrigou a baixar a voz.

— De modo que mandei avisar o senhor conde de nossa visita hoje à tarde — anunciou por fim em um sussurro ardoroso. — Às seis.

CAPÍTULO 59

Continuavam na calçada entre tábuas e baldes de tinta, expostos aos olhares curiosos de qualquer um que passasse pela rua e se perguntasse que diabos estava acontecendo no velho estabelecimento do El Capitán.

— Tony, por fim! Pensei que já não viria!

Quando ouviram a enérgica exclamação do tabaqueiro, ambos se viraram. As palavras seguintes de Fidel já não chegaram aos ouvidos de Mona; ficaram pairando no ar soltas, perdidas. Para seu desconcerto, aquele a quem Barona havia acabado de se dirigir com seu eufórico cumprimento, que se aproximava pela esquina com a Oitava, era ele. O que sempre fugia. O que desapareceu, escorregadio e esquivo, para evitar a polícia depois de enfiar seus pertences na cesta de compras de Mona, que sumiu escada abaixo no fim do banquete ao comando de uma tropa de vendedores de ilusão em formato de loteria clandestina. Nenhuma daquelas cenas havia se apagado do pensamento dela ainda: de vez em quando, inesperadamente, voltavam. Por isso, ao vê-lo se aproximar com a gravata um tanto solta, um meio sorriso nos lábios e aquele passo gingado, sentiu um formigamento nas entranhas.

— Que bom que pôde vir, rapaz! — insistiu Barona dando-lhe um tapa cheio de confiança no ombro esquerdo.

Mas ela os olhou confusa: aquela atitude não se encaixava. Ou talvez lhe faltassem dados. Quando o tabaqueiro o abordou na festa no La Bilbaína declarou não o conhecer; agora, porém, tratava-o com uma cordialidade próxima.

Mona ignorava que não era a primeira vez que Luciano e ele se encontravam depois do dia do casamento: o primeiro ficou tão empenhado em ver o outro que começou a se mexer para encontrá-lo assim que voltou da lua de mel. Perguntou a conhecidos e sondou com colegas de ofício, por meio de terceiros mandou seu chamado a agentes de apostas, banqueiros de *bolita*, *brokers* e *runners* de loterias; não parou até ter certeza de que sua mensagem havia chegado a ele. O conteúdo era o mesmo que no restaurante: queria conhecer o filho daquele que fora seu amigo, só isso. A notícia da morte de Antonio Carreño havia corrido rápida na época, da Flórida até Nova York: eram muitos os vendedores que trabalhavam para aquele asturiano espigado e simpático que representava os grandes tabaqueiros Cuesta e Rey, que, com os anos, acabou largando as viagens constantes para o norte como agente comercial para abrir um bem-sucedido estabelecimento em Tampa em plena lei seca; um local onde tanto servia sanduíches cubanos como arroz com feijão para o almoço, que, burlando a proibição, à noite oferecia torrentes de álcool e algumas das partidas de pôquer mais memoráveis da cidade.

Tudo bem, respondeu por fim o jovem diante do insistente chamado de Barona; aceito, vamos nos falar. Propôs um lugar de encontro, tomaram umas cervejas e conversaram; falou especialmente o tabaqueiro, que ultimamente andava com a sensibilidade à flor da pele, talvez devido a sua nova condição de recém-casado, ou talvez porque a volta de Chano a casa havia despertado seu instinto paternal. Sentados em banquinhos em frente ao balcão de um bar do Village, rememoraram o passado juntos.

Com a tampa da memória aberta, o marido de Victoria resgatou casos das frequentes visitas do pai do rapaz quando ambos eram dois jovens com as famílias longe, alguns dólares no bolso e Nova York a seus pés. O filho de seu amigo o escutou inicialmente em silêncio, custava-lhe reconhecer que suas recordações haviam ido perdendo contornos e matizes, mas certos detalhes quase o enterneceram: pequenas histórias, a lembrança daquele brinquedo de lata – um entregador de malas negro carregando um carrinho do qual assomava a cabeça de um cachorro – que o próprio Barona lhe mandou entregar quando morreu o pai e amigo.

O rapaz era ainda um menino quando ocorreu a sangrenta desgraça e a família cubana de sua mãe o mandou direto para um internato em Massachusetts para que terminasse os estudos e, com sorte, entrasse na universidade e não acabasse como o pai: um sonhador insensato, incapaz de distinguir entre o audaz e o temerário. Dele, não obstante, herdou muito: a mesma ossatura afilada, um cabelo castanho-claro normalmente despenteado e dois olhos verdes que se apertavam ao sorrir; também parte daquela atitude um tanto tendente a ver sempre as coisas do ângulo menos reflexivo. E o nome, claro, embora nas ruas de Nova York fosse conhecido por Tony apenas, quase ninguém sabia seu sobrenome. Tony, o magro, Tony, o *bolitero*, Tony de Tampa, Tony, o *tampeño*.

Acabaram de trocar cumprimentos à porta do restaurante; então, Barona indicou Mona com a palma da mão:

— E esta é minha cunhada, a dona do negócio.

Ela queria desaparecer, ou sair correndo pela rua, atravessar as avenidas, chegar ao rio.

— Tony não acreditou ontem — prosseguiu o tabaqueiro — quando lhe contei em que você andava metida...

— Pois já pode ver — disse ela.

A ideia de fugir ficou no pensamento e ela não viu outra maneira de reagir mais que disfarçando seu aturdimento atrás de um ponto de arrogância: se em algum momento havia fantasiado encontrar de novo aquele homem, jamais teria sido em uma ocasião assim. Seus cabelos estavam meio presos entre os nós de um lenço, sua roupa, suja, e as mãos, encardidas, tinha manchas de gesso e tinta no rosto, tudo era um caos ao seu redor. Estava na lida desde as sete da manhã, por sorte havia conseguido que dona Maxi lhe desse uma semana livre – mas sem salário, viu, menina? Mona a enganou aludindo a obras no negócio da família, nada lhe disse sobre seus planos.

— Las Hijas del Capitán — leu ele erguendo o olhar para o toldo, com as mãos nos bolsos e um meio sorriso entre irônico e apreciativo. — *Sounds good*...

— Pois eu estava pensando que você poderia lhe dar uma mão, rapaz.

Ambos, Mona e Tony, olharam ao mesmo tempo para Barona com uma expressão de quem não entendeu. Para esclarecer suas palavras, o tabaqueiro fez um gesto que abarcava o local inteiro: a fachada, a entrada, as madeiras e os painéis amontoados, os jornais cheios de tinta pingada esparramados pelo chão. Embora não houvesse dito isso abertamente, aquela foi sua intenção ao propor ao filho de seu amigo que se encontrassem de novo depois de lhe contar os afãs da irmã de sua mulher. Está falando da morena com vestido florido que estava em seu casamento perto de um cabideiro. É a essa que se refere?, perguntou ele, incrédulo. E está me dizendo que ela pretende abrir um *night club*? Quando o amigo do pai corroborou três vezes seguidas que ele estava certo e lhe propôs que aparecesse por lá no dia seguinte, Tony de Tampa não resistiu.

— Você me disse ontem, garoto, que havia trabalhado em alguns locais noturnos quando chegou à cidade, não? — prosseguiu Barona agora com ela na frente. — E com o negócio da *bolita* está acostumado a tratar com gente que se move por esses ambientes...

Mona o interrompeu categórica:

— Não. — Não. Não estava disposta a permitir que ninguém estranho se intrometesse em seus negócios. E ele menos. Não. Categoricamente não. — Nós lhe agradecemos profundamente, mas não é necessário. Já está tudo em ordem, tudo pronto, não é, Fidel?

Mas o tanguista não a estava escutando, estava com a atenção fixa no outro lado da rua e de sua boca saía um xingamento.

— *Damn it.*

Na calçada da frente estava seu pai, mal-encarado, esperando que passassem duas caminhonetes para poder atravessar. Já se aproximava com passos nervosos, os ombros carregados e aquele seu rosto que fazia recordar os cadáveres com que convivia.

— Fidel! — gritou furioso quando ainda estava na metade da rua larga.

Mona, Barona, o recém-chegado Tony e o punhado de trabalhadores que andavam por ali se viraram ao ouvir os gritos.

— Fidel!

O filho soltou um bufo carregado de ira. Não havia noite em que não fosse para a cama pensando em ir embora, em abandonar aquele maldito negócio familiar e ir morar sozinho, nem que fosse em um mísero quarto compartilhado em um cortiço do Lower East Side.

— Venha aqui, quero falar com você!

O garoto se afastou do grupo morrendo de vergonha; não queria que ninguém fosse testemunha do modo como seu pai o repreendia, como se fosse uma criança.

— Veja, filha — prosseguiu Barona, ignorando o atrito entre os agentes funerários e dirigindo-se de novo a sua cunhada. — Tony comentou ontem que ele conhece...

— Eu disse que não.

— Mas deixe-me pelo menos explicar, criatura...

Afastado, mas à vista, Fidel estava levando uma bronca monumental, com razão, certamente, porque naqueles últimos dias de obras e preparativos mal havia aparecido na funerária. E as flores, e o obituário?, gritava o pai fazendo grandes movimentos com os braços. Ele murmurou algumas desculpas com a cabeça baixa enquanto coçava o pescoço, nervoso. Como assim, um descuido?, gritou o outro, como assim, esqueceu?

— Não há nada que explicar, Luciano — arrematou Mona com aspereza.

O tabaqueiro encheu o peito de ar até parecer um pombo, e, a seguir, expirou ruidosamente. Essas filhas do bondoso Emilio Arenas, rosnou para si, como são teimosas, Virgem Maria. Que teimosas...

— Ande, vá tranquilo para o Brooklyn que minha irmã e minha mãe o devem estar esperando. Nós aqui nos viramos perfeitamente. E ao senhor, obrigada por vir, de qualquer maneira.

O último ela disse a Tony, depressa, amontoando as palavras, sem mal olhar para ele. Preferiu não saber que expressão tinha no rosto, como a contemplava enquanto balançava seu corpo elástico com seu meio sorriso pendurado na comissura esquerda dos lábios.

Para deixar claro que a partir desse momento esquecia o tabaqueiro e ele, Mona deu um grito, chamando seu cúmplice no incerto negócio; o agente funerário continuava o repreendendo alguns metros além enquanto erguia um punhado de papéis que apertava na mão, assuntos pendentes que o filho deveria ter resolvido fazia tempo. Fidel, intimidado, nem sequer pareceu ouvi-la, mas ela não estava disposta a se acovardar. Tinha pressa, urgência, e Barona a estava tirando do sério com sua insistência, e Tony não tirava os olhos dela.

— Fidel! — gritou de novo. — Temos que ir!

O aspirante a tangueiro respondeu por fim: deu uma palmada na testa, como dizendo esqueci a visita ao conde, maldição.

— Vá você, eu não posso! — respondeu com outro grito nervoso. — E depressa, que em menos de uma hora e meia tem que estar lá!

CAPÍTULO 60

A imagem dele não saiu de sua cabeça enquanto se dirigia para o apartamento: o corpo maleável, os ombros ossudos sob o paletó de linho, o rosto magro e o sorriso irônico, os olhos meio claros e ao mesmo tempo mordazes, curiosos e contemplativos. Maldita hora errada para reaparecer em sua vida.

Era outro indivíduo muito diferente, no entanto, aquele com quem topou ao chegar ao edifício; quase se trombaram no momento em que Mona foi entrar e ele ia saindo. Viu-o só de perfil, tão tomada estava ainda pela imagem de Tony que não parou para recompor seu rosto inteiro; afinal de contas, eram tantos rostos de homem com que uma pessoa cruzava diariamente naquela cidade.

Ele, porém, a reconheceu no ato, por isso virou a cabeça, para não ficar frente a frente com ela e evitar contato visual. Desceu com um único passo os três degraus que o separavam da calçada, olhou rápido para um lado e outro, e ia atravessar ao mesmo tempo que Mona, desconfiada, se virava. Aquela atitude evasiva e aquela precipitação haviam-na incomodado. Só quando viu o sujeito de paletó claro sobre os ombros se afastar foi que percebeu.

Alertada, correu escada acima, subiu os degraus de dois em dois e gritou quando viu a porta do apartamento entreaberta.

— Luuuz!

Não era uma hora habitual para que sua irmã estivesse em casa, mas, em vista de seu comportamento errático nos últimos tempos e do homem que acabava de partir, imaginou que a encontraria ali.

— Luz! Luz! — continuou gritando enquanto corria pelo hall.

Encontrou-a sentada na beira da cama, apertando as mãos contra o rosto. Com os cotovelos cravados nas coxas e as costas encurvadas, balançava o corpo para a frente e para trás.

— O que ele fez com você? O que ele fez... O que ele...

A irmã mais nova ergueu uma palma aberta enquanto com a outra continuava cobrindo o rosto, pedindo sem palavras que a deixasse em paz. Mas Mona não lhe deu ouvidos e, pegando-a pelo pulso, deu-lhe um puxão. Desprovido de cobertura, misturado com lágrimas e mechas úmidas de cabelo, o pômulo ficou exposto. Roxo, inchado, sinistramente feio.

Mona não sabia o que dizer, nem sequer um insulto saiu de sua boca, nem uma reação compassiva. Foi invadida somente por uma descomunal onda de tristeza. O que havia acontecido com elas, como haviam se distanciado desse jeito em tão pouco tempo, como não havia sido capaz de ver as águas negras em que sua irmã nadava? Abatida e calada, ela desabou ao lado de Luz no colchão rasgado. Sem sons nem palavras, passou o braço pelos ombros dela, atraiu-a para si e a deixou chorar.

— Ele vai me transformar em uma artista — balbuciou entre soluços depois de alguns minutos de pranto surdo. Mantinha o rosto apertado contra Mona, quase não se entendia o que dizia. — Uma artista das boas. Ele me... me... me admira, às vezes até diz que me ama. Mas ontem discutimos feio, ele me proibiu de atuar em seu show, prefere que me reserve, que me prepare... E hoje eu não fui ao ensaio de todas as tardes porque continuava brava, fiquei aqui aproveitando que não havia ninguém, e ele veio, e eu não queria abrir a porta, mas ele insistiu e... e...

Por fim, ela começou a pôr palavras nesse muro que havia se levantado entre elas, a verbalizar tudo que parecia tê-la mudado até a transformar em alguém que nunca foi, com aqueles cabelos acobreados tão chocantes e as sobrancelhas que pareciam um fio e uma atitude e umas maneiras que se afastavam léguas da Luz de sempre, tão vivaz, tão adorável.

— Ele vai me fazer importante — insistiu ainda com voz entrecortada. — Ele me adora, me adora e me venera, e eu gosto disso, e ao mesmo tempo me dá medo.

Ficou travado nos lábios de Mona um angustiante Santa Mãe de Deus. Porém, controlando a vontade de praguejar aos gritos contra aquele filho da puta manipulador e vulgar, apenas ordenou:

— Depois conversaremos com calma; por enquanto venha, levante-se. Vamos sair.

Levantou-se e a puxou.

— Penteie o cabelo e lave essa cara, ponha um pedaço de batata para ver se diminui o inchaço.

— Mas aonde você quer me levar? — perguntou Luz, aturdida.

— Tenho que fazer uma coisa, e você vem comigo.

Quando terminou a frase, já havia aberto o armário; com o torso dentro, começou a tirar peças aos punhados e a jogá-las em cima da cama. Os vestidos do casamento de Victoria, as meias, as combinações. Intuía que o lugar aonde iam seria pomposo, e a roupa que Luciano lhes dera para o dia do casamento era a única coisa decente que tinham; as roupas da mala de dona Maxi eram muito sérias, muito tristes, e, além disso, ela as associava a seu trabalho diário, e não era essa a sensação que queria.

— Mas aonde vamos? — continuou insistindo Luz enquanto tentava conter o pranto.

— Você vai ver.

Dessa vez falou do chão, ajoelhada em busca dos sapatos que guardavam embaixo do estrado. De jeito nenhum a deixaria sozinha, ia levá-la à força, se fosse preciso, em busca do conde de Covadonga.

— Vamos, pelo amor de Deus, vista-se...

— É melhor eu ficar — propôs Luz com voz lastimosa.

— Vista-se. Já!

Mas Luz não se mexeu: continuava em pé, confusa, assim como sua irmã a havia deixado, com seu cabelo novo alvoroçado, os olhos vermelhos e o pômulo ardendo. Então, Mona a pegou pelos ombros e a sacudiu quase com violência.

— Olhe para mim, Luz, olhe para mim. Chega de se lamentar, já não há volta. Mas saiba que esse nojento nem a admira nem a ama. Ele é um canalha, e você vai esquecê-lo. E agora — ordenou, implacável —, vá pondo as meias, vamos. Depressa, é para hoje.

Quinze minutos depois, com Luz cobrindo o pômulo com os cabelos, mais ou menos refeita, embora protestando ainda, entraram na boca do metrô da esquina com a Sétima avenida. Depois de seus momentos de vulnerabilidade, a aspirante a artista havia começado a se arrepender de sua confissão de coração aberto. Sou uma tola, censurava a si mesma enquanto enxugava as últimas lágrimas com o dorso da mão. Na verdade, não é para tanto, sou uma exagerada, recriminava-se enquanto fungava os últimos ranhos.

Alheia a suas tristes autocensuras, Mona a arrastou até um mapa do *subway system* pendurado na vertical. Percorrendo a superfície com o dedo, tentou abrir caminho entre o diabólico emaranhado de ruas, linhas e rotas entrecruzadas.

— Precisam de ajuda?

Viraram-se surpresas e encontraram Tony, o homem que sempre fugia depressa e que nesse dia parecia estar descumprindo obstinadamente seu costume habitual. Para se sobrepor a sua presença, Mona tornou a recorrer a uma aparente altivez.

— Nem um pouco, muito obrigada.

Por não ter detido a tempo o indesejável Frank Kruzan, ali estava ao seu lado a infeliz de sua irmã enganada e subjugada, com a virtude perdida e o medo agarrado às tripas como um caranguejo. Não, não precisava da ajuda de nenhum homem seguro de si. Fidel já bastava, era o único em quem confiava; talvez a tola Luz acabasse percebendo a adoração que ele sentia por ela e parasse de andar com sujeitos como Kruzan, dominantes e avassaladores. Obrigada, mas não.

— Podemos nos virar sozinhas perfeitamente.

Dessa vez, tentou parecer serena e neutra. Não queria que ele notasse com que força seu coração batia debaixo das flores do vestido.

CAPÍTULO 61

Havia movimento na estação, gente que ia e vinha com pressa dos trens ou para os trens, das entradas ou para as saídas. No meio, os três formavam um pequeno miolo que atrapalhava e obrigava as pessoas a desviar, alterando levemente o trânsito dos viajantes que pretendiam avançar em linha reta.

— Aproveitando, queria pedir desculpas também; eu não sabia que Luciano Barona tinha em mente me pedir que a ajudasse — acrescentou ele. — Ele só sugeriu que eu fosse ao restaurante...

Em seu espanhol mesclavam-se harmoniosas cadências caribenhas e asperezas peninsulares, uma combinação de sotaques com os quais convivia diariamente. E ele não estava mentindo, de verdade fora isso que Barona lhe propusera: sem ter previsto isso de antemão, algo levou o tabaqueiro a tentar aproximá-lo de sua nova família. Durante as duas horas que passou com ele naquele bar do Village, intuiu que a vida que o filho de seu velho amigo Carreño levava não apontava para nenhum lugar bom desde que – segundo o próprio Tony lhe contou –, a uma semana dos exames do trimestre de outono no segundo ano da faculdade, decidiu que os livros e as aulas não eram com ele e abandonou o muito católico College of Our Lady of the Elms que seus tios maternos lhe arrumaram em Chicopee, Massachusetts, pegou um ônibus e se estabeleceu em Nova York.

Não conhecia ninguém, mas não foi difícil encontrar pessoas como ele, dessas que se moviam com conforto absoluto entre duas línguas, duas culturas e duas maneiras de viver, devorar e ver o mundo. Estabeleceu contatos, fez amigos, andou envolvido em diversos negócios de pouco lustre, trabalhou de garçom, começou a se meter no mundo dos jogos de azar clandestinos dos imigrantes hispânicos. Com a *bolita* não se rouba ninguém, eu juro, assegurou a Barona para se defender de possíveis desconfianças. Não se enrola nem se engana, não se abusa da inocência de nenhum pobre incauto, é tudo limpo e transparente. Simplesmente os prêmios não pagam imposto, são fumaça para as autoridades. Ganha a banca e ganham os sortudos que acertam, ponto final. E eu, como intermediário, depois de pagar meus rapazes e meus chefes, ganho um benefício; nisso consiste meu trabalho. O dinheiro se limita a voar de uma ponta a outra da corrente sem que nem as instituições locais, nem as estatais, nem as federais peguem um só centavo. Por isso é ilegal e por isso é perseguido com tanta violência. Mas não é tão ruim, é? E se me pegarem, estou relativamente protegido: os de cima prometeram pagar minha fiança, e até um advogado se a coisa chegar a se comprometer.

Igualzinho ao pai, pensou Barona quando, segundos depois, o ouviu anunciar: e além disso, tenho um objetivo, um plano. Diga, filho, replicou Barona depois de beber um longo gole de sua segunda cerveja. Veja, eu aspiro montar minha própria banca, ter minha própria gente: meus próprios controladores, meus próprios cobradores. Tornar-me um banqueiro de *bolita* dentro de um território específico onde só eu opere, essa é minha grande ambição. Deixar de ser um mero elo entre os *runners* e os poderosos, entre os que trabalham um a um os clientes na rua e os que depois fazem ouro sem sair de casa. Porque agora eu estou no meio, e assim como comecei no mais baixo, sei que posso subir até em cima de tudo, entende, Luciano?

Eu entendo, garoto; claro que sim, murmurou o tabaqueiro. E prevejo também como você vai acabar se continuar empenhado em se mover por esse pântano. Isso ele não disse em voz alta, claro. Mas pensou. No presídio de Sing Sing, com um pouco de sorte, mas sem que nenhum desses em quem você confia vá sequer lhe levar um maço de cigarros. Ou com duas balas na barriga, essa é outra opção: como o pobre pai acabou seus dias, esvaindo-se em sangue em uma calçada qualquer ao amanhecer. Porque o tabaqueiro também tinha muita experiência nas costas e sabia como a coisa funcionava: esses banqueiros, em cujo seleto grupo Tony aspirava a se integrar, nunca operavam soltos, sempre contavam com alguém por trás. Máfias que cobriam as apostas, que respaldavam as bancas e estavam a par de todos os movimentos da corrente. *Gangs*, *crime syndicates*. Redes perfeitamente coordenadas, organizações claramente estruturadas de italianos, de irlandeses, de latinos ou judeus, às vezes inclusive inter-relacionadas. Todos em busca de sua substanciosa parte do bolo, sempre em choque com o legal.

Aquilo foi o que Tony lhe contou na tarde anterior, e por causa disso Barona pensou que devia fazer alguma coisa. Pela memória daquele velho amigo a quem tanto estimou e pelo próprio rapaz, que era calcado no pai, o tabaqueiro tinha que fazer alguma coisa para tentar afastá-lo daquela tentação envenenada. E como o desânimo em relação àquela ideia demente do *night club* de sua cunhada continuava queimando-o por dentro, ocorrera-lhe que, talvez, unindo ambos os problemas, pudesse encontrar uma solução.

— Pois já vou dizendo que não precisamos de ajuda, nem agora, nem para meu negócio — repetiu Mona no meio da estação recuperando aquele ar um tanto altivo. — E não dê ouvidos a Luciano Barona, porque ele não tem nada a ver com isso, por mais marido de minha irmã que seja.

— Ok, entendido. Lamento por ter me metido onde não fui chamado.

Tony de Tampa disse isso com um falso sorriso conciliador, porque, na realidade, não lamentava nada; mais ainda, gostava enormemente de ter ido à Catorze e saber como andavam as coisas por ali. Graças à insistência do velho amigo paterno, agora sabia o que aquela espanhola atraente estava fazendo, e isso o enchia, em partes proporcionais, de espanto, admiração e curiosidade. Não conhecia muitas mulheres dispostas a tomar as rédeas de um negócio fracassado em uma cidade tão complexa, e menos ainda de arregaçar as mangas para tentar mudar-lhe o passo e reconduzi-lo a um futuro mais promissor.

O silêncio que ficou pairando entre ambos durou só alguns instantes, foi quebrado pela voz de Luz com uma pequena vingança para com sua irmã por obrigá-la a acompanhá-la.

— Ela quer ir à Central Park South, acabou de me dizer. Estava tentando descobrir como chegar.

Mona deu-lhe um beliscão disfarçado. Cale-se, idiota, sussurrou enquanto lhe retorcia a carne do braço e a outra fazia uma careta de dor. Não precisava que ele soubesse como ela era ignorante, preferia batalhar sozinha com sua inépcia e insegurança.

— Mais ou menos eu vou para lá também — disse ele com um impostado tom de surpresa, que coincidência. — *Let's go*; não que eu insista em acompanhá-las, é que não nos resta mais remédio que pegar o mesmo trem.

Tony estava mentindo de novo, claro. Como também não havia sido fortuito encontrá-la na estação: de fato, estava esperando Mona fazia um bom tempo; antes de deixar Barona, ele lhe havia dito que moravam ali. Na esquina, sem se esconder totalmente, mas discretamente afastado, ficou esperando-a, até que a viu sair do edifício vermelho brigando aos gritos com sua irmã.

Estavam os três já na plataforma, próximos, mas não juntos; ele assobiava algo com um falso ar distraído enquanto Luz continuava absorta em suas dúvidas e Mona, com os olhos fixos na negrura dos trilhos, sentia um crescente desassossego. O destino daquela viagem de súbito lhe pareceu absurdo: em que momento uma morta de fome como ela, que nada sabia do funcionamento do mundo, resolvera pensar em pedir àquele conde de Covadonga que lhe desse uma mão para sobreviver? Por sorte, ainda não havia contado suas intenções a sua irmã, de modo que quando entraram no vagão lotado de gente e começaram a avançar cambaleantes pelas profundezas do subsolo e Tony perguntou como quem não quer nada aonde iam exatamente, Luz deu de ombros, contrariada, e apontou para Mona com um desdenhoso movimento de queixo.

— Ela que sabe, não quis me dizer.

O trem chacoalhava violento na escuridão, os três permaneciam em pé na multidão de passageiros, segurando-se nas argolas pendentes, balançando com as sacudidas. Se Tony viu o pômulo roxo da irmã mais nova, disfarçou; embora ela se esforçasse o tempo todo para colocar o cabelo sobre esse lado do rosto, o movimento brusco às vezes o deixava à vista. Diferente de Luz, Mona se mantinha férrea em sua posição e seu silêncio. Chegaram a uma parada, entrou gente, saiu gente, voltou o chacoalhar de corpos. Até que ela cedeu. Só um pouco. Por pura educação.

— Vamos ver um conhecido, é isso.

E acrescentou alguns segundos depois:

— Um compatriota que mora em um hotel.

Tony continuou olhando para ela com seus olhos meio esverdeados, como se quisesse saber mais. Ou como se não se cansasse de contemplar aquele rosto sério e contraído sob as sobrancelhas grossas, e os cílios longos e negros que cobriam seus olhos enquanto ela olhava para o chão, e seu cabelo escuro mal penteado porque não havia tido tempo de arrumá-lo direito depois do longo dia de trabalho, e seu corpo esbelto dentro do mesmo vestido florido que usava da última vez que ele a viu. Tenaz, obstinada, desconcertantemente cativante, ele ia pensando enquanto os freios começavam a ranger e todos os passageiros cambalearam e Mona perdeu o equilíbrio sobre os sapatos de salto alto que não estava acostumada a usar. A última sacudida a fez se inclinar alguns segundos sobre ele: choque de corpos, roçar de membros, uma ardente sensação de pele com pele apesar da roupa que os envolvia. Tony, rápido, segurou-a. Ela murmurou perdão e recuperou a postura, aturdida.

CAPÍTULO 62

Chegaram à estação na esquina com a Quinta avenida; saíram no extremo sudeste do Central Park. Dentro do parque, alguns metros mais além, um acúmulo de verdes em canteiros, arbustos e árvores; fora, automóveis imponentes, crianças com criadas uniformizadas, mulheres elegantes, homens elegantes, até cachorros elegantes. Um pouco além viram algo que parecia uma praça com uma gigantesca estátua dourada; alguém que em vida muito teve ou muito mandou, pois, senão, não lhe ergueriam um monumento desses. Em frente a elas, na distância, erguiam-se soberbos edifícios: intuitivamente, Mona supôs que ali devia ser seu destino. Duas vezes havia passado pela frente empurrando a cadeira de dona Maxi, não muito longe ficava a clínica onde trabalhava o sobrinho dela; ao pensar nisso, a recordação de César Osorio cruzou seu pensamento, fugaz. Tão diferente de Tony, apesar de compartilharem mais ou menos idade e altura, um tão descontraído e tão penetrante, o outro sempre em seu lugar sob uma camada de serenidade.

— Você foi muito gentil de nos acompanhar — disse a modo de despedida sacudindo a cabeça, como se quisesse arrancar dela as comparações. Concentre-se, sua tonta, já tem bastante coisa em que pensar.

E com esse gesto e essas poucas palavras queria deixar claro a Tony que os pormenores do encontro que tinham pendente não eram assunto dele. Que as deixasse em paz.

Luz, enquanto isso, explorava disfarçadamente o entorno procurando um jeito de escapar. Fizera o trajeto inteiro pensando em Frank, no que havia acontecido nessa tarde no apartamento, em que nada teria acontecido se ela não o houvesse desafiado no dia anterior dizendo que, contra a opinião dele, havia decidido atuar no espetáculo de sua irmã.

Sem contemplações, Mona a tirou de suas reflexões.

— Vamos, ande.

Tony, por sua vez, também não desistiu. Sua curiosidade fervia, corroía-o por dentro não ser capaz de intuir o que planejava aquela jovem com coragem suficiente para pretender abrir sozinha um *night club*.

— Se me disser o nome do hotel que querem ir, talvez eu possa lhes indicar...

Um olhar eloquente bastou para que se calasse. Não falei para nos deixar em paz, imbecil?, foi o que ela disse sem sequer abrir a boca. Em resposta, ele ergueu as palmas das mãos. Ok, já entendi, deixou claro. Não está mais aqui quem falou.

Um puxão no braço de Luz a obrigou a se mexer, e lá foram as duas. Embora quisesse evitar pensar nisso, algo se desajustou dentro de Mona ao se distanciar do *bolitero*: porque nunca havia estado tão perto dele, porque ainda sentia seu corpo e a maneira como a segurou com uma firmeza ágil e natural. O que mais queria era não ter obrigações: nem um conde desconhecido para convencer de um desatino, nem um negócio para tocar. Sentir-se livre de tudo, tirar os sapatos e dizer leve-me aonde quiser: correr pelo parque descalça, pôr os pés no lago, pisar na relva fresca do entardecer. Mas tinham que ir, seguir seu caminho sozinhas. Ela sabia que era melhor assim.

A entrada do primeiro edifício a que se dirigiram era imponente: seis grandes colunas sustentavam uma espécie de pórtico, a meia altura sobressaía uma estrutura metálica verde-escura com profusão de dourados. Em cima, vidros. Mais em cima ainda, um punhado de bandeiras e, erguendo-se para o céu, vinte andares com esquinas cheias de janelas arrematadas por um telhado que, embora elas não soubessem, por capricho do arquiteto pretendia imitar algo como um *château* francês.

— É aqui? — sussurrou Luz, coibida diante do desconcertante esplendor, não sabia que essa nem sequer era a entrada principal.

— Vamos ver...

Os porteiros impunham tanto respeito quanto a própria fachada. Altos, grandes, louros, uniformizados, com quepe, como se fossem comandantes de um incerto exército, com casacos escuros até os tornozelos, cheios de galões brilhantes como sóis de verão.

Mona respirou duas vezes antes de se aproximar do da esquerda.

— Este é o hotel St. Moritz? — perguntou a sua maneira, comendo as consoantes finais com seu sotaque andaluz.

E ao mesmo tempo, com o indicador como o cano de uma pistola, apontou para dentro. O sujeito, altivo, mal se dignou a olhar para ela. Então, ela tirou o cartão da alça do sutiã, onde o colocara quando saíram. Mostrou-o, e o outro lhe dedicou um olhar fugaz. Não, disse, mexendo a cabeça apenas umas polegadas. Não é aqui.

Desceu os degraus atapetados que a separavam da calçada; vamos, murmurou para Luz. Mal haviam dado alguns passos quando o assobio de um carregador de malas as deteve.

— O que está procurando, garota, o St. Moritz? — perguntou com sotaque caribenho, sem parar de fazer o que estava fazendo.

Estava carregando o porta-malas de um automóvel; havia parado para fitá-las e, apesar da péssima pronúncia de Mona, conseguiu entendê-la.

— Este é o Plaza; vocês se confundiram — esclareceu enquanto guardava uma enorme mala de couro. — Caminhem só mais um pouquinho; ali, nessa mesma calçada, vão encontrá-lo.

A fachada era bem menos majestosa e os porteiros não pareciam coronéis prussianos, mas o hotel St. Moritz, com seus trinta e seis andares e seus cerca de mil quartos, também não deixava a desejar. Ao ler o nome na placa, nem pararam para perguntar: entraram. O saguão, de paredes revestidas de mármore vermelho escuro com veios brancos, deixou-as de boca entreaberta e olhos fixos; em um dos lados havia uma lareira enorme, em outro, uma cena de picos nevados na parede, um tributo ao povo dos Alpes que dava nome ao estabelecimento. Havia sofás, poltronas e mesas distribuídos por grande parte da superfície, garçons que atendiam às pessoas sem fazer barulho, mulheres cobertas de joias, homens bem vestidos e um discreto rumor de conversas.

Paradas sobre o desenho geométrico de um grosso tapete, levaram alguns instantes para se situar: jamais haviam posto os pés em um hotel, era um salto grande demais o fato de sua primeira experiência ser com um cinco estrelas em um dos endereços mais caros de Nova York. Ao fundo, notaram um amplo balcão e, atrás dele, funcionários que se moviam com diligência, atendiam ao telefone e pareciam atender também aos clientes. Insegura, Mona supôs que poderiam perguntar ali.

Com um tapa, tirou Luz do encantamento.

— Ande.

Para lá se dirigiram sem notar que alguém as observava desde o instante em que puseram os pés ali dentro. Alguém que estava ali para isso, para advertir presenças que não correspondiam ao lugar. E o olho certeiro daquele sujeito ao primeiro golpe de vista havia detectado que aquelas jovens não combinavam com a decoração.

Parecidas entre si, pensou o sujeito; irmãs com certeza, embora uma fosse morena e a outra ruiva. Estrangeiras, sem dúvida, latinas ou ciganas, com esse aspecto tão diferente, meio selvagem. Lindas e atraentes, obviamente, mas não se encaixavam entre a clientela do estabelecimento nem com calçador. E nenhuma das duas tinha bagagem; nem sequer bolsa. Suspeitas, enfim: potenciais fontes de problemas. Mais que fartos estavam de ver entrar moças de aparência inofensiva que juravam ir visitar um conhecido ou o parente de um parente, e acabavam aplicando golpes em hóspedes tão endinheirados quanto ingênuos, pobres incautos certos de que seus mais tórridos sonhos poderiam se tornar possíveis nessa cidade colossal.

Não haviam avançado mais que alguns passos quando aquele funcionário, sério, ereto, à paisana, com a calva reluzente como uma lâmpada, as deteve.

— *Ladies*...

Elas o fitaram desconcertadas, não entenderam o código: não sabiam se o sujeito pretendia cumprimentá-las, ou perguntar alguma coisa, ou convidá-las sem contemplações a sair por onde entraram.

— *Could you please let me know where are you heading to*?

O que ele está dizendo?, sussurrou Luz a Mona. Não entendi patavina, respondeu a outra sem mal mexer os lábios. Mas ambas intuíam que o que expressava não era nada convidativo.

Em um inglês paupérrimo, ajudando-se com aparatosos movimentos de mãos, a Arenas do meio indicou que pretendiam perguntar pelo número do quarto de *one friend*.

— *Ladies, please*... — repetiu o indivíduo com voz grave. E para que não lhes restasse dúvida do que sucintamente estava lhes pedindo, indicou a saída arqueando uma sobrancelha e apontando para a entrada com o queixo.

Mas Mona não estava disposta a desistir; ao contrário: aumentou os movimentos, elevou a voz.

— Viemos *here* para ver *one friend*! — insistiu ela em seu inglês calamitoso.

Os clientes que passavam pelo saguão voltaram o rosto para elas; nos sofás e poltronas próximos ergueram-se cabeças de mulheres com penteados e turbantes.

Para surpresa do funcionário, Mona levou a mão ao decote para tirar de novo o cartão do conde de Covadonga; porém ele interpretou mal o gesto e fez uma cara mais feia ainda.

— *Get out of here* — rosnou.

Isso elas entenderam perfeitamente, já não havia dúvida de que queriam expulsá-las. E menos ainda quando se aproximaram mais dois homens de uniforme cinza. A tensão crescia; Luz entrou na briga em defesa de sua irmã, as explicações desastradas de ambas em voz alta continuaram quebrando a requintada placidez do ambiente.

— *One friend!* — gritou Luz.

— *One* conde! — gritou Mona. — *One person very important in* Espanha *is waiting for* nós!

Até que o nível da cena se tornou intolerável para o padrão de glamour do hotel e acabaram-se as contemplações. Intimidadas por três sujeitos que pesavam o dobro delas e eram meia cabeça mais altos, em um minuto estavam fora.

Iradas, humilhadas e confusas. Na rua. Outra vez.

CAPÍTULO 63

— Não tiveram sorte, hein?

Ele estava acomodado no terraço do elegante café que ocupava o térreo do hotel, com as pernas cruzadas e um cigarro entre os dedos. Em cima da mesa de mármore, um cinzeiro e uma bebida com gelo.

Sem lhes dar oportunidade de responder, ele varreu o entorno com o olhar, deslizando-o rápido entre as mesas ocupadas por clientes distintos. Voltou o rosto para a direita, para a esquerda e esvaziou a taça enquanto se levantava.

— Vamos.

Abrindo os braços, pôs as mãos na cintura de ambas e as fez atravessar para o parque. Estavam tão humilhadas que nem protestaram.

Às suas costas ouviram gritos furiosos, que certamente provinham de um garçom que o recriminava por sair sem pagar. Oitenta centavos por uma bebida?, ruminou Tony. Estão loucos *or what*?

Ele as fez continuar apertando o passo até chegar à calçada oposta, à entrada do Central Park, até onde tivessem certeza de que nenhum funcionário desconfiado os seguiria: nem a elas, para garantir que não entrassem no hotel de novo, nem a ele, para cobrar o *scotch* que acabara de tomar na cara dura.

Tão logo estiveram fora de vista, Tony parou e perguntou a Mona sem rodeios:

— Quanto interesse você tem em falar com esse indivíduo?

Pela primeira vez na tarde toda, ela notou na voz e no semblante dele um tom de seriedade. A ironia de antes e a vontade de se mostrar descontraído e obsequioso haviam desaparecido. E agora, mais próximo, tratava-a sem formalidade.

Ela levou alguns segundos para refletir sobre sua resposta. Gostaria de poder dizer que nenhum, nem o mínimo interesse; se não me permitem falar com ele, vou para minha casa e tudo bem, esqueço o assunto, e que vá à merda essa gente arrogante e ignorante. Mas o futuro do *night club*... pensou, e sua noite de estreia precisava de algum gancho como atrativo e, infelizmente, não tinham mais ninguém a quem recorrer.

— Muito — acabou reconhecendo com a mais nua franqueza.

— Perfeito, então. *Let's go*, conheço alguém que pode nos dar uma mão...

Não conseguiu acabar a frase, foi interrompido por duas palavras:

— Eu não.

Ambos se voltaram para Luz.

— Eu vou embora, eu, eu, eu... — balbuciou ela. — Eu tenho que ir.

Frank não saía de sua cabeça. Frank e seu comportamento, Frank e seu modo de agir. E à medida que debatia consigo mesma, estava cada vez mais convencida de que a briga, no fundo, havia sido culpa sua: não deveria tê-lo pressionado, deveria ser mais grata por tudo que ele estava fazendo por ela, por sua carreira, por seu futuro. Por essa razão queria ir atrás dele, vê-lo de novo, dizer que estava tudo bem. Desculpar-se, até, talvez ela é que tivesse que pedir perdão.

— Você não vai a lugar nenhum — replicou Mona, seca.

Desde que Tony as viu sair do apartamento, percebeu a tensão. Depois, ao abordá-las diante do mapa do *subway*, notou os restos do pranto nos olhos da irmã mais nova e, em uma das sacudidas do trem, em um instante em que as ondas de seus cabelos saíram do lugar, notou seu pômulo roxo e inchado: pistas suficientes para interpretar a atuação de uma mão canalha. Não obstante, preferiu se calar.

— Você vem conosco — insistiu a Arenas do meio —, vamos.

Sem tempo para avaliar a proposta dele, ela havia decidido aceitar sua ajuda: perdidos por um, perdidos por mil. Com Luz resmungando e sendo puxada pelo braço, os três atravessaram a Cinquenta e Nove de novo, a uma distância prudente do St. Moritz. Adentrando a Sexta avenida, acabaram voltando ao edifício dando uma pequena volta. Agora estavam na entrada lateral. Tony as guiou para uma viela estreita e sombria emparedada entre duas alturas imensas, uns metros mais adiante encontraram uma porta de serviço grande de metal, não totalmente fechada. Então, ele assomou a cabeça, deslizou o corpo para dentro e se perdeu de vista; demorou apenas um minuto para voltar. Por aqui, ordenou.

Esperaram alguns instantes em um canto lateral, com as costas coladas à parede. Da cozinha próxima provinham cheiros e ruídos inequívocos: som de conchas contra panelas e louça que se entrechocava, o crepitar de cortes de carne no grill. Uma voz aguda dava ordens nervosas ao pessoal: *come on!, come on!, come on!*

Tony, alerta, vigiava como um cão de caça à espera de uma presa ainda incerta. Passou um homem rechonchudo e suado carregando um pacotão de farinha sobre o ombro. Elas prenderam a respiração, ele não os viu. Depois, passaram dois garçons com colete vermelho, dando uma fugidinha para fumar o último cigarro antes de começar o turno, certamente; também não notaram que estavam ali, e Tony também os deixou passar. O terceiro era um adolescente com uma barra de manteiga nas mãos. Ao ouvir o assobio agudo do jovem de Tampa, virou o pescoço.

— Marito, o cubano, está aí dentro? — perguntou em inglês.

O rapaz tinha um rosto cheio de espinhas e jeito de morto de fome; demorou alguns segundos para assentir com o queixo.

— Traga-o aqui e lhe dou um *nickel*.

Ele os fitou enquanto processava a oferta, não parecia muito rápido de raciocínio; quando Tony enfiou a mão no bolso em busca da moeda de cinco centavos, por fim o garoto pareceu entender e disse *okay*.

O tal Marito demorou pouco a atravessar a porta dupla que separava a cozinha do corredor onde eles esperavam; era um mulato com gorro de ajudante e coletinho branco. No rosto, uma expressão mal-humorada.

— O que está fazendo aqui, irmão? — exclamou, surpreso, ao ver Tony.

A troca de frases foi rápida, como quase tudo na escorregadia vida do *runner* de loterias. Preciso disso, e já. O outro estalou a língua e voltou o olhar para as portas, atento para que não o pegassem enrolando justo na hora em que a cozinha estava fervilhando. Por fim, cedeu. Dê-me um minuto, vou ver o que consigo; como se chama o sujeito mesmo?

Tony olhou para Mona com uma expressão interrogativa.

— Conde de Covadonga — respondeu ela. — Alfonso de Borbón.

O outro desapareceu a passo rápido em direção ao lado contrário do corredor. Em sua ausência, nenhum deles abriu a boca: nem elas perguntaram, nem Tony deu explicações. Até que o cubano voltou pouco depois.

— *Room 2609. This way.*

Vamos, sussurrou o *bolitero*: já tinham o número do quarto, agora precisavam seguir seu amigo, ele os guiaria. Mais corredores, voltas e acessos. Os aromas atraentes da cozinha foram substituídos por cheiro de lavanderia, por duas vezes quase cruzaram com alguém, mas as quatro silhuetas conseguiram se esquivar sem se deixar ver. Por fim, chegaram a um amplo espaço quadrado. Marito acionou o botão de abertura de um elevador de carga com um forte golpe da palma da mão, as portas começaram a deslizar até se abrir.

— Vigésimo sexto andar, e ninguém me viu aqui.

Os dois homens trocaram rápidos tapinhas nas costas a modo de despedida. Depois nos falamos, *brother*, foi a última coisa que Tony disse a seu amigo, ou a seu conhecido, ou o que fosse: o conceito de irmandade era algo muito elástico entre os hispânicos da cidade. Com isso, ficava implícito que de alguma maneira teria que retribuir o favor. Quando as portas começaram a se fechar com os três dentro, o ajudante de cozinha evaporou.

O elevador de carga começou a sacolejar enquanto os elevava às alturas, só se ouvia o chiado do motor. Dois, três. Uma flecha indicativa marcava sobre um semicírculo os números dos andares. Cinco. Seis. Tinham por companhia um grande carrinho cheio de roupas limpas: montes de lençóis brancos, pilhas de toalhas que iam subindo com eles, separando-os do nível da rua e da vida exterior. Nove. Dez.

— Que horas são? — sussurrou Mona.

Nunca na vida uma das Arenas havia tido um relógio.

— Faltam quinze para as sete — respondeu ele.

Tarde. Estava quase uma hora atrasada, havia marcado às seis. Talvez já nem esteja, pensou Mona; deve ter se cansado de esperar e saiu. Ou tinha outra visita. Ou sabia lá Deus. Doze. Treze. Catorze. Um punho invisível apertou seu estômago com a força de um alicate. E lhe ocorreu, então, que talvez devesse algo a Tony. Algo como uma explicação.

— Conheci esse homem há alguns meses, não sei se ele vai se lembrar de mim.

Luz, ainda emburrada e mergulhada em seu abatimento, atreveu-se a perguntar com um fio de voz:

— Mas esse sujeito que vamos visitar é um conde de verdade?

— Suponho. É alguém importante, e estou indo lhe pedir que nos dê uma mão, que vá à inauguração do show, para ver se com sua presença conseguimos atrair clientes.

Ele assentiu, satisfeito. Luz bufou, sem saber o que dizer. Continuaram em silêncio, ombro a ombro olhando para a frente. Vinte. Vinte e um. Vinte e dois.

— E como pretende convencê-lo?

Vinte e três. Vinte e quatro. Vinte e cinco. No fim, uma parada seca os fez pular. Vigésimo sexto andar. Enquanto as portas começavam a deslizar para os lados, Mona confessou:

— Não sei.

Erguendo a palma da mão a modo de aviso, Tony indicou que esperassem enquanto ele ia na frente observar a área. Caminho livre, disse a seguir. *Let's go.*

Os corredores eram luxuosos, nada a ver com a funcionalidade austera das áreas de baixo. Tapetes compridos, ornamentados e grossos, paredes forradas de tecido e luminárias de pergaminho que irradiavam uma luz cálida e suntuosa. De trás de algumas portas saíam vozes, risos abafados: preparativos, sem dúvida, de gente rica e ociosa para sair para jantar, dançar, aproveitar uma noite de primavera magnífica em Nova York.

A porta era pintada de creme, como todas. Dentro de um óvalo de bronze, quatro números: 2609. Ali estavam.

Mona respirou fundo, fechando os olhos, e soltou o ar enquanto alisava a saia e ajeitava o cabelo, sem muitos frutos; a seguir, bateu na porta, primeiro pausadamente, depois com um pouco mais de brio.

Uma voz de homem respondeu de dentro. *Come in!*

— Boa sorte — murmurou Tony.

Mona já estava empurrando a porta quando o *bolitero* aproximou a boca do ouvido dela:

— Eu não hesitaria se fosse ele.

A culpa foi de sua respiração. Só de senti-la, Mona ficou toda arrepiada. Então, sem pensar, sem sequer olhar para ele, a Arenas do meio o pegou pelo braço e o arrastou com elas para dentro do quarto.

CAPÍTULO 64

Ele estava na cama, mas não dentro: em cima simplesmente. Com as costas acomodadas sobre vários travesseiros, as longas pernas estendidas, calça escura e camisa branca com o colarinho aberto, meias pretas, descalço. Um aparelho de rádio ligado no criado-mudo: música melódica a um volume baixo, sem cantor, sem voz. Ao seu redor, sobre a colcha de brocado, algumas folhas manuscritas espalhadas e dois envelopes com carimbos e remetentes estrangeiros, revistas e catálogos, uma cigarreira, um cinzeiro cheio de pontas.

Mona mal recordava suas feições, mas ali, diante dele, identificou-o no ato: por volta dos trinta anos, rosto alongado, bigode fino e pele lisa, testa larga, com entradas, cabelo claro e liso penteado para trás e os mesmos olhos enormes, azuis e aquosos que naquela noite distante haviam destilado pavor, e que essa tarde, porém, revelaram um súbito sobressalto quando viu entrar em seu quarto três absolutos desconhecidos.

— Muito boa tarde, senhor conde — sussurrou ela em um tom entre prudente e perturbado.

Ele elevou o torso.

— Boa tarde — respondeu ele, apertando o cenho. E sem se levantar, com o corpo em ângulo reto, acrescentou, cortante: — A quem tenho o prazer de cumprimentar?

— Veja — disse Mona, avançando dois passos —, o senhor certamente não vai se lembrar de mim, mas há um tempo, certa noite, quando uns homens o acossaram com perguntas e uma câmera e quase o fizeram cair no chão, eu estava perto e o ajudei a se sustentar, e o senhor, em troca, disse que...

Ele a interrompeu, pungente.

— Onde ocorreu tal encontro?

Provavelmente ele havia sido acossado pela imprensa em outras ocasiões, necessitava mais precisão para se situar. Mas os conhecimentos de Mona em matéria de geografia nova-iorquina, apesar das saídas com dona

Maxi, impediam-na de rememorar os dados específicos da mulher para quem trabalhou naquela noite.

— Bem... — hesitou, franzindo os lábios —, foi à saída da casa daquela senhora importante, de um dos lados do parque...

— E de quando estamos falando, exatamente?

— Bem... lá para março, mais ou menos, creio eu.

O conde não pareceu situar aquele momento impreciso; além disso, irritava-o a chegada intempestiva daquele trio sem que ninguém da recepção lhe houvesse avisado. Por isso, não sabia se tudo que a jovem estava dizendo era verdade ou apenas uma mentira para ganhar sua confiança e depois lhe arrancar informações. Sobre seu casamento turbulento, mais que nada, que era o assunto sobre o qual todo mundo pretendia saber. Ou sobre as constantes tensões com seu pai. Ou sobre a chocante atividade que realizava ultimamente, para espanto de si mesmo e dos outros, contratado pela British Motors Ltd.: o primeiro Borbón da história com uma ocupação remunerada, mesmo que se tratasse de algo meramente representativo, e não de um trabalho real, e mesmo que a coisa não estivesse indo tão bem como pressupunham e até então só houvesse conseguido vender um automóvel na concessionária da Lexington Avenue. Poderia falar longamente de tudo isso para aqueles estranhos para que depois eles o espalhassem aos quatro ventos na imprensa americana, na espanhola, na europeia... Suas declarações seriam apetitosas; poderia, inclusive, dar-lhes em primeira mão a notícia de seu divórcio iminente, agora que já nem sequer trocava correspondência com sua mulher. A notícia seria uma bomba certa, apesar da íntima sensação de fracasso que lhe causava saber que sua impactante e polêmica história de amor durara apenas três anos.

Enquanto essas reflexões passavam pela mente do conde de Covadonga velozes como aqueles galgos de corrida que perseguiam uma lebre mecânica no Estádio Metropolitano ao qual seu pai o levara um dia em sua infância madrilense, Mona insistiu, para lhe refrescar a memória:

— E então, naquela noite, o senhor me deu seu cartão. Aqui está, veja.

Sem esperar que ele a convidasse a se aproximar, ela avançou alguns passos até a beira da cama enquanto tirava o pedaço de cartolina de seu cálido refúgio junto ao peito e o estendia a ele.

— Um dos meus cartões, sim — murmurou ele.

Não seria a primeira vez que alguém se aproximava com intenções estapafúrdias, continuou pensando enquanto mantinha o olhar fixo nas linhas de sua própria identidade. Inclusive, podia ser que pretendessem roubá-lo, se bem que aí sim teriam perdido a viagem, porque além da cigarreira de ouro e do jogo de escovas de prata, não tinha mais que alguns dólares no quarto; desde que Gottfried, seu secretário e enfermeiro, o abandonou alguns dias antes, ninguém cuidava de seus calamitosos assuntos financeiros. E o Tosão de ouro, se ainda estivesse em seu poder, obviamente estaria bem guardado no cofre do hotel, e não ali.

Entre as paredes forradas de tecido pairava um silêncio tenso, os ruídos da rua mal chegavam através da janela fechada do vigésimo sexto andar. Mona retorcia os dedos, Luz e Tony mantinham-se imóveis na retaguarda à espera não sabiam de quê, e o conde continuava desconcertado e confuso em cima da cama com o cartão na mão enquanto Mona, em pé ao seu lado, aguardava algum tipo de reação.

— Resumindo, se me permite, senhorita, quem são vocês e o que os fizeram vir até mim?

Por fim, Mona viu um resquício de otimismo: pelo menos ele se dignava a escutá-la. Impulsiva, atropelada, ela começou a lhe contar tudo depressa, comendo pedaços de frases e se esforçando para concentrar ao máximo a essência do que pretendia lhe dizer: para o caso de ele mudar de ideia e mandá-los embora, ou requerer a presença dos mesmos funcionários que as haviam expulsado do hotel com tão maus modos. Seus nomes e origens, seus planos, suas intenções: tudo isso foi saindo aos borbotões da boca de Mona enquanto o homem que poderia ter sido rei da Espanha a contemplava com seus enormes olhos claros, sem mal pestanejar.

— Vamos ver se eu entendi. Então, o que deseja é me convidar a uma inauguração?

— Exato, senhor.

— E onde disse que fica esse *night club*?

— Na rua Catorze, senhor.

— E disse que a senhorita é a proprietária?

— A família inteira, na verdade. Eu, minha mãe e minhas irmãs — esclareceu, girando o queixo e apontando para Luz —, mas eu sou a que mais se dedica; elas têm outros afazeres. E Fidel, que é quem me ajuda.

O conde virou-se para pegar um caderninho no criado-mudo. Os três acompanharam o movimento com o olhar; então, sobre a superfície viram um telefone, vários frascos de remédio, uma seringa e um pacote de algodão.

— Fidel Hernández? — leu em suas anotações.

Aquele que comunicou sua chegada para as seis em ponto e não apareceu: estava ali anotado, de fato.

— Esse mesmo.

— E esse tal de Fidel é o senhor? — perguntou o ex-herdeiro dirigindo momentaneamente sua atenção para Tony.

Mona se antecipou.

— Não, senhor; Fidel não pôde vir.

— E o senhor também tem a ver com o *night club*?

As vozes de ambos se solaparam ao responder.

— Sim.

— Não.

O *bolitero* franziu as sobrancelhas, aturdido, enquanto Mona lançava sua mentira espontânea com a mais impressionante frieza.

— Ele não é proprietário; é nosso barman.

— Aham.

Nos olhos de Alfonso de Borbón despontou um toque de ironia.

— Quer dizer que, além das donas de um promissor *night club*, tenho em meu próprio quarto, agora mesmo, um experiente barman?

— A seu inteiro dispor, senhor.

Com naturalidade e aprumo: assim Tony assumiu a falsa versão de Mona; certamente ela havia dito isso para que o conde os tomasse como um todo e não desconfiasse. De qualquer maneira, aquele homem ali prostrado estava começando a gerar uma grande curiosidade no *bolitero*; não sabia quem era, nada sabia de sua linhagem, de sua infância entre ouropéis no Palácio Real, de sua reclusa e dolorida juventude quando caçava abetardas, criava frangos e cuidava de um jardim no palacete da Quinta de El Pardo, onde se refugiava durante temporadas para recuperar as forças e se afastar das turbulências de Madri.

A chegada da Segunda República, em abril de 1931, a violenta reação das massas em frente ao Palácio Real, a partida precipitada para o exílio: embora nenhum dos três soubesse disso também, não havia noite em que todas essas recordações não voltassem à cabeça do outrora príncipe das Astúrias. A saída do pai por um lado dirigindo seu carro esportivo de madrugada para Cartagena, embarcando a seguir rumo às costas francesas vestindo uniforme de capitão-general, desembarcando no meio da noite usando um casaco de alpaca e chapéu como um cidadão comum. A rainha e os seis infantes distribuídos em automóveis até Galapagar, depois de trem até Hendaia, dali para Paris. Ele foi tirado de seus aposentos, no térreo, como um fardo, apoiado por alguns amigos; uma nova recaída o impedia de ficar em pé. Também não pôde sair do carro quando todos desceram e um fotógrafo imortalizou sua mãe e seus irmãos em plena serra madrilense, sentados nas pedras como meros excursionistas, assustados, sem fazer ideia de que estavam partindo para o desterro; a rainha fumando um cigarro, jogando as cinzas nas amoreiras-silvestres e cobrindo os olhos azuis com uma mão a modo de viseira, talvez dizendo adeus àquela pátria estrangeira e rude que jamais a tratou bem.

A acre separação de seus pais nos meses seguintes: o rei espanhol, estabelecido em Roma; a rainha inglesa, em Fontainebleau. Os alojamentos familiares radicalmente afastados do luxo da corte, as posições assumidas pelos irmãos, suas hospitalizações em diversas clínicas. O casamento com Edelmira, em Lausanne, ao qual nem um único membro da família compareceu, o parco alojamento que o casal havia ocupado em Evian, a desoladora notícia da morte de seu irmão Gonzalo antes de completar vinte anos depois de uma hemorragia interna provocada por um acidente de automóvel aparentemente inócuo – a mesma coisa que aconteceria com ele em Miami dois anos depois, embora ainda não soubesse.

As primeiras desavenças do casal, as crescentes tensões entre Gottfried e Edelmira, os desajustes econômicos, os alarmes dela devido a suas excessivas injeções de calmantes, as pressões externas e as brigas lancinantes, os desencantos da vida conjugal. As cada vez mais turvas relações com seu pai, as boas relações com sua mãe, as intervenções interesseiras das camarilhas para que reconhecesse seu erro e abandonasse Edelmira, as pressões no Vaticano para conseguir a anulação. O primeiro anúncio de separação apenas um ano e meio depois do casamento, a partida dela de Cherbourg com sua irmã sem se despedir, as cartas em ambas as direções, o reencontro em Nova York cinco meses depois. Suas irrefletidas declarações à imprensa faminta de notícias, as supostas ofertas para fazer cinema em Hollywood que jamais se materializariam. Havana, a família dela, a árdua vida em comum, as desavenças já insuportáveis entre Gottfried e sua mulher. Sua gravíssima crise em fevereiro passado, o abscesso na coxa, a perda de consciência, o núncio papal lhe dando a extrema-unção na residência que alugaram no Vedado, as transfusões, a eletroterapia, a melhora, a visita da duquesa de Lécera, vinda da França a fim de convencê-lo, em nome de sua mãe, a deixar de bobagens e voltar à Europa com os seus de uma vez por todas.

Tudo isso se acumulava na vida do conde, mas nenhum deles foi capaz de intuí-lo enquanto ele inseria um Pall Mall em sua longa piteira de ébano, riscava um fósforo e o acendia. Observou-os ao aspirar a primeira tragada e hesitou ao saboreá-la, incapaz de calcular quanto estaria se arriscando se lhes desse uma oportunidade. As garotas eram, sem dúvida, atraentes, belezas raciais de verdadeiro selo pátrio vestidas com a graça e a leveza americanas; o homem também não tinha, em princípio, aspecto ameaçador, parecia até simpático, e o que estavam propondo não parecia totalmente absurdo: em Nova York havia espanhóis aos montes, e desde sua chegada já lhe haviam solicitado algumas vezes que fosse a um estabelecimento comercial ou a um encontro simplesmente para aparecer.

Se optasse por atender-lhes e não se livrasse deles como meros intrusos, talvez fizesse um favor a eles e outro a si mesmo, avaliou: passara o dia inteiro sem falar com ninguém, com exceção da meia dúzia de palavras que trocou com a enfermeira antipática que lhe aplicou a injeção pela manhã e com o garçom polonês que lhe serviu o café da manhã e o almoço. E as horas passavam com uma lentidão angustiante e, se não conversasse um pouco, sobre o assunto que fosse, com aqueles estranhos, certamente adentraria a noite sem tornar a sentir nem uma gota de calor humano.

— Desculpem por não me levantar — disse ao mesmo tempo que soltava uma baforada de fumaça —, mas, por prescrição médica, quanto mais horas eu permanecer deitado, mais benéfico será para minha saúde.

Girou o torso de novo para o criado-mudo e tirou o pesado fone do gancho. Eles prenderam a respiração enquanto o conde colocava o indicador no disco e o fazia girar sobre si mesmo, deixando um rastro de ruído e aturdimento. Pensaram que tudo desmoronaria: haviam sido ingênuos ao imaginar que alguém de tal categoria concordaria em colaborar com um bando de iludidos na tarefa de fazer funcionar um modesto negócio radicalmente afastado – tanto no mapa da cidade quanto na escala social – das ruas e da gente que aquele homem frequentava. Ou talvez fosse mais correto pular para um passado remoto e mencionar as ruas e a gente que ele costumava frequentar tempos atrás, porque fazia duas semanas que estava entediado de verdade e três dias que estava prostrado na cama sem se mexer, e ninguém parecia se lembrar dele.

Seu pau-pra-toda-obra, Gottfried Schweizer, havia lhe comunicado inopinadamente que o substituiria por um milionário hipotenso de Detroit, outro cliente do hotel que conheceu depois de ajudá-lo espontaneamente em um desvanecimento durante um café da manhã, e a quem concordou em acompanhar em uma viagem à Riviera Francesa em troca do triplo do salário que o conde podia se permitir pagar; até por menos o teria abandonado, com certeza, de tanta vontade que o suíço tinha de se despedir da América.

Os monárquicos espanhóis que residiam em Nova York, por outro lado, uma vez que o receberam e lhe prestaram as imprescindíveis homenagens, foram reduzindo ao mínimo suas visitas, convites e ligações, cientes de que as relações entre pai e filho ainda eram complexas; afinal de contas, Alfonso XIII era quem continuava retendo a coroa no exílio, e quem sabia o que poderia acontecer no futuro se se mostrassem muito obsequiosos com o díscolo primogênito? E outra atitude similar, embora por razões diferentes, ele notava nos potentados cubanos que antes o requeriam para todo tipo de eventos e recepções, fascinados por aquele conto de fadas que era para eles o pitoresco casamento do antigo príncipe das Astúrias com uma compatriota que conheceu em um balneário suíço; esses também haviam deixado de recebê-lo agora que o casal havia se separado e a situação indicava que ambos tardariam bem pouco a recuperar o status de solteiro. Ninguém também o chamava para dar palestras nem participar de programas de rádio, como lhe prometeram, ninguém o requeria para nada. E todos aqueles – espanhóis, cubanos, americanos, tanto fazia –; todos aqueles oportunistas e amigos circunstanciais, enfim, que nos primeiros dias o acolheram com uma cordialidade eufórica e até aplaudiram a colossal estupidez de ter sido capaz de renunciar à sucessão ao trono por amor; todos aqueles que riram ocasionalmente de suas piadas, ou se acotovelaram para sair nas fotografias ao seu lado, ou participaram de suas noites de vinho e rosas quando o horizonte sorria promissor no moderno país da democracia e das liberdades, todos esses haviam se tornado mudos e invisíveis. Haviam se diluído como sal na água, deixando-o frágil, quebradiço e melancólico, um apátrida sozinho na imensa cidade.

— Covadonga *speaking*... — disse quando por fim atenderam. — Preparem o carro, acho que vou sair.

Antes que o alívio chegasse ao rosto deles, o conde depositou o fone no gancho e anunciou:

— Tudo bem. Aceito pensar se vou a seu *night club*, mas com uma condição. Levem-me para sair por aí nesta noite.

CAPÍTULO 65

Com atitude resoluta e andar decidido: como se fossem clientes distintas hospedadas em uma das melhores suítes do St. Moritz, assim Mona e Luz percorreram o saguão. Tony as seguia alguns passos atrás; cruzaram com alguns dos funcionários que haviam participado da escaramuça anterior e os ignoraram erguendo o queixo. Perto da saída, encontraram o calvo encarregado de velar pelo bom nome do hotel; Mona lhe deu uma piscadinha enquanto o rosto do homem era tomado por um amargo desconcerto.

Caía a noite quando saíram, já haviam acendido as luzes dos postes e os faróis dos carros projetavam cones luminosos sobre o calçamento.

— Eu não vou a lugar nenhum — advertiu Luz de novo.

Havia se comportado corretamente no quarto do conde, intimidada como os outros por sua figura. Mas, agora que tudo havia passado, seus próprios problemas recuperaram o lugar principal.

— De novo com isso?

Diante de um Tony atônito, entre pedestres que desviavam o passo e hóspedes que entravam e saíam, as irmãs Arenas se enfrascaram em uma discussão aos berros. Mais uma.

Com dificuldade, quase aos puxões, pegando cada uma por um braço, Tony conseguiu afastá-las da entrada enquanto elas continuavam cuspindo recriminações; uma vez que estavam suficientemente afastados, ele as interrompeu sem contemplações:

— Senhoritas, receio que não é hora nem lugar para isso.

Eram quase oito, tinham apenas duas horas pela frente. Eu os espero às nove e meia, havia dito Alfonso de Borbón; não, melhor às dez, pois não tenho ajudante e vou demorar para me vestir. É por minha conta. Jantaremos tarde, horário espanhol, tudo bem? Os três balançaram a cabeça, um tanto incrédulos ainda. Aonde poderíamos ir? Esfregando suas mãos longas e ossudas enquanto desfrutava antecipadamente o plano imprevisto, o conde deu uma repassada em seus restaurantes favoritos. O Fornos, quem sabe, que está perto, tem uma cozinha magnífica e ficam abertos até meia-noite? Ou o JaiAlai talvez, que o dono, Valentín Aguirre, mês passado organizou um almoço em minha homenagem e com certeza vai nos servir, apesar da hora. Ou poderíamos optar por algum lugar cubano com espetáculo; morro de vontade de um bom daiquiri. O Yumurí? La Conga? Havana-Madrid? Mas talvez as moças prefiram algo mais americano, mais... mais... Deu uma palmada na colcha, sorriu. Decidido, vamos ao Waldorf, adoro a lagosta com molho de manteiga deles, e, além disso, certamente Cugui estará lá com sua orquestra, passaremos uma noite maravilhosa, vocês vão ver...

Essas foram as palavras do conde antes de eles abandonarem o quarto; comentando-as, desceram os vinte e seis andares, ainda incrédulos os três. Por isso Tony as urgia agora, enfiado até o pescoço como elas naquele plano delirante.

— Mas eu... — protestou Luz outra vez.

Tony a interrompeu com um toque de ironia.

— Sempre há tempo para que o malandro que fez isso em seu rosto deixe o outro lado igual, *honey*. Se você tem tanto interesse em apanhar de novo, certamente pode esperar até amanhã. Venha, vamos andando.

— Andando para onde? — perguntou Mona, atônita. — É cedo ainda...

— Para nos arrumarmos. Vocês não pretendem ir ao Waldorf Astoria assim, não é?

Com as mãos abertas, Tony abarcou a vestimenta dos três. Mona baixou o olhar para seu vestido coberto de flores, para as meias de seda e os sapatos forrados: um exemplo de sofisticação para garotas que haviam passado metade da vida descalças e que desembarcaram em Manhattan dividindo uma mísera mala cheia de roupas caseiras e grosseiras.

— Isto é o melhor que temos — confessou.

— Poderemos melhorar isso se conseguirmos nos mexer. *Let's go*.

Luz, alheia ao que Mona e Tony discutiam, revirava na cabeça as palavras dele. Não haveria mais violência, disso tinha certeza; o que acontecera naquela tarde havia tolamente fugido do controle. Eles não conheciam Frank, não tinham ideia do que ele estava fazendo por ela, de seus esforços. Contudo, duvidava que pudesse encontrá-lo a essa hora; era muito tarde para que estivesse no escritório, as lojas de discos já deveriam estar fechadas e não tinha outra maneira de encontrá-lo. Apesar de haver lhe perguntado várias vezes, jamais soubera onde ele morava, nem como, nem com quem. De modo que, ainda de má vontade e sem pronunciar uma palavra, optou por ceder. E quando Tony assobiou para um táxi e este freou junto ao meio--fio, ela se acomodou em silêncio ao lado de sua irmã no banco de trás.

O trajeto foi breve; o *bolitero* não disse aonde iam, talvez pretendesse surpreendê-las, ou simplesmente as ignorou, distraído com o motorista em seus assuntos de sempre: números, anotações, dinheiro que mudava de mão. Desceram em frente a uma loja na Terceira avenida, não entenderam o letreiro que dizia PAWN SHOP nem adivinharam que tipo de negócio se fazia naquele local cuja vitrine se via lotada dos objetos mais díspares: aparelhos de rádio, cadeiras de barbearia, abajures, guarda-chuvas, violinos, caixas para chapéus.

Tony bateu no vidro da porta fechada, um velho encurvado que mal lhe chegava ao ombro demorou pouco a abrir. *Shalom, mister* Bensalem, cumprimentou com simpatia. Trocaram algumas frases cordiais em inglês, provavelmente ele disse alguma piadinha, porque o velho riu com timbre asmático.

Oh, you're coming from old Sepharad!, disse quando ele as apresentou como amigas espanholas. E começou a falar com elas em um estranho espanhol que soava doce e antigo, até que Tony lhe deu uma palmada afetuosa nas costas.

— Estamos com um pouco de pressa, meu querido amigo, podemos ir ao depósito?

Avançando diante deles com passinhos rápidos e exibindo seu quipá no alto da cabeça, ele os conduziu ao interior. A caverna de Ali Babá foi como os fundos da loja do sefardi pareceu às Arenas: estantes transbordando, dúzias de baús e malas, montes de tranqueiras, pilhas de móveis e utensílios. Do teto pendiam bicicletas, trenós, berços; em um canto havia cinco ou seis pianos.

— Tudo isso é seu? — sussurrou Luz atrás de Tony.

— Temporariamente, sim; enquanto os donos tentam juntar o dinheiro necessário para pegá-los de volta, se é que um dia conseguem.

Uma casa de penhor, esse era o negócio. E ao fundo do fundo, onde o depósito transbordante fazia uma curva, encontrava-se a área que Tony buscava. Penduradas em longas barras acumulavam-se centenas de peças de roupa estritamente organizadas. Casacos, uniformes, roupas masculinas, vestidos de noiva...

— *Aki, prensesas, pueden bushkar e eligir* — anunciou o idoso usando o velho judeu-espanhol de seus ancestrais enquanto apoiava a mão na parte que sustentava dúzias de vestidos de noite.

Tafetás, veludos, cetins, sedas; todos os cortes, cores e tamanhos. Mona e Luz estavam estupefatas.

— E para meu amigo da *bolita* — acrescentou —, venha por aqui.

Levou Tony alguns metros além em busca de roupa masculina, enquanto elas, já superado o espanto inicial, começaram a remexer com mãos ávidas. Tocavam, pegavam, soltavam admirações, punham os cabides na frente do corpo para mostrar seus achados uma à outra.

— Prontas? — perguntou Tony depois de breves minutos.

Ele parecia estar: em uma mão erguida levava um cabide com várias peças, na outra, uma cartola.

Ambas responderam com um firme não.

— *Come on, ladies*; cinco minutos e saímos; ainda há muito que fazer.

Mona acabou escolhendo um vestido de seda cor de vinho de ombros de fora; Luz, mais audaz, optou por um modelo de lamê dourado com as costas de fora. Nenhuma delas se perguntou para quem haviam sido feitos, nem que corpos os vestiram outras noites. Não tiveram tempo de se entreter com conjecturas porque a voz do velho judeu as convocou:

— Sapatos agora, *prensesas*.

Mostrou-lhes, então, umas prateleiras cheias, e de novo seus olhos se encheram de deslumbramento. Sandálias de couro tingido, scarpins forrados, calçados fechados e abertos, salto alto, salto médio, salto baixo. Hesitaram, provaram, descartaram, discutiram enquanto Tony as apressava, vamos, garotas, vamos, vamos, estamos sem tempo... Pegue duas bolsas para as moças, *mister* Bensalem, por favor.

Quinze minutos depois estavam de novo em um táxi, carregados de roupas e complementos sem ter desembolsado nem um único dólar: uma simples troca de papeletas e algumas anotações foram suficientes para selar o acordo. Amanhã de manhã trago tudo sem falta!, gritou Tony pela janela aberta. O velho diminuto assentiu à porta, sorriu e levantou a mão. *Shalom*.

O destino seguinte foi a Cento e Dezesseis, bem mais ao norte, em pleno coração da área que alguns já chamavam de Spanish Harlem. Havia gente na rua, cheiro de arroz com guando e torresmo, rodinhas de velhos que fumavam enquanto conversavam e riam com poucos dentes. Parado na calçada, com os braços transbordando de roupas e cercado pelas garotas, Tony ergueu a cabeça e, dirigindo-se a uma janela superior de um modesto edifício, gritou repetidamente:

— Adela!

Logo apareceu uma mulher madura e categórica com um vistoso lenço amarrado na cabeça.

— O que você quer a uma hora dessas, seu louco?

— Um serviço para minhas amigas.

— Ave Maria! Já faz um bom tempo que fechei!

— Você sabe que vou retribuir; é uma urgência, meu amor.

A tal Adela contemplou as garotas de cima e refletiu por alguns instantes.

— Esses cabelos vão me dar trabalho, é melhor eu chamar minha prima Josefita para me dar uma mão.

Era a segunda vez na vida que Mona punha os pés em um salão de beleza; a terceira para Luz. A primeira visita comum fora para o casamento de Victoria, foram atendidas por umas italianas em um estabelecimento na Dezesseis recomendado pela Casa Moneo. Depois, Frank Kruzan levou Luz a um moderno salão pintado de um rosa nervoso próximo à Times Square; todas as aspirantes a estrelas vêm aqui, *baby*, elas sabem melhor que ninguém o que devem fazer. Ela saíra dali com a cabeleira oxigenada, a pele vermelha onde antes estavam suas sobrancelhas e um nó no estômago.

Em quase nada aquele outro lugar cheio de globos de luz, espelhos enormes e jovens tingidas de louro aparatoso se parecia ao local que a porto-riquenha Adela ocupava no térreo de seu edifício, um humilde salão com duas cadeiras domésticas capengas no lugar de poltronas profissionais, dois espelhos diferentes com manchas opacas, um único lavatório e uma sequência de recortes de revistas pregados nas paredes a modo de decoração. Mas aquilo era tudo que Tony conhecia na esfera da estética feminina, porque Adela vendia a loteria dele para suas clientes. Ele passava por ali todas as semanas para acertar contas e, antes de ir embora, oferecia à mulher alguns minutos de conversa; por isso sabia que ela não ia lhe negar o favor, apesar de serem mais de nove da noite e ela ainda ter que deitar um pai inválido, manter o jantar quente para um marido que trabalhava no segundo turno de uma empacotadora e encarar as chegadas sucessivas de três filhos e dois sobrinhos que ainda viviam sob seu teto.

Sentem-se, garotas; vamos ver o que conseguimos fazer no pouco tempo que esse *bolitero* louco nos concede; preso ou solto, o que preferem? Solto, disseram as duas ao mesmo tempo. A golpe de escova e ferros quentes para alisar e cachear, a quatro mãos, enquanto com seu sotaque doce faziam gracinhas e narravam sem parar coisas do bairro e de sua ilha, as duas mulheres demoraram pouco a conseguir cabelos brilhantes com risca de lado e ondas marcadas. E agora, anunciou Adela, um pouco de *make-up*.

Lábios, cílios, um pouco de creme colorido para esconder o pômulo roxo de Luz. Deixe esse homem, garota; esqueça esse canalha antes que as coisas piorem, uma vez que começam, eles não têm fim... Essas frases a cansada cabeleireira sussurrou enquanto passava cuidadosamente a ponta do indicador sobre o hematoma e Luz tentava controlar uma expressão de dor. Nesse instante entrou Tony, e a caçula das irmãs se livrou de responder.

— Prontas?

As quatro giraram a cabeça; três delas explodiram em risos e entusiasmadas exclamações. O *broker* de loteria clandestina já não usava o terno amassado de linho claro com que havia acompanhado as moças por toda a tarde, e sim um magnífico fraque, peitilho engomado com gravata-borboleta branca e o cabelo castanho-claro penteado para trás com brilhantina.

— Que homem imponente! — gritou Adela entre gargalhadas.

Mona foi a única que não fez nenhum comentário. Só olhou para ele.

Terminado o trabalho com as cabeças, a única coisa que faltava era se vestirem, e, para isso, ofereceram-lhes um quarto escuro nos fundos, cheio de tralhas. Sobre um colchão de palha que certamente de vez em quando algum parente chegado de Porto Rico ocuparia, as garotas dispuseram suas vestimentas; diante da cabeleireira e da assistente, despojaram-se das peças domésticas até ficar só de roupa de baixo.

— Virgem Maria, vocês não podem sair assim, garotas!

O grito partiu da boca de Josefita, a mulher de trinta e poucos anos e pele café com leite que havia ajudado na tarefa, e a causa foi Luz, ao tirar a anágua pela cabeça. Sem mais razões, saiu do quarto e voltou com uma navalha na mão. Ergam os braços, garotas, disse, que vou deixá-las limpinhas como bunda de bebê. Com as axilas depiladas pela primeira vez na vida, Mona e Luz puseram os vestidos; as porto-riquenhas ajustaram costas, comprimentos e decotes, fecharam colchetes e botões.

— Olhe só, rapaz, não estão lindas? — disse Adela, orgulhosa, quando por fim saíram do quarto dos fundos.

Ele as contemplou sem palavras, por um momento, esqueceu as urgências.

— Até com o rei da Espanha poderiam jantar esta noite, se o bom homem estivesse em Nova York.

CAPÍTULO 66

O tabaqueiro ansiava voltar para Victoria depois de passar pelo Las Hijas del Capitán, mesmo que paralelamente tivesse que suportar a cara feia de Remedios. Quando vão me levar de volta ao bairro, não quero que as outras duas fiquem sozinhas o dia inteiro, aposto que andam por aí como galinhas sem cabeça, tomara que a maldita inspeção da prefeitura acabe de uma vez e possamos abrir de novo...

Aquele era o embuste que todos haviam contado à crédula mulher: que agentes de saúde da prefeitura tinham que inspecionar as instalações e autorizá-las a prosseguir com o negócio. Mesmo de má vontade, ela engoliu.

Os planos de Barona, no entanto, mudaram de rumo quando, depois de se despedir de Tony, cruzou com Al, o escocês, proprietário do restaurante vizinho da Casa María a quem ele também fornecia cigarros. Um compatriota abriu um negócio na Sullivan Street, perto da relojoaria espanhola, pode ser uma oportunidade, amigo, disse o ruivo robusto enquanto ele fazia uns rápidos cálculos mentais. Por um lado havia Victoria, seus olhões, seu cheiro de fêmea jovem e seus silêncios, sua companhia. Por outro, os vaivéns do comércio do tabaco, o custo nada desprezível do casamento, os gastos futuros com sua nova vida de casado, a intuição de que teria que dar uma ajuda financeira a Chano agora que, mesmo sem tê-lo anunciado abertamente, parecia que o rapaz estava para abandonar o boxe. Colocando os dois lotes na fria balança da responsabilidade, o segundo pesou bem mais que o primeiro, e por isso o tabaqueiro pegou suas caixas de charutos, amarradas com suas eternas cintas, e disse ao escocês que sim, que ia direto ver se conseguia ganhar esse novo cliente de que o outro falava, mesmo ao custo de atrasar em pelo menos duas horas a volta para casa.

No Brooklyn, enquanto isso, Victoria e sua mãe estavam matando o tempo com uma interminável caminhada. Ver rua, gente e céu, sentir um pouco de ar no rosto, era isso que a Arenas mais velha ansiava; fugir das paredes dessa casa que a oprimia como um compartimento hermético onde sempre, de alguma maneira, tudo estava cheio de Chano.

Quando ele estava presente, sua atenção plena girava em torno do filho de seu marido: os sons que ele fazia ao entrar ou sair, ao percorrer o corredor, ao abrir uma gaveta na cozinha em busca de um rolo de arame ou uma tesoura; tudo se cravava na alma e nos ouvidos dela. As costas largas, as mãos machucadas que seguravam maçanetas de portas, torneiras e talheres, o pescoço fibroso, os lábios fendidos que bebiam água, as cicatrizes de mil golpes que sulcavam seu rosto: Victoria absorvia também tudo aquilo com o olhar enquanto notava aqueles olhos dele que a contemplavam silenciosos quando ele achava que ela não percebia, os olhos calados que a perseguiam, que a avaliavam, que a perfuravam.

Depois havia sua ausência, o rastro que deixava quando desaparecia trotando pela escada, esses traços que Victoria resgatava depois, um a um, como se recolhesse restos espalhados por uma praia depois do temporal. O cheiro do travesseiro que ela abraçava e cheirava quando adentrava sigilosa o quarto dele, o saco cheio de sua roupa suja que ele não permitia que ela lavasse, as camisas penduradas no armário entre as quais ela mergulhava o rosto, o pente de homem que ela passava lentamente por seus cabelos em frente ao espelho, a navalha que ele deslizava por sua mandíbula todas as manhãs e que depois ela tocava devagar com a ponta do dedo.

Embora sua mãe, sem saber, a segurasse à beira do precipício, o boxeador não saía de seu pensamento; por isso Victoria queria sair para arejar a cabeça, apesar dos protestos de Remedios, atemorizada diante dessa nova área que ela não conhecia ainda, mesmo que tudo ao redor da Atlantic Avenue fosse infinitamente mais sossegado que o movimento incessante de Manhattan.

Atingiu seu propósito depois de uma longa insistência: foram para a avenida e começaram a percorrê-la dando as costas ao rio; passaram em frente a alguns estabelecimentos com almas próximas a seu mundo, sinal dos inúmeros compatriotas que moravam por ali: uma loja de víveres espanhóis que se chamava La Competencia, outra chamada La Bodega de Paco e outra cujo proprietário se chamava Pidal; um pequeno teatro com o nome Flora em grandes letras, um estabelecimento sob cujo letreiro dizia ALCÁZAR BAR & GRILL.

— Já deu, não? — perguntou Remedios, seca, depois desse último.

Mas Victoria não queria voltar, preferia esperar que Luciano chegasse para evitar maior desgosto. Chano não tinha horários fixos, estava procurando emprego, aparecia sem avisar e logo desaparecia outra vez; queria evitá-lo, sabia que era melhor assim. Por isso insistiu com sua mãe, praticamente a arrastou e continuaram avançando sem um destino claro. Vamos logo para casa, Remedios continuava resmungando de vez em quando, não sei para que ficar andando de cá para lá... Mas Victoria se recusava, mais um pouco, mãe, só mais um pouco. Dobraram a esquina em algum momento, por aqui chegaremos antes, mentiu para parar de ouvir os protestos da mãe.

Desceram pela Quinta avenida do Brooklyn, nada era muito diferente do que já haviam visto até então: modestos imóveis de três e quatro andares, simples e estreitos, de tijolos vermelhos à vista ou estuque pardo, quase todos com escadas de metal na frente, alguns com comércios no térreo: uma drogaria, o estabelecimento de um chinês que passava roupa, a loja de tranqueiras de um judeu, uma *candy store*, uma oficina. Haviam chegado à entrada de um edifício de fachada vermelha e três andares, um de tantos que não teria chamado sua atenção não fosse por um grupo de mulheres paradas em frente à porta que lhes bloqueava a passagem. Cumprimentavam-se em voz alta, riam, trocavam exclamações em sua mesma língua e com sotaque próximo, vestiam-se modestamente, mas com esmero.

As duas pararam de repente, desconcertadas. Olharam para as mulheres e as mulheres olharam para elas: três delas as reconheceram depois de alguns instantes. Haviam estado no casamento, eram conterrâneas de Luciano, procedentes de Alhama, daquele recanto próximo ao Mediterrâneo onde a falta d'água matou suas videiras e levou sua gente à emigração.

Trinta ou quarenta famílias da mesma origem se concentravam no Brooklyn ao redor do cruzamento da Quinta avenida com a Lincoln Place, meio à margem do resto da colônia espanhola, dividindo eternamente memórias de seu país e encharcando seus filhos nas recordações daquela terra onde haviam deixado metade do coração: a igreja, a rua dos médicos, as festas de San Nicolás em dezembro, o cerro da Cruz. Como se nunca houvessem saído de seu mundo de casas brancas e terraços, perpetuavam os modismos, os nomes e os motes, os afetos e os costumes, as comidas cotidianas: fritada de peixe às sextas-feiras, batatas com costelas e *migas de harina*, roscas e amanteigados no Natal.

Os homens sozinhos abriram caminho, elas chegaram depois, com os primeiros filhos no colo, quase todos os demais nasceram posteriormente. Os pais de família saíam ao amanhecer rumo a seus trabalhos, alguns aos estaleiros e às fábricas, muitos carregando suas facas rumo a Manhattan; nas cozinhas dos restaurantes e cafés dobravam turnos, triplicavam às vezes, lutavam em sindicatos e jamais levavam as sobras, só de vez em quando aqueles sacos de arroz já vazios e impressos com letras chinesas que depois suas mulheres lavavam com água sanitária até deixar o tecido suave para fazer roupa de baixo para os filhos. Entregavam os salários integrais em casa, iam caçar coelhos em Farmingville na temporada, assistiam aos comícios políticos do Ateneo Hispano, bebiam café de Bustelo porque diziam que o americano tinha gosto de água suja e demonstravam diante de seus filhos uma ética de trabalho impecável, orgulhosos de não ter que viver de fiado apesar dos esforços, gratos pelas oportunidades, sem jamais se queixar.

Elas, por sua vez, ficavam em casa cuidando de tudo, às vezes inclusive dividiam moradias cheias de móveis de segunda mão. Com um olho naqueles que saíam e outro atento nos filhos que cresciam, comiam canecas de leite quente com farinha de rosca no café da manhã, cozinhavam com óleo Ybarra, compravam nas lojas dos italianos, lavavam roupa à mão na pia da cozinha, eram reticentes a aprender inglês e costuravam em casa para oficinas de outros a um centavo por peça. Não se permitiam lamentos nem caprichos, apoiavam-se umas às outras nas dificuldades, pagavam religiosamente seus aluguéis, usavam os filhos como intérpretes quando precisavam se abrir para o mundo e tocavam a vida com coragem e dignidade, regularmente enviando para o outro lado do oceano cartas que narravam pequenos e grandes acontecimentos enquanto escondiam desânimos, preocupações e melancolias. Que tudo estava bem, relatavam quase sempre, embora a crueza do desterro continuasse lhes mostrando os dentes. Que levavam uma vida boa, relatavam, mesmo que às vezes se sentissem monstruosamente sozinhas nessa terra estranha, tão longe dos seus, de seus campos e de suas sacadas, de seus irmãos, seus vasos, seus sabores e seu sol. Que esperavam voltar em breve, embora com o passar dos dias fosse crescendo por dentro a amarga certeza de que essa volta que tanto ansiavam talvez nunca chegasse. Não faziam menção aos sacrifícios e às renúncias, às adversidades, à saudade e ao pranto calado que as assolava algumas madrugadas; acima de tudo, tinham que sobreviver.

Luciano e sua mulher nunca residiram no bairro porque anos antes lhe haviam oferecido moradia em cima da tabacaria onde ele começou a trabalhar, mas se conheciam, como não iam se conhecer se quase todos os homens chegaram juntos e nos anos seguintes compartilharam bilhares e natais, discussões políticas e piqueniques de domingo no Prospect Park.

Não houve escapatória: embora nem todas houvessem sido convidadas para não extrapolar no tamanho da festa, estavam a par do casamento recente de seu conterrâneo com aquela linda mocinha de seus vinte e poucos anos, e as trataram com extrema gentileza.

— Subam um pouco, se quiserem — ofereceram. — Aqui em cima, no segundo andar, fica a sede do Grupo Salmerón. Hoje vamos nos reunir para organizar uma excursão a um campo em Long Island que chamamos de La Sartén; vamos matar um porco e...

— Não, muito obrigada, vamos indo porque...

Victoria não havia terminado quando sentiu o cotovelo de sua mãe se cravar bem debaixo de suas costelas.

— Que foi? — sussurrou, confusa.

— Por que não fico eu? — propôs Remedios com timidez.

A aceitação foi unânime: mas claro que sim, mulher, como não! Foi o que responderam, embora todas tivessem na mente a recordação da falecida Encarna e umas e outras houvessem trocado olhares cúmplices e umas frases baixinho. Ai, filhinha, se a coitada visse...

— Eu não... não... meu... ma... meu marido... — gaguejou Victoria.

Várias vozes se ouviram de imediato: vá, garota, nós cuidamos de sua mãe, depois a acompanharemos, não se preocupe. Sem poder acreditar, em apenas um minuto mãe e filha se viram separadas: Remedios, sempre tão tímida e tão refratária ao desconhecido, impulsionada escada acima, acolhida por um monte de mulheres que jamais havia visto na vida; Victoria, parada à porta, desconcertada, sem assimilar totalmente o que havia acabado de acontecer.

Uma necessidade orgânica de se comunicar com alguém que a entendesse foi o que fez os habituais receios de Remedios fraquejarem e a levou a se deixar arrastar por aquelas mulheres tenazes que falavam parecido com suas próprias vizinhas de La Trinidad. Escutar palavras próximas e expressões conhecidas, reencontrar por alguns minutos lugares comuns e anseios similares. Nada mais.

E assim, enquanto Remedios, sentada na cadeira que lhe indicaram, sentia-se momentaneamente envolvida por uma capa macia de imprevista familiaridade ao escutar aquelas estranhas, Victoria voltava sozinha para casa, ainda aturdida. Estava ficando tarde, não tinham visto a hora passar, Luciano devia ter chegado e estaria se perguntando onde haviam se metido...

Continuou pensando nisso por um bom tempo, enquanto abria a porta e ouvia sons do lado de dentro: sim, seu marido já estava em casa. Incapaz de se livrar do estupor pela insólita decisão de sua mãe, ela percorreu o corredor narrando em voz alta o que havia acontecido. Ouviu movimento dentro do quarto, devia ser ele trocando de roupa; continuou falando enquanto começava a desabotoar a blusa para substituí-la por algum velho vestido de percal, para não manchá-la ao mexer na cozinha.

Chegou à porta enquanto acabava de desabotoar o último botão; ficou petrificada. Não era o pai que estava dentro, e sim o filho, tirando uma grande mala vazia do alto do armário. Ninguém disse nem uma palavra, os dois ficaram mudos, congelados diante do olhar do Cristo que pendia, magro e sofredor, sobre a cabeceira da cama. Quando conseguiram reagir, Victoria engoliu em seco e fechou a blusa com as duas mãos diante do peito, ele deixou a mala no chão.

Só se ouvia o barulho do despertador no criado-mudo do tabaqueiro.

— Vai embora, então?

Foi um esforço imenso para Victoria soltar as palavras; Chano assentiu, e foi se aproximando.

— Arranjei um emprego em Manhattan, vou me mudar para um quarto no mesmo edifício.

Ela não se mexera, ainda estava na entrada; ele se aproximou até ficar frente a frente. Só dois palmos os separavam quando ele lhe pegou os pulsos. Sem as mãos, a blusa dela ficou aberta em duas partes paralelas, deixando à mostra a anágua e o sutiã sobre a carne nua. Ele a contemplou por alguns instantes, sem dizer nada.

Devagar, em silêncio ainda, o boxeador baixou o rosto até seu decote exposto, tocando-a com uma delicadeza masculina e rude que fez a pele dela se arrepiar. Baixou o nariz para a nascente do peito, cheirou-a como se sua vida dependesse disso. A seguir, subiu acariciando-a com a mandíbula, como se não a quisesse tocar com aquelas mãos que tantas vezes haviam aberto feridas, quebrado dentes e queixos. Subiu até seu pescoço esbelto, deslizou a boca por ele, afundou no vão quente da nuca. Com a garganta seca e uma onda de calor que subia por suas entranhas, Victoria se abandonou. Então, sentiu os lábios rachados dele aproximando-se dos seus; inconscientemente, fechou os olhos e se colou ao corpo firme do homem aceso.

Foi quando ouviram a chave na fechadura.

CAPÍTULO 67

O *maître* os recebeu com modos requintados, como provavelmente havia feito com todos os grupos, casais e indivíduos sozinhos que enchiam aquela noite a imponente Sert Room do hotel Waldorf Astoria. Antes, haviam se encontrado com o conde de Covadonga no St. Moritz; Tony simplesmente entrou no saguão para buscá-lo; minutos depois, saíram de novo. O primeiro, ágil e impecável dentro do fraque que algum pobre-diabo, cujas linhas do destino um dia se torceram, deixou empenhado na loja do judeu Bensalem. O outro, com uma vestimenta idêntica, mas de seu próprio guarda-roupa: fraque preto com lapelas de seda, colete de piquê marfim, *white tie* e sapatos de verniz – o clássico *attire* masculino para ir a qualquer lugar de classe na cidade depois das seis. Só que, diferente do irrefreável *bolitero* de Tampa, aquele que um dia fora herdeiro da coroa da Espanha levava uma bengala na mão direita. Sobre ela se apoiava para sustentar o corpo, mas não conseguia endireitar a visível coxeadura e, na comissura de seus lábios, a cada passo surgia uma expressão de dor.

— Tem certeza de que pode dirigir, senhor?

No meio-fio, os esperava um imponente Aston Martin verde-malaquita; não era o mesmo Lincoln no qual Mona o ajudou a entrar meses antes. Ele omitiu que não era de sua propriedade, e sim uma cessão temporária da concessionária de veículos britânicos para a qual supostamente trabalhava.

— Morrerei se não o fizer! — disse o conde, pegando as chaves que um funcionário lhe estendia. — Lamento dizer, senhoritas, que ficarão um pouco apertadas na parte traseira; espero que não se sintam excessivamente desconfortáveis.

Nenhum protesto saiu da boca das irmãs Arenas, apesar de que estavam mesmo como sardinhas em lata dentro daquele espaço minúsculo mais destinado a maletas, cachorros ou caixas de chapéus que a duas jovens de tamanho normal. Na cabeça de Mona continuava fervilhando a necessidade de convencer o conde a comparecer à inauguração do Las Hijas del Capitán; na de Luz, Frank Kruzan continuava presente em um cabo de guerra de sentimentos, mas percorrer as principais artérias do Midtown em um conversível com a noite já avançada foi uma experiência tão avassaladora que não se atreveram nem a pestanejar. Demorando-se a percorrer bem mais trechos de ruas e avenidas do que na verdade necessitava para chegar do St. Moritz à Park Avenue, a direção hábil do conde as levou por entre arranha-céus cheios de luzes, anúncios luminosos cintilantes e fluxo de automóveis de luxo, vestidos longos e trajes de gala parados diante das entradas das elegantes casas noturnas. Os ombros e a nuca dos dois homens nos bancos da frente serviam de parapeito a elas nas freadas; o rugido do motor trovejava em seus ouvidos a cada acelerada, não puderam evitar gritar nas curvas fechadas ao dobrar esquinas, nem que seus cabelos recém-penteados ondulassem ao vento devido à velocidade. Tão deslumbradas, tão apavoradas estavam, que percorreram o trajeto inteiro com as costas coladas no banco, como se houvessem sido costuradas a pontadas, segurando uma a mão da outra com ferocidade, ambas morrendo de medo, de euforia, de nervosismo e de estupor.

O carro parou cantando os pneus. Chegamos, anunciou o conde, exultante. Quando conseguiram pôr os pés na calçada em frente à fachada *art déco* do Waldorf Astoria, a cabeça das garotas girava como se o mundo cambaleasse ao redor delas.

Abriram-se as portas douradas, foram acolhidas por um hall gigantesco com teto de altura infinita e piso inteiramente forrado por um carpete cor de sangue; como decoração, grandes jarros de alabastro, colunas de gesso e palmeiras frondosas de tamanho natural. Acima da cabeça delas se elevavam quarenta e sete andares e os mil e quatrocentos quartos mais caros de Nova York. Covadonga, conhecedor do entorno, guiou-as aos degraus que conduziam à Sert Room.

Good evening, ladies; good evening, gentlemen. This way, please, disse o *maître* com uma leve inclinação da coluna e um sorriso profissional. E elas o seguiram aturdidas, escoltadas por Tony e o ex-príncipe, Mona com seu vestido longo vermelho que parecia ter sido feito sob medida, com os cabelos escuros caindo sobre os ombros ossudos, com os olhos pretos mais pretos e mais brilhantes que nunca à luz das centenas de lâmpadas que iluminavam o aposento; Luz, resplandecente e sinuosa envolvida no de lamê dourado, soltando cintilações ao caminhar. Foram acomodados ao redor de uma mesa em um lugar excelente; no momento em que dois garçons atenciosos puxaram as cadeiras forradas de veludo para que elas se sentassem, titubearam. Uma piscadinha de Tony indicou a elas que estava tudo bem.

O salão estava lotado: dezenas de mesas redondas como a deles congregavam o melhor da alta sociedade nova-iorquina, poderosos empresários de Chicago, Dallas ou Pittsburgh que faziam negócios na cidade e ricos turistas europeus recém-desembarcados do *Queen Mary* ou do *Normandie*. A um lado erguia-se um amplo palco cheio de instrumentos, mas estavam no intervalo entre uma e outra orquestra, por isso ninguém tocava e a pista de dança estava vazia. Covadonga perguntou a um garçom algo relativo à apresentação seguinte: quando este assentiu, ele sorriu satisfeito.

No ar sem música pairavam conversas, o tilintar de taças e o ruído dos talheres batendo na porcelana. Em uma das laterais, um grupo subitamente caiu em uma gargalhada coletiva, a apenas alguns metros de distância soou o estouro de uma garrafa de champanhe sendo aberta.

— *Well, well, well...*

As palavras do conde foram de satisfação total enquanto abria o cardápio de capa cor de açafrão cheio de sugestões que elas foram incapazes de entender, não só porque estavam escritas em inglês, mas também porque ofereciam delicadezas cujos nomes elas jamais haviam ouvido: sabores de outras latitudes e propostas que nunca sairiam da mísera cozinha do El Capitán. Espetos de vieiras com molho de Calvados e arroz pilaf; galinha da Guiné *au gratin potatoes*. Pombo glasseado. *Grilled chateaubriand*.

Tony tomou as rédeas com sua naturalidade avassaladora, como se houvesse passado metade da vida em salões como aquele, embora fosse também a primeira vez que punha os pés em um lugar dessa categoria. Mas sobrava-lhe experiência e jogo de cintura para se adaptar ao inesperado com a leveza de um ilusionista, e em apenas um minuto havia cartografado milimetricamente tudo que o cercava: o ambiente em seu conjunto, os semblantes, maneiras e humores do companheiro de mesa e o impacto das lindas irmãs Arenas mordendo o lábio inferior enquanto se esforçavam para decifrar o indecifrável passando a ponta dos polegares entre as linhas do cardápio, perguntando-se que diabos seria *glazed smoked ham*. Ou medalhão *of young lamb*. Ou linguado à meunière.

— O que pedimos, Tony? — sussurrou Luz aflita.

O fornecedor de fortunas clandestinas salvou-as do aperto e decidiu por elas.

— Imagino que as senhoritas gostarão de começar com o consomê.

O conde fechou o cardápio subitamente e se despreocupou; continuava fumando com sua piteira com um fino sorriso nos lábios, sem parar de olhar com aqueles imensos olhos azuis, cumprimentando de vez em quando alguém que se aproximava alguns segundos da mesa ou lançando ao ar um gesto cordial em resposta a outro que lhe chegava a distância.

A Sert Room os envolvia com suas grandiosas telas penduradas nas paredes, quinze murais pintados em grisalha e ouro alternados entre as janelas, todos vinculados a sua pátria, embora elas não soubessem disso, nem provavelmente os demais presentes: pululavam por ali Dom Quixote e Sancho Pança nas bodas de Camacho, entretidos por homenzarrões, funâmbulos e trapezistas, touros, bêbados, dançarinos, *castellers* e cavaleiros, charangas buliçosas e ciganas que liam a sorte. Por tudo aquilo, mais a decoração completa da sala, o hotel havia pagado ao catalão Josep Maria Sert, alguns anos antes, a quantia combinada de cento e cinquenta mil dólares, uma fortuna.

Alheio aos detalhes artísticos, o entorno continuava borbulhante enquanto os habilidosos garçons serviam os primeiros pratos: consomê ambarino para os três. Tony teria pedido com prazer meia dúzia de ostras de Blue Point como as de Covadonga, afinal, já que alguém o convidava a ir a um lugar desses. Mas queria facilitar as coisas para as garotas, evitar que tivessem que enfrentar pratos complicados, intuindo que elas não saberiam como comê-los, de modo que se juntou a elas no caldo concentrado de carne, que implicava pouco risco. Contudo, olhou para os lados para se certificar de que elas agiam corretamente; erguendo uma sobrancelha, advertiu Mona quando a viu pegar as asas de porcelana com ambas as mãos para levar a xícara à boca, e murmurou baixinho a Luz ao ouvi-la sorver com barulho excessivo.

Se o que pretendiam era não constranger seu ilustre anfitrião, toda cautela era desnecessária, porque para Alfonso de Borbón tanto fazia se seus acompanhantes destoavam ou não do ambiente: estava decidido a aproveitar o momento e a afastar da cabeça por um tempo os problemas que o assaltavam noite e dia. Na verdade, não lhe importava nem um pouco se as lindas compatriotas que o acompanhavam nessa noite, apesar de seus esforços, usavam mal o garfo e a faca, gesticulavam em excesso, riam mais alto que o correto ou apontavam com o dedo em riste para tudo aquilo que lhes chamava a atenção.

— Senhor conde, esses bichos estão bons mesmo, com essa cara nojenta?

A pergunta de Luz, acompanhada por uma indisfarçada expressão de nojo, fez os dois homens começarem a rir; Mona primeiro teve vontade de lhe dar um chute por baixo da mesa, mas acabou rindo junto. Ainda a incomodava o fato de não ter percebido o caminho pedregoso pelo qual sua irmã havia transitado ao lado de Frank Kruzan; tranquilizava-a vê-la por alguns momentos desinibida e engraçada como sempre, embora ainda lhe doesse o lado machucado do rosto que escondia por trás da maquiagem e a cortina de cabelos.

Os bichos a que Luz se referia eram as ostras que o conde estava comendo. Meio cinza e esverdeadas, brilhantes, amorfas.

— É exatamente o que minha mulher costumava dizer.

Ao ouvir suas próprias palavras, o sorriso de Covadonga se congelou em um ricto. Costumava, havia dito, e o tempo do verbo ecoou em seus ouvidos como uma pedrada contra um cristal. Minha mulher costumava dizer, essas foram suas palavras: havia falado dela no passado, como se já não existisse, como se inconscientemente ele houvesse assumido que seu divórcio não tinha volta. Na verdade, o desenlace havia sido algo natural: apesar do muito que se amavam, a relação havia começado a se precipitar por um despenhadeiro poucos meses depois do casamento em Ouchy, quando as mudanças de humor dele começaram a dar as caras e ela acabou deixando-o temporariamente — para júbilo de seu pai e seu entorno, que já falavam em público de uma separação.

O ar do Atlântico e alguns cabogramas cheios de súplicas conseguiram, por sorte, fazê-la refletir durante a travessia e, quando por fim Edelmira desembarcou em Nova York a caminho de Cuba envolta no fastuoso casaco de marta zibelina que ele lhe comprou para tentar reconquistá-la, anunciou à imprensa, risonha, que tudo havia sido um mal-entendido, que estavam juntos de novo. Seis meses depois, se reencontraram em Manhattan, foram juntos para Havana e retomaram a vida em comum. Menos de um ano depois, diante das constantes desavenças, brigas, internações hospitalares e cenas desagradáveis, apesar da insistência dos seus para que voltasse à Europa, Alfonso de Borbón se mudou outra vez para Nova York. Sozinho, com seu secretário e assistente como única companhia. Edelmira não aguentava mais nenhum dos dois. E ali continuava ele, enroscado em um emaranhado de cabogramas, cartas, advogados, família e amigos que intervinham em nome de ambos, às vezes ajudando, às vezes incomodando com suas mediações, à espera de nenhuma solução.

— E onde está ela agora, se não for perguntar demais?

Agora sim que Mona quase jogou um pedaço de pão em Luz para que parasse de ser tão indiscreta. O conde, porém, não parecia incomodado com seu descaro.

— Continua em Havana. — Sorriu com um ricto entre o sarcasmo e a amargura. — Acostumando-se a sua nova vida sem mim.

Fez-se um silêncio enquanto os garçons retiravam as entradas e serviam os pratos principais. O salão seguia animado, continuavam pairando as conversas suaves próprias das pessoas educadas: um ambiente diametralmente oposto ao das espanholas barulhentas, gritonas, acaloradas e festeiras a que elas estavam acostumadas.

Ignorando por ora a descomunal meia lagosta que haviam acabado de pôr diante dele, o conde abriu a cigarreira de prata, tirou outro cigarro e tornou a inseri-lo na piteira. Um garçom solícito aproximou uma chama, e a profunda tragada afinou o rosto do conde.

— Ela não me suporta mais.

Os impedimentos de sua condição física, aquelas dores que não davam trégua, seus longos dias imobilizado sem poder sair da cama, as ingerências externas, sua dependência das injeções que Gottfried lhe aplicava.

Depois de dar a segunda tragada, Covadonga esmagou o cigarro no cinzeiro enquanto voltava a sua cabeça o eco das queixas de sua mulher, sua irritação, seu pranto. Enquanto a lagosta continuava intacta, nenhum dos comensais ousou começar seu segundo prato. *Ternera a la parrilla*, Tony havia pedido para os três; a mais suculenta que elas já haviam provado nas muito poucas vezes que haviam se permitido o luxo de comer carne boa na vida. E estava esfriando.

Ele havia pensado que conseguiriam superar, mas não: era o que Alfonso de Borbón rememorava enquanto por fim se decidia a atacar o crustáceo e os outros o imitavam, pegando os talheres. A distância entre Edel e ele foi se tornando cada dia maior. Todas as promessas, todas as generosas renúncias que ambos haviam jurado assumir acabaram se desvanecendo como volutas no ar. A realidade se impôs veloz, com toda sua crueza, e as palavras doces e animadoras que haviam se sussurrado durante aqueles dias de idílio arrebatado às margens do Lac Léman, na viagem à Itália e nas semanas londrinas tornaram-se duras recriminações mútuas e amargas acusações.

Mona e Luz cortavam os pedaços de carne a sua maneira, a essa altura, Tony havia desistido de controlar o pouco conhecimento que as garotas tinham das mais elementares normas de etiqueta. Falavam com a boca cheia, bebiam água erguendo o cotovelo e fazendo barulho, limpavam os pratos com grandes pedaços de pão. Estavam os três muito concentrados escutando o conde, atentos ao que ele narrava, uma vez que optou por se desprender da melancolia e fazia um esforço para retomar a noite divertida que havia planejado. Com humor sarcástico e pinceladas de desdém agridoce, ele continuou falando sobre as desavenças com sua mulher, com a família dela, com as amizades leais ou interesseiras: como se seu casamento houvesse sido um desacordo qualquer, e não o colossal escândalo que deixou a Europa inteira e metade do mundo civilizado pasmos apenas três anos antes.

— Foi realmente uma pena ter que deixar Havana...

O movimento que ele notou no palco nesse instante o fez parar e virar o rosto para lá. Depois da atuação da primeira orquestra da noite, os integrantes da segunda estavam prontos para ocupar seus lugares, e como se fosse uma criança que substitui um capricho por outro sem nem pestanejar, o conde abandonou a lagosta e encerrou a conversa, abriu no rosto um sorriso de orelha a orelha e começou a bater sonoras palmas.

O restante do salão aplaudiu também quando o maestro de orquestra subiu ao palco. Rosto largo, nariz proeminente, calvo de bigode fino; sobre a camisa branca cheia de babados no peito usava um extravagante paletó de lantejoulas. Saudou entre os aplausos, soltou umas frases em inglês que elas não entenderam, mas que deviam ser bem engraçadas, porque todo mundo as acolheu com uma gargalhada monumental.

O alvoroço do público foi diminuindo, só se ouviam os músicos ajeitando seus instrumentos. O maestro já estava erguendo a batuta quando um grito masculino rasgou o ar do salão, fazendo com que todos os olhares se voltassem, subitamente, para a mesa das irmãs Arenas.

— Cugui, canalha!

O maestro parou o movimento, voltou a cabeça e imediatamente detectou o conde de Covadonga. Em vez de se mostrar furioso, ou pelo menos surpreso, soltou uma gargalhada.

— Alfonsito, bandido, que bom vê-lo outra vez!

Meio segundo depois, culminou a subida da batuta e os bongôs, as maracas e os trompetes dominaram a Sert Room.

CAPÍTULO 68

Quatro pessoas estavam sentadas também à mesa dos Barona em outro jantar igualmente tardio, porém em nada mais se assemelhava ao Waldorf Astoria aquela estreita sala de jantar na Atlantic Avenue iluminada por uma tênue luminária que pendia do teto. O tabaqueiro tanto havia insistido quando encontrou seu filho em casa, que Chano, apesar de sua categórica intenção de sair dali, não teve mais remédio que ceder. Nunca o vemos, rapaz, disse o pai jogando-lhe de novo um braço afetuoso sobre os ombros; e menos ainda agora que você pretende se mudar, tem muito que nos contar; e, além de tudo, vamos comemorar que acabei de conseguir um novo cliente...

— Então, Remedios, não vai nos contar o que fez com minhas conterrâneas?

Barona fez pela terceira vez a mesma pergunta enquanto tirava a rolha da garrafa de vinho barato do qual se abastecia semanalmente na adega da esquina. Diante da férrea negativa da sogra, ele insistiu com ironia:

— A curiosidade não vai nos deixar dormir esta noite...

Mas ela não tinha intenção de dizer nada, não queria que soubesse que depois de concluir os planos para a futura excursão e a preparação do porco, três vizinhas da Park Slope a haviam ajudado, a pedido seu, a escrever uma carta. Na realidade, a carta não continha grandes segredos, mas ela preferia guardar o conteúdo para si. Porque ia crescendo dentro de Remedios uma bola de desânimo cujo tamanho aumentava com os dias, e, por isso, sem que suas filhas soubessem, pretendia ter tudo pronto para quando chegasse a hora: tudo organizado, bem preparado. A hora de quê?, poderiam perguntar seu genro e sua filha caso ela desse uma brecha. De poder voltar, claro, quando o assunto da maldita indenização se resolver de uma vez. E o que é que lhe causava tal inquietude? A evidência crescente de que suas filhas iam mudando com o passar dos dias: Victoria já com casa própria e seu novo papel de mulher casada, Mona escapando constantemente como uma lagartixa, Luz com aqueles cabelos tingidos e o descaramento que cada vez mais a faziam recordar as mulheres sem um pingo de vergonha que via nos anúncios; até um chapéu havia comprado. Era isso que fustigava a alma de Remedios: a suspeita de que, quando tudo se arranjasse, talvez elas estivessem tão imersas naquele novo mundo, tão acomodadas nele, que preferissem não voltar.

O filho de Luciano, sentado em frente a ela à mesa, corroborava suas premonições: a prova palpável de como o filho de um casal de agricultores andaluzes podia se transformar em alguém que não tinha nada a ver com seus pais. Nem no modo de vestir, nem de comer, nem de falar. Havia até palavras que ele não sabia falar na língua de seus pais, Virgem santa! E para acompanhar a comida havia recusado o vinho tinto e estava bebendo um refrigerante borbulhante direto da garrafa. Ia morar sozinho, dizia, solteiro como continuava e tendo um quarto próprio na casa de seu pai; quanta insensatez, pensava a mulher.

Nem louca Remedios estava disposta a permitir que suas filhas se americanizassem daquele jeito. Portanto, para que não surgisse a dúvida no momento em que irmã Lito resolvesse o assunto e elas pusessem as mãos no que lhes deviam pela morte do pobre Emilio, tudo tinha que ficar bem arranjado de antemão: tudo previsto em seu bairro malaguenho para ir embora depressa. E, se possível, como havia pedido à freira, com as duas mais novas também casadas ou, pelo menos, comprometidas com compatriotas que ansiassem voltar. Para que nenhuma delas se atrevesse a cogitar ficar. Nem pensar.

Remedios pensava tudo isso sem soltar nem um ai, até que Luciano, cansado de insistir, optou por levar a conversa por outro caminho. Mas foi difícil: nem sua mulher nem seu filho demonstravam muita vontade de falar naquela noite. Bastava ver os dois, sentados frente a frente, com o olhar concentrado em seus pratos, sem mal erguer os olhos...

— Então, quanto você disse que Magaña pretende lhe pagar?

Vendedor em uma casa de ferragens na Cento e Dez, seu novo modo de ganhar a vida e a desculpa para desaparecer da casa do pai. Não era grande coisa, certo: seus pais sempre acalentaram o sonho de que ele estudasse e abrisse caminho para um mundo melhor. Fazer dele um homem de proveito naquela América cheia de oportunidades, essa sempre foi a grande esperança de Luciano: que acabasse como escriturário, contador, corretor de seguros, um funcionário desses que trabalhavam em um bom escritório, que voltavam pontualmente para casa todas as tardes e com o passar dos anos conseguiam até apartamento próprio. Algo que o afastasse do esforço do pai, de polir as solas dos sapatos caminhando dia após dia sobre o asfalto carregando um monte de caixas de charutos debaixo da neve, da chuva ou do sol inclemente, como o próprio Luciano fazia havia décadas. Para deixá-lo bem assentado quando eles voltassem, se ele optasse por ficar, e não vivesse marcado pelo estigma de ser um imigrante que falava um inglês medíocre com forte sotaque, para isso seus pais sempre lutaram; para que não fosse bucha de canhão, como diziam seus amigos de Alhama, para que os verdadeiros americanos nunca o olhassem por cima do ombro.

Atingiram seu propósito só mais ou menos: o garoto falava inglês com um impoluto sotaque de classe trabalhadora, não gostava de vinho e, apesar dos esforços de sua falecida mãe, odiava peixe. Todas as outras esperanças ficaram nas entranhas do pai ou Encarna as levou para o túmulo: nunca na vida ele havia trabalhado em um escritório, nem sequer chegou a terminar o *senior year* na *high school*. Ainda novinho, quando recém-chegado de Almeria ao Brooklyn debochavam dele na escola por causa de seu inglês deficiente e o chamavam de *spic*, ele começou a usar os punhos para sobreviver no meio da frustração e do desconcerto. Para sua surpresa, era forte e ganhou respeito. Então, em casa, propôs se matricular no *gym* de um porto-riquenho na Pacific Street, seus pais viram isso como uma maneira de fazer novos amigos e se aclimatar ao bairro e concordaram. E a bola começou a rolar. Treinamentos quatro tardes mais aos fins de semana, encontros de pugilistas amadores, um corpo curtido, adoração pelos maiores mitos da colônia hispânica: o prodigioso Kid Chocolate que chegava de Havana deslumbrando os fãs; Paulino Uzcudun, que triunfava na época em Nova York entre os pesos-pesados: Toro Vasco, era como chamavam aquele titã guipuscoano capaz de reunir vinte mil almas no Madison Square Garden. Apesar de seus esforços, no entanto, Chano nunca triunfou de verdade. Aspirou, prometeu, esforçou-se com empenho e coragem, teve alguns momentos fugazes de glória. Mas não decolou. E agora que se aproximava dos trinta anos, por fim a lucidez o havia aconselhado a abandonar o boxe antes de se tornar um fardo meio imbecilizado ou de perder até o último dente; a sensatez o alertara de que era melhor que se afastasse daquele mundo que só lhe ofereceria amargura.

— De qualquer maneira — prosseguiu Barona —, embora o trabalho seja na cidade, e não no Brooklyn, não entendo por que não continua aqui, conosco...

Victoria começou a recolher os pratos sem abrir a boca; Chano terminou seu refrigerante e se esforçou para não olhar para ela, para não fixar os olhos naquele corpo que havia acariciado tão pouco antes, que evocava e ansiava desde que a viu vestida de noiva na porta da igreja da Catorze. Nenhum dos dois ia dizer a Luciano Barona que a razão pela qual o filho estava saindo da casa era porque o fato de ficar irremediavelmente os levaria ao abismo que ambos desejavam e temiam ao mesmo tempo.

— Mas, se você insiste — prosseguiu o tabaqueiro, ignorante de tudo, com suas cautelas paternais, como se falasse com o menino que Chano foi, e não com o homem vivido que era. — Se insiste em ir, pelo menos assegure-se de que o lugar esteja em condições; de que tenha tudo que for necessário e...

Os braços dela falharam quando ouviu o que Luciano propôs a seguir:

— E, de qualquer maneira, você pode levar Victoria lá um dia desses, antes de se mudar, deve haver algo para limpar ou arrumar, ou...

O estrondo de pratos quebrados interrompeu de súbito a frase. Os pedaços de louça rebotaram no chão, o molho do ensopado de aspargos salpicou os pés de Victoria e a parte mais baixa do papel de parede. Remedios soltou um grito áspero, recriminando-a por sua inépcia; Luciano se levantou depressa e exclamou cuidado para não se cortar! O único que permaneceu sentado foi Chano, contemplando-a; as pernas flexionadas, nuas até metade da coxa sob o vestido leve de ficar em casa. A coluna magra que se arqueava, os braços que se dobravam e esticavam alternadamente para recolher os pedaços dispersos de louça, o cabelo escuro sobre o rosto ao fixar o olhar em sua tarefa.

Todo o resto se diluiu no cérebro do boxeador de uma maneira parecida a esses momentos em que, caído na lona no final de um combate, começava a perder a consciência devido a golpes mal encaixados e o sangue escorria e ofuscava sua vista. A imagem de Remedios se borrava, o perfil de seu próprio pai se apagava, a voz de ambos se tornava um eco remoto. Só ela permanecia em sua retina: agachada, aturdida, magnética. E em seu cérebro, como se as houvessem lançado contra as cordas de um quadrilátero, ainda rebotavam as palavras que haviam feito com que as mãos da Arenas mais velha ficassem moles como manteiga.

Pode levar Victoria lá um dia desses, foi o que disse o tabaqueiro.

Como se houvesse tocado um gongo invisível que empurrasse sua mulher e seu filho para a traição.

CAPÍTULO 69

Primeiro foi "El manisero", depois "Cachita", depois "Amapola", depois "Siboney". Luz e Tony dançavam com uma graça e um desembaraço que chamava a atenção. O *bolitero* tinha corpo ágil, frescor e bom ritmo; afinal de contas, ele mesmo era filho de cubana, como também o eram milhares de moradores de sua Tampa natal. Mas quem deslumbrou mesmo foi Luz: como se por meio da dança tirasse de seu corpo os demônios que tinha dentro de si, parecia se transmutar em outra mulher. Com o vestido longo de lamê dourado que se acoplava a sua silhueta como uma segunda pele, com sua graça natural e os movimentos harmoniosos e sedutores que ensaiava havia semanas na academia de Revuelta, não parecia ciente de que várias dezenas de olhos fitavam abobados suas ondulações cativantes e o balanço cadencioso de seus quadris.

A responsável por aquela cena, no entanto, não foi a própria Luz, e sim Mona: ela os forçou a ir para a pista e deixá-la sozinha na mesa com o conde. No início, Tony e Luz recusaram por mera educação, cientes de que o ex-príncipe não poderia dançar, seu corpo não aguentaria tanto requebro de pelve e pernas. Mas Mona insistiu, e Tony a fitou com uma expressão interrogativa e ela sussurrou por favor. Não precisou dizer mais nada: levantando-se de imediato, o *bolitero* estendeu a mão, convidando a irmã mais nova, e ambos se perderam entre a massa.

Apesar da elegância do ambiente, da presença perturbadora de Tony vestido de fraque, do desânimo causado pela agressão a Luz e dos casos ora divertidos e ora desoladores de quem já nunca seria rei, a Arenas do meio não esquecia a origem de seu interesse, a razão que os levou até o St. Moritz. Por isso, queria alguns momentos para captar a atenção exclusiva do conde e, quando por fim se viu sozinha com ele, sem nenhuma distração periférica, disparou certeira e sem contemplações.

— Então, senhor, aceita ir a nossa inauguração?

Enquanto soltava a fumaça de seu enésimo cigarro, ele a olhou por alguns instantes com seus olhos transparentes. Até que pestanejou, como se de súbito se desse conta de algo distante, quase esquecido.

— Ah, certo, certo! Era essa a razão pela qual vocês foram me procurar esta tarde, não?

— Isso mesmo.

— E qual era o negócio exatamente? Um restaurante, ou um *night club* espanhol, ou...

Para sua frustração, a resposta ficou petrificada entre os lábios de Mona. Nesse exato momento aproximavam-se da mesa dois senhores de idade avançada que brandiam um charuto em uma mão e uma taça na outra. Não o conheciam pessoalmente, mas cumprimentaram o ex-herdeiro em espanhol com um misto de confiança, afeto e euforia; talvez por suas férreas convicções monárquicas, talvez porque haviam bebido um pouco demais. Segundos depois apareceram suas esposas: distintamente deferentes com ele, descaradamente curiosas com ela, tentando imaginar quem seria essa morenaça vestida de vermelho escuro, se talvez já não estaria substituindo a cubana Edelmira no louco coração do filho de Alfonso XIII. Chegamos anteontem no *Aquitania*, estávamos em Biarritz desde que as coisas começaram a ficar turvas na Espanha, disse a mulher mais velha, meio rechonchuda e envolta em veludo roxo. Madri ficou impossível, acrescentou a mais nova, com três voltas de pérolas no pescoço e dentes de coelho. E prosseguiram as referências a esses lugares e essa gente vinculados à família do conde de cuja existência ela jamais ouviu falar: Monte Carlo, Cannes, Londres, Lausanne, a rainha, o rei, o casamento de Beatriz com Alessandro Torlonia, a trágica morte de Gonzalito naquele triste acidente.

Para lhes mostrar abertamente quanto a importunavam, Mona, sem sair de sua cadeira, deu-lhes as costas, apoiou um cotovelo na mesa, o queixo em cima da mão, e olhou altiva e descarada para o outro lado. A avassaladora chegada desses estranhos corroía suas tripas, bem como notar que àquela altura da noite o conde ainda não havia dado um sim firme a seu convite. Já eram muitas as pessoas que haviam se aproximado para cumprimentá-lo; por isso, temia que alguém o monopolizasse, que o absorvesse e o acabasse levando sem que ela atingisse seu objetivo. Afinal de contas, combinou com eles simplesmente sair para jantar, não formavam um grupo compacto de amigos fiéis, e sim um frágil arranjo de conveniência.

O quarteto inoportuno continuava monopolizando o conde enquanto a música enchia o salão com seus ritmos tropicais, versões edulcoradas de compassos caribenhos, sons afro-cubanos primários e rueiros transformados em uma moda mundana que começava a fazer furor; eram cada vez mais os casais que dançavam exultantes, e isso só fazia alimentar o desassossego que crescia dentro de Mona. Não só não havia garantido ainda a conformidade do conde de Covadonga como convidado de honra para a primeira noite do Las Hijas del Capitán, como também a música que retumbava em seus ouvidos não parava de fazê-la recordar que talvez todo seu projeto de *night club* fosse um imenso erro. Fora isso que anunciara aquele Frank Kruzan indesejável, o caça-talentos abusador que havia quebrado a cara de Luz nessa mesma tarde: a rumba é o presente e o futuro, o cavalo ganhador.

Sonoros aplausos a tiraram de suas reflexões: a orquestra fazia uma pausa, os casais dançantes voltavam às mesas. Luz se sentou em sua cadeira se abanando com a mão e se esquivando de gracinhas ardorosas, um ou outro comentário tão sutil quanto insolente que mais de um distinto senhor lhe dedicou enquanto passava. Tony se sentou de novo ao lado de Mona e sussurrou em seu ouvido, tudo bem? Como resposta recebeu um olhar de angústia; ele franziu o cenho. Aconteceu alguma coisa? Nada, disse ela, fechando os olhos e sacudindo a cabeça. Nada, coisa minha. O *broker* de ilusões ilegais não conseguiu insistir: nesse instante, alguém chegou à mesa e desatou um tumulto. Abraços, vozes altas, gargalhadas masculinas. Xavier Cugat, o maestro da orquestra, havia acabado de descer para cumprimentar Alfonso de Borbón.

Chegava enxugando o suor da cabeça calva com um lenço de seda; de perto, apreciava-se nele um nariz proeminente e olhos vivos e puxados. Um garçom negro arrastou uma cadeira, que colocou entre o conde e Mona. Cugat instruiu:

— Diga a Flaquito que prepare uns drinques para esses senhores, Custodio...

Sem sequer olhar, indicou com o polegar o quarteto de desconhecidos; continuavam os quatro ali em pé, ao redor do conde, como se lhe guardassem as costas, esperando para continuar com seus assuntos.

— E sirva-os na mesa deles, vão se cansar de ficar tanto tempo em pé.

Os dois casais de compatriotas não tiveram mais remédio que desistir e sair de má vontade: que inferno, deviam pensar enquanto se afastavam, agora que estávamos prestes a interagir com os dois compatriotas mais célebres de Nova York.

O músico deixou Tony e as garotas fascinados com sua desenvoltura e sua extravagante simpatia. Salpicando o espanhol com gotas de inglês e falando tanto com sotaque cubano quanto com um forte catalão, pediu outra rodada de daiquiris, agitou as coqueteleiras como se fossem maracas e insistiu em servir as taças ele mesmo. Fez graça, brincadeiras, soltou grandes gargalhadas e cumprimentou a torto e a direito a distância, ao mesmo tempo impedindo ferreamente que qualquer obsequioso adulador atravessasse o perímetro invisível que ele mesmo havia determinado para proteger a espontânea reunião.

Porque assim era Xavier Cugat de perto e de longe: um indivíduo efervescente, excepcional. Catalão de nascença, levado para Cuba durante a infância, violinista brilhante e precoce. Emigrado aos Estados Unidos logo após completar dezoito anos e sem falar nem uma palavra em inglês, batalhador, visionário, *bon-vivant*, mulherengo. Otimista empedernido, trabalhador tenaz, desenhista de histórias em quadrinhos antes de triunfar na música, impulsor das coisas hispânicas no norte, introdutor dos ritmos tropicais, daqueles compassos – *fast and furious* – que começavam a encher as pistas de dança dos Estados Unidos, uma música vibrante e contagiosa que se ajustava como uma luva ao dinamismo das grandes metrópoles norte-americanas.

Quando eu disser a meu pai que sou seu amigo, ele não vai acreditar, ha, ha, ha! Ele, que saiu de Girona por ser inconformista, antimonárquico e radical! Se bem que você já perdeu qualquer direito ao trono, Alfonsito; com tantas transfusões nas veias desde que atravessou o oceano, seu sangue já deixou de ser azul há muito tempo, agora é mais democrático que o de qualquer filho de conterrâneo, ha, ha, ha! Mas, aqui, o único monarca é você, Cugui querido!, replicou o outro dando-lhe corda. Sabem, amigos, como ele é conhecido em toda a América? Como o rei da rumba. O grande Xavier Cugat, o *Rhumba King*!

A conversa entre os dois prosseguiu um tempo, com Mona se esforçando para disfarçar seu nervoso entusiasmo ao notar que seu tiro havia sido certeiro: em vista do alvoroço que causava, o conde seria, sem dúvida, um convidado magnífico para sua inauguração. Só faltava que dissesse sim de uma vez, um último empurrão. Até que o músico suspendeu momentaneamente o tom jocoso da conversa e se dirigiu a Luz:

— Eu a vi dançar, menina. Dança *molt bé, molt bé*... Me faz lembrar muito de uma menina de origem espanhola que conheci há não muito tempo no cassino Agua Caliente, em Tijuana. Ela se apresentava com o pai, um dançarino sevilhano; uma coisa que chamava de *Tardes mexicanas*, apesar de que nenhum dos dois conhecia o México, nem de longe. A menina prometia, mas faltavam algumas coisas. A cor dos cabelos, por exemplo, e um pouco mais de peso. Faltava também sofisticação, não era sedutora ao caminhar nem sabia mexer as mãos, e tinha um sobrenome feio, pouco apropriado para a rapidez com que tudo transcorre neste país; por isso eu mesmo propus que o mudasse: de Cansino a Hayworth, pois aqui soa *molt millor*. Veja só a sorte que eu lhe dei, já está rodando filmes em Hollywood com a Columbia...

Não alardeava: não havia parado de crescer como músico e como empreendedor, farejava o talento a milhas de distância e tinha um olho infalível para o show business. Luz balbuciou, nervosa, ruborizada; ao acaloramento da dança somou-se a surpresa devido ao que havia acabado de escutar. Não sabia o que responder, não sabia se agradecia pelo elogio e reconhecia abertamente que essa tal de Rita Hayworth era justamente o modelo que Frank lhe propunha seguir.

— Estou montando um espetáculo novo para daqui a alguns meses, menina; se precisar de emprego e estiver disposta a se polir e trabalhar duro, procure-me. Não tenho cartão, não preciso disso, todo mundo me conhece. Basta saber por onde ando e perguntar por mim.

Despediu-se com mais duas brincadeiras e um último cacho de gargalhadas e se dirigiu ao palco de novo. Lá ia o *Rhumba King* com suas lantejoulas, sua camisa de babados e sua careca reluzente que nos anos posteriores ocultaria sob uma peruca; ia encher de alegria tropical os corpos rígidos daqueles louros do norte, alterando a rumba lendária que os negros cubanos dançavam no calor das noites do Caribe, roubando sua autenticidade primária e tornando-a universal.

Como se a partida do músico houvesse representado o fechar das cortinas, a postura e o rosto de Covadonga mudaram subitamente: mostravam-se assolados por uma imensa fadiga. Tão impactante foi a mudança que Mona não teve mais remédio que perguntar:

— O senhor está bem? Quer ir embora?

Ele assentiu sem palavras; aquele castelo de fogos de artifícios que era Cugat parecia ter sugado toda sua energia. Tony o ajudou a se levantar, um garçom solícito lhe entregou sua bengala e, sobre a conta que o *maître* estendia, o conde rabiscou apenas uma assinatura disforme. Apertando a empunhadura da bengala e mordendo os lábios para conter a dor, Covadonga caminhou com um esforço supremo para a saída enquanto o incombustível catalão tornava a tingir de euforia a Sert Room a golpe de trompetes e marimbas.

Atravessaram o vestíbulo em silêncio os quatro; saíram para a noite da Park Avenue, as garotas voltaram para o aperto do banco traseiro do carro, Tony acomodou o conde no de passageiro e ele mesmo assumiu o volante, sem sequer precisar perguntar.

Ninguém disse nada durante o breve caminho de volta. Quase sem trânsito, cada qual se bandeou com seus próprios pensamentos. Mona mastigava seu desânimo ao saber que a resposta definitiva do conde estava escapando como água entre os dedos. Luz continuava muda, porque a inesperada proposta de Cugat se chocava como um trem de carga contra o fantasma de Kruzan e suas ambições. O ex-príncipe das Astúrias, enquanto isso, mantinha os olhos fechados, a cabeça apoiada na parte superior do banco e um ricto de dor nos lábios apertados.

Chegaram ao St. Moritz; havia só um porteiro sonolento à entrada, nem uma vivalma na calçada. Mona, de seu cubículo traseiro, estendeu o braço para a frente e pousou a mão no ombro do atribulado ex-príncipe. Suave e consoladora, compassiva, apesar do desencanto.

— Boa noite, senhor. Bom descanso.

Cientes os três de que ajudar o conde a se movimentar tomaria tempo e esforço, assim que Tony saiu do carro, Mona e Luz, erguendo o vestido para não pisar na bainha, prepararam-se para fazer o mesmo, ajudadas por ele.

— Vamos pedir um táxi, receio que isto vá demorar — propôs o *bolitero* enquanto estendia a mão para Mona.

Havia acabado de ajudar Luz, a primeira a pôr os pés no chão. Mas a barra do vestido de Mona ficara enganchada no salto, e soltá-la estava sendo complicado, de modo que ela se sentou de novo para tentar.

— Vou pedir o táxi — anunciou Luz, querendo ganhar tempo. Sem esperar resposta, foi até o porteiro com seu inglês macarrônico. — *One taxi, please!*

Foi nesse exato momento que tudo se alinhou: Luz se esforçava para se fazer entender, de costas para o carro, o conde continuava transtornado e ausente, o salto rebelde saiu da barra do vestido e Mona por fim pôde deixar que Tony segurasse suas mãos para ajudá-la a sair. Em um segundo estava praticamente fora; em dois, ambos os corpos estavam parados na calçada frente a frente.

— Boa noite — sussurrou ele, aproximando seu rosto uns centímetros.

Ela não se mexeu.

O seguinte foi um beijo. Fugaz, brevíssimo, mas tão terno e tão cálido, tão comovente, como se houvesse durado meia eternidade.

A voz de Covadonga inesperadamente os interrompeu.

— Mona, querida, aproxime-se.

Desprendendo-se sem vontade de Tony, de seus lábios e seus dedos, Mona correu para o lado do passageiro.

— Pois não, senhor.

Ele sorriu fragilmente, com os olhos ainda fechados.

— Contem comigo para o negócio de vocês, linda — anunciou com um fio de voz. — Seja o que for...

QUINTA PARTE

CAPÍTULO 70

A cozinha do apartamento continuava parecendo estranha sem sua mãe e sem Victoria. Silenciosa demais. Tão vazia...

— Decida, Luz, pelo amor de Deus, sim ou não?

Sem responder a Mona, a irmã mais nova continuou desanimada dando pequenos sopros em sua caneca de leite. Sentadas frente a frente, as duas estavam de novo com a cara lavada e as mesmas roupas gastas de todos os dias: os restos da maquiagem ficaram colados em uma toalha antes de irem para a cama e os suntuosos vestidos estavam agora em cabides de arame atrás da porta do quarto, à espera de serem devolvidos ao agiota judeu.

— Porque preciso saber o quanto antes; temos os dias contados para abrir, você sabe disso.

Mais sopros, mais silêncio por parte de Luz.

— E se não participar, vai nos afundar...

A insistência de Mona acabou desarmando-a. Duas lágrimas começaram a rolar por suas faces. Quando tentou enxugá-las bruscamente com o dorso da mão, ao roçar o pômulo machucado soltou uma exclamação de dor.

— Pelo amor de Deus, Luz! Acima de tudo, você tem que se livrar desse Kruzan desgraçado, isso é o principal.

O pranto da Arenas caçula já não tinha contenção. Muitas pressões, muito desassossego para uma simples garota emigrada à força cujas únicas preocupações até muito pouco tempo eram ir trabalhar na lavanderia do bairro e ensaiar duas tardes por semana um papelzinho em uma humilde zarzuela de amadores. Desde que Mona teve a ideia extravagante de montar o *night club* e Frank Kruzan apareceu em sua vida, no entanto, a simples existência de Luz se convulsionou inteira: a ilusão misturada com o medo de decepcioná-lo, a confusão de seus sentimentos, o fato de permitir que ele decidisse e fizesse com seu corpo e sua vontade o que bem entendesse sem que ela negasse.

— Nunca mais fale com ele, nem mesmo para dispensá-lo. Fique longe, não vá mais a essa escola de dança, afaste-se dele.

— Mas... mas eu...

Eu pensei que o amava, pretendia dizer; mas as palavras não saíram. Acreditava nisso de verdade, cega pela dedicação obsessiva que ele lhe havia dedicado durante todo esse tempo. Ou talvez fosse nisso que obrigara a si mesma a acreditar. Somente na noite anterior começou a cair a venda imaginária que cobria seus olhos. A oferta de Cugat, que, diferente de Kruzan, não lhe prometeu um firmamento cheio de sucessos rutilantes, e sim um potencial emprego conquistado à base de empenho e esforço, foi o contrapeso que a puxou de novo à realidade. E agora... Agora não sabia nem o que queria, nem o que sentia, nem o que era melhor ou pior.

— Mas... mas ele... certamente... com certeza ele virá atrás de mim.

Provavelmente ela tinha razão, aquele caça-talentos tratante não aceitaria sua rejeição de bom grado. Teriam que ter cuidado, estar atentas, pensou Mona; teria que haver alguma solução.

— Por enquanto, engula essas lágrimas, acabe o café da manhã e vamos.

Mona a acompanhou à lavanderia. Os Irigaray estavam abrindo o estabelecimento nesse momento, enfiando chaves nas fechaduras e abrindo ferrolhos. Enquanto Luz adentrava o local com dona Concha, Mona, na porta da rua ainda, fingiu perguntar qualquer bobagem ao marido e aproveitou para informá-lo brevemente do que ocorreu no dia anterior e do que talvez pudesse acontecer nesse dia. Ele franziu o cenho e assentiu enquanto terminava de manipular as fechaduras para deixar a lavanderia aberta ao público; finalmente entendia o que andava transtornando sua funcionária nos últimos tempos. Vá tranquila, garota, disse a Mona. Nós cuidaremos disso.

Só então, com a certeza de que sua irmã mais nova ficava ao resguardo do robusto vasco e sua mulher, Mona tomou o caminho para seu próprio estabelecimento. Quando da calçada oposta viu a fachada com seu grandioso toldo e o estridente colorido da parede, sentiu um nó no estômago e uma súbita vontade de vomitar.

Conteve-se; abriu a porta. Os pintores haviam desaparecido com suas latas e suas brochas, os carpinteiros haviam acabado o trabalho e as marteladas já não retumbavam nem se ouvia o ruído da serra. Mas o trabalho de uns e outros, mesmo sem acender as lâmpadas, percebia-se no cheiro: a tinta e a serragem, a verniz, a cola.

Distinguindo os contornos e volumes apenas com a luz que entrava da rua, avançou devagar para o interior. Mesmo na penumbra notou as mudanças: nas paredes recém-pintadas estavam agora aqueles cartazes promocionais que prometiam aos turistas de ultramar uma idílica Espanha cheia de sol, touros, gerânios e violões; certamente chegaram enquanto elas estavam tentando convencer o conde de Covadonga, e Fidel, depois da briga com seu pai, os pendurou. As mesas e as cadeiras que durante os dias anteriores haviam ficado cobertas e amontoadas nos cantos estavam agora dispostas ao redor do novo palco. Atrás dele, a modo de cortina, ele havia pendurado um enorme pedaço de veludo vermelho de cuja procedência Mona suspeitou de imediato: o mesmo comerciante que fornecia tecidos à funerária Hernández devia ter feito um favor ao filho de seu cliente.

Havia cem arremates pendentes. Ela se sentou um minuto na beira do palco para repassá-los. Sua capacidade de concentração, no entanto, andava escorregadia nessa manhã: sua atenção continuava focada em Luz. A Luz de sempre, ingênua, risonha, animada e despreocupada: era essa que ela gostaria de ver ali. Mas sabia que algo irremediável havia mudado dentro de sua irmã; algo que a havia feito perder a inocência e a candura. E uma vez mais amaldiçoou a si mesma por não ter estado ao seu lado para impedir que se aproximasse sozinha da beira do abismo.

Enganchado à recordação de Luz ao ritmo de congas e maracas na noite anterior, como quem tira da água uma rede cheia de peixes brilhantes, saiu mais alguém. Tony. Tony, o *bolitero*, Tony de Tampa, que se movia em qualquer ambiente com a habilidade de um malabarista, que enfiou o conde no bolso com seus atos e suas palavras, ajudando-o com diligência quando foi necessário e arrancando-lhe gargalhadas quando lhe contou que o ramo paterno de sua família foi sempre lealmente monárquico trabalhando para os fornecedores de tabaco da Casa Real, ao passo que no materno corria um sangue *criollo* e patriota tão independentista que seu próprio avô lutou contra os espanhóis na Guerra Chiquita sob o comando do general Moncada. Tony adaptativo e batalhador, sedutor sem querer, deixando aquele beijo em seus lábios, eloquente e fugaz.

Mona se levantou de repente e o palco recém-montado rangeu. Não queria continuar pensando nele. O principal da noite anterior, independentemente de seus sentimentos, era que havia atingido seu objetivo: já tinham um padrinho para a cerimônia. E a julgar pela expectativa e as demonstrações de afeto que despertou no Waldorf Astoria, o conde seria um padrinho excepcional. Encerrado esse assunto, as urgências eram outras, havia trabalho aos montes. Nisso passou as horas seguintes, com um pano amarrado na cabeça maquinando e limpando, pensando e tirando pó das panelas, até que, passado o meio-dia, ouviu a voz de Fidel gritar à porta disparando loucamente uma ladainha de desculpas para justificar sua demora.

Ela o interrompeu, radical.

— Cale-se e deixe-me falar. Há duas coisas importantes que você precisa saber. A primeira é sobre o conde de Covadonga. Estivemos ontem à noite com ele, e ele concordou e virá à inauguração.

Fidel soltou uma gargalhada triunfal e, levando a mão ao coração, começou a dançar alguns passos de tango como se abraçasse uma esquálida parceira imaginária e pelo teto se infiltrassem os compassos de "La cumparsita".

— Pare, maluco — ordenou ela. — Pare e escute, não acabei. O segundo assunto é Luz: acho que ela está disposta a voltar para nós. Talvez não demore em nos deixar, ofereceram-lhe outra possibilidade muito mais tentadora, porém, pelo menos para começar, parece que poderemos contar com ela. Mas há um problema.

— Kruzan — antecipou-se o garoto com voz opaca.

— Exato. Ele a subjuga, não a quer bem. Ontem bateu nela, e antes disso... Bem, antes fez outras coisas igualmente nojentas.

O semblante de Fidel ia se alterando à medida que escutava. Uma onda de raiva percorreu seu corpo da cabeça aos pés.

— Não sei como, mas temos que ajudá-la a se livrar dele.

CAPÍTULO 71

Se Luciano Barona houvesse conhecido Frank Kruzan, teria parado para cumprimentá-lo ao vê-lo descer do trem elevado da Nona avenida. E se houvesse parado para cumprimentá-lo, sem dúvida teria suspeitado que algo não estava bem ao notar a expressão que atravessava seu rosto, as olheiras profundas e as roupas amassadas, algo pouco habitual em um sujeito em geral tão elegante. Mas como os dois não só nunca haviam sido apresentados, como inclusive desconheciam a existência um do outro apesar dos laços que os uniam com a mais velha e a mais nova das irmãs Arenas, naquela manhã apenas se cruzaram na estação roçando braço com braço e cada um seguiu em um sentido oposto, um com seu carregamento de cigarros, o outro empunhando com apatia um buquê de flores.

Ao longo da caminhada até o trecho da rua Catorze onde palpitava a vida espanhola, bem como durante o trajeto de trem e durante as longas horas que passou naquela noite em uma sala de espera do Sloane Hospital for Women, Frank Kruzan não havia parado de pensar em uma mesma questão: Luz.

A verdade era que gostava da garota; gostava demais: suas carnes firmes, sua juventude exuberante e aquele seu desembaraço um tanto selvagem, tão fresco e espontâneo, tão vivo. E, acima de tudo, seu potencial lhe interessava. Por isso havia decidido transformá-la em seu melhor investimento, e por isso seu sangue fervia ao intuir que poderia estar a um tris de perdê-la.

Não contava com que ela o acabaria deixando, tinha certeza de tê-la comendo em sua mão. Nunca lhe havia acontecido algo assim antes, sempre era ele quem terminava suas relações quando julgava oportuno: quando as garotas não atendiam às expectativas e suas capacidades se mostravam menores do que ele esperava, ou quando outra opção mais promissora cruzava seu caminho. Somente aquela Jenny o abandonou de repente para ir embora com um produtor que lhe propusera uma comédia; a vadia sumiu de um dia para o outro sem aviso prévio, e ele jamais tornou a vê-la. E depois houve aquela outra, Melanie se chamava, mas essa não o deixou por rebeldia, e sim porque o animal de seu pai acabou levando-a praticamente arrastada de volta a sua fazenda em Indiana. Luz, no entanto, o havia abalado como poucas vezes: uma pobre imigrante, uma ignorante que se perdia pelas ruas e nem sequer sabia inglês, e a insensata continuava insistindo em não se dedicar cem por cento a ele, em compartilhar seu talento com o insignificante espetáculo que estavam montando a iludida de sua irmã e um amigo meio idiota. Tal obsessão demencial não tinha nome.

Com Luz, surgira para ele uma oportunidade magnífica para sair do buraco onde estava havia quase dois anos; a conjuntura ideal para fazer dinheiro de novo, e, de quebra, livrar-se de Nina de uma vez por todas. Nina, murmurou com uma careta amarga ao recordá-la. Nina, maldita seja. As imagens da longa madrugada voltaram em torrente a sua memória. Seus gritos, o apartamento revirado, os lençóis encharcados de sangue, os uivos de terror e o táxi para o hospital, seu corpo na maca, a aspereza da enfermeira ao sair ao corredor para lhe dar notícias. *Spontaneous abortion* foi o diagnóstico. Nina tivera um aborto natural nessa mesma noite, sem sequer saber, idiota, que estava grávida. Sua última grande proeza, pensou Kruzan com amargura, *for God's sake*. Ainda bem que o feto não havia avançado além de algumas semanas; a última coisa de que precisava a essa altura era um filho, agora que estava prestes a abandonar essa imbecil que o enlouquecia com suas exigências e recriminações, maldito seria sempre o dia em que confundiu o arroubo carnal e suas supostas aptidões com uma razão suficiente para lhe dar legalmente o sim, aceito no City Clerk Office.

Ainda bem que os irmãos chegaram cedinho ao hospital, e, então, ele pôde ir embora; assim que ouviu os passos a distância e intuiu suas silhuetas compactas avançando depressa do fundo do longo corredor, ele saiu em disparada pela escada de incêndio. Não tinha nada a dizer àquele par de energúmenos irlandeses, e o médico havia dito que ela estava bem, que só precisava de repouso; de modo que deixou os três ali, para que rasgassem o verbo contra ele, como faziam sempre, para que Nina o insultasse e o difamasse e incitasse os outros dois até que acabassem jurando que da próxima vez quebrariam a cara dele. A história de sempre, repetidamente.

Estava farto dela, deles, de todo mundo. E a única saída viável e iminente era Luz: nela devia se concentrar, sem distrações; agora, só tinha que endireitar a relação e se assegurar de que ela continuasse ao seu lado para lhe tirar o máximo proveito. E já sabia como agir; para isso lhe servira a noite inteira em claro: para pensar. A primeira coisa que tinha que fazer era obrigá-la a abandonar a lavanderia e lhe arrancar da cabeça de uma vez por todas essa ideia patética de atuar no mísero *night club* da família. Convencê-la com razões fortes, deslumbrá-la de novo e, se possível, tirá-la daquele bairro. Não tinha interesse em conviver com ela, já havia tido o bastante com Nina, mas poderia lhe arranjar um quarto em um apartamento compartilhado com outras garotas, no Uptown, se possível, ou no Bronx, ou no Queens, longe, de qualquer maneira, daquela maldita rua Catorze. Mas, antes, teria que estabelecer o firme propósito de nunca mais perder a cabeça com ela, isso era essencial também. O tapa do dia anterior foi um erro; um erro descomunal. Não porque ela não merecesse, pois a estúpida o tirara do sério com sua atitude, mas porque a nenhum bom porto o levaria tratá-la com violência nesses momentos de vulnerabilidade em que ela hesitava. Era hora de reconquistá-la, foi o que determinou Frank Kruzan enquanto ajeitava o nó da gravata quando lhe restavam apenas alguns passos para chegar à lavanderia. Seduzi-la, cativá-la, convidá-la para jantar em algum restaurante barato, mas vistoso, afinal, ela não entendia nada disso; dar-lhe essas flores ridículas que havia surrupiado em frente ao quarto de uma recém-parida antes de abandonar o hospital.

— A senhorita não tem nada para falar com o senhor.

Para seu espanto, aquela foi a resposta que recebeu quando entrou na lavanderia Irigaray e pediu para falar com ela. Em espanhol primeiro e em um inglês com forte sotaque depois, para que não lhe restasse dúvida: assim disse o maduro proprietário atrás do balcão, com cara de poucos amigos e o peito estufado.

A senhorita a que Irigaray se referia – Luz, naturalmente – se encontrava nesse momento na parte interna do estabelecimento sem conseguir respirar. Desde cedinho estava trabalhando ali dentro, sem sair para nenhuma das tarefas externas cotidianas. Contudo, como antecipava que Frank poderia aparecer atrás dela cedo ou tarde, cada vez que tocava o sininho ou ouvia entrar algum cliente, seu coração se acelerava. Até que, no meio da manhã, quando seu ânimo já se havia serenado, ali estava ele.

Na parte da frente do estabelecimento, enquanto isso, a disputa ia recrudescendo. Kruzan insistia em vê-la, havia passado a noite sentado em um banco de madeira, não havia dado mais que duas cochiladas com a nuca apoiada na parede e sua tolerância estava se esgotando. Irigaray, por sua vez, se mantinha firme: *no way, sir*. Então, Kruzan ameaçou entrar sem licença, e o outro o enfrentou abandonando sua trincheira atrás do balcão.

Bufos, vozes altas, impropérios. Da boca do vasco saiu um grito bronco exigindo que Kruzan fosse embora; sublimada chegou a resposta irada do caça-talentos. A porta da rua se abriu, fazendo tremer o vidro, Luz tampou os ouvidos com as mãos, a dona da lavanderia a acolheu entre seus grandes seios enquanto sussurrava ritmicamente, shhh, shhh, shhh...

Em apenas alguns segundos os dois homens estavam fora, a discussão prosseguia, cada vez mais acalorada. Alguns transeuntes pararam para observá-los, outros vizinhos se aproximaram, curiosos.

— Precisa de uma mão, dom Enrique? — perguntou mais de um.

Formou-se uma rodinha ao redor deles. Os olhos de Frank Kruzan estavam vermelhos e um lado de sua camisa havia saído do cós da calça; nesse momento, o lavandeiro pôs as mãos no peito do outro, e começaram os empurrões. O americano era duas décadas mais jovem e estava furioso; ao vasco sobravam anos, mas, quando jovem, havia sido *aizcolari* em sua cidade, um robusto cortador de troncos, e o que teve manteve, de modo que não se deixou amedrontar. O combate prosseguia, sem chegar aos punhos ainda; juntaram-se mais curiosos, não estava claro quem prevaleceria.

Até que, subitamente, como caído do céu, um corpo se jogou nas costas de Kruzan. O impacto inesperado o fez cambalear e o jogou contra a fachada da lavanderia; a duras penas ele recuperou o equilíbrio e tentou se livrar dos braços finos que atenazavam seu pescoço. Seu objetivo já não era enfrentar Irigaray, e sim sacudir-se e tirar de cima aquele indivíduo saído do nada que estava montado em seu lombo e cujo rosto não podia sequer ver.

Os curiosos gritavam, incitavam: isso, Gardel, bata forte! Coragem, Fidel, derrube-o! Ouviram-se também vozes em italiano, em inglês, algumas em português até. O vasco se pôs de lado e os contemplava, incrédulo, sem entender o que o rapaz da funerária tinha a ver com a história. A cena começou a ficar cômica: Fidel continuava montado nas costas do desconhecido como um carrapato e não parava de soltar impropérios enquanto o outro se revirava, colérico.

Para estupor de todos os presentes, foi Mona quem abriu caminho a cotoveladas entre a multidão. O eco da briga havia chegado até a porta do Las Hijas del Capitán, e alerta como estava, ela havia largado tudo para ir correndo para lá.

— Pare, louco, pare! — gritou furiosa. — Quieto, solte-o!

Foi difícil arrancá-lo de sua presa, não havia jeito. Irigaray e outro vizinho tiveram que ajudá-la, até que o rapaz, contrariado, acabou cedendo e as testemunhas explodiram em jocosos aplausos acompanhados de alguns assobios.

Uma vez liberado do abraço aprisionador de Fidel, a imagem de Frank Kruzan era lamentável: o paletó meio descosturado, os cabelos revirados, a gravata sobre um dos ombros, a fralda da camisa para fora, congestionado, com o rosto vermelho e suado, absorvendo o ar a grandes bocados. Na ausência de palavras, enquanto se esforçava para recuperar o fôlego com os olhos destilando raiva, ergueu um indicador ameaçador que oscilou entre Mona, Fidel e o dono da lavanderia.

— *You... You... You...*

Mas não conseguiu ir além do pronome; incapaz de terminar a frase, ainda respirando com esforço, recolheu seu chapéu caído e começou a se afastar com passo bamboleante.

O vasco deu umas palmadas no ombro de Fidel enquanto os curiosos optavam por dispersar. Muito filho da mãe anda solto por aí, garoto, disse enquanto balançava a cabeça. Não tinha nem a mais remota ideia do que havia impulsionado o jovem a agir daquela maneira; não sabia que para defender aquela Luz que ele adorava estaria disposto a pular nas costas não só do indesejável Kruzan, como também da própria Estátua da Liberdade.

Contemplaram-no até que dobrou a esquina; a seguir, estalando a língua como única despedida, o dono da lavanderia voltou para dentro de seu estabelecimento.

Foi quando Mona viu as flores no chão, perto da parede embaixo da vitrine: um buquê estragado depois das violentas pisadas que haviam passado por cima dele. Agachou-se para recolhê-las, e com uma ponta de amarga ironia intuiu que provavelmente eram destinadas a Luz.

Ao erguê-las, debaixo das flores esmagadas encontrou algo mais. Uma carteira. Uma carteira masculina de couro marrom. Virada para a parede, curvou-se sobre si mesma para que ninguém a visse. Abriu depressa, remexeu, esclareceu as dúvidas. Alguns documentos em nome de Frank J. Kruzan confirmaram sua suposição: era dele. Devia ter caído no meio da briga. Com dedos rápidos guardou-a no bolso da saia, não queria que Fidel soubesse. Era capaz de ir atrás do dono e piorar ainda mais a situação.

CAPÍTULO 72

Mona estava ocupada nos fundos; perto, dois eletricistas trançavam filamentos e tubulações para levar a luz até o palco. Era o meio da tarde e ela não havia parado nem para almoçar. Estava desembalando o pedido fiado que chegou da Casa Victori, organizando tudo nas prateleiras com eficiência, de costas, concentrada.

Antes de cumprimentá-la, antes que ela sequer notasse sua presença, Tony a contemplou a distância. Ereta, diligente, harmoniosa na maneira de se mover enquanto dobrava o torso e se agachava em busca de uma lata de pêssegos em calda ou uma garrafa de anis, e se endireitava de novo, girava a cintura, erguia-se na ponta dos pés e levantava os braços para pôr cada coisa em seu lugar. Nada pode detê-la, pensou ele com certa admiração. Nada certamente parecia capaz de derrubar o arrojo daquela jovem que, por fim, quando ouviu passos às suas costas, acabou se virando. Despenteada, desalinhada, adorável como na noite anterior apesar de estar vestindo uma simples saia puída e uma velha camisa clara e leve.

— Posso ajudar em alguma coisa?

— Não precisa, está tudo mais ou menos organizado.

— E também não tem tempo para ir almoçar comigo? São quase três, você deve estar morrendo de fome.

Nem ela aceitou sua ajuda nem ele a convenceu a parar um pouco; diante de sua firme recusa, Tony se perguntou onde estaria a garota vestida de seda cor de vinho que beijou fugazmente na madrugada em frente ao St. Moritz, se continuava sendo a mesma, ou talvez tudo havia sido uma ilusão que voou com o primeiro sopro do amanhecer.

Mona, por sua vez, não tirara da cabeça aquele pequeno momento de intimidade: as mãos dele segurando seu rosto, seus lábios, o toque de sua pele. De fato, rememorava aquele instante constantemente: com ele na cabeça adormeceu, com ele na pele acordou e com ele convivia o dia inteiro.

Nesse momento, no entanto, encontrava-se entre duas águas. Por um lado, queria que tudo fosse fácil e fluido, que não tivesse obrigações, pressões e desafios imediatos, e que pudesse retomar aquele breve beijo e estendê-lo até fazê-lo eterno, deixar-se levar. Por outro lado, sabia que não podia se desnortear: tinha coisas demais a fazer para ceder às tentações. De modo que Tony, diante da atitude distante que percebeu nela, optou por recuar e não a tocar, nem sequer se aproximou; apenas se apoiou em um banquinho enquanto a jovem seguia concentrada em suas tarefas e os eletricistas continuavam testando os holofotes e soltando rudes palavrões cada vez que não funcionavam. Que bom que esses dois estranhos estão aqui para agir como corta-fogo, pensou Mona. Melhor.

Trocaram apenas alguns comentários banais, rememoraram pessoas e momentos fugazes da noite passada. O Waldorf Astoria, Cugat... E o conde de Covadonga, logicamente.

— Acabei acompanhando-o até o quarto, tive que ajudá-lo a se trocar. Antes de ir, ele me pediu que voltasse hoje de manhã, insistiu para tomarmos café da manhã juntos, queria falar comigo.

Fez uma pausa, acendeu um cigarro e, entre as volutas da fumaça da primeira tragada, pareceu flutuar no ar a figura intumescida de Alfonso de Borbón.

— O conde me propôs trabalhar para ele.

Suas palavras deixaram Mona paralisada.

— Ele precisa com urgência de um assistente.

— Um enfermeiro? — perguntou ela sem se virar, apoiando as mãos em uma prateleira.

— Não só. Secretário é o nome que ele dá ao cargo. Alguém que cuide de tudo, que filtre os assuntos e o acompanhe quando sai e viaja.

Embora Tony não dissesse, ambos sabiam de antemão que o destino daquelas saídas e viagens seria frequentemente um hospital. O próprio conde se referira em várias ocasiões a médicos, tratamentos e às internações intermitentes que sofria devido à doença genética que carregava nas veias: a hemofilia, o triste legado materno que impedia que seu sangue se coagulasse com a mesma normalidade que dos demais mortais.

— E você respondeu o quê? — perguntou Mona ainda de costas, retomando sua atividade e se esforçando para parecer natural. Não queria que ele notasse o nó que se produzira em suas entranhas.

Tony deu outra tragada e hesitou alguns instantes. Poderia não dar importância àquela proposta chocante que tinha magnitude suficiente para acabar desviando radicalmente o rumo de seu destino. Mas preferiu responder com sinceridade.

— Eu disse que vamos experimentar duas semanas. Depois decidirei.

Nenhum dos dois tinha a mais remota ideia do que implicaria tornar-se a sombra de alguém de tal posição; de fato, nenhum dos dois tinha consciência total da situação do conde na deposta família real. Mesmo forçosamente exilado e voluntariamente defenestrado, à beira do divórcio e a um oceano de distância de seus pais e irmãos, Alfonso de Borbón continuava sendo uma peça crucial na monarquia espanhola no exílio; mas, para Mona e Tony, enredados em sua ignorância e suas urgências próximas, só interessava o presente do conde e, no máximo, seu futuro mais imediato. E, nesse sentido, Mona não teve dúvidas de que Tony ao lado dele faria um bom papel. O *bolitero* nunca pensou em passar o resto da vida batendo pernas com suas apostas de pouca importância; sobrava-lhe sagacidade e ânsia de prosperar.

Em um arroubo de fria sensatez, Mona pressupôs o outro lado da moeda: fosse qual fosse o porvir de Covadonga, se Tony aceitasse se tornar sua sombra, diante dele se abririam novas gentes, novos mundos. Ambientes distintos e nomes de avoengos, carros conversíveis, lagostas grandes como coelhos e mulheres soberbas cheias de joias que fumavam em piteiras de casco de tartaruga: o *bolitero* ficaria para sempre afastado dos negócios humildes e das pessoas comuns que lutavam dia a dia para sobreviver. Nem os agiotas judeus, nem as cabeleireiras porto-riquenhas, nem as iludidas aspirantes a montar negócios incertos teriam lugar nos cenários pelos quais transitaria sua nova vida ombro a ombro com alguém a quem durante mais de duas décadas todos chamaram de alteza. Havana, Roma, Miami, Londres, Lausanne... Os conhecimentos que Mona tinha de linhagens reais e geografia universal eram insignificantes, mas eram suficientes para antecipar que essa distância arrancaria aquele homem de seu lado antes que algo chegasse a vingar entre eles; por isso, disfarçou como pôde seu desânimo e retomou, orgulhosa, a tarefa de colocar em fila as garrafas com uma meticulosidade exagerada.

— Tony, posso lhe pedir um favor?

O último, esteve prestes a dizer, mas mordeu a língua.

— Claro.

Impossível fazê-lo ela mesma, acossada pela pressa, pelas mil coisas pendentes, tudo que ainda faltava fazer. E postergá-lo poderia acarretar consequências calamitosas para Luz. Ainda assim, teria preferido não ter que lhe pedir nada; ele já havia feito bastante por elas no St. Moritz e no Waldorf Astoria; conhecê-lo de perto havia sido tão fascinante quanto fugaz, melhor deixá-lo ir.

Virou-se limpando as mãos nas coxas, com as faces vermelhas e uma mecha rebelde de cabelo caindo na testa. Algo se revirou dentro dele também ao contemplar seu rosto sujo e lindo, mas Tony se limitou a dar um meio sorriso, ciente de que sua notícia a havia aturdido. Ela não pareceu se dar por vencida.

Agachando-se, pegou a carteira de Frank Kruzan que mantinha escondida debaixo do balcão e a deslizou sobre a superfície; o desagrado que lhe causava o simples fato de tocá-la fez que a impulsionasse com tal energia que ultrapassou a borda do balcão e quase acabou no chão. Tony a caçou em voo. Examinou-a fechada e aberta, couro marrom, medianamente gasta, sem marcas peculiares. Então, pegou a carteira de habilitação, leu o nome, não o reconheceu.

— É do filho da mãe que deixou a cara de minha irmã daquele jeito ontem.

Tony assentiu. Tornou a observar os dados com mais curiosidade.

— Ele foi hoje de manhã à lavanderia, queria vê-la. Para evitar o encontro, houve um bafafá na rua e, no meio da briga, isso caiu no chão. Imagino que ele já deve ter percebido que é melhor não aparecer por aqui, mas, por via das dúvidas, caso ele tente ao ver que a perdeu, é melhor devolvê-la e não lhe dar oportunidade.

Calou-se aí, de sua boca não saíram mais palavras, porém sua expressão era eloquente. Faria isso por mim, Tony?, parecia querer lhe dizer, mas imediatamente pegou uma garrafa e começou a passar um pano nela, retomando seus afazeres. Seu novo cargo ao lado de Covadonga, o abismo que se abriria entre eles, melhor não continuar implicando afetos.

Ele captou a intenção, no entanto; por você, faço o que quiser, linda, até atravessar o Hudson a nado se me pedir, ou me pendurar na agulha do Cities Service Building... Mas suas propostas também ficaram sem articulação, meros flashes na mente. Se ela preferia não se aproximar, ele não a obrigaria. Por isso, suas palavras foram muito mais austeras que seus pensamentos.

— Eu cuido disso, não se preocupe — disse, guardando a carteira no bolso do paletó. — Não moro muito longe, passo por lá e a deixo na caixa do correio.

Ou arranjo outro jeito, pensou.

CAPÍTULO 73

Victoria e a mãe haviam acabado de voltar do Brooklyn, todas gritavam e se abraçavam como se houvessem passado séculos sem se ver, embora tivessem ficado separadas apenas alguns dias. As palavras saíam aos borbotões; no piso do apartamento, aos pés da rodinha que formavam, haviam deixado sacolas, utensílios, formas de bolo. Ainda demoraram alguns minutos para se acalmar.

Luciano Barona, apoiado no batente da porta, contemplava-as com as mãos nos bolsos e uma expressão de incredulidade. Talvez um dia chegasse a entendê-las, mas, nesse momento, o clã que essas quatro mulheres formavam continuava sendo um mistério para ele. Adoravam-se e logo depois se insultavam com o mesmo ardor, brigavam como gatas de rua e ao mesmo tempo defendiam umas às outras apaixonadamente, diziam-se tudo na cara, mas seriam capazes de arrancar os olhos de quem ousasse questionar a integridade da mãe ou de qualquer uma das três.

Quando se acalmaram, Remedios foi a primeira a perguntar:

— E por aqui, como vão as coisas?

O silêncio caiu como chumbo e as filhas desviaram os olhares. Depois de alguns segundos, Mona abriu devagar o envelope que Fidel lhe havia entregado logo cedo e tirou um panfleto do pacote.

Papel esverdeado e barato, tinta preta fresca ainda. Duas mil cópias ele havia mandado imprimir fiado na gráfica Hispania, de propriedade do asturiano Argeo. Já havia recrutado alguns garotos do bairro para distribuí-los por todas as áreas da colônia, por lojas e cafés, armazéns, adegas, oficinas e barbearias. Em uma ostentação de entusiasmo desatado, os panfletos faziam uso de uma retórica exagerada e grandiloquente; um funcionário da gráfica o havia ajudado, porque o domínio linguístico do garoto não dava para tanto.

— Temos uma notícia, mãe... — atreveu-se a dizer Mona.

A sorte estava lançada, para que esperar mais? Porém Remedios não queria pegar o panfleto que ela lhe estendia.

ESTE VIERNES 26 DE JUNIO DE 1936 GRAN APERTURA DEL NIGHT-CLUB

LAS HIJAS DEL CAPITAN

Al servicio de la colonia española, hispana y del país.
250 West 14th Street, **NEW YORK**

LUZ LA MALAGUEÑA.
SUPREMA exponente de la canción andaluza y la rumba cubana

EL JOVEN GARDEL.
LEGITIMO heredero del rey del tango

DUO SOL Y SOMBRA. Grandiosa pareja cómica

TORERITA DE LA FRONTERA. Popularísima bailarina de danzas regionales

Formidable espectáculo amenizado por el **GRAN** maestro guitarrista **MANUEL MIRANDA** y la mitad de la orquesta de

ESTEBAN ROIG Y SUS HAPPY BOYS

Inauguración apadrinada por el **EXCELSO DON ALFONSO DE BORBON Y BATTENBERG, CONDE DE COVADONGA**

Ambiente soberbio, precios imbatibles

¡NO SE LO PUEDEN PERDER!

— Para que me dá esse papel se sabe que eu não entendo nada?

Victoria e Luz olharam para sua irmã com um nó atravessado na garganta. Mona engoliu em seco.

— Era só para que você visse... Mas, se quiser, eu o leio inteiro e você me escuta sem interromper. E depois eu explico tudo devagarinho.

Mona não havia chegado a ler o final da sexta linha quando Remedios soltou um soco na mesa; não sabia se gritava, praguejava ou começava a distribuir tapas entre suas filhas.

— Vocês querem acabar comigo e com a memória de seu pai, suas insensatas?

O grito soou como uma chicotada. Nenhuma delas se atreveu a replicar, durante alguns instantes só se ouviu a torneira pingando sobre a pedra da pia. A seguir, saiu um pigarro da laringe de Barona. Ainda não havia lido o anúncio completo e tudo continuava lhe parecendo uma insensatez. Mas tentou semear a paz.

— Pode dar certo, Remedios, não fique assim, mulher...

A voz do tabaqueiro foi como um tiro de largada para as três irmãs. Assim que a ouviram, todas começaram em uníssono a tentar convencer a mãe. Mas não conseguiram nem de longe. Remedios lutava como um gato de barriga para cima, até chegou a tampar os ouvidos com as palmas das mãos enquanto continuava gritando com o semblante irado:

— Sem-vergonhas! Descaradas! Filhas ingratas!

Quando acabaram os impropérios, como ainda lhe sobrava fúria, ela se voltou para ele:

— E você... E você, Luciano? Você apoiou este disparate às minhas costas, não vá me dizer que não! Que marido valente minha filha arranjou! Que homem valente entrou em nossa família, incapaz de impedir essas três insensatas!

Barona apertou os dentes para não replicar bruscamente. Contendo-se, trocou um olhar com sua mulher, e ela, disfarçadamente, fez um sinal que queria dizer vá embora, saia daqui até que a tempestade passe. Mas o tabaqueiro já estava ficando sem paciência e não parecia disposto a sair com o rabo entre as pernas, como se realmente tivesse alguma culpa. Já estava farto de Remedios, de sua eterna cara azeda, seus desaires e seus protestos; de que em sua própria casa no Brooklyn, e em sua frente, houvesse continuado a tratar a filha como se fosse uma menina cheia de defeitos que precisava repreender constantemente, e não uma mulher feita e direita, já casada. E Victoria estava estranha, cada dia mais estranha; ausente e alheia, como nas nuvens, onde ele não alcançava, e já não se entregava com a boa disposição de antes, agora se virava na cama à noite de frente para a parede e dizia que estava com dor de cabeça, ou de estômago, ou que estava cansada, ou com calor... Incapaz de encontrar explicações que justificassem essa mudança de atitude em sua jovem esposa, o tabaqueiro punha a culpa na presença dessa sogra insossa que a sorte lhe havia reservado. Sua acidez de estômago até voltara, maldição. E sua capacidade de suportar estava acabando.

O que Barona desconhecia era que entre sua mulher e seu filho Chano continuava crescendo algo que não se via nem se ouvia nem se palpava; um algo etéreo, mas magnético, que os aproximava insensatamente cada vez mais. Mal trocavam palavras entre si, não as necessitavam; o que os unia ia além dos gestos e das frases. Algo instintivo e orgânico. Victoria tentava fingir diante de seu marido, esforçava-se para que sua vida cotidiana não se alterasse, sabia que Luciano não merecia essa dupla traição. Mas cada vez suportava menos que a tocasse porque ansiava que fossem outras mãos que a percorressem, evitava fazer amor tendo na cabeça outro homem que não era ele. E naquela manhã, antes de sair da casa da Atlantic Avenue para devolver a mãe ao apartamento, enquanto ela lavava as panelas e Remedios estava no quarto arrumando seus poucos pertences e o tabaqueiro terminava uma segunda xícara de café, Chano havia se servido um copo de leite e depois do primeiro gole havia dito com voz rouca e sem olhar para ninguém: amanhã me mudo. Victoria, de costas, deixou a água da torneira correndo entre seus dedos e apertou a bucha como se fosse uma tábua de salvação, ansiando e temendo ao mesmo tempo que Luciano repetisse o que já sugerira uma vez.

E ele repetiu. Incauto, ignorante do que acontecia, lançou de novo sua proposta candorosa: vá até lá com ele, veja se o lugar está bom, se precisar de algo, diga-me, que fique bem instalado, que não lhe falte nada. Isso foi o que Luciano Barona disse de novo em um gesto generoso de afeto paternal e em um sincero empenho para dar a Victoria uma responsabilidade ativa como a dona de casa que estava começando a ser. O bondoso tabaqueiro não suspeitava que com sua oferta bem-intencionada ele mesmo estava se aproximando, temerário, da beira de um precipício em trevas.

Tão logo ouviu o marido reafirmar sua proposta, Victoria sentiu os joelhos começarem a tremer. Sim, claro que irei, como não, tentou dizer, mas as sílabas ficaram coladas em seus lábios em um murmúrio. Chano, por sua vez, esvaziou o copo de leite com um gole longo e sonoro, limpou a boca com o dorso da mão e saiu.

Duas horas depois ali estava o casal, no apartamento da Catorze, cada qual com seus medos agarrados nas entranhas, esperando que Remedios se acalmasse, ou se esgotasse, ou achasse um jeito de não encher a paciência. Mas a mãe não parecia disposta a abandonar sua indignação. Pior ainda: para surpresa de todos, optou por fugir. Empurrando-as, afastou suas filhas para abrir caminho, não avisou aonde ia, somente colocou seu xale escuro, pegou as chaves e saiu batendo a porta. Imaginaram que iria à casa da vizinha; aliviadas, deixaram-na ir.

Aplacado o ambiente, Luciano Barona pegou o panfleto que havia ficado em cima da mesa e começou a ler para si o resto do anúncio que havia causado o ciclone. Até que chegou à parte inferior, as linhas que Mona não havia chegado a ler em voz alta e que falavam do apadrinhamento do local por parte de Alfonso de Borbón. E, para surpresa das três irmãs, ele rosnou com voz alarmada:

— Mas, filha, você tem ideia de quem meteu nessa confusão?

CAPÍTULO 74

Remedios, efetivamente, desceu a escada cuspindo pragas até chegar à porta de dona Milagros. Bateu violentamente com o punho; para ela, essa invenção de campainha elétrica era coisa de Satanás. Diante da ausência de resposta, continuou descendo os degraus apressada até chegar à rua. Percorreu em um suspiro o trecho que a separava da taberna; desde que a haviam levado ao Brooklyn não estivera lá. Já à porta, levando a mão ao coração, contemplou o grande toldo vermelho e a estridente fachada recém-pintada de um verde arrebatado. Não precisou mais que alguns instantes para ter ideia da dimensão do despropósito; a seguir, do seu jeito habitual, atravessou a rua sem olhar para os lados e respondeu com os mesmos maus modos aos motoristas que censuraram sua conduta com gritos e buzinadas. Vá para o inferno, tratante! Dane-se, desgraçado!

— Ora, Remedios, já estava sentindo sua falta...

Entre irônica e exausta foi a saudação de irmã Lito quando a viúva de Emilio Arenas apareceu na Casa María e entrou em sua sala sem bater, alterada, com uma mecha fora do coque e se dirigindo a ela com um jato de amargura:

— A senhora deve estar contente, irmã; deve ter descansado bastante.

— Por quê?

— Por não me avisar o que as insensatas de minhas filhas estavam tramando, dessa casa de má fama em que pretendem transformar o restaurante que o pobre pai nos deixou. — Fez uma pausa trágica, inspirou um enorme bocado de ar. — A senhora não tem o perdão de Deus, não tem compaixão por esta pobre mulher, não tem...

A religiosa acendeu um Lucky Strike e, sem sair de trás da mesa lotada de papéis, recostou-se em sua cadeira e permitiu que Remedios liberasse aquela raiva que a incendiava por dentro. A religiosa estava cansada, oprimida pelos problemas, e havia várias semanas que se sentia mal; havia passado metade da noite se revirando na cama acossada por dores no flanco; a última coisa que seu corpo lhe pedia essa manhã era fazer cara boa diante do exaustivo desespero da viúva.

Até que, depois de um tempo soltando fogo pelas ventas e pragas pela boca, as razões da mulher foram se consumindo e a religiosa pôde intervir.

— Elas não são mais meninas, Remedios; suas filhas, por mais que lhe desagrade, são três mulheres. Só pensam em si mesmas, disso não há dúvida, mas você as pressiona demais, as oprime e as sufoca. E elas, naturalmente, querem voar.

Diante do silêncio desconcertado da outra, irmã Lito tirou um fiapo de tabaco da boca e a fitou por entre a fumaça, apertando os olhinhos.

— E o que eu lhe pedi? Que arranjasse uns maridos...

O assunto dos maridos, claro, recordou. A verdade era que, no início, avaliou o pedido de Remedios: ajudá-la a encontrar homens bons para as filhas mais novas, tentar encontrar trabalhadores honestos bem assentados que protegessem as garotas das inclemências da vida. Mas a certeza durou pouco na cabeça da freira irreverente: em dois dias aquela bobagem caiu no esquecimento. Elas mesmas encontrariam, pelos meios naturais, companheiros com quem construir o futuro; ou encontrariam uma maneira de se valer por si mesmas. Mas ela havia cuidado, sim, de brigar com todas as suas forças pelo negócio da indenização, enfrentando as rasteiras traiçoeiras que o advogado Mazza continuava lhe passando ao longo do caminho. Até que sua coragem começou a se esgotar à medida que suas forças diminuíam, e ela passou a questionar se o mais sensato não seria acabar com aquele caso de uma vez por todas. Mas não tinha a intenção de falar disso com a viúva nesse momento, de modo que simplesmente se ateve ao rumo da conversa.

— Está falando dos candidatos a marido de suas filhas? Não encontrei nenhum.

— Como não? — gritou Remedios.

— É isso mesmo, mulher; e é melhor tirar essa ideia absurda da cabeça.

Amontoou-se a titubeação na boca da viúva; seu lábio inferior começou a tremer, e começaram a rolar por suas faces lágrimas gordas como grão-de--bico. Queria gritar com a freira, perguntar por que todo mundo lhe virava as costas, por que razão ninguém a levava em conta.

— Eu... — balbuciou, nervosa, quando entendeu que todas as suas defesas haviam caído. — A única coisa que eu quero é ir embora daqui, voltar para minha terra, tirar minhas filhas desta cidade nojenta.

— Você poderá fazer isso assim que tudo se resolver nos tribunais. Mas se elas vão querer ir embora com você, veremos.

A crueza da religiosa a deixou desarmada. Irmã Lito já estava farta de tanta intransigência.

— Veja, Remedios — prosseguiu a freira, reunindo uma paciência que estava começando a escassear —, as garotas estão se esforçando como leoas: a mais velha concordou em se casar com um bom homem que não ama, aposto, para dar à família um pouco de segurança, a do meio está dando o sangue para tocar o mísero negócio e ao mesmo tempo trabalhar com uma tirana que a suga, a mais nova faz turno duplo entre a lavanderia e seu sonho de se tornar artista. Você as arrancou à força de seu mundo, obrigou-as a vir para cá sem que quisessem, e, ainda assim, elas lutam com unhas e dentes para sobreviver. E tudo isso não é o bastante para você, mulher? Acha mesmo que elas não merecem um mínimo de reconhecimento? Seria melhor pensar se não é você que está indo contra o vento e perdendo toda a razão.

Muda. Muda ficou a viúva de Emilio Arenas, como se lhe houvessem cortado a língua com uma navalha. Até as lágrimas haviam parado de cair.

— Eu não, eu não, eu não quero... — gaguejou depois de longos instantes. — Eu não quero que continue cuidando das coisas de meu marido. Eu, eu, eu... eu já não confio na senhora.

Irmã Lito acabou se levantando da cadeira com esforço, como se, apesar de sua baixa estatura, precisasse ficar em pé para conferir mais solenidade ao que ia dizer.

— Você não pode decidir isso sozinha. Suas filhas são minhas clientes também e, como tais, têm capacidade própria de decisão.

Toda a raiva que Remedios carregava na alma se transformou bruscamente em uma rude revoada de blasfêmias disparatadas que arranhou o ambiente com a aspereza de uma lixa grossa.

— Sabe de uma coisa, irmã? Enfie seus pleitos e suas palavras onde lhe apeteça, maldita, e... e maldito seja este país de merda, e malditos sejam todos os malditos cabarés e seus artistas e... e... e que todas as freiras miseráveis do mundo inteiro acabem ardendo no fogo do inferno.

CAPÍTULO 75

Luz deixou as irmãs discutindo arrebatadas com o tabaqueiro sobre o conteúdo dos panfletos; bem pouco lhe importavam essas histórias de monárquicos e republicanos, coisas políticas que não entendia nem queria entender. Abandonando o apartamento, voltou sozinha para a lavanderia: os Irigaray haviam lhe concedido um breve descanso no meio da manhã para ir ver sua mãe que voltava do Brooklyn, mas não queria se exceder para não forçar demais a barra. Já os havia feito passar maus bocados com a briga com Frank em plena rua.

Apesar de a dona da lavanderia ter tentado mantê-la nos fundos, ela acabou se soltando, conseguiu chegar à frente e contemplou a cena, espantada, pela vitrine; se dona Concha não a houvesse segurado com força, sem dúvida alguma ela teria saído em disparada e se agarrado a ele suplicando que parasse, prometendo-lhe voltar.

Confusa, angustiada, nervosa: assim andava ainda a Arenas mais nova na manhã seguinte. De alguma maneira sentia como se duas forças a puxassem em direções radicalmente opostas. Por um lado, sua irmã Mona, os donos da lavanderia e o mais elementar bom senso lhe diziam afaste-se desse ser desprezível, ele não é bom para você. Por outro, no entanto, estavam suas dúvidas, seus sentimentos. Nunca até então ela conseguira ver sentido nessas letras das canções que cantava: amores arrebatados, paixões impossíveis, homens que aranhavam a alma e faziam sofrer. Aquelas estrofes nunca haviam sido para Luz nada mais que réstias de palavras entoadas em compasso; mas não mais. Agora as fazia suas, era como se todas as *coplas* falassem dela, como punhaladas direto no centro de seu coração.

Estava prestes a atravessar a rua quando olhou ao redor e analisou as opções; desviando um pouco estaria na escada do *subway*, em questão de segundos poderia se tornar invisível, desaparecer. Um formigamento percorreu suas entranhas, ninguém precisava saber. Os Irigaray pensariam que ela havia se distraído com sua família, sua família imaginaria que estava com os Irigaray. E ela, enquanto isso, poderia voar um pouco. Com o jaleco branco do trabalho que ainda vestia, sem um centavo no bolso e sem avisar ninguém, poderia descer à plataforma, passar sem pagar, ir ao Midtown, procurá-lo e dizer que estava tudo esquecido.

— Ei, garota!

O grito bronco a tirou de sua ilusão.

— Ei, Luz!

Tudo se tornou real subitamente: a rua agitada, o sol contundente do início de verão, os carros que circulavam barulhentos pelos paralelepípedos, um vendedor de sorvetes, transeuntes, um ou outro furgão. A vida na Catorze, mais um dia.

Quem a chamava da calçada oposta era seu patrão: dom Enrique aguardava sua volta com zelo de carcereiro. Embora Luz não soubesse, aquela era a missão que ele e sua mulher se haviam atribuído depois do incidente com Kruzan. Protegê-la, evitar, na medida de suas possibilidades, que aquele indesejável se aproximasse dela de novo, que o ânimo dela fraquejasse e tivesse uma recaída. Portanto, ali estava o vasco com camiseta regata, pois o calor dentro da lavanderia estava ficando insuportável. Parado com as pernas abertas, a barriga ostentosa e os pelos rebeldes saindo pela gola, pelos braços e sovacos, fazendo gestos eloquentes que diziam venha, garota, venha trabalhar.

De qualquer maneira, mesmo se Luz houvesse cometido a ousadia de desobedecer à ordem de dom Enrique e em uma corrida cega houvesse ido para a estação, descido de três em três os degraus, pulado a catraca, entrado em um vagão e chegado a seu destino, não teria conseguido nada: não conseguiria encontrá-lo, porque naquele dia Frank Kruzan não havia cumprido sua rotina. Nem comprou o jornal da manhã como fazia diariamente, nem comeu seus ovos fritos com *hash browns* no café de sempre enquanto lia o *Billboard* para saber das notícias de seu mundinho, nem passou pelas habituais lojas de discos, nem desceu a seu escritório no Midtown. Nesse dia, à mesma hora em que Luz hesitava, Frank Kruzan continuava em seu apartamento, jogado em uma poltrona com a cabeça para trás e um punhado de gelo embrulhado em um lenço apertado no meio da cara, tentando conter o sangue que não parava de brotar de seu nariz.

Tudo ao seu redor estava revirado, e mal restavam rastros das coisas de Nina. No armário havia apenas cabides de arame nus, as gavetas da cômoda estavam estripadas, e no banheiro não havia mais que um cestinho de grampos de cabelo e um pote de creme Pond's praticamente vazio. O caça-talentos não sabia se fora sua própria mulher que levou suas coisas ao voltar do hospital, ou se alguém se encarregou de recolhê-las e ela nem se incomodou em voltar. De qualquer maneira, ao voltar depois da briga com os vizinhos de Luz e de passar o resto do dia remoendo o desânimo pelas ruas e pedindo fiado nos bares porque não sabia que diabos havia acontecido com sua carteira, da presença de sua esposa não restava mais sinal que os lençóis revirados cobrindo a cama desfeita. Colados neles como marcados a fogo, os coágulos daquele que poderia ter sido seu primeiro filho transformados em manchas escuras e disformes.

Dormiu no sofá, a manhã o encontrou com a mesma roupa e um aspecto patético. Tenho que encontrar a maldita carteira, balbuciou ao se levantar: esse foi seu primeiro pensamento difuso quando, sem tempo sequer para jogar um pouco de água fresca no rosto, foi abrir a porta. A insistência com que tocavam perfurava seu cérebro, o som da campainha lhe parecia insuportável. Tão embotado estava que nem parou para antecipar as consequências. E assim foi.

A primeira cabeçada quebrou seu nariz, depois veio o soco no lado esquerdo do rosto, o que deixou seu ouvido zunindo como se tivesse dentro dele o apito de um chefe de estação. A seguir chegou o empurrão brutal que o derrubou, fazendo-o levar pela frente uma mesa de canto e um abajur; depois, entre mugidos surdos, os pontapés na cabeça, no torso, nos colhões. Não foi capaz de identificar os agressores na hora, e incapaz continuava horas depois. Implacáveis em sua eficiência, demolidores: assim procederam os dois homens que haviam ido fazê-lo recordar como havia sido filho da puta com uma mulher. Vingavam-se por Nina ou por Luz, Frank Kruzan ainda continuava sem saber, porque nenhum deles emitiu nem uma palavra: talvez fossem mercenários que seus cunhados irlandeses haviam enviado, ou talvez não fossem mais que dois espanhóis dispostos a vingar a honra da caçula de uma viúva do bairro, pois os compatriotas se ajudavam como criaturas de uma mesma manada.

A duras penas conseguiu, um tempo depois, agarrar-se a uma poltrona, desgrudar-se de seu próprio vômito e, bem devagar, sentar-se. Enquanto o sangue continuava brotando de seu nariz, sua cabeça vibrava como se houvesse levado um coice de um cavalo, e a dor nos testículos atrofiava seu corpo inteiro. Na muita pouca honra que lhe restava levava cravado o fato de ainda não saber quem havia sido, e a cada instante jurava a si mesmo que ia descobrir, que aquilo não ia ficar assim.

CAPÍTULO 76

O conde de Covadonga esperava Tony na manhã seguinte nas instalações da distribuidora British Motors Ltd., na Lexington Avenue; ligava-o à empresa um cargo impreciso, uma mistura de relações públicas e vendedor de luxo. As vendas da casa não haviam melhorado desde que o contrataram, mas, por alguma razão difusa, a companhia considerava interessante contar em sua folha de pagamento com aquele vistoso europeu bisneto da rainha Vitória da Inglaterra e primogênito do rei da Espanha, por mais desterrado que por ora estivesse.

Recebeu-o com a piteira entre os dedos, terno cinza-claro e uma gravata de seda listrada, cordial, quase exultante: era o primeiro dia que ia à concessionária desde que Gottfried o abandonara, o primeiro em que havia acordado com as dores relativamente mitigadas e forças suficientes para se levantar, assear-se e se vestir sozinho. Por isso, preferiu não pedir ajuda para suas rotinas matinais a seu mais novo secretário, apesar de que já estavam dentro das margens das duas semanas de teste; quanto mais suave fosse a adaptação ao posto, melhor, depois viriam os dias de facas afiadas. Deu uma volta com Tony pelo estabelecimento, mostrou-lhe os carros magníficos em exposição, até o obrigou a entrar em um deles para que imaginasse a impressionante velocidade que alcançaria em uma estrada. Vinte minutos depois, saíram para almoçar.

No fundo, estava eufórico: embora fosse cauteloso e evitasse insistir no assunto, o antigo herdeiro confiava, ansioso, que Tony acabaria dando um sim definitivo a sua oferta. Por razões similares às de Mona, pensava que aquele norte-americano em cujas veias se mesclava sangue caribenho e asturiano reunia as condições adequadas para se tornar seu fiel escudeiro: bilingue, eficiente, com o empuxo necessário para tomar as rédeas, se fosse necessário, e vontade paralela de se divertir, sem amarras familiares e capaz de cercá-lo de lindas mulheres que o ajudassem a esquecer Edelmira de uma vez por todas. Certamente as questões políticas espanholas lhe seriam tão alheias quanto duas pistolas a um Cristo, e talvez não tivesse a menor ideia do que significava, para todos os efeitos, a palavra *monarquia*, mas não tinha importância, logo o iria informando. Menos ainda o maldito desertor, Gottfried, sabia de sua pátria, pois tinha menos cérebro que uma vaca de sua Suíça natal, pensou o conde, e, ainda assim, havia convivido com ele mais de três anos.

O El Fornos era o destino, um dos mais conhecidos restaurantes espanhóis em Manhattan. Havia estreado um novo endereço no ano anterior, ficava perto, na Cinquenta e Dois Oeste, mas, ainda assim, foram de táxi; melhor não forçar a limitada resistência física.

— Sabia que deixaram esta manhã no hotel os folhetos da abertura do *night club* de suas amigas? O programa parece bem divertido, não vou perdê-lo por nada neste mundo. Será uma honra apadrinhá-lo.

Tony se perguntou o que seu ilustre acompanhante acabaria pensando quando seus pés atravessassem o modestíssimo umbral do Las Hijas del Capitán; de qualquer maneira, iria com ele e tentaria suavizar a impressão inicial.

O estabelecimento que os acolheu também não era particularmente luxuoso, mas situava-se em um local excelente em pleno Midtown. Assim como o El Chico, como as aspirações de Mona e como tantos outros locais espanhóis em Nova York, sua decoração era um tributo apaixonado à heterogeneidade regional: friso de azulejos toledanos a meia altura, um mural da Giralda de Sevilla, um forno galego, uma grade preta de ferro fundido separando o balcão do salão. Apesar da promiscuidade estética, ou talvez por isso mesmo, o restaurante estava praticamente cheio. Pelo tom de voz percebia-se que a maior parte dos comensais era hispânica: espanhóis ou latinos. Em nenhuma mesa faltava o vinho, o suco de frutas ou a sangria, falavam em tom elevado, enfatizavam suas opiniões com movimentos contundentes das mãos e até eventuais socos na mesa, gargalhavam se houvesse que rir e protestavam com energia se tivessem que protestar.

Tão logo os viram entrar, o conde à frente se apoiando na bengala e Tony atrás, cobrindo-lhe as costas, entre os garçons viam-se sobrancelhas erguidas, chamados e psius que deixaram de sobreaviso inúmeros clientes e o dono. Este levou apenas alguns segundos para ir recepcioná-los. Era um galego de cinquenta e muitos, rosto largo e um topete grisalho, de sobrenome Moure. Dom Alfonso e companhia, bem-vindos, cumprimentou.

Das mesas sucediam-se olhares indisfarçados; correram como fogo comentários de todo tipo. Aí está, um Borbón da cabeça aos pés, disse alguém;

pois para mim é a cara da mãe, repare nesses olhos azuis que tem, esses são da inglesa; onde será que deixou a cubana? O que o rei terá achado de seu primogênito trabalhar vendendo automóveis? Por acaso vai se reconciliar com a família de novo se, por fim, se divorciar? Conseguirá retomar seus direitos como herdeiro ou os perdeu para sempre ao abdicar para se casar com a Puchunga? Todos esses rumores planavam pelo salão trançados entre outros tantos. Parece que está mancando, mas está com uma cara boa. Será que piorou? Está melhor? Está igual?

— Eu me atrevo a propor uma mesa no pátio, dom Alfonso. Acabamos de abri-lo para a temporada, é coberto com um toldo e a temperatura é magnífica.

— Perfeito para mim; o que acha, Tony? — perguntou o conde, voltando-se obsequioso; qualquer coisa para agradá-lo; ele que escolhesse.

— Nenhum inconveniente, senhor.

Nem ocorreu ao proprietário perguntar em voz alta o que havia acontecido com aquele estrangeiro fornido com cara de buldogue que havia acompanhado o conde nas vezes anteriores em que visitou o restaurante nessa e em outras estadias prévias na cidade; limitou-se a indicar o caminho: por aqui, por favor. À medida que o ex-príncipe das Astúrias avançava, ciente da curiosidade que estava despertando, cumprimentava de um lado e outro com semblante afável, mas distante, sem fixar o olhar em ninguém.

O pátio era agradável; tinha um toldo para evitar o sol, profusão de plantas nas laterais, uma fonte no centro e um grande cenário náutico pintado na parede do fundo: os barcos, as velas, as mãos fortes dos homens sem rosto, as rolhas e as redes.

— Que iguarias nos oferece hoje, amigo Moure? — perguntou Covadonga com desembaraço enquanto desdobrava o guardanapo.

— *Escudella catalana* é o prato do dia, senhor. E a carta o senhor já conhece, dom Alfonso; o que agrade a seu paladar.

Das vinte mesas que os cercavam, mais de três quartos estavam ocupados e a essa altura quase todas as cabeças, com maior ou menor discrição, haviam se voltado para eles. Alguns olhares eram cordiais, outros não.

Sem dar a menor atenção às reações que despertava, o conde fez seu pedido esfregando as mãos de dedos longuíssimos diante do cardápio apetecível: via-se que tanto apreciava um bom ensopado quanto a meia lagosta do Waldorf, e que igualmente à vontade se sentia entre carpetes, talheres de prata e grandes orquestras, ou em estabelecimentos como aquele, passáveis, sem extravagâncias. Pediu uma garrafa de Rioja, perguntou ao proprietário por seu sócio, pela família, pelo andamento do negócio. Tony, enquanto isso, mantinha-se disfarçadamente atento às reações que a presença do conde continuava despertando ao redor.

Deixaram-nos almoçar tranquilos, conversando sobre coisas vagas: os tabaqueiros de Tampa e o rum cubano, o presidente Roosevelt e o dinâmico prefeito La Guardia, esse italiano do Bronx cujo primeiro trabalho foi servir de intérprete aos milhares de compatriotas que chegavam à ilha de Ellis nos tempos das grandes ondas de imigração. Ao terminar a sobremesa, no entanto, pareceu abrir-se a temporada de caça.

Como se houvessem estado à espera, foi se aproximando da mesa um gotejar de clientes, até formar uma rodinha ao redor do primogênito do rei. Tanto se prolongaram os cumprimentos que o conde acabou convidando-os a se sentar; um a um foram aproximando cadeiras até formar um anel em um lado do pátio composto por dez ou doze homens envolvidos em conversa e fumaça densa de charutos. Nenhum deles conhecia pessoalmente o antigo herdeiro do trono, tratava-se de uma mera reunião espontânea de simpatizantes da causa monárquica; na realidade, menos da metade dos presentes pertencia à colônia espanhola radicada na cidade, a maioria era viajantes de passagem por Nova York que aproveitavam, deleitados, o encontro casual. Somaram-se ao grupo dois chilenos e três venezuelanos.

Fazia um bom tempo que os garçons haviam terminado de servir o almoço e já não restavam comensais no pátio do El Fornos, exceto aquele grupo, mas as mesas ao redor permaneciam tal qual as deixaram: sem ser recolhidas, com as superfícies cheias de guardanapos amassados, taças pela metade e pratos sujos. O próprio dono era o único que continuava atendendo à mesa do conde, reabastecendo as xícaras de café e as taças de conhaque.

— Mas conhaque espanhol, viu, Moure? — advertia o ex-príncipe das Astúrias erguendo sua taça. — Aqui, com os patriotas distintos, nada de beber essa porcaria dos *gabachos*, hein? Aqui só bebemos conhaque de Jerez!

CAPÍTULO 77

Enquanto ao redor do conde o ambiente se mantinha cordial e descontraído, fora da vista tudo fervilhava. Para o pobre Moure estava sendo um sacrifício aguentar o sujeito e atender aos clientes com profissionalismo enquanto tudo atrás de si era um desastre, um monumental problema que ele não sabia como resolver.

Nas entranhas do restaurante a tropa estava amotinada: nove garçons, um cozinheiro, duas ajudantes e sua própria mulher, todos compatriotas e apaixonados partidários da República Espanhola, incapazes de entender por que ele tratava o filho do rei deposto com tanta cortesia.

— Não estamos aqui para fazer política, caralho! — insistia aos gritos diante dos protestos e reclamações cada vez que descia à cozinha suado e carregado de pratos sujos. — Estamos aqui só para trabalhar!

Treze anos dando o sangue para levar adiante aquele restaurante, desde que o abriu em 1923. Na época acumulava metade da vida de trabalho em lugares alheios daquela cidade à qual chegou proveniente de Sada, embarcado em um navio mercante quando ainda era um rapaz. Começou como contínuo no Downtown, no Rincón de España, em Coenties Slip, o antigo restaurante espanhol, perto da doca oito onde atracavam os navios da Spanish Line; depois em La Chorrera, na Water Street, fez horas eternas na peixaria de Chacón, no Lower East Side, cozinhando polvo, tirou o pão da boca para economizar centavo por centavo, mas jamais deixou de mandar metade do salário aos seus nem faltou com o pagamento de uma única parcela na associação que seus conterrâneos montaram, Sada y sus Contornos, com o único fim de ir enviando remessas a sua cidade para construir a escola que tanta falta fazia.

— Portanto, não venham me falar do que é apoiar uma República que defende os trabalhadores, filhos da puta, porque aqui o mais trabalhador sou eu!

Isso gritava Moure a seus funcionários sublevados com o rosto vermelho como um pimentão.

— E também sou mais galego que a bacia de Betanzos, e ainda assim sirvo *fabada asturiana, escudella catalana, callos a la madrileña* e *paella valenciana*. Tenho alma republicana, mas nem por isso vou deixar de servir o filho do rei em minha casa!

Apesar de seu esforço vulcânico, não conseguiu convencê-los, e a rixa continuou fervendo entre os fogões, enquanto fora, no pátio, na rodinha formada em volta da mesa do conde, a conversa transcorria por caminhos paradoxalmente próximos.

— Mas eu seria um monarca democrata ao suceder meu pai se nos permitissem voltar; eu seria um rei progressista — proclamava Covadonga, seguro de si. — Ninguém ama a Espanha tanto quanto eu, mas o fato de ter conhecido este país abriu meus olhos para a modernidade, e agora entendo o mundo muito melhor.

Alguns dos que o cercavam assentiam com fingido agrado; baixinho, no entanto, sussurravam que barbaridade! Outros plasmavam no rosto semblantes carregados de ceticismo; só os hispânicos louvavam a ideia, inconscientes do absurdo que pareceria isso na inquieta Espanha do momento. Mas o antigo herdeiro estava pletórico: recusava-se a dar por perdidos todos os trens apesar da renúncia a seus direitos assinada por sua própria mão, e continuava expondo planos e ideias que muitas vezes beiravam o absurdo em vista da realidade da pátria que fervilhava agitada e turbulenta do outro lado do oceano.

Se seus pais estivessem ali, se Alfonso XIII e a rainha Ena o houvessem ouvido, teriam levado as mãos à cabeça, os dois simultaneamente, ou cada um por seu lado agora que já não viviam juntos e só se falavam por intermediários. De qualquer maneira, ambos teriam a mesma reação: você perdeu a razão, *my darling*? Que ideia é essa de pensar que vão permitir que alguém da família real volte? Já esqueceu, meu filho, em que condições tivemos que deixar Madri?

Tony, sentado à esquerda do conde, ia absorvendo palavras e reações com aguda atenção: queria saber de tudo antes de decidir se aceitaria o cargo ou não. Ainda não tinha um mapa mental que conectasse o ontem e o hoje da família do homem que havia lhe oferecido aquele emprego singular: os termos *rei, monarca, soberano* e *herdeiro* se mesclavam entre si ainda sem ordem com outros como *renúncia, rejeição* ou *abdicação*, mas preferia não perguntar abertamente.

Porém, enquanto escutava, seu olfato de vira-lata detectou que algo acontecia ao redor: havia alguma coisa no ambiente que o alertava, detalhes com um cheiro estranho. O fato de as mesas do almoço continuarem sem serem limpas, por exemplo, se já fazia um longo tempo que os clientes que as ocuparam haviam ido embora. Ou os gritos furiosos que de vez em quando subiam da cozinha naquela hora em que tudo deveria estar sereno. Inclusive o rosto aflito do proprietário cada vez que voltava para encher os copos limpando o suor com a manga, fazendo um esforço supremo, o pobre homem, para não deixar transparecer o desânimo que arrastava. Tudo aquilo começou a deixar o *bolitero* desconfiado. Tanto que decidiu averiguar o que estava acontecendo.

Levantou-se discretamente da mesa quando alguém tomou a palavra para perguntar sobre a questão anticlerical, bem pouco lhe importavam os padres espanhóis. Assim que se perdeu de vista, foi procurar a cozinha. Ficava um andar abaixo, era comprida e estreita, com o teto enegrecido, saturada de cheiros e gente, prenhe de uma tensão tão densa quanto o enorme pedaço de toucinho pendurado em um gancho no canto. Três garçons, diante da pétrea recusa do patrão a pôr na rua o antigo herdeiro, haviam arrancado o avental e ido embora. O restante ainda estava pensando. E enquanto decidiam e não decidiam, faziam anéis com a fumaça dos cigarros, estralavam os dedos, olhavam as lagartixas ou faziam gravatas-borboletas de papel com as folhas de um jornal velho: qualquer coisa menos subir para recolher um simples copo de cima das mesas do salão ou do pátio. Recusavam-se, enfim, a trabalhar.

Tony, ao chegar, esboçou no rosto uma expressão de fingido aturdimento.

— Perdão, desculpem, acho que me perdi, estava procurando...

Um dos garçons se endireitou de súbito:

— O senhor é quem o está acompanhando, não é?

Cercado por olhares pouco gratos, Tony hesitou alguns segundos: poderia optar por mentir, ou tentar conquistá-los com seu imbatível talento de vendedor de ilusões, ou usando qualquer artifício oportuno desses que com frequência tirava da manga. Mas aquela gente indômita e mal-humorada não lhe deu opção.

— Pois faça o favor de dizer que ninguém o quer aqui.

Quem assim falava com forte sotaque galego era o cozinheiro, um corunhês magro de rosto pontudo e avental todo manchado. Depois de suas palavras, o silêncio voltou à cozinha enquanto o restante da equipe antimonárquica o contemplava com cara de poucos amigos.

Então, uma mulher – a única do grupo – deu um passo à frente. Era a esposa do dono: trabalhava ombro a ombro com o marido as mesmas longas horas e os mesmos longos dias, mas seu nome não constava em lugar nenhum. Pequena, gordinha, de cabelos encrespados pelos vapores e os calores; tinha cara de esperta e gênio vivo.

— Você, rapaz, jamais pôs os pés na Espanha, não é?

Com um simples gesto, Tony confirmou que era isso mesmo.

— Pois deixe-me explicar nossas razões um instante e, depois, se quiser, suba e vá contá-las àquele homem.

O restante a apoiou com grunhidos e assentimentos: fale, dona Maruxa, fale para esse aí entender direito.

Três minutos lhe bastaram para esboçar uma panorâmica. Fome, atraso, abandono dos pobres, desesperança. Isso era o que a mulher associava aos tempos em que, sendo ainda menina, teve que abandonar sua aldeia; tempos em que havia uma monarquia na Espanha e, embora o perfil do rei aparecesse nas pesetas e nos carimbos do correio, pouco parecia fazer para que a coisa mudasse.

— Mas agora tudo é diferente — acrescentou.

Como contrapartida, segundo lhe contavam nas cartas que recebia de seus irmãos e segundo ouviam nas reuniões do Centro Gallego, a atual República que mandou a família real ao exílio havia cinco anos prometia justiça, oportunidades, trabalho, mais igualdade. Pouco sabia ela, no entanto, das tensões que se sofriam lá, dos vaivéns dos governos e das revoltas nas ruas; ela só sabia que essa era a Espanha promissora à qual gostaria de voltar um dia.

Foi assim que Tony, por conta própria, começou a pensar. E em questão de segundos, chegou à mesma conclusão que Luciano Barona quando leu o panfleto e viu que o conde de Covadonga apadrinharia o Las Hijas del Capitán: que aquilo havia sido um erro descomunal, uma decisão contraproducente para o negócio das Arenas, a pior maneira de começar.

Por mais cordial que fosse seu caráter, por mais democrata e moderno que se reconhecesse no pátio e por inúmeros que fossem seus admiradores entre as classes mais elevadas, aquele homem havia nascido para ser rei e para perpetuar uma estirpe que à maioria da colônia – foguistas, pedreiros, garçons, classe operária em geral – parecia profundamente antipática. E assim sendo, ao contrário de representar um atrativo à clientela, sua mera presença acabaria sendo uma razão contundente para não se porem os pés no *night club* da Catorze.

CAPÍTULO 78

Em paralelo aos vaivéns do El Fornos, outro almoço muito diferente havia se desenrolado em um pequeno restaurante siciliano no Village. Luciano Barona costumava parar por ali de vez em quando antes de conhecer Victoria; o lugar não tinha nenhum atrativo aparente, não era mais que um modesto e barato negócio familiar que servia uma comida que fazia o tabaqueiro recordar remotamente sua terra. Naquele meio-dia, no entanto, cumpriu outra função: permitiu-lhe passar um tempo a sós com sua mulher, distanciado da obstinação cansativa de Remedios.

Foi difícil convencê-la: Victoria teimava em ficar na Catorze a fim de ajudar com os preparativos para a primeira grande noite do Las Hijas del Capitán; foi a própria Mona que insistiu, férrea, enquanto ainda segurava o panfleto na mão e continuava se esforçando para assimilar o que seu cunhado havia acabado de anunciar em relação à presença de Covadonga na inauguração: que aquilo era como dar um tiro no pé.

Em sua ingenuidade sem limites e sua recusa a compartilhar a ideia com ninguém mais que outro ignorante como Fidel e o impulsivo vendedor de fantasias que era Tony, Mona não foi capaz de separar o joio do trigo, não previu. E eles, ambos tão alheios aos assuntos dessa distante Espanha, alheios como um *banderillero* vagando por Chinatown, também não haviam sabido ajudar. E agora, a apenas um dia de tudo começar, a Arenas do meio precisava pensar, decidir como corrigir seu erro. E, além do mais, ainda tinha mil arremates pendentes no restaurante. Vá, vá, repetiu a Victoria, não obstante, enquanto o tabaqueiro insistia para que fossem juntos almoçar. Vá tranquila que com o que eu tenho que fazer agora você não pode me ajudar, por mais que queira.

— Tem certeza de que está bem?

Luciano já havia repetido a Victoria em três ocasiões a mesma pergunta no breve tempo sentados à mesa do restaurante siciliano, uma a cada vez que a velha dona estalou a língua deixando ver um dente de ouro ao retirar os pratos. Primeiro o *pane cunzato* com tomate e azeitonas pretas que ficou quase intacto, depois a massa com sardinhas quase intocada, por último uns *cannoli* recheados de ricota em que ela deu só duas mordidas. *Disgraziata*, resmungava a velha diante do pouco apetite da jovem.

Ignorando-a, Victoria deslizou a mão por cima da toalha de mesa até pousá-la sobre os dedos de camponês de seu marido, apertou-os com suavidade enquanto sussurrava que sim, homem, sim; estou bem, não aconteceu nada. Acompanhou as palavras com um sorriso que lhe representou um esforço infinito: com isso pretendia parecer sincera, embora estivesse mentindo desavergonhadamente. Não, não estava bem, nem de longe: por trás de seu rosto harmonioso, da cabeleira que agora usava curta e daqueles olhos de cílios infinitos tão grandes e tão pretos, Victoria estava intimidada, consumida pela culpa, sufocando em um desassossego descomunal.

O tabaqueiro bebeu o último gole de vinho áspero e deixou algumas notas debaixo da taça; ambos se levantaram. A siciliana enrugada os contemplou enquanto se dirigiam à saída atravessando o estreito corredor que ficava entre as mesas e, então, sacudiu a cabeça com desagrado. Ele ia atrás, com uma mão no ombro dela, possessivo; sua jovem mulher um passo à frente concentrada em si mesma, apertando o fino casaco de tricô com os braços cruzados contra o peito apesar da temperatura do meio-dia, desejando fugir. A idosa murmurou algo esquivo em seu dialeto quando saíram, algo feio.

Caminharam juntos um pouco, até que ele parou um táxi.

— Tem o endereço anotado e o dinheiro para a viagem de ida e volta, não?

Victoria indicou a bolsa a modo de resposta.

— Então, já sabe: olhe tudo de cima a baixo e anote na cabeça qualquer coisa que seja necessária.

Ela assentiu com o queixo, as palavras continuavam não chegando a sua boca. Ele pousou um beijo sonoro na testa de Victoria, esperou que se acomodasse no banco de trás e fechou a porta.

— Nos vemos à noite na casa de sua mãe! — gritou inclinando o tronco, para que sua voz chegasse a ela através do vidro.

A seguir, deu duas palmadas no teto e o carro começou a rodar, tomando seu caminho.

Victoria não virou a cabeça para se despedir; quis fazê-lo, mas lhe faltou coragem. Deixou para trás Luciano Barona, sozinho na calçada, carregando sua acidez de estômago e suas caixas de tabacos, ignorante, confiante, sem saber que andava no fio da traição.

Jamais recordaria a trajetória que aquele veículo seguiu até chegar ao Harlem hispânico; só soube que haviam chegado quando o motorista, voltando-se para o lado direito, indicou em um trecho da Segunda avenida um estreito edifício de quatro andares. No primeiro se via a vitrine da casa de ferragens onde ele ia começar a trabalhar: torneiras, canos, válvulas, parafusos. OPEN FOR BUSINESS, aberto, dizia o cartaz. No andar seguinte, uma janela com a veneziana de guilhotina erguida. Chano, sentado de costas na borda, viu-a descer do táxi com seu vestido de verão azul-claro.

Subiu apoiando nos degraus apenas a metade dianteira dos sapatos, como se não quisesse fazer barulho; de algum apartamento de um andar superior saíam vozes discutindo algo que ela não entendeu. Ele a estava esperando na entrada, as mangas da camisa enroladas à altura dos cotovelos, a calça leve. Não se cumprimentaram, não se disseram nada. Como se houvesse chegado ao final de uma longa viagem, Victoria só se agarrou ao pescoço dele e afundou o rosto no vão firme do início do ombro. Impressionado, ele ergueu no ar seu corpo magro levantando-a pelas nádegas, ela se acoplou apertando as coxas ao redor daqueles quadris masculinos, atrás de ambos retumbou a porta ao ser fechada com um empurrão. Enlaçados, espremidos, Victoria com os dedos cravados nas costas e na nuca morena de Chano, mordendo bocas, juntando hálitos enquanto avançavam a solavancos, batendo contra as paredes do corredor.

A urgência foi paralela, ambos certos de que não havia escapatória nem lugar para adiamento ou demora. Nem uma única palavra trocaram enquanto chegavam ao quarto e se livravam das roupas apressados, nem uma gracinha compartilharam, nem um riso; somente a avidez dos corpos, o anseio que os unia com uma naturalidade orgânica, como se esperassem um pelo outro a vida inteira. Chano encaixado nela, o movimento de seu torso e seus quadris, os braços fortes ancorando-a com firmeza, as mãos largas, ásperas, percorrendo seus flancos cheios de ossos, os seios, o ventre e a cintura, a bunda firme, notando, por sua vez, a pressão leve das coxas nuas ao seu redor, ambos tensos e ao mesmo tempo flexíveis, ele a sentindo em cada palmo de seu corpo surrado, ela o sentindo em cada poro de sua pele acostumada a aceitar sem perceber, presente e consciente agora, linda, esbelta, ativa, o cabelo revirado, a língua ágil, fincando lábios, unhas e dentes, acolhendo o corpo poderoso do homem sem timidez nem vergonha, plena pela primeira vez. Suor, calor, saliva, respiração sonora, a agitação, a vertigem, o prazer até ficarem deitados paralelos de costas, abandonados, deslumbrados, dedos enlaçados e bocas entreabertas.

Todos os golpes, toda a fúria. Todas as frustrações, as decepções, os cambaleios encurralado nas cordas, as bacias e as esponjas e as toalhas cheias de sangue; todas as noites de abatimento depois das derrotas jogado em camas estreitas de pensões em cidades alheias, a solidão sem aplausos nem louros ao lado de mulheres cujos nomes haviam se apagado de sua memória. Tudo havia valido a pena, pensou Chano, se houvesse sido para chegar até ali. Então, pronunciou seu nome em voz baixa. Victoria. Era a primeira vez. Apoiou-se sobre um cotovelo, com o dedo mindinho afastou-lhe uma mecha de cabelo que lhe atravessava o rosto, olhou-a no fundo dos olhos. Vamos, sussurrou. Ela quis perguntar aonde, mas sua voz falhou. Vamos para longe, repetiu Chano. Aonde ninguém nos conheça, aonde ninguém nos procure. Aonde for. Você e eu. Só então Victoria teve consciência do abismo em que ambos, de mãos dadas, insensatos, temerários e suicidas, haviam acabado de pular.

CAPÍTULO 79

Havia deixado Fidel no comando dos arremates e Luz aos cuidados dele enquanto ensaiava sem ânimo; amaldiçoou-se inúmeras vezes por não poder ficar, com a quantidade de coisas pendentes que ainda tinha que resolver. Mas era conveniente encerrar o assunto do conde o quanto antes, por isso Mona já esperava havia duas horas em frente ao parque, montando guarda diante da porta do St. Moritz. Ainda recordava que em algum momento do jantar no Waldorf, antes que Cugat fosse até a mesa e o cansaço acabasse minando seu corpo frágil, Covadonga havia reconhecido que para ele a sesta era sagrada. Fico em pecado mortal se não descansar um bom tempo depois do almoço!, foram exatamente suas palavras, mas Mona não era capaz de rememorar a título de quê surgiu essa revelação que ele mesmo rubricou com uma gargalhada. De qualquer maneira, estava agora à espera de que o ex-príncipe voltasse de seu almoço para lhe dizer que agradecia enormemente sua generosidade, que havia sido muito atencioso, que ela e sua família inteira se sentiam muito honradas. Mas que não, obrigada. Já não era necessário que fosse à inauguração.

Ciente de que o tempo já ia mordendo seus tornozelos com ânsias de raposa faminta, para falar com ele dessa vez ela não ficara cheia de timidez e cuidados: limitou-se a entrar resoluta no saguão do hotel, sem se preocupar se alguém a olhava ou não, e foi direto ao balcão da recepção.

— Mr. conde de Covadonga, *please* — disse sem hesitação em seu inglês capenga.

Depois de hesitar alguns instantes, o funcionário ergueu o fone e discou um número, mas não houve resposta: ela mesma pôde ouvir o tom insistente, sinal inequívoco de que ninguém atendia à chamada vinte e seis andares acima de sua cabeça. Até que o recepcionista deu de ombros com um gesto eloquente, confirmando que o hóspede não se encontrava em seu quarto.

Enquanto isso acontecia na distinta Central Park South, apenas sete ruas abaixo o ambiente insurgente da cozinha do El Fornos havia voltado a se aquecer. À medida que o tempo passava, enquanto no pátio coberto do restaurante a conversa política fervilhava cada vez mais agitada, os ânimos embaixo continuavam exaltados em uma direção totalmente oposta. A tanto chegou a tensão, levados pelo nervosismo compartilhado, que alguns dos garçons acabaram optando por subir. Moure, ao vê-los, advertiu-os, iracundo, que tivessem juízo.

— Cuidado — rosnou, rude. — Cuidado, que não quero problemas; quem arrumar confusão já pode ir esquecendo de voltar a trabalhar nesta casa, que fique bem claro.

Mas o ignoraram, acendeu-se a discussão, saltaram vozes enfurecidas. Viva a República!, gritaram dois garçons adentrando o pátio. A resposta dos clientes distintos foi imediata: viva a monarquia! Viva o rei! Prosseguiu a contenda, os demais funcionários abandonaram a cozinha e se juntaram a seus colegas. A essa altura, todos os comensais próximos ao herdeiro já estavam em pé.

Todos menos Covadonga, naturalmente.

— *Let's get out of here, sir* — sussurrou Tony em inglês baixando até seu ouvido.

Alerta devido ao que os insurgentes lhe haviam contado, insistiu:

— É melhor irmos embora daqui o quanto antes, senhor.

Mas o antigo príncipe negou-se firmemente. Transfigurado e incrédulo, pediu ao *bolitero* que o ajudasse a se levantar.

A discussão furiosa continuava ao lado da fonte do pátio, alguns metros além. Os mais valentões de cada bando deram um passo à frente com o rosto vermelho e as veias do pescoço tensas, pareciam prestes a chegar às vias de fato. Nas respectivas retaguardas, alguns os incentivavam e outros os preveniam. Aumentou o alvoroço, os discursos, os impropérios. Morte à República!, gritavam os de um bando. E os outros respondiam: abaixo o Borbón! Abaixo o rei!

Apesar das cautelas do *bolitero*, Covadonga se levantou com esforço, quis se aproximar alguns passos, pretendia dizer algo. Mas fazia tempo que perdera o protagonismo: mesmo sendo involuntariamente a origem da briga, sua presença já não tinha a menor importância. Foi quando, em meio ao fragor da desordem, alguém empurrou alguém, e esse alguém perdeu o equilíbrio e se precipitou sobre uma mesa que virou. Para evitar se encher de restos de vinho e ensopado, os que estavam próximos deram um rápido passo para trás, chocaram-se uns nos outros, foi um efeito dominó, e antes que Tony conseguisse tirá-lo do caminho, o filho do monarca acabou batendo a coxa no encosto de uma cadeira.

Com reflexo rápido, Tony o ergueu nos braços para evitar que acabasse no chão, mas a fatalidade já corria pelas veias de sangue azul.

— Eu só estava tentando semear a paz — murmurou Covadonga com um fio de voz.

CAPÍTULO 80

Eram quase nove da noite quando as irmãs voltaram a se reunir no apartamento. Cada uma chegou por um lado, envolvidas em seus medos e angústias, todas trancadas em suas carapaças, negando-se a compartilhar com as outras aquilo que as estava corroendo.

A primeira foi Mona; decepcionada, deixou-se cair em um banquinho da cozinha e jogou a cabeça para trás, apoiando-a na parede e olhando para o teto sujo tentando diluir o desalento entre as manchas. Não havia conseguido encontrar nem o conde nem Tony a tarde toda; nenhum dos dois apareceu no hotel.

Logo foi a vez de Victoria, esquivando-se de olhares e perguntas; sem uma palavra, trancou-se no banheiro, e por um longo tempo ouviu-se a água correr.

Por fim, apareceu Luz com semblante de animal acuado, o pômulo violeta e os olhos mais tristes que nunca sob suas sobrancelhas estranhas.

Sua aparência recordava pouco a dos primeiros tempos depois da chegada a Nova York, quando seu pai se instalou no armazém do El Capitán para dormir, farto de sua arrogância orgulhosa e seus maus modos, e elas, sabendo-se por fim sozinhas, abandonavam a máscara de insolência que usavam durante o dia e se mostravam como eram: vulneráveis, desoladas, perdidas como cabecinhas de alfinete no mapa inquietante de uma cidade voraz.

Só quando as três se encontraram cara a cara foi que todas franziram o cenho e soltaram em uníssono uma pergunta que retumbou entre as paredes do apartamento como um sonoro golpe de tambor:

— E mamãe, onde está?

Percorreram todos os cantos se chocando, levaram apenas alguns segundos para confirmar o que temiam: não havia sinal de Remedios. Desceram aglomeradas a escada, fazendo-a retumbar como se fossem uma manada de potros; precipitaram-se sobre a porta de dona Milagros, bateram com toda a força que lhes permitiram os seis punhos fechados; elas também não ligavam para campainhas.

A vizinha pouco demorou a abrir: fazia décadas que se deitava com as galinhas, mas dormia um sono leve, para caso o marido que evaporou quase meio século antes resolvesse voltar uma noite dessas. As três gritaram ao mesmo tempo, atônitas, avassaladoras. A réplica da idosa foi cortante:

— Passei quase o dia todo fora, na casa de meu filho em Washington Heights, a filha dele está com sarampo. Desde que a levaram ao Brooklyn, não vi mais sua mãe.

A velha tinha um xale de lã mal acomodado sobre os ombros e algumas mechas grisalhas escapavam de seu coque, usava umas pantufas velhas e uma camisola de linho que lhe chegava até os pés. Entre as mil rugas que atravessavam seu rosto, elas perceberam uma onda de preocupação.

As filhas ficaram caladas alguns instantes, incapazes de se olhar nos olhos enquanto cada uma assimilava sua cota de culpa: todas tinham uma porção dela, e as três sabiam disso. Sem dedicar um pensamento sequer ao fato nem comentá-lo com nenhuma das outras, Victoria deu por certo que, uma vez tendo devolvido a mãe a sua própria moradia, sua responsabilidade de cuidar dela se diluía. Mona, por sua vez, assumiu exatamente o contrário: que continuaria a cargo de Victoria pelo menos naquele dia, enquanto ela dava o sangue no Las Hijas del Capitán. E Luz... Luz, afogada em seu próprio desânimo, simplesmente se fez de desentendida.

Mas não era hora de se jogar na cara recriminações nem queixas, tinham que se mexer. Vamos para a rua, propôs Mona, embora nenhuma delas soubesse por onde começar a procurar. Vou me vestir, disse a velha galega. No vão da escada, antes de decidir em que direção seguir, ouviram alguém entrar pela portaria e começar a subir pesadamente os degraus. Ágeis como cabritas montesas, as três assomaram metade do corpo e olharam para baixo; só viram uma mão sobre o corrimão, a mão grande e cansada na qual um homem se apoiava para se ajudar.

— Luciano — murmurou Victoria. O nome do marido ficou meio preso em sua garganta. — Luciano! — gritou.

Pulando de dois em dois os degraus, desceu angustiada os lances que restavam até encontrá-lo; quando chegou a ele, suas irmãs e a velha vizinha escutaram de cima o que foi se encadeando a seguir: primeiro como ela dava a notícia do desaparecimento da mãe, depois uma discussão quase incompreensível na qual a Arenas mais velha amontoou súplicas, perguntas e explicações atropeladas, e por fim um pranto desolado.

— Calma, calma... — murmurou o tabaqueiro enquanto a acolhia em seu abraço para tentar serená-la.

Mas Victoria insistia com o rosto mergulhado no peito do homem: temos que encontrá-la, eu não pensei, eu não sabia, eu não queria... A essa altura, as outras já estavam no mesmo patamar.

— Não temos ideia de quando ela saiu — explicou Mona, a mais inteira. — Não sabemos se não voltou desde que pegou as chaves e saiu nesta manhã depois da briga por causa do *night club*, ou se voltou e saiu de novo, ou se...

— Ninguém ficou aqui o dia todo? — perguntou Barona.

A luz amarelada da lâmpada tremeu sobre sua cabeça; fez-se um silêncio perturbador.

Victoria se afastou lentamente do torso masculino.

Seguiram-se alguns segundos plenos de angústia.

A Arenas mais velha se sentiu morrer.

— Fui ver seu filho e... e... e depois...

Uma fugaz centelha de lucidez deixou Mona de sobreaviso, mas em vez de gritar com sua irmã e dizer, contundente, como teve coragem, insensata?, optou por dar-lhe cobertura com uma mentira.

— E depois ficamos todas ocupadas com o restaurante.

Foram para a rua, corria um ar temperado nessa noite de início de verão. Havia poucos transeuntes, os veículos que passavam já eram poucos. Através das janelas de ambos os lados da rua se viam algumas lâmpadas acesas, outras já apagadas, os vizinhos se preparavam para dormir.

Apertaram o passo em direção à taberna; ao chegar, ouviram música dentro, e pelos vidros opacos perceberam um pouco de luz. Tentaram entrar, mas nem com as chaves conseguiram: a porta estava com a tranca passada por dentro. Usaram de novo os punhos, insistiram até que alguém se aproximou.

— *Who's there?*

Era a voz de Fidel.

— Abra agora mesmo!

O garoto obedeceu lentamente e assomou a cabeça enquanto se justificava com um balbucio difuso que ninguém se incomodou em escutar: queria ensaiar sozinho já que estava tudo praticamente montado, aperfeiçoar, polir detalhes. Antes que terminasse, Luz empurrou a porta, cortante:

— Saia daí, deixe-nos entrar. Nossa mãe não está aqui, está?

Ele se afastou, coibido; não previra que a coisa saísse dessa maneira. Queria impressioná-la na noite da estreia, que ela ficasse comovida ao ver como sua voz havia melhorado, como havia conseguido se parecer cada vez mais com seu adorado ídolo. Mas Luz e suas irmãs se precipitaram para dentro e não pousaram nem um instante seus olhares sobre ele.

Nem notaram que ele havia tingido e alisado o cabelo de novo, que tinha pó de arroz no rosto e estava com a roupa prevista para sua apresentação: terno cinza-perolado com grandes lapelas, gravata listrada, um lenço saindo do bolso. Da vitrola que ele mesmo havia levado de sua própria casa saíam compassos de tango enquanto elas andavam por todo lado: a cozinha e o parco banheiro, o pequeno depósito onde o pai costumava estender o colchão de palha quando se tornou insuportável a convivência com as quatro mulheres.

Gardel continuava entoando "Mano a mano" no disco, mas de Remedios não encontraram nem a sombra. Com a desolação estampada no rosto, as irmãs se dirigiram de novo à entrada. Antes de chegar à porta, Mona deteve Victoria com uma vaga desculpa enquanto os outros iam saindo, e quando calculou que a distância era prudente, cravou-lhe os dedos no braço.

— Você não teve coragem de... — rosnou em seu ouvido.

A Arenas mais velha se soltou com um puxão.

Com Fidel somado ao grupo, o destino seguinte foi a Casa María; só precisaram atravessar a rua e caminhar alguns metros. A entrada pela cozinha estava fechada àquela hora, não tiveram mais opção que bater na porta principal. Chamada pela noviça que abriu a porta, uma solene freira mexicana apareceu alguns instantes depois para advertir que não eram horas, que irmã Lito certamente já estava deitada...

— Chega de sermão, irmã, é uma emergência! — gritou Luz. — Faça o favor de nos deixar entrar.

Depois de um acre cabo de guerra, a freira concordou em permitir a entrada de somente duas delas. Todos concordaram que seriam dona Milagros e Mona. Antes de entrar, dispararam algumas ordens ao restante. Luciano, por que não pergunta se alguém a viu na La Nacional, veja se ainda há alguns vizinhos embaixo na cantina jogando dominó. Você, Victoria, vá ver com dona Carmen, da Casa Moneo, pois mamãe costuma ficar conversando com ela. Luz, vá perguntar aos Irigaray. Fidel, vá até o La Bilbaína, quem sabe se o dono, que mora em cima, não cruzou com ela em algum lugar... Eram apenas tiros no ar, golpes cegos na escuridão. Mas nada mais lhes ocorreu em meio ao desconcerto, de modo que com as funções distribuídas, cada um se dirigiu a um destino diferente dentro dos limites do quarteirão.

Irmã Lito não estava em seu escritório, efetivamente, e sim dormindo na cama, a luz indelével de um pequeno abajur iluminava só um lado de seu rosto. Havia adormecido enquanto lia, parecia mais velha que nunca; um punhado de papéis escorregou de sua mão e se esparramou pelo chão quando dona Milagros a sacudiu pelo ombro. Acordou sobressaltada, seus pequenos óculos de leitura se entortaram em seu nariz.

— Ela esteve aqui pouco antes do meio-dia, sim — reconheceu enquanto fazia um esforço para se levantar apoiando os cotovelos no colchão. — Conversamos um pouco e ela foi embora furiosa; não sei de mais nada.

Continuou se esforçando para levantar, mas uma dor evidente a impediu. Levou a mão ao flanco e se deitou de novo.

— E sobre o que conversaram? — perguntou Mona. — O que ela disse, o que a senhora, o que...

— De tudo um pouco — respondeu irmã Lito, esquiva, recostada outra vez no travesseiro.

— Esclareça, irmã, pelo amor de Deus.

A freira as olhou, seus olhos falhavam, os corpos pareciam envolvidos em clara de ovo.

— Só a aconselhei a que as deixasse em paz.

CAPÍTULO 81

Não haviam se passado nem quinze minutos quando todos se aglomeraram de novo na calçada em frente à Casa María, sob a luz da luminária de ferro que pendia sobre a entrada. Cada vez se viam menos janelas acesas nas fachadas ao redor.

Nenhum deles havia conseguido nada com a busca nas proximidades, ninguém havia visto Remedios em lugar nenhum. Mona roía a unha do dedo mindinho tentando refletir, Luz chorava desconsolada, e o rosto de Victoria continuava lívido. Onde, onde a pobre mulher poderia ter se metido? Não conhecia quase ninguém, não sabia andar pela cidade; tudo a impressionava e espantava, não tinha recursos, carecia de iniciativa. No entanto, era quase meia-noite e ela continuava sem dar sinal de vida.

— Temos que nos espalhar, então — resolveu o tabaqueiro.

— E aonde vamos? — perguntaram as três filhas, atônitas e em uníssono.

Como a busca excederia o perímetro da Catorze, se afastaria das moradias dos vizinhos e se abriria para territórios que elas não controlavam, Luciano Barona parecia se sentir na obrigação de assumir a responsabilidade.

— Vão ao hospital St Vincent, sabem onde é, não? Ali mesmo, na esquina com a Onze. Fidel, veja se consegue ir até o French Hospital da Trinta com a Oitava, com o carro dos mortos, se for preciso. E a senhora, dona Milagros, é melhor ir para sua casa e ficar atenta, caso a ouça chegar.

— E você? — perguntou Victoria a seu marido sem quase se atrever a olhá-lo nos olhos. — Aonde você vai?

— Ao Bellevue.

Não deu mais explicações, guardou para si a informação de que era para aquele hospital público gigantesco ao lado do East River que ia parar a maioria dos desgraçados da cidade: os pobres miseráveis, os loucos e os criminosos, os doentes terminais, os alcoólatras, os imigrantes de quem ninguém dava falta. Ali, amontoados, pululavam pelos corredores, ocupavam os leitos de três em três ou se aconchegavam no chão, entre paredes sujas e cheiro de urina. E para aqueles pobres-diabos que acabavam seus dias jogados pelas ruas e parques, nas docas ou encostados nos muros das casas vazias, o Bellevue Hospital contava também com o maior necrotério de Nova York.

Em vez de intimidá-las com seus presságios, simplesmente arrematou:

— E alguém teria que passar nas delegacias...

— Eu vou.

Todos olharam para Mona com incredulidade; o que ela sabia de polícia? Mas ela não deu explicações, só acrescentou:

— Eu me viro.

Espalharam-se, então, cada um tomou o caminho indicado por Luciano, menos ela, que voltou à Casa María. Depois de atendê-la de novo, a religiosa mexicana não teve mais remédio que ceder a seu pedido e deixá-la telefonar.

Por sorte, sabia o número de cor de tanto intermediar as chamadas de dona Maxi enquanto trabalhava em sua casa, e por sorte não foi ela que atendeu. Estarei aí assim que possível, disse o jovem médico quando em meia dúzia de frases Mona lhe sintetizou a conjuntura. Não falhou: em vinte minutos estacionou seu Ford Roadster em frente à igreja e saiu precipitado para abrir a porta do passageiro para que ela pudesse entrar. Vinte, trinta, quarenta vezes havia oferecido a Mona levá-la aonde ela quisesse desde o dia do reencontro de ambos na Macy's, quando ele começou a voltar para casa antes que o habitual sem que ela soubesse que a única razão que o movia era vê-la.

O coração de César Osorio havia disparado quando ouviu a voz de Mona do outro lado da linha; desde que ela pediu alguns dias de licença, sem muitas explicações, sua casa havia se tornado triste como um sarcófago, e a mera existência de sua tia sem ela por perto era insuportável como a pior das dores. Estava na cama lendo quando tocou o telefone, levantou-se depressa para atender. Quem ligou a esta hora?!, gritou dona Maxi de seu quarto quando ele desligou. Ele apoiou o rosto na porta do quarto de sua tia enquanto tentava se acalmar; uma urgência do doutor Castroviejo, não se preocupe, madrinha, mentiu. Vou à clínica, não sei a que horas voltarei.

— Desculpe de verdade tê-lo incomodado, mas...

Mas hesitei entre dois homens e você ganhou, primeiro porque não tenho como encontrar o outro, e segundo porque talvez assim seja melhor, tentar contar com ele o mínimo possível agora que ele se afastou para se tornar a sombra de alguém a quem eu mesma procurei e de quem agora não posso me livrar, teria dito Mona se fosse sincera. Deixou a frase pela metade, no entanto, não era preciso acrescentar mais.

— Quer ir às delegacias de polícia mais próximas em busca de sua mãe, não? — disse ele, pegando um mapa no porta-luvas.

Estava sem gravata, com um fino suéter azul sobre a camisa limpa e o cabelo impecável e meio molhado, penteara-o com água antes de sair.

— Não conheço muito esses bairros — acrescentou —, mas certamente não será complicado encontrá-las...

Ambos calados, ele ao volante e ela ao seu lado, primeiro dirigiram-se à *police station* da Charles Street. Não cruzaram com quase ninguém pelas ruas; apenas, ocasionalmente, viram um grupo animado que entrava ou saía de um *night club* ou um pequeno teatro; era o Village: área de boêmios, pintores, artistas em geral que se misturavam com gente comum, muitas famílias de trabalhadores das *docks* do West Side, ali perto.

O esforço foi em vão: nada sabiam de uma imigrante vestida de preto dos pés à cabeça incapaz de falar nem meia palavra de inglês. Foi o que confirmou um policial de cabelos cor de laranja quando chegou a vez deles, depois de virar sem vontade várias páginas de um livro de registros. Mona voltou à rua com o olhar baixo enquanto, ao fundo, de alguma propriedade saíam gritos e barulho de cadeiras caindo. A gente das docas, murmurou o policial da porta, *have a good night*. Uma vez na rua, César, com timidez, pousou a mão no ombro esquerdo dela.

— Ela vai aparecer — murmurou. — Você vai ver.

Era a primeira vez que lhe falava com tanta intimidade.

Enquanto Mona e o oftalmologista continuavam seu trajeto, Victoria e Luz esperavam no St Vincent's Hospital. Junto com o Bellevue ao qual se encaminhou Barona, aquele era outro dos hospitais mais antigos de Nova York, nascido como uma instituição católica de caridade para acolher os necessitados do sul de Manhattan independentemente de sua religião. Ricos iam poucos, no entanto; pobres e desgraçados, aos montes. Muitas vítimas de catástrofes também: afetados por epidemias de cólera, náufragos do *Titanic*, ou corpos calcinados em incêndios pavorosos como aquele que havia alguns anos acabara com a vida de mais de uma centena de jovens costureiras, imigrantes italianas e judias quase todas, que eram mantidas trabalhando nove horas por dia com todas as saídas bloqueadas em um edifício da Washington Place.

Naquela noite, por sorte, não ocorrera nenhum grande desastre e a sala de espera permanecia relativamente tranquila. Sentadas em uma lateral, aguardavam as Arenas mais velha e mais nova, obedecendo às ordens de uma das freiras responsáveis pelo turno. *Wait right there, please*, disse.

Mal trocaram palavra entre si, ambas preferiram ocultar aquilo que as corroía e atormentava. Por isso, uma fingia cochilar com a cabeça ruiva apoiada na parede, e a outra mantinha seus grandes olhos pretos fixos no vaivém de pacientes, enfermeiras e religiosas. Luz continuava agoniada por não ter notícias de Frank Kruzan, amaldiçoava a si mesma por não ter sido capaz de ir atrás dele e, em paralelo, tinha medo de que depois da briga com seu patrão e com Fidel, ele pudesse voltar de forma mais vulcânica e intempestiva ainda. Dentro de Victoria, por sua vez, continuavam cruas e vivas todas as imagens e sensações daquela tarde: Chano, Chano, Chano. Chano e sua proposta que ela se recusou a aceitar.

Passou-se um tempo que pareceu eterno; o silêncio e a desconfiança continuavam separando-as como uma porta corta-fogo. Agora Luz roía as unhas com vontade enquanto Victoria passava as páginas de uma revista que alguém havia deixado meio amassada em cima de uma cadeira. Uma mecha caía sobre seu rosto, cobrindo-lhe um olho, mas, dava na mesma, porque não lia nada: nem entendia a língua, nem tinha interesse.

O grande relógio em cima do balcão de admissões marcava uma e vinte e cinco quando se aproximou a mesma freira que as havia instruído a esperar enquanto fazia averiguações; foram sacudidas por uma onda de alívio quando a escutaram dizer não, *young ladies*, sua mãe não está aqui.

Tomaram o caminho de volta; diferente de outras vezes, não caminharam enlaçadas no mesmo compasso, e sim cada uma por si, com os braços cruzados sobre o próprio peito, sem se tocar, como estranhas.

Foram as primeiras a voltar ao apartamento, ambas mantinham a ilusória esperança de que talvez a sorte desse as caras e sua mãe já estivesse ali, rude e queixosa como todos os dias, com seu avental puído e o coque malfeito, reclamando de tudo, amaldiçoando a América e os americanos, lançando permanentemente no ar a saudade do mundo de que provinha, esse mundo que ela mesma havia idealizado na distância até transformá-lo em um paraíso idílico que jamais existiu.

Mas também não houve sorte; souberam tão logo abriram a porta e dona Milagros, ao ouvi-las, assomou a cabeça pelo vão da escada. Nenhuma delas abriu a boca: bastou verem as caras.

O próximo a chegar foi Fidel, com o ar tangueiro mortiço e o terno cinza-perolado amassado. Nada, foi a única coisa que disse ao entrar. Engoliram a notícia em silêncio, indicaram-lhe um banquinho, a vizinha lhe serviu um café. Eram quase três e quinze.

Barona apareceu meia hora depois: também não havia localizado Remedios no necrotério do Bellevue. Sua mulher lhe plantou na frente outra xícara e o olhou fixamente, mas não perguntou, ele também não deu explicações: para que lhes revirar o estômago narrando como, um a um, o lúgubre funcionário ia levantando os lençóis que cobriam onze mortas dispostas na horizontal? Algumas eram tão recentes que pareciam adormecidas, outros cadáveres estavam ressecados, murchos. Havia de tudo: uma loura com seus vinte anos que havia se jogado do nono andar, uma asiática que um rebocador havia encontrado flutuando de bruços no East River com sua longa cabeleira espalhada como pernas de aranha. Duas eram quase meninas, havia uma velha tão obesa que transbordava a peça de mármore que a sustentava, quatro haviam sido abusadas, uma delas com ferocidade lupina. Tudo aquilo o funcionário foi comentando sem interesse nem esforço, como se mostrasse um catálogo de produtos domésticos ou lhe informasse que a temperatura ia aumentar no fim de semana, enquanto o tabaqueiro apertava um lenço contra o rosto e tentava controlar os engulhos a duras penas. Ainda parecia que tinha o cheiro apavorante da sala colado no corpo, por isso, assim que entrara no apartamento tirara o paletó, e nesse instante teria vendido a alma ao diabo por uma garrafa de conhaque, uma boa tina cheia d'água e uma bucha com sabonete.

A terceira cafeteira borbulhava no fogo quando chegou Mona e, para espanto de todos, atrás dela entrou o doutor. Era a primeira vez que ele entrava no lar das Arenas; se espantou com o humilde entorno, mas não deixou transparecer.

Um silêncio pastoso se comprimiu entre as paredes enquanto dona Milagros enchia as xícaras de novo. Faltavam cinco minutos para as quatro. Ninguém olhava para ninguém, ninguém dizia nada. Os rostos alheios à família mostravam preocupação; os das irmãs testemunhavam um abatimento abismal, desoladas as três pela ausência da mãe e pelas voltas da vida, alteradas por seus atos, seus erros, seus problemas, seus amores. O único som que lhes chegava aos ouvidos era o das colherinhas mexendo o café.

Foi então que, no meio do silêncio daquela madrugada sinistra, ouviram alguém socar a porta. Todos se levantaram de supetão, tão aturdidos que Victoria derrubou seu banquinho e Fidel derramou metade da xícara. Mona, a mais próxima, correu para abrir; os outros saíram em manada atrás dela.

Era um rapaz do bairro, Apolinar, filho de um casal de burgaleses; trabalhava descarregando pacotões de jornais de um caminhão de distribuição, por isso acordava diariamente antes do alvorecer.

— Estava me vestindo quando ouvi o barulho, saí à janela, mas o carro já estava indo e...

Para desconcerto de todos, não trazia notícias de Remedios.

— Destruíram o restaurante.

SEXTA PARTE

CAPÍTULO 82

Correram; correram porque a vida delas dependia disso; de repente, suas pernas eram outra vez as daquelas meninas magras acostumadas às guinadas nas ruas e a se esquivar das ondas do mar na praia. Correram como se fossem perseguidas por cães famintos, não soltaram uma palavra, chegaram sem fôlego.

Abriram caminho empurrando o punhado de curiosos que começava a se aglomerar em frente; mal ultrapassaram o umbral, pararam em seco. Ali onde estava previsto que na noite seguinte haveria canto, dança, aplausos e ilusões só encontraram desolação. A porta estourada e montes de vidros quebrados; as mesas e as cadeiras de pernas para cima, quebradas a machadadas. Nas paredes haviam jogado baldes cheios de piche e lixo, nada haviam deixado inteiro: nem uma garrafa, nem um prato. O gramofone de Fidel e os cartazes turísticos haviam sido pisoteados; com as toalhas de mesa, os guardanapos e os discos de Gardel haviam feito uma fogueira em cima do palco, que soltava uma fumaça pestilenta e cinza.

As três irmãs contemplaram a cena paradas ombro a ombro, atordoadas, sem reação. Em apenas alguns segundos, atrás delas pararam o doutor e Fidel; Barona e a velha galega ainda tardaram a chegar, tentando a duras penas recuperar o fôlego.

Da boca dos vizinhos que contemplavam a cena saíram cochichos alarmados e palavrões em várias línguas. *Holy Mary Mother of God*, *porca miseria*. Filhos da puta, tem que ser canalha. Ninguém conseguia compreender quem as queria tão mal assim. A realidade, porém, apontava inquestionável nessa única direção: haviam ido atrás delas. A obscenidade do estrago demonstrava isso, o empenho calculado de não deixar nada em pé, uma investida perversa que exalava maldade. Por isso, duas perguntas pairavam no ar enquanto as últimas estrelas iam se desvanecendo e o alvorecer despontava na Catorze, quando os primeiros vizinhos saíam para o trabalho e as primeiras carroças e furgões começavam a rodar: quem foi? Por quê?

Devagar e em silêncio, quase tateando, as Arenas se agarraram uma à outra e acabaram fundidas em um abraço, como o trio coeso que foram antes que a vida as empurrasse em direções diferentes e surgissem entre elas as fendas e as reservas. No meio do remoinho de cabelos e corpos, Luz começou uma espécie de ladainha surda. Foi ele, foi ele, foi ele: instintivamente, receosa e intimidada, transformava Frank Kruzan no responsável por aquela devastação. Uma vingança, uma vingança por ela se recusar a acolhê-lo de novo em sua vida, outro rebote impulsivo: não descartava nada disso. Como o soco do pômulo, mas com um alcance maior, mais doloroso ainda.

A mente de Mona, por sua vez, antecipava outros presságios diferentes dos de sua irmã enquanto uns e outros se esforçavam para tirá-las dali quase puxando-as. Venham, venham, garotas, vamos para fora, não há mais nada a fazer aqui. As três resistiam, como se uma força magnética as impedisse de tirar os pés do entorno desolado. Só depois de uma longa insistência não tiveram mais remédio que ceder e começar a sair para a rua.

O grupo de curiosos crescia em frente ao restaurante à medida que as pessoas abandonavam suas moradias rumo a seus afazeres cotidianos; já deviam ser quarenta ou cinquenta pares de olhos que contemplavam a cena. Havia homens de todas as idades que vestiam uniformes e carregavam nas mãos marmitas de alumínio com o almoço, a caminho do trabalho, lubrificadores na Standard Oil, maquinistas no Interborough Rapid Transit, foguistas nas balsas de Staten Island ou pedreiros que diariamente se penduravam, temerários, nos perigosos *scaffoldings* que envolviam os arranha-céus; havia mulheres que saíam para trabalhar como faxineiras de escritórios, costureiras ou para servir como criadas em alguma casa boa no Upper East Side. Quando os mais próximos viram as filhas de Emilio, o Capitão, se aproximar, a pequena massa humana se abriu respeitosamente para deixá-las sair.

Primeiro avançaram Victoria e o tabaqueiro, ele a segurava pelos ombros e no lindo rosto dela, ainda cabisbaixa, destacava-se um abatimento demolidor. Atrás ia Luz, ao lado de um Fidel transfigurado, esforçando-se em vão para resgatar um pouquinho de seu ar tangueiro a fim de acompanhá-la com hombridade. Mona saiu por último, sozinha, de queixo erguido, cabelos emaranhados, lábios apertados, tentando assumir com dignidade o brutal fracasso de seu projeto.

Os presentes as rodearam afetuosos, soltaram frases de ânimo e condolências: estamos com vocês, garotas, que ardam no inferno os desgraçados que fizeram esse estrago. Houve também quem desse alguma pista: acho que vi três homens, adiantou alguém; não, para mim foram quatro, rebateu alguém mais. Chegaram e partiram em um carro escuro, o veículo era azul. Os dados se mesclavam, ninguém entrava em acordo, mas também não importava grande coisa. O fundamental era incontestável: alguns homens haviam se amparado no final da noite para destruir o negócio e desaparecer sem deixar rastro.

Até que chegou o momento em que não havia mais o que dizer: nem mais palavras de apoio, nem mais conjecturas sobre os culpados. O grosso do grupo começou a se espalhar, cada qual tinha uma obrigação e um destino, ficaram os mais próximos acolhendo-as e, como único elemento alheio, o jovem médico que acompanhou Mona durante a madrugada: aturdido e confuso, ciente de que aquele não era seu lugar e ao mesmo tempo incapaz de partir.

Ali ficaram um tempo ainda, abalados em frente à fachada, que até muito pouco tempo esteve pintada de um verde brilhante e otimista e que agora estava imunda, cheia de jorros de piche e de manchas enegrecidas de bananas e batatas. Até o toldo haviam rasgado a ponta de faca, com ira, deixando seu tecido vermelho e novo transformado em um monte de tristes farrapos.

CAPÍTULO 83

Tão abalados estavam que ninguém deu atenção à caminhonete que parou ao lado do grupo.

— Homem, Sendra!

Luciano Barona foi o primeiro a reconhecer o compatriota que saiu de trás do volante. Apesar de se tratar de um sujeito bem conhecido na colônia, não era comum vê-lo por ali. E menos ainda àquela hora tão cedo. De barba por fazer, sem gravata nem paletó, só de camisa sobre a camiseta de baixo, com os suspensórios por cima, dava a impressão de que o haviam tirado precipitadamente da cama.

Para estranheza de todos, nem se incomodou em olhar para o local, nem devolveu o cumprimento ao tabaqueiro.

— Tive que trazê-la quase à força.

Sem prolegômenos nem cortesias, havia se dirigido às irmãs enquanto apontava a caminhonete. Foi quando todos se voltaram para ela. Por trás do vidro da janela, encolhida no banco com a cabeça baixa, estava Remedios. Luz soltou um grito, Victoria abriu a boca com um enorme suspiro de alívio e levou a mão ao coração, Mona foi correndo para a porta.

— Um momento!

Sendra falou categórico, ao mesmo tempo abrindo os braços como pás de moinho para detê-las.

— Antes de mais nada, um conselho: não sejam duras demais com ela. Acabou de passar a pior noite de sua vida, e acho que anda meio...

Fez um gesto girando o pulso com os dedos abertos: transtornada, queria dizer. As filhas o crivaram de perguntas: onde ela estava, por que saiu sozinha, o que pretendia, como a encontrou?

— Parece que ela saiu daqui de manhã com a intenção de me procurar, mas as únicas indicações que tinha eram meu nome, o de minha loja, La Valenciana, e o da rua, Cherry Street, pronunciado do jeito que pronunciam os espanhóis que não falam inglês: *cherristrit*. Ainda assim, com tão parcas referências, só Deus sabe como fez para quase chegar a seu destino; teria conseguido não fosse porque, ao atravessar Chinatown, a pobre mulher se assustou como um coelho, perdeu-se e se desesperou.

Parado entre elas e seu veículo como um muro de contenção, Sendra continuava lhes bloqueando o acesso.

— Apareceu em nosso bairro por volta das cinco da manhã, levada por um casal idoso de cantoneses que a encontrou encolhida em plena madrugada à porta de uma casa. Que um raio caia sobre minha cabeça se eu souber como diabos os três se entenderam, mas o caso é que a acompanharam o restante do trajeto até chegar à porta de minha loja. Ao vê-la fechada, os chineses a levaram até a taberna Castilla; por sorte, ontem bem tarde atracou um vapor português e mantiveram o bar aberto a noite toda para a tripulação. Dali foram me buscar, e então, eu...

— Mas o que ela queria? — gritou Luz, impaciente.

— Um monte de coisas sem pés nem cabeça. Que eu falasse com um advogado italiano sobre algo relativo ao caso da morte de seu pai, que fizesse que as autoridades fechassem esse negócio de vocês, que as obrigasse a abandonar Nova York...

Parou alguns instantes, respirou fundo diante do olhar atônito de todos os presentes.

— Vejam, garotas, acho que sua pobre mãe não está muito em seu juízo perfeito, por isso, quase arrastada, minha mulher e eu a enfiamos na caminhonete e viemos devolvê-la. Isso acontece com alguns imigrantes, não é a primeira nem a última vez que vejo e verei algo assim: não conseguem se adaptar e acabam perdendo o norte, chega um momento em que tudo é pesado demais e até a razão se deteriora.

As três continuavam dividindo os olhares entre Sendra e o veículo, mordendo a língua para não interrompê-lo, garrotando o corpo para vencer a tentação de ir tirá-la de lá.

— Apesar de termos insistido, não quis comer nem beber um simples gole de água. E... — o homem baixou a voz, constrangido. — E é melhor que lhe deem um bom banho e troquem sua roupa, porque, além de me amaldiçoar até a quarta geração por me recusar a fazer o que ela me pedia e por insistir em trazê-la de volta, acho que ela fez todas as suas verdadeiras necessidades nas calças.

Tiraram-na do carro as três juntas enquanto o dono da La Valenciana, por fim ciente do que estava acontecendo ali, perguntava aos homens por que diabos o local estava daquele jeito imundo.

Fedendo, suja, faminta, exausta, assim voltava Remedios depois de sua insensata aventura, sem forças para se queixar nem opor resistência, com as orelhas retumbando pelos gritos de suas filhas, que deixaram os conselhos do alicantino entrar por um ouvido e sair pelo outro e a repreendiam as três juntas. Que ideia foi essa, mãe? Como nos dá um susto desses? Por acaso ficou louca?

Mal haviam conseguido erguê-la na calçada quando uma voz se interpôs, contundente.

— Por favor, com licença um instante...

Era César Osorio, o doutor. Não lhe deram nem bola, prosseguiram com a investida: está nojenta, o que lhe deu na cabeça para sair assim?

— Por favor, senhoritas — repetiu com autoridade.

Elas trocaram olhares, hesitantes.

— Permitam-me que lhe tome o pulso, é importante.

Ainda não convictas, as três deram um passo para trás.

— Vou examiná-la, senhora. É só um segundo.

Supuseram que seria coisa de alguns instantes, que sua mãe ia mandar o jovem médico catar coquinho, mas a incredulidade das três foi enorme quando viram que ela mansamente o deixava agir. A córnea, a pupila, as parótidas, a língua. E mais confusas ainda ficaram quando César Osorio, aparentemente satisfeito depois de seu breve exame, estendeu-lhe com cortesia o braço e ela o pegou. Nem um único olhar Remedios dedicou a suas filhas ou ao local causador de sua agonia: apoiada ao doutor, a pequenos passos, começou a andar.

Tão confusas estavam, tão desoladas, que não reagiram, até que Barona as incitou a seguir atrás do chocante casal.

— Venham, garotas, depois veremos o que fazer com isso; por ora, temos que voltar com ela para casa; andem, venham, vamos todos para lá...

Percorreram devagar a calçada em um grupo mais ou menos compacto, ninguém tinha no corpo nem ânimo nem energia para fazê-lo de outra maneira. Remedios e o doutor na frente; Mona e Luz um passo atrás, nas laterais. Fechavam a comitiva o tabaqueiro, apoiando Victoria, esgotada, a vizinha galega e um pobre Fidel que já não era nem a sombra do *Morocho del Abasto*.

Avançavam pela calçada sul da Catorze, alguns vizinhos que abandonavam suas casas e ainda não haviam sabido do incidente olhavam-nos com curiosidade, outros, que já estavam a par, soltavam frases de ânimo. Passavam à altura da Casa Moneo quando ele saiu do túnel do metrô e os viu chegando de frente, compondo um grupo coeso ainda, com as peças bem definidas.

O *bolitero* estava indo falar com Mona, ansioso, nervoso, disposto a socar sua porta, a tirá-la da cama se fosse necessário. Não tinha a menor ideia do que havia acontecido no Las Hijas del Capitán, apenas ansiava lhe contar, deixá-la a par do triste percalço no El Fornos, do ferimento de Covadonga na perna, de sua dolorosa situação e de seu traslado urgente ao hospital. Da situação crítica em que fora internado e de como ele, Tony, com um súbito estupor, se deu conta de que o herdeiro do trono não tinha mais ninguém. Nem família, nem amigos verdadeiros. Ninguém exceto ele.

Ao longo de todas essas horas pavorosas no Presbyterian Hospital ao lado daquele homem praticamente desconhecido de quem, por imprevistos da vida, havia se tornado o único valedor, só a lembrança de Mona serviu de companhia a Tony e lhe deu serenidade; ela era a única pessoa no mundo que o ligava ao conde, a única que conseguiria entendê-lo. Por isso ia atrás dela quando a manhã ainda começava, com a esperança de encontrá-la já acordada naquele dia que acreditava que seria o do início de seu ousado negócio: para lhe informar que Alfonso de Borbón havia escapado da morte por um fio, para compartilhar com ela seu alívio, gargalhar do medo passado, acalmá-la dizendo que tudo ia dar certo em sua grande noite, talvez beijá-la outra vez.

Levava o terno mais amassado que nunca, a gola da camisa aberta, os cabelos endemoniados, a gravata no bolso, uma sombra de barba tresnoitada e a euforia fervilhando nas têmporas. Queria vê-la, precisava vê-la imediatamente. Mas o panorama do grupo a alguns metros de distância da boca do metrô cortou seu ímpeto pela raiz.

Além dos rostos exaustos e do andar desanimado, algo mais preocupou o *bolitero* naquela cena. Ou melhor, alguém mais: o jovem de suéter azul que os acompanhava, o único membro do grupo a quem não conhecia. Com aspecto elegante e cuidado extremo, segurava atencioso a mãe enquanto esta caminhava arrastando os pés. O gesto solícito do desconhecido, no entanto, mudou tão logo ouviu Mona sussurrar seu nome.

— Tony — disse ela com voz abafada.

E o semblante do outro, ao escutá-la, transmutou-se.

Apesar da noite em claro e do imenso susto passado, o *bolitero* entendeu bem desde o primeiro instante, como se houvesse sido iluminado por uma chama de lucidez: aquele sujeito não se importava em nada com a pobre Remedios. Era Mona que absorvia todo seu interesse.

CAPÍTULO 84

Esperou paciente, até que os viu sair juntos meia hora depois; observou todos os seus movimentos enquanto ela acompanhava o médico até um Ford estacionado, enquanto trocavam algumas frases de despedida e o outro hesitava um instante, como se não quisesse ir ainda ou pretendesse concluir a despedida de uma maneira diferente, menos distante, mais calorosa. Quando Tony se certificou de que o carro se integrava ao trânsito da Sétima avenida, saiu de seu refúgio na portaria vizinha.

— Conte-me devagar o que aconteceu.

Ao vê-lo de súbito, inesperado, próximo, parado ao seu lado no meio da calçada, Mona fechou os punhos e cravou as unhas na palma das mãos; precisou de coragem para conter o impulso de se agarrar a ele, refugiar-se em seu pescoço e começar a chorar. Tinha os olhos vermelhos e o esgotamento no rosto, entre as mechas de seu cabelo, mais revirado e rebelde que nunca, haviam se mesclado cinzas e restos de sujeira.

— Já lhe dissemos antes — sussurrou, contendo-se. — Não deixaram nada em pé.

Haviam posto Tony a par assim que o encontraram. E depois o deixaram plantado na rua, alheio e sozinho, enquanto todos entravam no edifício de tijolos vermelhos; César Osorio cedeu passagem a um por um e se encarregou de fechar a porta às suas costas, ciente de que o outro ficava para trás. A reação que o doutor percebeu em Mona quando ela viu aquele sujeito magro de cabelo claro e aspecto descuidado o havia deixado em guarda: instintivamente, notou que uma corrente de cumplicidade emanava entre ambos. Não sabia quem era, depois tentaria descobrir, mas certamente não se tratava de um mero vizinho, como o bobo Fidel; aquele sujeito tinha outro porte, apesar de seu desalinho, transpirava outra atitude, outra segurança. Por ora, de qualquer maneira, o que interessava ao médico era que ela subisse com todos até o apartamento, sem se deter para falar com ele. Os eventos da noite e da manhã iam lhe proporcionando oportunidades inesperadas para se envolver no mundo dela, e o doutor Osorio, a essa altura, não estava disposto a permitir que tudo desse errado, e menos ainda por causa de um infeliz que àquela hora sem dúvida chegava da farra, com o terno feito uma uva-passa, os olhos febris e um bico de gravata saindo de um dos bolsos.

— Do jeito que as coisas estão, imagino que esse assunto do conde já não a afeta agora que não haverá inauguração, mas eu queria que soubesse...

Na tentativa desesperada de animá-la mesmo que só um pouquinho, ele começou a narrar o que havia acontecido no El Fornos e no hospital, quis demonstrar energia e parecer animado, lançou mão de suas melhores artes de vendedor de ilusões. Não conseguiu nenhum efeito nela, no entanto; era como se a capacidade de reação de Mona houvesse se consumido depois das horas horrendas que acumulava nas costas.

Continuavam parados os dois em plena rua, cara a cara; sem dizer um ao outro, ambos compartilhavam a sensação de que foi quase em outra vida que entraram furtivamente no St. Moritz, percorreram a noite nova-iorquina a bordo de um conversível e jantaram no Waldorf convidados por um frágil príncipe que agora repousava sedado enquanto sua régia família, do outro lado do Atlântico, tornava a ser alertada por cabograma.

— Tony, tenho que ir.

Com apenas um murmúrio, Mona optou por cortar a conversa de uma vez. Que importava tudo isso agora? O príncipe que nunca reinaria, a disputa entre monárquicos e republicanos no pátio do restaurante, a hemorragia e as transfusões... Covadonga estava fora de perigo, isso lhe bastava. Todo o resto ficava a uma eternidade do interesse da Arenas do meio a essa hora em que a manhã do incipiente verão já havia se assentado na Catorze com toda sua contundência: gente, carros, ruídos, pressa. E embora o homem de corpo flexível e olhar esverdeado que estava a sua frente continuasse a atraindo, e ela houvesse dado qualquer coisa para se consolar com o rosto afundado em seu peito, ainda lhe restava lucidez suficiente para saber que o mais conveniente era se afastar.

— Não sei aonde você pretende ir, mas me permite acompanhá-la?

Olharam-se longamente, ambos cansados, desolados cada qual a sua maneira.

A resposta saiu firme de sua boca.

— Melhor não.

Na Casa María, a notícia da destruição corria pela longa mesa do café da manhã junto com as torradas e a manteiga, por isso, surgiram cicios de aviso assim que viram Mona e o bulício da conversa se deteve de súbito. Todas as mulheres, freiras e não freiras, deram-lhe bom-dia disfarçando, ela respondeu entre dentes e seguiu seu caminho. Para seu desconcerto, não encontrou irmã Lito no escritório.

Nem no quarto. Nem na parca biblioteca. Por fim, uma freira idosa com quem cruzou na escada a orientou:

— Tente na capela, minha filha; há pouco me pareceu vê-la entrar.

Para lá se encaminhou, abriu a porta sigilosamente. Fresca, pequena e escura, a capela cheirava a círio aceso. Ali estava irmã Lito, de fato, ajoelhada em um banco na frente, com seu corpo achatado curvado para a frente, os cotovelos apoiados na parte superior e a cabeça sem touca afundada entre eles.

Não se aproximou, simplesmente se sentou ao fundo, à espera de que a religiosa terminasse suas devoções. Fixou seu olhar exausto em uma Virgem com manto azul-claro e as mãos estendidas que se erguia sobre um pedestal com forma de globo terrestre. Ave Maria, cheia de graça, o Senhor é convosco, murmurou com a boca seca; a família Arenas nunca foi muito de fervores e liturgias, mas Mama Pepa lhe ensinou a rezar quando menina e ainda tinha as orações cravadas nos ossos. Antes do rogai por nós pecadores, o sono a venceu.

Por sua mente passaram montes de flashes desalinhavados: seres anônimos que davam vivas e batiam palmas em volta de uma fogueira junto ao mar, o conde de Covadonga caído no chão, ela mesma dirigindo o automóvel do doutor Osorio pelas ruas escuras do Village, Tony que a abraçava dentro de um elevador que não chegava a lugar nenhum...

Acordou com uma sacudida brusca ao sentir uma mão lhe apertar o joelho, aturdida, totalmente desorientada; passaram-se alguns instantes até as peças se encaixarem em sua mente e ela conseguir se situar: Casa María, capela, manhã seguinte ao desastre. Não havia fogueira nenhuma, nem Alfonso de Borbón nem o sobrinho de dona Maxi estavam ali, e Tony, em vez de abraçá-lo como gostaria, havia acabado de deixar plantado no meio da rua. Sentada ao seu lado encontrou apenas irmã Lito.

— Veio falar comigo, suponho.

Assentiu com o queixo, custava-lhe um trabalho infinito puxar as palavras, sua cabeça continuava intumescida.

— Nosso... nosso...

— Arrasaram seu restaurante, já sei.

— E foi... e foi...

— Mazza, o advogado, sim. Ou os homens que ele mandou, dá no mesmo.

Fez-se silêncio de novo enquanto continuavam sentadas no banco de madeira com o olhar perdido, diante da Milagrosa e seu olhar de gesso.

— Foi tudo culpa minha. Culpa de minha obstinação e teimosia.

— Não diga isso, irmã...

— Ele está me acossando desde o início, como sabe. E você não quis contar a ninguém, mas eu sei que ele a ameaçou também.

Mona rememorou difusamente a noite em que a enfiaram dentro de um carro à força e a levaram àquelas docas, sua corrida enlouquecida, o sobrinho inquietante, o terror. Não fazia muito tempo, mas parecia que desde então até aquela manhã havia se passado metade de uma vida.

— Eu devia ter cedido desde o início, pelo bem de vocês — acrescentou irmã Lito com voz apagada, como se falasse consigo mesma. — Quando um infeliz como esse cruza nosso caminho, mais vale jogar a toalha a tempo. Porém meu próprio orgulho me venceu, confundi sensatez com covardia. E errei.

— Não faz diferença, irmã. Agora dá na mesma...

A negativa cortante da freira retumbou com eco entre as paredes da pequena capela.

— Não, não, não! — Chegou depois um acesso de tosse; quando conseguiu se acalmar, irmã Lito tornou a baixar a voz. — Cada um deve assumir seus erros, e embora...

Parou alguns instantes, respirava com esforço. Mona continuava olhando para ela. A penumbra envolvia o entorno, mas, ainda assim, podia apreciá-la: macerada, macilenta, com o cabelo navalhado mais branco e ralo que nunca, as carnes do rosto penduradas, bolsas gigantescas sob os olhos e centenas de rugas profundas que sulcavam sua pele.

— Estou doente, garota. Faz tempo que me sinto mal, mas eu não sabia o verdadeiro alcance, até anteontem. Foi quando eu soube que não ia viver para levar até o final esse caso de vocês, e decidi que o mais sensato seria abrir mão. Marquei de me encontrar com Mazza ao meio-dia para por fim negociar; muito a meu pesar, ia lhe dar uma imensa satisfação. Mas no meio da manhã Remedios veio com suas reclamações e suas asperezas... E pela mais pura e insensata insolência, como se com isso desse um tabefe na cara de sua mãe, eu me rebelei e não fui à reunião.

Mona ficou com a saliva presa na boca, queria dizer algo, qualquer frase de consolo, mas nada saiu.

— O que fizeram no restaurante de vocês não foi mais que uma resposta a meu desplante. Por pretender absurdamente dar uma lição à pobre mulher, provoquei Mazza. E, em um efeito rebote, eu, que tinha por missão protegê-las, minhas meninas, acabei abrindo a porta dos leões.

O silêncio compacto tornou a encher a pequena capela, nenhuma das duas percebeu que alguém as estava escutando atrás da porta encostada: um alguém que agora lamentava não ter tomado medidas extremas, não ter se responsabilizado sendo já como era, para o bem e o mal, parte integrante da família.

A madeira do banco rangeu quando ambas se levantaram; Mona teve que ajudar a freira puxando-a pelo braço, faltavam-lhe forças.

Luciano Barona, atrás delas, já sabia o que precisava e optou por ir embora sem fazer barulho. Não chegou a ouvir a última frase de irmã Lito quando se persignou antes de sair e murmurou com o cenho franzido:

— Que o Altíssimo me perdoe, mas há dias em que a vida é um grande absurdo.

CAPÍTULO 85

Estava furioso.

O tabaqueiro havia ido à Casa María pelo mesmo motivo que Mona: para saber se irmã Lito compartilhava com ele a conjectura de que o advogado italiano poderia estar por trás daquela bestialidade. O que não imaginava era que a religiosa confirmaria de uma forma tão explícita, palavra por palavra, enquanto ele, escondido na retaguarda, escutava sua confissão.

Voltou à rua sem se fazer notar, passando uma mão lenta pela nuca enquanto digeria o que havia acabado de ouvir. A partir daí, decidiu agir.

Demorou pouco a fazer averiguações; Nova York era uma cidade gigantesca, mas sempre havia a ponta de um fio para puxar naquele pedaço de território do Downtown que ele controlava bem. Em menos de uma hora, depois de perguntar aqui e ali, havia reunido os dados necessários. A seguir, dirigiu-se a um adolescente com a cara cheia de espinhas que matava o tempo incomodando um gato na beira da calçada.

— Eu lhe dou meio dólar se fizer um serviço direito para mim — propôs sem preâmbulos, ao mesmo tempo que levava a mão ao bolso.

Pensou melhor, corrigiu-se de imediato:

— Não, melhor dois.

— Do-dois dólares? — gaguejou o garoto.

— Dois serviços, rapaz.

O primeiro serviço era passar pelo apartamento das Arenas para avisar Victoria que ia demorar. O segundo, o principal, que fosse procurar seu filho em seu novo emprego na casa de ferragens da Cento e Dez.

— Diga que é urgente, que é muito importante, entendeu? — insistiu. — Que é um assunto sério, um assunto de... de família. Que venha o antes possível a este endereço; vamos, rapaz, depressa, não fique aí parado.

O tabaqueiro desceu pela Sétima, depois pegou a Bleecker Street e chegou a seu destino em pouco mais de vinte minutos, suado pelo passo rápido e o sol inclemente do meio-dia que se aproximava. Tão absorto ia em seus pensamentos que mal notou o calor e o cansaço; como se a raiva que fervilhava dentro dele o ajudasse a ignorar a falta de sono, a camisa suja, os ardores que o abrasavam por dentro e o cheiro nojento de necrotério que continuava carregando.

Insistentes como o rufar dos tambores, foram se repetindo em sua cabeça, ao longo do caminho, algumas imagens do passado que de súbito adquiriram uma importância avassaladora: aquele dia em que o italiano Mazza quase esbofeteara Victoria na taberna, suas bravatas e ameaças, o soco com que ele mesmo o enfrentara. Talvez não faltasse razão a irmã Lito, pensava, e talvez a gota d'água houvesse sido a decisão da freira de não comparecer àquela reunião na qual por fim o advogado ia conseguir o que queria. Mas, ainda assim, a tensão vinha de longe e as vinganças não eram sempre imediatas, e por isso Barona tinha consciência de que certamente ele mesmo havia contribuído com um grosso grão de areia para que aquele assunto nunca alcançasse um bom final.

— Eu deveria ter acabado com tudo muito antes — murmurou para si. — Teria que ter resolvido esse assunto, teria que ter solucionado isso.

Seguia mergulhado em seus remorsos quando chegou à esquina com a Carmine Street. Ali lhe haviam dito que o advogado Mazza vivia e tinha seu escritório, em pleno coração do South Village italiano, em frente à igreja Nossa Senhora de Pompeia, em um edifício de esquina, de tijolos, cinco andares e molduras sobre as janelas; uma das construções mais vistosas em um bairro de claro sabor imigrante e proletário, cheio de modestos cortiços, varais com roupa recém-lavada e aromas de molho de tomate, orégano e sardinha.

O tabaqueiro nunca havia sido um homem de natureza agressiva, mas também não um manso complacente. Estava curtido nos vaivéns da cidade e sabia que fazer uma denúncia formal contra o advogado não faria sentido algum porque careciam de provas certeiras. Por essa razão, preferiu ir direto falar com ele: para exigir explicações; para desafiá-lo e gritar que era um grandessíssimo filho da puta. Ou... ou... ou, na realidade, não sabia para quê. A única coisa clara era que tinha que confrontá-lo. Pela gravidade da investida. Por dignidade. Certamente obteria um resultado nulo, mas sentia-se na obrigação; afinal de contas, agora ele era o único homem da família Arenas, e seu velho orgulho espanhol não lhe permitia ficar de braços cruzados depois de ter visto como abusavam das mulheres indefesas daquele que já era, para o bem e para o mal, seu clã. Tinha que intervir, enfim. E para fazê-lo com mais contundência, movido por esse instinto primário que antepõe o sangue partilhado a qualquer outro recurso, ter seu filho ao seu lado havia sido sua primeira decisão.

Sentou-se para esperar Chano, com seu pacote de cigarros aos pés, em uma pequena praça em frente à igreja e ao edifício onde o italiano residia, em um banco à sombra benévola de umas árvores. Havia montes de pássaros e gente que ia e vinha, rapazes de todas as idades e velhos enxutos que jogavam farelos de pão aos pombos, mas ele mal dava atenção ao que acontecia por ali; tudo que o preocupava estava dentro dele, catapultando-o insistentemente para o passado. A fanfarronice do advogado no El Capitán, os gritos desatados de Victoria quando tentou expulsá-lo. As visões começaram a se repetir em sua mente a um ritmo febril enquanto o pio desaforado dos pássaros crivava seus tímpanos. A mão de Mazza se erguendo para calá-la com uma bofetada, o soco dele para detê-lo, o modo como depois a protegeu puxando-a para seu peito e sentindo pela primeira vez seu corpo jovem, sua maciez. Retumbavam em suas têmporas os gritos dos rapazes, o ruído dos carros e das carroças, as vozes italianas dos velhos. Não parava de se perguntar por que Chano estava demorando tanto.

Havia uma fonte no centro da pracinha, Barona se levantou com esforço e se aproximou, enfiou as mãos embaixo do jato d'água e as levou ao rosto. Esfregou os olhos, a nuca, o queixo onde despontava a barba grisalha. Molhou-as de novo, abriu os dedos e os passou entre os cabelos que com o passar dos anos iam sendo cada vez menos. Acabava de fazer cinquenta e cinco, mas, desde que Victoria entrou em sua vida, ilusoriamente julgou ter rejuvenescido de repente. Agora, sentia-se como se duas décadas de chumbo houvessem caído em cima dele.

Voltou ao banco, aproximou-se uma mulher de roupa provocante e olhos tristes que apalpou descaradamente os seios e murmurou toda sua quando quiser, *honey*; aproximou-se um vendedor ambulante que empurrava um carrinho, maçãs a cinco centavos!, ia gritando enquanto arrastava sua coxeadura. O tabaqueiro ignorou a ambos e afundou o rosto nas mãos, as imagens tornaram a torturar seu cérebro com a força obsessiva de um martelo hidráulico. Victoria aterrorizada diante do advogado, Victoria acolhida em seus braços, Victoria soberba vestida de noiva, Victoria na cama nua e complacente, Victoria nervosa, arisca e diferente evitando seus anseios carnais, Victoria desolada diante do caos do Las Hijas del Capitán.

— *Va bene, figlio*?

A voz masculina o tirou do aturdimento, sobre seu ombro esquerdo de súbito pousara uma mão firme. Ergueu o olhar, sacudiu o rosto. Ao seu lado encontrou um sacerdote velho e forte sob o longo hábito: padre Demo, o pároco da igreja Nossa Senhora de Pompeia, referência entre os imigrantes italianos do bairro. Certamente havia confundido com um compatriota aquele Barona desanimado que continuava sentado no banco de pedra; afinal de contas, todos eram filhos de fomes idênticas nas mesmas terras pobres do sul da velha Europa.

— *Va bene, pater, va bene*... — murmurou entre dentes para que o deixasse em paz.

Mas o tabaqueiro atentava contra o oitavo mandamento da lei de Deus porque mentia sem sombra de culpa. Não, nada ia *bene*, tudo ia pessimamente. Em seus miolos aturdidos retumbavam, confusas, as recordações e as reflexões, as sensações, as intenções. E Chano não aparecia. E ele não aguentava mais.

Levantou-se enquanto a figura do padre se afastava distribuindo bênçãos entre as cabeças infantis que surgiam em seu caminho. Arrumou as lapelas do paletó, ajustou o nó frouxo da gravata e a alisou com a palma da mão. A seguir, pegou suas caixas de cigarros, pigarreou e escarrou no chão. Vamos lá, murmurou. E lá foi.

CAPÍTULO 86

Um pouco mais ao norte, na Catorze, sua mulher e suas cunhadas haviam voltado ao Las Hijas del Capitán dispostas a enfrentar a desolação armadas com baldes, panos e vassouras. Antes, quase à força, haviam conseguido lavar a mãe em uma tina de zinco no meio da cozinha, depois tentaram obrigá-la a beber uma xícara de caldo, mas ela apertou os lábios e se recusou. E, claro, também não conseguiram que justificasse seu despropósito: nem uma única palavra saiu da boca de Remedios. Calada como um túmulo, foi para seu quarto, deitou-se na cama e se enroscou como um novelo com o rosto voltado para a parede.

Talvez elas deveriam ter feito o mesmo: deitar-se, fechar os olhos, cair em um sono profundo e esquecer o mundo. Afinal de contas, já estava tudo perdido. Não haveria inauguração, nem Luz dançaria suas rumbas ou cantaria suas *coplas*, nem um falso Gardel entoaria "Caminito", nem ninguém vaiaria o filho do rei exilado por ocupar um lugar eminente na plateia. Nunca haveria aplausos entre as paredes recém-pintadas, nunca ninguém pediria uma jarra de sangria nem outra garrafa de vinho tinto, jamais entraria uma única nota na gaveta. Essa era, crua e triste, a realidade.

Preferiram, no entanto, não cair na autocompaixão, e as três optaram por se mexer. Não precisaram de palavras para distribuir as tarefas, tudo estava em um estado tão calamitoso que cada uma começou por onde estava mais à mão. Victoria, pelo chão, formando montes com os pedaços de louça e vidro esparramados. Luz cuidou dos restos da fogueira que jaziam sobre aquele palco no qual nunca subiria para mostrar sua graça; uma pontada dolorosa se incrustou em seu coração ao recordar Frank Kruzan e sua férrea recusa a que ela atuasse ali, ainda se perguntava se ele poderia ter algo a ver com aquilo. Mona, por sua vez, começou com as paredes: jogou baldes de água, esfregou-as de cima a baixo com uma vassoura velha. Não havia ainda dividido com suas irmãs a confissão de irmã Lito acerca de quem havia sido o causador da investida contra seu sonho, ainda tinha que pensar.

Várias presenças imprevistas foram se somando. As primeiras, umas primas cordobesas do andar de cima; ouviram as garotas trabalhando e apareceram com buchas e panos. À medida que levavam restos de imundície e móveis quebrados para a rua, outras vizinhas foram aparecendo para dar uma mão. Logo havia dentro oito ou nove mulheres, depois uma dúzia, depois quase vinte, e o Las Hijas del Capitán se transformou de repente em um desses pequenos milagres de solidariedade coletiva tão comuns entre os imigrantes. Assim funcionavam sempre, nos bons momentos e nas adversidades, nas alegrias e nos pesares: afinal de contas, eram como uma balsa de compatriotas que flutuava contra tudo e contra todos na imensidão de Nova York. Se não se amparassem entre si, invisíveis como eram tão frequentemente, ninguém mais os ajudaria.

Alguém que trabalhava para uma empresa de distribuição lhes ofereceu sua caminhonete para levar os restos inúteis a algum aterro sanitário, outro conectou uma mangueira na rua para que dispusessem de água com mais facilidade, da Casa de Asturias mandaram duas jarras de limonada para refrescar as gargantas cheias de pó. No meio da agitação coletiva, uma das vizinhas avisou Victoria:

— Garota, ali fora estão perguntando por você.

Eram tantas as demonstrações de apoio que a mais velha das irmãs foi até a porta sem muita curiosidade. Outra proposta para ajudar, pensou enquanto saía ajeitando o rabo de cavalo com uma mão. O pano úmido que segurava na outra caiu no chão quando o viu.

Chano. Sem paletó, como quase sempre, com uma expressão de preocupação no rosto esculpido a socos, com seu corpo firme sob a camisa arregaçada, aspecto de quem estivera caminhando depressa e essas mãos rudes que eriçavam a pele dela.

Olharam-se durante alguns instantes, dizendo-se ao mesmo tempo tudo e nada.

— Eu já soube...

Victoria se conteve a duras penas para não buscar consolo agarrando-se ao corpo dele; rendida e arrasada como estava, morria de vontade de se deixar amar.

— Meu pai está aqui?

Ela negou com a cabeça, desconcertada.

— E você está bem?

Assentiu, sem palavras ainda.

Não haviam se tocado, nenhum dos dois se aproximou mais que o correto. Só continuavam se olhando, fixos, profundamente. Ninguém poderia suspeitar do que houve entre eles no dia anterior, nem da paixão desgovernada que os arrastou primeiro, nem da reação dela quando, exaustos e plenos, ele disse vamos. Vamos, vamos para longe, repetiu sobre seu rosto, apoiado com um cotovelo no colchão. Aonde, quis perguntar Victoria, e Chano lhe propôs longe, Califórnia, México, Canadá; onde ninguém pense em nos procurar. Uma sensação de angústia começou a se apoderar dela, a seguir murmurou não pode ser, não pode ser, não pode ser. Três vezes repetiu antes de fugir de seus braços. Não pode ser.

— Ele mandou me chamar há algumas horas — prosseguiu Chano, em pé ainda na entrada enquanto o restante das mulheres continuava trabalhando —, mas eu estava distribuindo alguns pedidos e não conseguiram me dar o recado antes. Chamou-me para algo urgente, uma emergência familiar; disse que me esperava em frente a uma igreja no South Village, porém quando cheguei, ele não estava mais lá.

Victoria o escutava sem tirar a vista de seus olhos e de sua boca, de seus ombros sólidos, de seu pescoço forte. Chano não saíra atrás dela quando, depois de se vestir precipitada, abriu impetuosa a porta do quarto, abandonou o apartamento e se lançou escada abaixo, talvez porque de súbito tomou consciência de sua enorme traição. Deitado na cama ficara o filho de Luciano Barona, o boxeador que nunca alcançou a glória, entre desconcertado e envergonhado por sua proposta temerária, apaixonado até os ossos pela mulher mais errada entre todas as fêmeas do universo.

Mas aquilo foi no dia anterior, e, desde então, a vida de todos eles havia dado um salto cujo alcance sinistro ninguém poderia antecipar.

Encontrar seu pai no lugar previsto havia sido impossível para Chano, efetivamente, porque uma vez que Luciano Barona optou por não esperar seu filho e se levantou do banco, atravessou a rua, entrou em um edifício e subiu dois andares disposto a encarar o advogado Mazza, nunca mais desceu por seus próprios pés.

CAPÍTULO 87

O tabaqueiro bateu na porta do escritório do advogado sem ter certeza alguma de como ia proceder. Foi atendido por um jovem compacto, com uma gravata larga cor de laranja. Pediu para falar com Mazza, o outro disse que estava ocupado, Barona o afastou com um empurrão.

O italiano estava falando ao telefone atrás de sua mesa, sem paletó, apenas de camisa e suspensórios, em pé. Talvez em algum momento aquele lugar houvesse tido certa elegância, mas tudo estava já desbotado; o papel de parede descascado em algumas partes, manchas escuras em cima dos aquecedores. As janelas permaneciam fechadas apesar do calor do meio-dia de início de verão; delas, com a perspectiva dada pela altura e através dos vidros sujos, via-se a mesma praça triangular que ele havia abandonado apenas alguns minutos antes.

Mazza segurava o fone preto apertado contra a orelha esquerda, mas não falava, limitava-se a escutar. Passara um tempo tentando justificar sua temerária decisão com a desculpa da freira filha da puta que não compareceu ao encontro marcado, pretendia insistir nos obstáculos que aquelas *zoccole*, as vadias das filhas do morto Arenas, haviam criado desde o início. Mas sua intervenção acabou se transformando em gaguejos estéreis: falava com alguém que ainda tinha autoridade suficiente para mantê-lo amedrontado.

Seu tio. *Zio* Marcelo, esse era o homem que gritava enlouquecido pelo telefone de um triste asilo de idosos. Três anos antes, um derrame cerebral o tirara do tabuleiro do jogo da advocacia, agora estava sob os cuidados das Irmãs Missionárias do Sagrado Coração no asilo Holy Angels; tinham que empurrá-lo em uma cadeira de rodas porque era incapaz de andar por si mesmo e mal mexia as mãos, sua cabeça se inclinava sobre seu peito como se seu pescoço fosse de manteiga, e pela comissura esquerda de sua boca caía constantemente um fio de baba. Contudo, ainda gutural e áspera, mantinha a voz em pleno uso, e a cabeça funcionava cem por cento, e quando alguma freira ou qualquer visita segurava o fone em sua orelha, ainda era capaz de amedrontar quem estivesse do outro lado da linha.

Apesar de suas muitas limitações, o velho imigrante italiano se virava para estar a par de quase tudo vinculado a seu antigo universo de pleitos, processos e tribunais; afinal de contas, aquele escritório do South Village continuava sendo nominalmente seu. E alguém havia acabado de lhe informar do despropósito que seu sobrinho havia mandado cometer na noite anterior, e o velho o estava repreendendo com a mesma contundência de quando o outro era um rapaz inexperiente cheio de espinhas, bruteza e retraimento. *Sei un buono a nulla!*, que desgraça minha tê-lo como herdeiro! Assim o advogado impedido clamava aos céus com a boca cheia de espuma, lamentando ter sido obrigado a deixar seu escritório nas mãos de tamanho *imbecille*, dizia, *un vero cazzone* que só afundava o negócio com seus desatinos e idiotices.

Até que Fabrizio Mazza conseguiu desligar e, com o rosto vermelho e a humilhação ainda quente fazendo seu peito tremer, gritou ao recém-chegado:

— E o senhor, o que faz aqui?

A essa altura, Barona já havia avançado até o meio do aposento, e Mazza o identificou de imediato: o homem que o derrubou com um forte soco na mandíbula em defesa da *puttana spagnola*. Sabia que acabou se casando com ela, sabia que morava no Brooklyn, sabia de tudo, porque aquela *porca* família havia se transformado em seu pior tormento e sua grande obsessão.

— Tomasso! — gritou, chamando o jovem.

Mas Tomasso não entrou; continuou no corredor com as costas apoiadas na parede, apertando com raiva os punhos e os olhos, a dentição e o cenho, em um gesto esforçado para se conter, lutando contra seu dever.

— Tomasso! — gritou de novo.

Tinha que correr em auxílio a seu tio, o garoto sabia, essa era sua obrigação. Não sabia se o espanhol estava armado, quais eram suas intenções, se...

— Tomasso!

Os mesmos ouvidos moucos do sobrinho foi o que o tabaqueiro fez diante dos gritos de Mazza: continuava se aproximando com os olhos aquosos, o queixo tremendo. Sua intenção era falar, mas não conseguia encontrar as palavras para dar forma a seus argumentos; viu-se incapaz de articular de um modo razoável a raiva visceral que sentia.

À falta de verbo, Barona só foi capaz de transmitir seus sentimentos com o corpo: como um touro, jogou-se sobre o italiano, sentou-o de um empurrão na cadeira atrás da mesa e lhe apertou o pescoço com suas mãos grandes de antigo trabalhador braçal, poderosas ainda.

Todo o resto foi coisa de segundos.

Há vezes na vida em que os desastres não são provocados pelas causas mais imediatas ou aparentes, e sim pelas frustrações que carregamos na alma. Assim ocorreu com as duas partes envolvidas naquela ocasião.

O tabaqueiro, no fundo do fundo, e embora ele mesmo talvez não soubesse, não era movido só pelo fato concreto de que o italiano havia acabado com as ilusões de sua família por afinidade, mas também por algo infinitamente mais doloroso: a dor que lhe provocava suspeitar que Victoria não o amava.

Outro tanto acontecia em paralelo com Mazza. A reação do italiano em resposta ao ataque de Barona não foi provocada só pela necessidade física de se defender; poderia ter se livrado do espanhol brigando com mais coragem, talvez dando-lhe uma joelhada certeira nos testículos ou usando toda a força de suas pernas para impulsionar para trás a cadeira giratória em que se sentava e, assim, escapar dele. Mas não fez nada disso. Não fez porque algo mais ardia em suas entranhas: o fato de se sentir eternamente desprezado por seu tio, as amargas recriminações acumuladas, o saber que aos olhos do velho filho da mãe todos os seus atos e decisões seriam sempre os de um *brutto stronzo*, um pobre cretino. Por isso, tateando às cegas enquanto o tabaqueiro continuava lhe apertando o pescoço, Mazza conseguiu abrir a segunda gaveta de sua mesa e revirou o interior, febril, até pegar a culatra da pistola que guardava ali.

O primeiro tiro à queima-roupa foi necessariamente fatal.

Por via das dúvidas, apertou o gatilho mais duas vezes.

À porta agora, Tomasso contemplava a cena apertando com força sua gravata berrante. Sem dar um passo, sem intervir.

Esperaram o cair da noite para se livrar do corpo, convocaram aqueles que sempre cuidavam do trabalho mais ingrato, os mesmos que na madrugada anterior haviam provocado a destruição. Enrolaram o cadáver em uma manta, desceram-no pela escada como se fosse um fardo, levaram-no até a praça entre três pares de braços e o jogaram com um *plof* surdo na mesma fonte sob cujo jato Barona havia colocado as mãos a fim de tentar desanuviar seus mais turvos pensamentos e recuperar a lucidez. Quando começaram a se ouvir os gritos alarmados dos transeuntes, os homens de Mazza já se afastavam rumo às docas em um furgão preto, descendo a Carmine Street como o diabo fugindo da cruz.

O padre Demo pouco demorou a aparecer no local com passo brioso, apesar de seus muitos anos. Parte de seu apostolado consistia em intermediar os mil desmandos que constantemente assolavam o território de sua paróquia, e sempre havia alguém que corria para buscá-lo tão logo acontecia algo digno de sua intervenção. Alguns rapazes, mergulhados até os joelhos na fonte, já estavam tirando o corpo da água esverdeada tingida agora com manchas vermelhas de sangue diluído.

O sacerdote o reconheceu assim que o deixaram no chão, assim que lhe viu o rosto. As palavras *va bene, pater, va bene* se repetiam em seus ouvidos enquanto recolhia o hábito, ajoelhava-se ao seu lado e, com o polegar direito, lhe fazia o sinal da cruz na testa.

CAPÍTULO 88

Chegaram com ele já avançada a noite, quando elas ainda andavam entre os destroços do Las Hijas del Capitán.

Levaram-no diretamente à La Nacional, a casa de todos. Afinal de contas, foi ali que se recebeu a ligação: Luciano Barona levava na carteira sua credencial da Sociedad Española de Beneficencia quando o tiraram da água, era o único telefone ao qual o pároco pôde avisar.

Deixaram-no momentaneamente no chão do salão. Encharcado ainda. Coberto por uma manta, com os olhos entreabertos e três tiros no abdome.

Apesar da tentativa de fazer tudo de uma maneira discreta, foi impossível evitar que alguns vizinhos presenciassem o traslado. A partir daí, a notícia correu na rua com o fragor de uma réstia de foguetes. Gritos de espanto e aviso, uma onda expansiva que transmitia o acontecido com tons altos e baixos, aturdidos, embasbacados, confusos. Mataram Luciano Barona, o tabaqueiro do Brooklyn! Assassinaram o marido da filha mais velha do Capitão! Houve correria e alarme, pavor, desconcerto. Ao ouvir o escândalo, os últimos jogadores do dia abandonaram a partida de dominó e subiram precipitados da cantina do porão; alguém lhes deu ordem de blindar a porta do salão até que chegasse algum membro da diretoria para tomar as rédeas.

Eram quatro homens e, ainda assim, não puderam com elas. Tapas, chacoalhões, impropérios e até mordidas: de tudo soltaram as irmãs Arenas ao se plantar na entrada com fúria virulenta. A barreira humana acabou se quebrando e os homens não tiveram mais remédio que ceder e deixá-las entrar.

Precipitaram-se para o chão, arrancaram com um puxão a manta que cobria o corpo. Os uivos feriram a noite através das janelas meio abertas: gritos de espanto e soluços lancinantes enquanto as pessoas iam se aglomerando na porta, na escada. Corriam murmúrios de desconcerto, as mulheres se persignavam, os homens tiravam o chapéu e o boné, respeitosos.

Chano estava tomando uma cerveja na taberna de Al, o escocês, ainda estranhando o chamado de seu pai, à espera de que desse notícias enquanto seu corpo e sua mente continuavam cheios de anseio por Victoria. Alguém também avisou ali, e ele saiu aterrorizado, abrindo caminho a empurrões entre a multidão.

A cena fez seu sangue gelar. Victoria, de joelhos, continuava uivando como um animal ferido enquanto segurava nas mãos o rosto embotado do marido morto. Ao seu lado, também desabadas no chão, Luz chorava com o rosto escondido em sua cabeleira avermelhada e Mona, com o semblante transfigurado, segurava a mão rígida daquele que havia sido seu cunhado.

Chano parou aos pés do pai: em pé, os punhos apertados, o rosto transfigurado. Incrédulo, atônito enquanto o presidente da La Nacional, recém-chegado, atrás dele pousava devagar uma mão pesarosa em seu ombro.

A partir daí, tudo foi efervescência. Alguém tomou as primeiras decisões, chegou um médico para atestar o óbito, chegou um juiz para ordenar a remoção do cadáver. Idas, vindas, lágrimas, abraços, palavras de estupor e desconsolo. A autópsia ficou descartada por expresso desejo da jovem viúva, nem pensar em destruir seu marido nem um palmo a mais. Mais gente, mais pêsames e frases de ânimo, mais conjecturas, mulheres que falavam baixinho entre suspiros e homens que fumavam em silêncio.

Passaram-se horas, Victoria se afastou com Fidel para um canto e lhe deu instruções entre soluços. A polícia, enquanto isso, interrogou o padre Demo no South Village, algumas testemunhas que presenciaram o lançamento do corpo na fonte e outros moradores. Meros trâmites, porque ninguém forneceu nenhum dado relevante: ou juraram não saber nada, ou mentiram sem um pingo de vergonha.

Era quase meia-noite quando Victoria anunciou que queria ficar sozinha. Tentaram convencê-la a ir para casa descansar um pouco, a funerária se encarregaria do necessário; entre o desaparecimento de Remedios e a destruição do futuro *night club*, estavam todas havia mais de um dia e meio sem dormir. Mas ela se recusou categórica e despachou os presentes sem contemplações. Suas irmãs a deixaram, elas mesmas ajudaram a pôr o pessoal na rua. Alguns homens arrastaram Chano de volta à taberna de Al, para temperar-lhe o corpo com uns tragos. Remedios foi levada por outras tantas mulheres à Casa María com a desculpa de lhe dar um chá; os vizinhos que formavam rodinhas acabaram indo embora aos poucos.

Chegou a calma, por fim; Mona e Luz se postaram do outro lado da porta dupla fechada. Somente Fidel, devido a seu ofício, ficou dentro com o casal, na retaguarda do salão envolvido em um silêncio entre respeitoso e intimidado, com seu equipamento sinistro perto para quando chegasse a hora.

Com o rosto contraído, a Arenas mais velha optou por preparar seu marido para a última viagem à maneira do velho mundo do qual ambos provinham, como se fazia lá no sul de uma Espanha ainda apegada a tradições atávicas que pouco tinham a ver com os rituais modernos das funerárias nova-iorquinas, onde eram mãos alheias que vestiam os mortos e até os maquiavam como figura de proa.

Assim, segundo o elementar costume de sua terra, Victoria procedeu com Luciano Barona. Com delicadeza extrema tirou a roupa malcheirosa, arrancou cuidadosamente as tiras de tecido coladas à carne queimada de seu abdome, fechou os rasgos e encheu os orifícios das balas com bolas de algodão. Molhando-a em uma bacia de água com sabão, lavou com uma esponja cada polegada de seu corpo nu: o rosto, as orelhas, o pescoço, os pelos do peito, os flancos, os sovacos, os braços e as pernas, o dorso e as palmas das mãos, os dedos, a virilha, o escroto escuro, o pênis encolhido. A seguir, barbeou-o, penteou-o e ajeitou suas sobrancelhas povoadas, apertou-lhe as pálpebras fazendo pressão com os polegares, beijou-lhe os lábios, espirrou em seu corpo inteiro jatos de água de colônia e amarrou uma tira de pano do queixo até o topo da cabeça para que a boca não se desencaixasse. Sem pronunciar uma sílaba nem soltar um único suspiro, trabalhou com paciente entrega; não permitiu que sequer uma lágrima escapasse.

Fidel lhe ofereceu um crucifixo para que o pusesse entre os dedos dele, mas ela não o quis. Apesar de haverem se casado na igreja e de que acabariam se despedindo dele com responsos em latim, ela jamais percebeu em seu Luciano o menor apego a assuntos e razões que não fossem terrenas. Recordou, então, as velhas de seu bairro quando punham sobre a barriga dos mortos uma tesoura aberta ou um prato com sal. Para evitar que inchem, diziam as mulheres. Isso recusou também.

Colocou, por fim, as mãos dele sobre o ventre estourado e juntou-lhe as coxas, os joelhos, os pés. Depois, ajudada por Fidel, amortalhou-o com um lençol branco; quando terminaram, pediu ao tangueiro frustrado que a deixasse sozinha. Alguns minutos mais tarde, depois da última despedida, Victoria levantou a cabeça e fez um sinal a ele.

Então, entraram dois ajudantes da funerária Hernández com um ataúde vazio e concluíram o trabalho. O caixão ficou aberto sobre uma manta de veludo, em cima da ampla mesa de reuniões. A partir de então, permitiram que os outros entrassem: a direção, os proprietários de comércios próximos, um bom punhado de vizinhos...

A essa altura, Mona e Luz já haviam se vestido de preto de cima a baixo e feito coques sóbrios e apertados. A sobriedade de suas roupas contrastava brutalmente com uma Victoria que ainda estava com a mesma roupa leve de batalha com que labutou a tarde toda no meio da sujeira do Las Hijas del Capitán; a faixa que devia manter seus cachos escuros em ordem já fazia tempo que perdera a função, e sua cabeleira com o corte da moda feito antes do casamento parecia caótica e emaranhada.

Ainda assim, Chano não afastava o olhar dela.

— Vou ver onde posso me trocar — murmurou para suas irmãs quando elas lhe entregaram uma muda de roupas escuras.

Dirigia-se à porta para se vestir de luto quando ele parou em frente a ela cortando-lhe o passo. Victoria o havia evitado desde o primeiro momento, distanciara-se conscientemente e assumira sozinha seu papel de viúva, tomando todas as decisões. Não tinha razão nenhuma para isso, evidentemente: Chano era filho do falecido, sangue de seu sangue, herdeiro também do muito ou pouco que Luciano Barona deixava no mundo. Mas ela preferiu assim, e ele acatou.

Fitaram-se, e cada um viu refletido nos olhos vermelhos do outro uma tristeza funda como um abismo. Mas nenhum dos dois conseguiu falar. A saliva se acumulou dentro do pescoço forte do boxeador e ele só conseguiu mexer o pomo de adão; ela tinha os lábios secos, nem sequer os abriu. No fim, sem palavras, ambos cientes de que estavam sendo observados, estreitaram-se em um abraço tenso e protocolar, desajeitado, fugaz, como se fossem meros parentes distantes, e não amantes clandestinos. Como é natural, ninguém suspeitou.

Do resto a La Nacional se encarregou, como fazia com os falecimentos de todos os sócios que pagavam suas mensalidades pontualmente: traslado, obituário no *La Prensa*, coroa de cravos. Não houve carro de luxo nem túmulo próprio como ocorrera com Emilio Arenas, e sim um simples espaço em um jazigo compartilhado; os recursos da Sociedad Española de Beneficencia eram poucos e o morto não tinha nenhuma poderosa companhia de navegação por trás para lhe proporcionar um enterro de primeira.

Seu nome ficou gravado no fim da lista de compatriotas que se sucediam ordenadamente sobre a lápide segundo a data de falecimento. Homens, como ele, que quando jovens atravessaram o mar apegados à ilusão de um futuro digno e que, no fim, não realizaram o sonho de voltar.

CAPÍTULO 89

A morte de Luciano Barona comoveu a colônia inteira, até o *La Prensa* nos dias seguintes lhe dedicou três matérias: uma centrada no assassinato em si, outra falando sobre o falecido tabaqueiro, a terceira informando sobre o ponto morto no qual se encontrava a investigação.

As irmãs Arenas, abaladas e confusas ainda, não tiveram mais remédio que subir de novo no mundo e continuar girando com ele, carregando sobre seus ombros frágeis um desconsolo desolador.

Victoria não regressou à casa do Brooklyn, voltou a dormir no catre de sempre. À falta da roupa de seu próprio armário de casada, ia vestindo a primeira coisa que encontrava entre as peças de suas irmãs. Para escândalo de Remedios, nem sequer se preocupara em se vestir de luto; não fazia nenhum sentido se vestir de preto como um abutre, pensava ela, se toda a dor estava cravada dentro de si. A dor e outro monte de sensações. A dúvida. O remorso. O desânimo e essa angústia que a acordava à noite e lhe oprimia o peito e a fazia sentir falta de ar ao respirar.

A cozinha e o corredor do apartamento estavam agora abarrotados de caixas de papelão cheias de pedaços de pano e carretéis de linha: montar golas e punhos em casa para uma confecção havia se transformado na nova fonte de renda depois de apagados os fogões do El Capitán. O trabalho fora dona Milagros quem lhes conseguiu por meio de um contato de seus velhos tempos no Garment District; ela mesma as instruíra para que aprendessem. Às sexta-feiras, às três, um rapaz levaria as partes terminadas e deixaria outro carregamento; a um centavo por peça, por ora conseguiam ir vivendo. Nenhuma delas era muito habilidosa na arte da costura, mas o trabalho era simples, cansativamente mecânico, e Victoria e sua mãe passavam o dia nele, curvadas sobre os tecidos desde bem cedinho de manhã até que não sentiam mais os dedos: trabalhando sem descanso, quase sem falar enquanto cada uma guerreava por dentro com seus fantasmas.

Assim que entrava no apartamento Mona se juntava a elas, e todas as noites era a última a se deitar, com os olhos vermelhos de fadiga, e todos os dias a primeira a se levantar para adiantar tarefas à luz de um tênue abajur. Depois do fim de seu sonho, havia retomado a pleno vapor seu trabalho anterior, mas o que ganhava na casa do Upper West Side era um grão de areia na imensa praia de dívidas. Ninguém lhe havia cobrado com urgência as faturas que devia, todo mundo parecia saber das penosas conjunturas pelas quais a família passava e não ameaçavam sufocá-las de imediato, mas também ninguém pensava em dar todas aquelas quantias a fundo perdido: cedo ou tarde teria que enfrentar os fornecedores e saldar as contas das bebidas da Casa Victori que ninguém bebeu, dos produtos da Unanue que ninguém consumiu, dos gastos da gráfica, das luminárias que deixaram fiadas, dos utensílios que acabaram destruídos, do maldito toldo que maldita hora ela decidiu encomendar.

O retorno à casa de dona Maxi foi como subir uma montanha com uma laje de granito amarrada nas costas: de alguma maneira a madrilense conseguiu saber do acontecido, e às demandas e recriminações de antes somava-se agora um sarcasmo ácido e virulento. Ai, sua inocente, mas foi pensar em uma estupidez dessas, tem que ser muito insensata! Só quando César voltava para casa Mona conseguia uma folga. César apenas, era assim que ela chamava agora o médico; ele não parou de insistir até conseguir que largasse o doutor e o senhor, mais próximo desde a noite de angústia em que percorreram as delegacias em busca da mãe dela. Eu a levo de carro até a Madison Square, estou com tempo, propunha várias tardes por semana. Ou cancelaram duas consultas esta tarde, permita-me que a convide para tomar um sorvete no hotel La Estrella, um refrigerante em La Alhambra, em qualquer um dos vários locais espanhóis da área onde ela pudesse se sentir menos estranha, mais acolhida. O objetivo era conseguir passar um tempo com ela, dez minutos, quinze, meia hora. Sempre pelas costas de sua madrinha, atento, precavido contra sua fúria se ela descobrisse os sentimentos que Mona lhe despertava, especialmente agora que dona Maxi por fim havia conseguido o que queria e havia levado o jovem médico a uma situação que lhe convinha socialmente e ao mesmo tempo o desalentava profundamente. Mas disso Mona não devia saber; o doutor só tinha que conseguir que ela, com a vontade embotada ainda, continuasse ao seu lado.

Enquanto isso, a outro ritmo e por outros territórios trotava a vida da irmã mais nova.

— Cugat perguntou por você.

Os olhos de Luz se iluminaram atrás do balcão quando escutou Tony naquela manhã em que o primeiro calor de julho já começava a apertar. O canto e a dança não tinham mais espaço em suas ocupações desde a morte de seu cunhado e a destruição do Las Hijas del Capitán, nem ninguém havia voltado a sussurrar em seu ouvido que seria uma estrela enquanto enfiava a mão sob seu sutiã ou lhe baixava a calcinha; para seu desânimo em alguns momentos e alívio em outros, nunca mais soubera de Frank Kruzan. O que fez foi retomar a jornada completa de sua faina entre os ferros de passar e os baldes de água quente, e nesse pequeno mundo se movia: de casa para o trabalho sistematicamente, da turva amargura que pairava no ar do apartamento ao eterno cheiro de detergente na lavanderia dos Irigaray.

— Foi ontem visitar o conde no hospital, pediu-me que lhe recordasse que estão contratando garotas para o novo espetáculo.

O rosto de Luz se iluminou como se acabassem de acendê-lo com um interruptor, mas Tony não sentiu nem uma ponta de remorso por lhe contar aquela pequena mentira: afinal de contas, também estava lhe fazendo um favor. Na realidade, a coisa não havia sido do jeito que contava. Xavier Cugat tinha estatura artística demais para ficar mandando mensagens pessoais a todas as dezenas de garotas com aspirações que cruzavam seu caminho. Fora o próprio Tony quem lhe perguntou, interessada e descaradamente, em busca de uma desculpa para voltar ao mundo das Arenas agora que a vida de todos eles havia dado uma guinada brutal e já não havia nem o tabaqueiro nem o futuro espetáculo como ponte de união.

Desde o percalço do conde de Covadonga no El Fornos, os afazeres do *bolitero* haviam passado de súbito a ser infinitamente mais decentes e sofisticados: agora lidava em tempo integral com os assuntos dele, e não porque houvesse dado uma resposta afirmativa à oferta de emprego, mas porque os próprios acontecimentos assim se impuseram. Seus ilícitos vaivéns estavam estacionados por ora: não mais apostas na rua, não mais aquelas loterias clandestinas. Seu tempo era consumido agora pelo ex-príncipe das Astúrias e aquele universo diferente, absorvente, no qual ele gravitava. Os dias transcorriam entre o hospital, fazendo o elo com médicos e enfermeiras, e o St. Moritz, lidando com os curiosos, os forasteiros e a imprensa que babava por uma informação em primeira mão sobre o antigo herdeiro: saber se por fim estava se divorciando de Edelmira, se fazia ou não as pazes com seu régio pai, se estava na ruína, se continuava dessangrando ou lhe dariam alta em breve e voltaria a Havana, Lausanne, Miami, Paris.

Tony ia aprendendo na marra a cuidar da correspondência urgente e dos precários assuntos financeiros do conde, triava visitas indesejáveis e mantinha a família informada. Para sua estupefação, da noite para o dia o *bolitero* se encontrara com a via aberta para se comunicar com o monarca nos hotéis em que Alfonso XIII ia se instalando como um nômade de luxo por metade da Europa; e o mesmo acontecia com a rainha Victoria Eugenia enquanto ela, outra vez situada em Londres, em uma mansão em Porchester Terrace perto dos seus, esperava que os tribunais resolvessem seu processo de separação.

Absorvendo os segredos e as formalidades atropeladamente, o *bolitero* enviava cabogramas pontualmente a ambos, deixando-os a par dos relatórios médicos e depois transmitia ao primogênito as respostas que seus pais, seus irmãos e as pessoas de sua confiança devolviam. E em vez de frases elegantes e fórmulas protocolares, admirava-se ao perceber naquelas mensagens mostras de profundo carinho e um evidente sedimento de calor: a prova irrefutável de que eram uma família, afinal. Exilados, egrégios, dispersos, às vezes brigados e às vezes congraçados; ainda assim, não deixavam de formar um clã que oscilava entre as glórias e as misérias, como o restante dos humanos, e nas palavras que chegavam do outro lado do oceano Tony percebia uma preocupação profunda e genuína com os devires de Alfonsito, como às vezes chamavam carinhosamente o homem cuja vida continuava por um fio no Presbyterian Hospital.

Não obstante, ele ainda não havia aceitado a proposta que o conde lhe fez a fim de transformá-lo em seu homem para tudo. À medida que passavam os dias, ele tinha cada vez mais consciência da gigantesca envergadura daquele cargo que implicaria entrar em um mundo quase oposto, talvez partir com ele para a Europa, como insistia a família, afastar-se de Nova York, de suas ruas e sua gente. Transformar-se, enfim, em alguém diferente.

O rei nômade insistia por cabograma com uma oferta financeira nada desdenhável, a rainha lhe rogava que não abandonasse seu filho, e o próprio Covadonga com frequência lhe apertava a mão com gratidão entre sonhos e febres. Por ora, no entanto, Tony preferia esperar antes de se comprometer, e só o acompanhava nesses dias de desvalimento sem contratos nem salários. Por pura compaixão. E porque a história daquele ex-príncipe vítima de fogosas paixões e corpo de cristal o fascinava.

CAPÍTULO 90

Luz soltou um grito para avisar aos Irigaray que ia sair um instante.

— Conte devagar — ordenou a Tony, ansiosa, contornando o balcão da lavanderia.

— O *Rhumba King* foi ao hospital ver dom Alfonso, contou que vai preparar um novo show com a mesma orquestra, mas com números novos; disse que se você quiser fazer um teste, pode passar pelo hotel uma tarde desta semana a partir das duas.

A Arenas mais nova o escutou com uma expressão de estupor, usava o avental branco de trabalho e seu ânimo, até a chegada de Tony no meio da manhã, estava em consonância com a roupa: sem forma nem graça, como tudo nas últimas semanas. O *bolitero*, porém, vestia-se com outro estilo, mais elegante que o que era comum nele: um novo terno de linho cor de areia da casa de penhor do sefardita, a camisa sem vincos, o nó da gravata no lugar.

— Eu... — murmurou Luz — eu não tinha pensado em voltar a fazer... a fazer isso desde que... que aconteceu o que aconteceu.

Ela retorcia os dedos enquanto falava, estavam vermelhos devido aos líquidos corrosivos e os solventes; a raiz de seus cabelos já despontava com sua cor castanha de sempre por baixo da tinta acobreada.

— Eu só queria que você soubesse.

A última vez que se encontraram foi umas semanas antes, no enterro de Luciano Barona, mas Luz nem sequer se lembrava, tão lancinante e lúgubre havia sido tudo. A lembrança que retinha do *bolitero* era da noite do Waldorf, vestindo aquele fraque soberbo que algum rico empenhou em tempo de vacas magras. Rumbas, lagosta, lamê e gargalhadas: miragens de umas horas brilhosas e fugazes sentados à mesa de um príncipe com prazo de validade vencido, recordações desfeitas pelas brutais pedradas que a vida lhes havia jogado nos últimos tempos.

Tony, por sua vez, em seu incessante vaivém entre o hospital, o St. Moritz e as conexões interoceânicas, não sabia quase nada delas. Que as irmãs se dedicavam a suas ocupações submissamente e que quase não se relacionavam com ninguém: como se os dois gigantescos impactos que sofreram – a destruição e o assassinato – as houvessem deixado aturdidas, sem capacidade de reação, desprovidas de nervo e propósito, montadas em uma roda-gigante cansativa de trabalho e desolação, desolação e trabalho e de volta ao começo.

Na falta de trato direto com as Arenas, com quem Tony havia conseguido estabelecer contato naqueles últimos dias foi com o filho de Barona: nunca tiveram oportunidade de se conhecer, e de alguma maneira sentiu-se obrigado. E contra qualquer prognóstico, o que começou como um encontro formal para lhe apresentar suas condolências, acabou em uma grande bebedeira de uísque de centeio, unidos na madrugada pela orfandade compartilhada, as mulheres erroneamente amadas e o desconcerto diante do que a cada um lhe cabia encarar.

— Mas você deveria tentar.

Luz sentiu algo se remexer por dentro; continuavam diante da lavanderia.

— Você acha, Tony? — sussurrou.

— Ele já disse que você promete; eu a acompanho, se quiser.

O *bolitero* não sabia se estava agindo bem ou não com aquela insensata insistência, se estava sendo útil à irmã mais nova incitando-a a voltar ao mundo dos vivos ou enfiando o nariz onde ninguém o havia chamado. Só sabia que na guinada que sua própria existência havia dado lhe faltava uma peça. E essa peça era Mona, e a única maneira que encontrou de se aproximar dela depois de sua rejeição era fazendo algo pela família. E só lhe ocorreu intervir por meio de Luz.

Ela se despediu com um vou pensar.

— *Okay*; se decidir, ligue para mim no St. Moritz.

Quando, nessa tarde, voltou ao hotel de onde cuidava da correspondência e dos cabogramas do conde, entregaram-lhe uma mensagem telefônica da Arenas mais nova. Amanhã às três.

Só precisou de duas canções, o veredicto de Cugat foi contundente.

— Você tem potencial, menina, mas ainda está muito crua. Para primeira artista não serve, mas não digo que no futuro não possa chegar a isso.

Luz sentiu uma espécie de calafrio. Perspectivas promissoras, esperanças de futuro, aquilo lhe era familiar: da boca de Frank Kruzan havia escutado palavras muito similares. A diferença estava no entorno. O caça-talentos por quem acreditou estar apaixonada só tinha projetos vagos e uma sala medíocre cheia de revistas e fotografias, mas Cugat a havia recebido em uma sala subterrânea do majestoso Waldorf Astoria, ao compasso de uma orquestra de seis verdadeiros profissionais. Nas horas em que não tocavam na opulenta Sert Room, era ali que se reuniam para ensaiar. Pelas paredes sem janelas não subiam os murais do artista catalão, as luzes eram mais feias e mais fracas, e o teto, notoriamente mais baixo; ninguém usava paletós de lantejoulas, e sim meras camisas de algodão comum, mas trabalhavam duro e sério, longas horas, dia após dia.

— O que posso lhe oferecer por ora é um lugar no coro do sexteto que vai nos acompanhar.

Ele usava uma camisa estilo *guayabera* cor de baunilha e segurava um cachorrinho no colo. Ao seu redor, tudo fervilhava: os músicos extraindo o sumo de seus instrumentos, um punhado de jovens aspirantes esperando, nervosas, sua vez de fazer o teste, a esposa de Cugat que disparava ordens com sotaque mexicano, oferecia amendoim ou fazia comentários furiosos e intempestivos, uma senhora rechonchuda que entrava e saía importunando a todos e que devia ser a sogra...

— Mas, antes de decidir, menina, há uma coisa importante que precisa levar em conta. O show será preparado durante o verão aqui em Nova York, mas no fim de agosto, começaremos a fazer um *coast-to-coast* que durará pelo menos todo o outono.

— Um o quê, dom Xavier?

A gargalhada diante da cara de espanto de Luz fez o cachorro latir.

— Nada estranho, rainha, não se assuste: um *coast-to-coast*, uma turnê atravessando o país de costa a costa, entende?

A recordação de Marita Reid e seu espetáculo ambulante pelas colônias de espanhóis voltou à mente de Luz, mas o músico corrigiu seu pensamento:

— Algo grande, divino, os melhores hotéis, as melhores salas. O Book Cadillac em Detroit, o Palmer em Chicago, o Mark Hopkins em São Francisco, o Ambassador em Los Angeles...

Apesar de sua evidente ignorância, Luz continuava com o pânico incrustado nas entranhas. Não, aquilo não se parecia com o humilde projeto da gibraltina pelos teatrinhos dos povoados e pelos galpões das bacias de minérios, nem com as vagas promessas de Frank Kruzan. Aquilo que Cugat mencionava enquanto coçava a cabeça do diminuto cachorrinho pressagiava coisas muito diferentes, quase inacessíveis para sua pouca experiência e aspirações.

— Mas uma coisa deve ficar bem clara, bonita: serão longos meses fora, trabalhando duro *seven nights a week*, sem família por perto e fazendo a mala o tempo todo. Não só suas pernas, seus pés e sua voz têm que aguentar, menina; também tem que estar bem preparada aqui — disse, levando o indicador esquerdo à têmpora e fazendo-o tamborilar.

Luz e Tony desceram a Park Avenue em silêncio, enquanto as demais aspirantes continuavam com seus testes. Ele a acompanhou até o ponto de seu ônibus, mal falaram. Desconcerto demais ela levava em sua jovem cabeça com aquele negócio de *coast-to-coast* para se entreter com uma conversa banal. O *bolitero*, ciente disso, não quis confundi-la ainda mais.

Estavam prestes a se despedir diante da Grand Central Station. Ao seu redor movia-se um enxame de viajantes e transeuntes, gente com pressa, carros particulares e táxis que tocavam buzinas, hóspedes do vizinho e gigantesco hotel Commodore, onde, sem que eles soubessem, outro nutrido contingente de espanhóis trabalhava como ajudantes e garçons.

O ônibus que devia devolver Luz à Catorze acabava de parar diante deles. Subiram quatro ou cinco passageiros, chegou sua vez: um pé, outro pé. Já estava dentro, o veículo arrancava quando ela se virou e viu as costas do *bolitero* começando a abrir caminho entre os transeuntes.

— Tony!

Pulou no instante em que a porta estava se fechando atrás dela, o motorista deu uma freada brusca e gritou um impropério.

Ele a olhou, confuso.

— Pode ficar um instante? Preciso...

Baixou o tom, engoliu em seco. Aquela jovem que meia hora antes havia dançado em frente ao mestre Cugat, rebolando com frescor e desembaraço, parecia, de súbito, uma menina perdida no meio de um tumulto.

— Preciso falar com alguém e... e não sei com quem.

CAPÍTULO 91

A enésima bronca de dona Maxi obstruiu os ouvidos de Mona nessa manhã quando a repreendeu possessa por não ter comprado ingressos para a hora correta na bilheteria do Campoamor. *Sor Juana Inés de la Cruz* havia chegado à telona, a diva mexicana Andrea Palma incorporava o papel da freira, e nem que tivesse que ir se arrastando, sua patroa jamais perdia a estreia de um filme em *cristiano*, como se obcecava em chamar o espanhol. Mas houve alguma confusão, dona Maxi insistia que havia dito às cinco, Mona jurava ter ouvido às três. A questão é que a discrepância foi se acalorando.

— Estou até a tampa com você, menina!

— Eu é que estou farta de como a senhora me trata!

— Pois procure outra casa!

— Pois vou procurar mesmo!

No calor da discussão, nenhuma das duas ouviu o sobrinho chegar.

— Já chega, por favor!

Ambas se viraram, não estavam acostumadas a ouvi-lo gritar assim. A silhueta do jovem doutor Osorio estava emoldurada dentro do vão da porta da sala, em uma mão levava o chapéu, na outra sua elegante maleta de couro. Gravata-borboleta, porte ereto, a eterna risca de lado.

— Não aguento mais — rosnou Mona com desalento.

A batida da porta fez o espelho da entrada tremer.

— Espere, espere, espere...

O oftalmologista a alcançou alguns passos mais adiante, quando já avançava arrebatada. Pegou-a pelo cotovelo por trás querendo detê-la, mas ela se soltou e apertou o ritmo.

— Espere, por favor, Mona...

— Deixe-me em paz!

— Mona, pelo amor de Deus, eu lhe peço...

Incapaz de detê-la, ele optou por caminhar em paralelo com ela, ombro a ombro.

— Procure outra imbecil que suporte sua madrinha, afinal, ela não vai nem saber se sou eu quem continua em sua casa ou não; só precisa de qualquer pobre infeliz a quem tratar como um trapo, isso lhe basta.

César a segurou de novo, dessa vez com mais firmeza. Conseguiu fazê-la parar, segurou-a pelos braços e a fez se virar até ficarem ambos cara a cara. Durante alguns instantes de silêncio contemplou seu rosto lindo apesar da raiva – ou talvez justamente por ela. Os olhos soltando faíscas, o rubor nos pômulos, o queixo erguido em gesto desafiador.

— Talvez ela possa viver sem você, mas eu não.

CAPÍTULO 92

A intuição avisou o *bolitero*: era mais conveniente não ficar no meio da rua, parados diante da imensa estação no meio daquele fervedouro. Por isso, arrastou-a para dentro, até encontrar um canto tranquilo em uma mesa do Oyster Bar. O grande espaço abobadado estava praticamente vazio; nem era hora de comer ostras, nem Luz ia querê-las, tanto nojo lhe haviam provocado esses bichos ao vê-los no prato do conde de Covadonga.

Um dar de ombros foi a única coisa que Tony recebeu em resposta ao lhe perguntar o que queria beber. Quando um garçom com cara de tédio serviu uma Blue Ribbon para ele e um simples copo de água para ela, a Arenas mais nova bebeu metade de um gole só e, raspando com a unha, nervosa, um fio solto da toalha de mesa xadrez vermelha, começou a falar. E assim, subitamente, ambos desconhecendo que se encontravam sob as imponentes construções revestidas de azulejos que umas décadas atrás os valencianos Guastavino haviam erguido, Tony Carreño se tornou para Luz uma espécie de confessor, em cujos ouvidos por fim verteu essa angústia corrosiva que a queimava por dentro.

As pressões de Kruzan, os temores, as dúvidas. O fato de lhe ter obedecido às cegas apesar de suas entranhas gritarem não!, de tê-lo deixado usar seu corpo a seu bel-prazer, de ter receio dele e de pensar ao mesmo tempo que poderia amá-lo, a sujeição muda e a raiva a seguir, a incerteza ao intuir que qualquer dia poderia reaparecer e não saber o que aconteceria se isso ocorresse: tudo saiu da boca de Luz em uma avalanche de palavras repletas da mais nua e comovente sinceridade.

Diante da dor coletiva devido ao crime contra o tabaqueiro e da compaixão que a jovem viúva despertou, diante da comoção devido à selvagem destruição do Las Hijas del Capitán e do sofrimento de Mona ao ver seu empenho perdido, em meio a tanta adversidade e tanta desgraça acontecida com a Arenas mais velha e a do meio, ninguém se lembrou da pequena

Luz. Nem de suas conjunturas. Nem de seus sentimentos. E ela, para não semear mais mal-estar além do necessário, escondeu seus pesares até fazer deles algo invisível, como se não existissem, e sozinha engoliu a confusão e o medo.

Continuava arranhando a toalha de mesa com a unha de forma mecânica, inconsciente; agora as lágrimas corriam por suas faces e ela nem se incomodava em secá-las. Tony a escutou atento, mas nem teria sido necessário tal jorro de sinceridade: bastaram-lhe as quatro ou cinco primeiras frases para ter uma ideia clara da situação. Depois de apenas alguns minutos desfiando seu abatimento, ele já sabia muito bem como teria que proceder. Mesmo assim, deixou-a desabafar e chegar até o final.

— Só posso lhe dizer duas coisas, Luz — falou enquanto erguia a mão para pedir a conta ao garçom. — Primeiro, que esse imbecil não merece que você lhe dedique nem mais um minuto de seus pensamentos. Segundo, que não acredito que ele algum dia torne a tocar em você.

No quarto de Alfonso de Borbón no St. Moritz, dentro de uma gaveta da mesa à qual o próprio Tony agora se sentava diariamente para despachar os assuntos do conde, permanecia guardada a carteira que Mona lhe entregou. Teve a intenção de devolvê-la a seu dono assim que a saúde do ex-príncipe se estabilizasse minimamente, inclusive foi até o domicílio indicado no documento mais recente, porém, antes de enfiá-la na caixa de correspondência ou bater na porta, preferiu ser cauteloso. Com a mesma destreza sagaz que com frequência usava em seu ofício arredio, perguntou nos arredores, averigou de quem se tratava, e uma vez reunidos os dados necessários, esperou paciente até identificá-lo a distância por trás da janela do café próximo em que se sentou para esperá-lo. Chegava com o rosto machucado sob a aba do chapéu, mancando; nem remotamente notou que alguém o observava. Quando Kruzan entrou em seu edifício e ficou fora de vista, Tony foi até a portaria; o encarregado, ou *super*, como diziam por ali, nesse momento estava ocupado com as lixeiras. Por que o morador do 306 está tão prejudicado?, perguntou o *bolitero* estendendo-lhe dois dólares. Levou uma surra a quatro mãos, foi a simples resposta enquanto o sujeito continuava com seus afazeres. Com uma nota adicional conseguiu saber que os causadores foram dois ruivos de um tamanho considerável, enquanto ela os aguardava dentro de um carro, disse o encarregado do edifício; deviam ser da família, certamente os irmãos. Ela?, perguntou Tony, tirando o quarto dólar do bolso. Esposa de Kruzan, essa que era uma graça quando chegou ao edifício, que ultimamente passava o dia pondo insistentemente os mesmos discos, comendo Kisses da Hershey's e jogando os papéis prateados pela janela, e que cada dia estava mais triste, mais abatida, até que uma noite saíram correndo, ela deixando uma trilha de sangue, e desde então não a tornara a ver com ele.

Com a imagem de um Kruzan fraturado na retina, a informação do *super* do edifício na cabeça e a carteira ainda no bolso, Tony retornou naquele dia a suas novas obrigações. Depois do que havia escutado, sua audaz sapiência das ruas lhe disse que seria melhor ficar com ela. Por nada especificamente. Simplesmente por via das dúvidas.

Agora que tinha mais dados sobre o tal Kruzan, suas intenções e suas maneiras, enquanto acompanhava Luz, já mais serena, de novo ao ponto de ônibus, pensou que talvez fosse hora de agir.

CAPÍTULO 93

A mesa da cozinha continuava lotada de pedaços de pano e carretéis de linha, as caixas ao redor transbordavam de peças, umas recém-costuradas, outras ainda para costurar. Curvadas sob a fraca luz da lâmpada, com os olhos febris, a cervical dormente e as pontas dos dedos vermelhas, mãe e filha, mudas e mecânicas, trabalhavam sem parar.

— E hoje também não vai falar com ele?

A pergunta foi lançada por dona Milagros, havia acabado de subir ao apartamento em uma de suas visitas cotidianas; era a única pessoa de fora da família que punha os pés ali. Sem levantar o olhar de seus pespontos, Victoria virou o pescoço da esquerda para a direita e da direita para a esquerda. Não.

— Mas não pode continuar assim, mulher; tem que ir falar com ele, arrumar os documentos, vocês têm que...

Era preciso liquidar o parco patrimônio de Luciano Barona, essa era a desculpa a que Chano se agarrava para tentar se aproximar dela. E diante da férrea recusa de Victoria, a velha vizinha, com dó do boxeador ao vê-lo parado tarde após tarde na porta do edifício, havia se transformado em uma de suas correias de transmissão.

Mas Victoria se recusava a deixá-lo entrar em sua casa, e ela não havia tornado a pôr os pés na rua desde o dia do enterro, não pelo luto obcecado que sua mãe pretendia lhe impor, mas por um mero instinto de proteção. Não havia contado a ninguém nada do que aconteceu entre Chano e ela, nem sobre seus sentimentos avassaladores e seus encontros furtivos, mas agora que a vida de Luciano havia acabado de uma maneira tão terrível, a Arenas mais velha decidiu que aquele despropósito tinha que acabar de uma forma radical.

— Vocês têm que conversar — insistia a galega —, desmontar a casa, assinar os papéis...

Pouco havia a repartir: ele sempre morou de aluguel, como todos na colônia, e as economias, com os gastos do casamento, ficaram tão roídas como ossos de chuleta. Mas havia os terraços que mandou comprar em sua cidade com o sonho de um dia plantar umas parreiras e fazer uma casinha, e os móveis e utensílios da casa do Brooklyn, e um pequeno seguro do sindicato de tabaqueiros. Isso foi o que Chano contou a Mona, a Luz, a Tony, à vizinha: a todos, a fim de que convencessem Victoria a aparecer. Em paralelo, escondeu de todos que esses assuntos materiais lhe importavam tanto quanto a ela: nada. A única coisa que ansiava era tê-la perto de novo, abraçá-la, chorar juntos. Porque a angústia corroía as entranhas de Chano: além do peso de sua deslealdade, não lhe saía da cabeça que se houvesse chegado a tempo, talvez tivesse conseguido evitar que estourassem as tripas de seu pai.

— Ele que fique com tudo, eu já disse setenta vezes — murmurou Victoria sem erguer o olhar de seu trabalho. — Que faça o que quiser, para mim, qualquer coisa está bem.

Logo chegou Luz com a mesma ladainha; havia pedido a tarde livre na lavanderia e, depois da audição com Cugat e depois de despir a alma a Tony, voltou para casa disposta a guardar tudo para si e continuar se comportando como se fosse um dia qualquer.

— O filho de Luciano está lá embaixo outra vez, acho que você deveria ir lá falar com ele.

Um resmungo bronco foi a resposta de Victoria, uma fachada para fingir indiferença e esconder a vontade de correr escada abaixo e se jogar em seus braços, fundir-se com ele, compartilhar o mútuo desconsolo. Mas não, sabia que não era possível. E Luz não insistiu, já tinha bastante com seus assuntos. Sem palavras, aproximou um banquinho da mesa, passou a linha em uma agulha e se juntou aos afazeres comunitários.

Mona demorou pouco a se juntar às outras. Mas o que custa falar com ele?, disse a Victoria enquanto parava diante de uma das caixas de peças soltas.

— Querem me deixar em paz de uma vez por todas?

A tesoura acabou tilintando ao cair no chão, em cima da mesa ficou o trabalho pela metade enquanto a Arenas mais velha, como em quase todas as tardes a essa hora em que suas irmãs voltavam do trabalho, farta da tortura a que a submetiam, acabava afogada em pranto, batendo a porta e se trancando no quarto.

Dessa vez, no entanto, nem Mona nem Luz foram consolá-la enquanto ela, deitada na cama de bruços, dava liberdade à angústia que segurava desde que abria os olhos ao amanhecer. Indiferentes aos soluços que atravessavam as paredes, as irmãs mais novas se limitaram a continuar juntando pedaços de pano, cada qual concentrada em suas pontadas, absortas e em silêncio enquanto Remedios soltava seu enésimo suspiro e a vizinha balançava a cabeça em um gesto de desconsolo. Nenhuma das duas mulheres suspeitava, nem remotamente, do abatimento impenetrável que assolava as três filhas, cada uma a sua maneira.

Na mente de Luz, entre um ponto e outro, continuava ecoando a proposta de Cugat. O sexteto de garotas do qual faria parte, o espetáculo de costa a costa, o bom salário mais a roupa das apresentações, o quarto compartilhado, o transporte e as refeições, dissera o catalão entre os latidos do cachorro. Uma proposta firme, concreta. Em troca, menina, vou fazê-la suar, mas será sua melhor escola, você vai ver. A recordação sempre ameaçadora de Frank Kruzan, no entanto, não a acossava com a força de outros dias: falar com Tony a havia acalmado, fizera-lhe muito bem tirar todo esse pesar que estava se encrustando dentro dela. Talvez fosse hora de começar a esquecê-lo.

No mesmo ritmo agitado e guardando igualmente tudo para si, o cérebro de Mona fervia depois de César Osorio abrir seu coração. Não vá embora, não nos deixe, dissera ele com uma franqueza comovente; você significa muito para mim. A seguir, pegou-lhe a mão. Independentemente do que aconteça, do que ouça ou saiba, continue aqui, por favor.

Nenhuma delas ergueu o olhar quando Victoria voltou à cozinha depois de um tempo. Com os olhos vermelhos, mole depois do ataque de choro, mas ciente de que tinha que seguir em frente, sentou-se em seu banquinho, pegou sua peça e cravou sua agulha pela enésima vez.

Assim continuaram até bem avançada a noite, não se levantaram para ajudar a mãe quando ela se dispôs a fazer o jantar, engoliram suas parcas porções sem sair do lugar nem erguer os olhos. Distanciadas entre si como nunca, apesar da proximidade física, mergulhadas no trabalho ingrato e no desassossego, entrincheiradas entre os muros de seus segredos, suas reservas, seus silêncios, suas mentiras.

CAPÍTULO 94

Era metade da manhã do dia seguinte, Luz estava saindo depois de entregar o pacotão semanal com os uniformes limpos das vendedoras da Casa Moneo. Ao vê-lo, seu coração gelou.

— *Hey, baby*.

Frank Kruzan não usava sobre os ombros aquele casaco claro dos primeiros dias, agora estava com um terno de verão cor de melaço e uma gravata listrada: verde, vermelho, amarelo. Apesar do otimismo que a peça irradiava, sob a aba do chapéu-panamá se viam olheiras e as pálpebras inchadas, e pequenas crostas de sangue já seco de um lado do rosto. Levava duas revistas dobradas debaixo do braço esquerdo; ao sorrir, sua dentição brilhou.

As pernas de Luz começaram a tremer, literalmente.

— *How're you doing, honey?* Tudo bem?

Estava a sua frente, a apenas alguns metros de distância. O território era seguro: seu mundo, a luz do dia, gente ao redor. Ainda assim, ela ficou paralisada, como se seus pés houvessem se incrustado no cimento da calçada.

— Soube do que aconteceu com o negócio e o marido de sua irmã, lamento enormemente.

Para enfatizar sua condolência, ele levou a palma da mão ao peito.

Ela continuava atônita dentro de seu avental de trabalho, sem reagir, insegura, hesitando entre tratá-lo com a proximidade que antes tiveram ou se manter precavida, distante. O sossego que julgava ter alcançado depois da conversa com Tony voou pelos ares: as recordações voltaram súbitas, como violentos tiros de canhão lançados de duas frentes. De um lado, as promessas e a admiração sincera dele, as ilusões que despertou nela, os momentos de cumplicidade que ela acreditou que compartilharam. Do outro, suas exigências, seus anseios e arroubos, a ira quando o contrariava, sua incapacidade de se aplacar diante das negativas.

— Vejo que continua trabalhando...

Luz baixou o olhar para seu avental branco e suas mãos ásperas e vermelhas; assentiu sem palavras.

— Mas as notícias voam nesta cidade, *you know*: ouvi dizer que ontem você fez um teste para Cugat. Um amigo meu andava por ali com sua garota; ela também aspirava a uma vaga, mas não foi tão afortunada quanto você. Casualmente, encontramo-nos ontem à noite em um bar da Broadway e ele me contou.

Em outro momento, diante de outro homem, Luz teria soltado um desafiador sim, e daí? Mas nesse, apenas tornou a assentir timidamente com o queixo.

— *That's wonderful, baby* — sussurrou ele com voz rouca. — A fama de seu compatriota cresceu muito nos últimos tempos, ele tem uma orquestra magnífica, é muito bem relacionado tanto aqui em Nova York quanto em Los Angeles, trabalhar com ele será o início insuperável para você. — Alargou o sorriso ao limite, e seus dentes alinhados resplandeceram com toda sua brancura. — Viu como eu tinha razão quando lhe disse que devia esquecer o folclórico? *Look at you now*, a pequena Lucy prestes a fazer parte do show do *Rhumba King*...

Parecia sincero, genuíno; por fim Luz conseguiu se acalmar um pouco e assomou a seus lábios uma minúscula expressão de satisfação.

— Estou muito orgulhoso de você, meu amor; *so, so proud of you*.

Deu um passo à frente, levou a mão ao cabelo avermelhado e o acariciou levemente, ela sentiu um calafrio correr da cabeça aos pés. Não, Frank Kruzan não era tão miserável como todos pretendiam fazê-la acreditar, pensou enquanto ele continuava rasgando elogios. E pensar que até suspeitou que ele poderia ser o culpado pelo que fizeram ao Las Hijas del Capitán! Não, ele era de outro tipo, de outra matéria. Não devia ter confessado nada a Tony, ela já sabia que ele tinha um temperamento explosivo, mas também um fundo bom, digno. Alegrava-se por poderem se reencontrar e se despedir assim, tendo feito as pazes, sem rancores nem amarguras...

Uma expressão de espanto, porém, estampou-se de súbito no rosto da Arenas mais nova quando o ouviu dizer:

— Hoje à tarde, quando você sair do trabalho, venho buscá-la e vamos juntos ao Waldorf.

O quê? Juntos? Não, não, algo não estava claro aí. Apesar da cena de reconciliação, seria melhor não juntar seu caminho de novo ao dele.

— É preciso definir vários assuntos — prosseguiu o caçador de talentos com aquela sua esmagadora segurança —, negociar algumas condições, deixar claros certos detalhes...

Por fim, Luz conseguiu dar uma voz tímida a seus pensamentos.

— Não, Frank, não...

— *No what, honey?*

Sua expressão de surpresa parecia verdadeira: as sobrancelhas arqueadas, o cenho franzido.

— Não quero mais ficar com você. O negócio de Cugat é uma coisa diferente, que ele ofereceu diretamente a mim. Você não tem nada a ver com isso.

A gargalhada ácida a feriu como uma facada.

— *My dearest Lucy*, minha doce e ignorante Lucy — murmurou Kruzan deslizando a mão sob a lapela esquerda do paletó.

Tirou do bolso interno uns papéis dobrados em três, fez que ia entregá-los, mas quando ela estendeu a mão, retirou-os.

— Nós temos um contrato, você mesma o assinou em meu escritório, não se lembra? Sou seu representante para todos os efeitos, estamos vinculados pelos próximos dez anos, tenho direito a quarenta por cento de seus ganhos, e você não pode tomar nem a menor decisão sem mim.

CAPÍTULO 95

Vinte ruas mais ao norte, alheia ao aturdimento de Luz, a manhã de Mona transcorria febril, apesar das palavras transparentes que soltou na sua chegada.

— Vim receber o que me deve, senhora. Peço demissão, não vou voltar.

Aquela era sua decisão definitiva depois de longas horas de desconcerto. Na cama, dona Maxi resmungou algo com a boca cheia de pão frito molhado em açúcar, mas Mona não entendeu.

O quarto ainda estava meio na penumbra, sua primeira função diária era abrir totalmente as cortinas, mas dessa vez não abriu. Cheirava a álcool canforado e a café da manhã gorduroso, a excesso de carnes melancólicas.

— São três dias pendentes, segunda, terça e quarta — esclareceu Mona, enchendo-se de paciência.

Não era muita coisa, certamente, mas era o resultado de seu trabalho, e cada centavo que punha no pote de vidro da cozinha representava uma pequena braçada no oceano de suas muitas dívidas. Por isso Mona havia voltado naquela manhã com a pontualidade de sempre, para cobrar e dizer adeus. Claramente, não podia continuar ali. Nem suportava a patroa, nem podia permitir que César continuasse lhe dobrando o salário escondido, sabendo agora o que sabia de seus sentimentos.

As palavras do jovem médico mantinham-se frescas e vivas em sua memória: talvez ela possa viver sem você, mas eu não. Todos os seus gestos, todos os seus atos, ganhavam agora um sentido especial. A atenção com que a tratava sempre, suas gentilezas e aqueles longos olhares, a insistência em acompanhá-la até em casa, o tratamento deferente para com a saúde de sua mãe: nada era banal, tudo tinha um significado. Não eram simples demonstrações de agradecimento por suportar o temperamento insuportável de sua tia. Por trás, por fim Mona soube, havia outra realidade.

— Você vai embora no pior dos momentos... — murmurou a mulher quando por fim conseguiu engolir o resto de sua rabanada. — Com o compromisso de amanhã...

Tinham algo marcado para essa mesma sexta-feira, dona Maxi estava nervosa havia vários dias por conta disso. Um compromisso, um evento absurdo qualquer na residência daquela marquesa onde Mona viu os Osorio, tia e sobrinho, pela primeira vez, quando ela era recém-chegada à cidade e ainda não suspeitava que seus destinos acabariam se reencontrando. Ali ambos eram esperados de novo para algo sobre o que Mona nunca se incomodou em perguntar; os afazeres daquela bruxa tirana fora de suas horas de trabalho não lhe interessavam.

— A senhora sabe o que me deve — repetiu.

Continuava plantada aos pés da cama, recusando-se a realizar qualquer uma de suas tarefas cotidianas. Nem pretendia retirar a bandeja do café da manhã que ela apoiava sobre o ventre volumoso, nem a ajudaria a se endireitar, nem ia quebrar a coluna puxando-a para acomodá-la na cadeira. Nem ia ajudá-la a se assear, nem ia aguentá-la mais.

— Quer a carteira, ou vai me pagar com o dinheiro da gaveta?

Dona Maxi levou aos lábios sua xícara de chocolate espesso, depois passou a língua pela mancha que ficou no bigode e rosnou algo indecifrável.

— Disse para eu pegar o dinheiro?

— Eu lhe pago três dólares a mais se ficar hoje, há um monte de coisas pendentes.

Mona avaliou por alguns instantes, e a frieza das contas venceu a vontade de sair correndo.

— Mas vou embora à uma em ponto.

— Às duas.

— À uma e meia.

A questão era desaparecer antes que César chegasse. Não, não queria tornar a vê-lo agora que sabia de seus sentimentos; estava confusa, aturdida. Havia vivido tão alheia a tudo, absorta em seus próprios problemas, que não fora capaz de distinguir uma coisa de outra. Certo que entre eles sempre houvera uma mútua cumplicidade, uma corrente de proximidade; certo também que ela sempre o achou um homem atraente a sua maneira. Mas não. Não, não, não. Seus mundos eram diferentes, e o afeto dela pelo doutor, apesar de não ser inexistente, não era tão sólido e profundo como o que ele confessou sentir. Não, aquilo era um desvario, um absurdo que tinha que cortar pela raiz. Ainda assim, as últimas palavras que ele lhe disse no dia anterior continuavam retumbando dentro dela; ficaram incrustadas em seus ouvidos enquanto ela se soltava dele e subia apressada no ônibus. Aconteça o que acontecer, ouça o que ouvir, é a você que eu amo.

— O que está esperando então para me tirar da cama, menina? Que chegue o juízo final?

A aspereza de dona Maxi a fez voltar ao presente. Último dia, pensou enquanto abria as cortinas com um puxão. Último dia e, depois, nunca mais.

As ordens começaram a atingi-la com virulência. Engraxe os sapatos novos até deixá-los brilhando. Vá até a floricultura, peça que lhe deem as amostras e volte correndo. Ligue para o salão da cabeleireira e peça que antecipem meu horário de amanhã, uma hora antes. Disque o número da Valencia Bakery que vou mudar o pedido dos doces. Fique atenta à porta que vão trazer o terno de meu sobrinho.

Seu sobrinho, seu sobrinho, seu sobrinho. Mesmo não estando presente, à medida que a manhã passava a casa parecia mais cheia que nunca dele. Em suas constantes idas e vindas, não pôde evitar passar várias vezes em frente ao seu quarto. Pela porta entreaberta via a cama feita com precisão militar, os grossos livros médicos ordenados nas estantes, o guarda-roupa cheio de peças discretas de bons tecidos e bem cortadas, a réplica de um olho gigante em cima da mesa, os retratos de moldura prateada daqueles que deviam ser seus pais.

Seria fácil deixar-se amar, pensou, recostando-se com abandono no batente. Ele era, sem dúvida, um bom homem, sempre muito cordial, não lhe faltava, bem-apessoado e tão seguro... Seu pulso não se acelerava cada vez que o via, mas sentia-se bem ao lado dele. Depois das monstruosas bofetadas que a vida havia lhe dado, seria agradável que alguém se preocupasse com ela, que cuidasse dela, que a protegesse com segurança financeira, uma casa quente, um futuro sem tempestades. César Osorio não parecia um homem de grandes exigências; em troca de seu sim nunca requereria o amor apaixonado que ela jamais seria capaz de lhe dar, certamente se conformaria com uma entrega morna. Correu por sua coluna uma onda de algo desconcertante. E se aceitasse? E se ela se esforçasse e aprendesse a amá-lo?

— Menina!

A voz de grou a tirou do devaneio; quando se deu conta do desvario pelo qual deslizava, Mona sacudiu a cabeça, enérgica.

— Leve-me agora mesmo ao telefone — ordenou dona Maxi brandindo como uma bandeira o jornal do dia que haviam acabado de entregar. — Vou ligar agora mesmo para o *La Prensa*, esses imbecis vão ouvir.

Com o fone na mão, ouviu-a protestar, censurar, discutir, exigir. Passe-me agora mesmo para Camprubí, o diretor! Como não está, como não se encontra?

Desligou, por fim, batendo o fone no gancho.

— Inúteis! São todos uns inúteis! Eu disse a meu sobrinho que deixasse bem claro que o anúncio tinha que sair hoje, não amanhã!

Continuou gritando colérica, vermelha, seu busto subia e descia ao ritmo de sua raiva: César, seu futuro, suas obrigações... O que vamos dizer agora à marquesa? Quero ver como vão aceitar o fato de o anúncio ainda não ter sido publicado! Vão pensar que somos uns desleixados, que não estamos a sua altura, que o rapaz não tem categoria para entrar na família!

Um passo, dois passos, três passos: o presságio de algo desagradável impulsionou Mona até situá-la em frente à cadeira de rodas.

— De que anúncio está falando, dona Maxi?

— Do pedido! — gritou a velha fora de si.

— Do pedido de quem?

Com a respiração ansiosa, dona Maxi a olhou com um desprezo infinito, como se fosse uma imbecil.

— O pedido a Nena, a filha da marquesa, a quem mais? O idiota de meu afilhado não ia pedir a mão de uma morta de fome como você!

CAPÍTULO 96

Mona e Luz se encontraram na esquina da Sétima, arrastando cada uma seu pesar como quem puxa um saco carregado de pedras negras. Aturdidas, frustradas, furiosas. Uma saía do trabalho, outra chegava do ponto de ônibus. Ao se ver frente a frente, ambas titubearam alguns instantes, hesitando entre continuar escondendo seus pesares ou compartilhá-los como sempre fizeram. Haviam sido tantos os desacertos e os erros, tão profundos o desencanto e a dor, que ambas pareciam ter perdido a capacidade de se abrir.

Que foi?, ia perguntar Mona ao ver o rosto pesaroso de Luz; por que está com essa cara?, ia dizer a Arenas mais nova. Mas nenhuma das duas disse nada porque, tão logo se viram cara a cara, alguém se interpôs:

— Ia buscá-las agora mesmo na sua casa, senhoritas. Irmã Lito quer falar com vocês, disse que é urgente.

Era uma das garotas da Casa María, pouco mais que uma menina resgatada da depravação e da crueza das ruas.

As irmãs se entreolharam, cientes de que as duas silenciavam algo. Sem palavras ainda, concordaram em postergar os segredos que corroíam cada uma. Calavam-se havia tanto tempo que o mundo não ia acabar se demorassem mais meia hora.

Nem lhes ocorreu subir até o apartamento para informar sua mãe e Victoria do aviso da freira; para que, se uma não seria mais que um peso e a outra se recusaria a descer?

Não encontraram irmã Lito atrás de sua mesa, e sim reclinada em uma poltrona. Também não viram a bagunça de papéis, livros e tralhas que antes sempre reinava por todos os cantos. Era como se uma mão voluntariosa houvesse apaziguado o caos. Todas as superfícies estavam organizadas, os livros fechados e colocados verticalmente, as pastas formando pilhas compactas em uma ordem melancólica: tristes evidências de que a religiosa incendiária já não podia trabalhar.

A duras penas conseguiram morder a língua e não soltar um palavrão compassivo. Mas, irmã, pelo amor de Deus... Seu corpo parecia ter se consumido dentro do hábito, a carne avermelhada se esparramava em dobras pelas faces e a papada.

Ao lado, sentado em uma cadeira simples, havia um homem que ao vê-las apressou-se a se levantar. Gravata discreta, óculos redondos de armação fina e cabelo claro com entradas. Trinta e tantos, nem alto nem baixo, nem gordo nem magro, nem bonito nem feio.

— Entrem, garotas, entrem.

A voz fraca da religiosa, em outros tempos tão cheia de ironia, era agora cansada e frágil.

— Pretendia lhes contar sozinha mais à frente, quando tudo já estivesse concluído, mas, devido ao meu estado, acho que é melhor que saibam já.

Ergueu os ombros em um gesto de impotência. Irmã Lito estava se esgotando, sua vida ia embora.

O sujeito avançou dois passos, William Lanford, *pleased to meet you*, disse com um tom educado, profissional. Pelo menos assim pareceu. Estendeu-lhes a mão apertando os lábios e logo os esticando, assentindo com o queixo, embora não houvesse nada a que assentir. Era seu jeito de indicar com cortesia que não falava espanhol. Elas responderam ao cumprimento estendendo lentamente uns dedos frouxos, sem alma: não souberam reagir de outra maneira.

Economizando frases para evitar sufocar, irmã Lito as pôs a par:

— Ele trabalha para um escritório que cuida de casos similares, minhas meninas. Toda vez que precisar falar com vocês, ele deixará um recado na La Nacional. — Fez uma pausa, respirou fundo duas vezes. — Irá com um tradutor, o escritório de Mr. Lanford arcará com esses gastos.

Voltou o rosto para o advogado, tornou a absorver o ar.

— Ele é bom profissional — murmurou —, certamente vai se esforçar...

Mal a escutavam, haviam captado o grosso da notícia e ainda a estavam assimilando: irmã Lito passava a sorte delas a mãos alheias porque a vida lhe escapava das suas. Penoso assim, real assim. Se a ordem do quarto exalava tristeza, o rosto da religiosa a certificava mais ainda: não só pelos estragos da doença, mas também pela sensação de fracasso que se via gravada entre suas rugas, a frustração por não ter conseguido cumprir com sua responsabilidade até o fim. Derrotada, assim se sentia aquela mulher que escapou das mais profundas misérias e a quem nada nem ninguém, nem as adversidades mais amargas, nem os sem-vergonhas mais vis, jamais conseguiram derrubar. Até esse dia.

Depois de um penoso tempo de conversa entrecortada sobre prazos e maneiras, o advogado acabou partindo levando debaixo do braço uma pasta de papelão vermelha lotada de papéis: todos os documentos legais relativos à morte de Emilio Arenas. Lá iam as denúncias, as declarações, as cartas de exculpação da Trasatlántica, as ofertas dolorosamente rejeitadas, as demandas posteriores, as preocupações dos longos meses de espera. A essa altura, melhor não se perguntar se tudo aquilo havia valido a pena, se não teria sido mais sensato ter voltado com as passagens e o dinheiro que no início lhes puseram em cima da mesa. Tantos pesares teriam sido economizados, tanto desconsolo.

Elas também não tardaram a se retirar, irmã Lito estava exausta, tinha que descansar. Abaladas, com o sangue gelado, assim que saíram ficaram paradas à porta da Casa María, como se lhes faltassem razões para ir a algum lugar.

Foi Luz quem tomou a iniciativa. Enlaçando seu braço com o de Mona, apertou-se contra ela e a impulsionou em direção contrária a sua casa, por fim abrindo seu coração. Iam para o rio sem rumo fixo, afastavam-se de seu entorno mais próximo, sérias e absortas, tentando serenar a mente alterada, recompor entre si a confiança que os golpes e os tombos as haviam obrigado a perder.

Iam atravessar a Nona quando Mona puxou bruscamente sua irmã. Ficaram meio escondidas no vão da vitrine de uma farmácia.

— O que está fazendo? — perguntou Luz, alarmada.

— Cale-se! Cale-se e olhe!

Apontava com o queixo para a porta de um café vizinho, de onde saíam dois indivíduos. Em questão de segundos apertaram-se as mãos, murmuraram brevíssimas palavras de despedida e separaram seus caminhos: um avenida acima, o outro para um Chevrolet estacionado no meio-fio.

O primeiro era o advogado Lanford com quem haviam acabado de conversar no escritório de irmã Lito; estava de mãos vazias.

O segundo, um jovem atarracado, anódino, moreno, de testa estreita, cabelo cacheado e brilhante. Levava ao pescoço uma gravata berrante e debaixo do braço algo que ambas reconheceram imediatamente. Mona esclareceu sua identidade em um sussurro nervoso:

— É Tomasso, sobrinho de Mazza.

Não foi necessário que vissem que, momentos antes, um maço de notas havia passado de mão em mão por baixo da mesa que ocuparam, nem que o americano deixou estampada sua assinatura no documento que o outro lhe pôs diante dos olhos por ordem de seu tio. A pasta vermelha que agora Tomasso segurava era evidência suficiente: abusando da fraqueza de irmã Lito e enganando-as com insultante descaro, Lanford havia acabado de traí-las. Tudo já devia estar previsto: o encontro no café, a entrega dos documentos. Depois de cobiçá-la tanto, a sorte das Arenas era, por fim, propriedade do miserável Mazza. E com o conhecimento dessa troca suja, Mona e Luz tiveram plena consciência de que suas opções de se recuperar diminuíam até ficar pequenininhas. Os recursos, o salva-vidas, a ansiada indenização que lhes permitiria voltar ao seu mundo com um apoio para sobreviver evaporavam diante de seus olhos. Sem que elas reagissem. Sem possibilidade de voltar atrás.

Apertavam corpo com corpo ainda, escondidas atrás do vidro da vitrine da farmácia, dividindo estupor entre anúncios de cápsulas de magnésio e potes de unguentos musculares. Algo sem nome começou a percorrê-las por dentro, subindo desde os pés.

Fartas. Fartas. Fartas estavam de homens que não as amavam ou que as queriam porcamente. Homens que pretendiam usá-las a seu bel-prazer sem se importar se as decepcionavam, ou as humilhavam, ou as degradavam, ou as machucavam. Frank Kruzan e seus abusos. O doutor César Osorio e sua vergonhosa mentira quando estava prestes a se comprometer, sem ter a hombridade de confessar, com outra mulher de seu mesmo nível social. Aquele advogado oportunista que havia acabado de vendê-las, o sobrinho covarde da gravata amarelo-limão. E acima deles, com sua cega brutalidade homicida, Fabrizio Mazza. O pior. O mais perverso.

A voz de Mona soou surda e seca, mas firme.

— E até quando vamos continuar engolindo merda? Até que esse porco nos sufoque uma a uma e se livre das três?

CAPÍTULO 97

Nunca foram meninas dóceis; corriam descalças, subiam pelos muros e terrenos, sempre fizeram o que quiseram e enfrentavam qualquer um. Eram bem pequenas quando aprenderam a brigar a pedradas e empurrões com os rapazes do bairro, revoltavam-se contra as imposições desde que seus dentes começaram a nascer, sabiam assobiar como arreeiros. Participavam de festas e desordens nas ruas, replicavam com descaro a quem as importunava e, quando sentiam fome, nas barracas da praça pegavam o que quer que fosse sem sombra de contemplações. Sempre se viraram com descaro e picardia, tinham desembaraço de sobra, audácia, ousadia, colhões.

A chegada a Nova York e a morte do pai as enfraqueceu temporariamente, deixando-as desnorteadas, desprotegidas diante das inclemências. Mas conseguiram seguir em frente. Em um mundo inquietante e estranho, sozinhas e contra a maré, foram capazes de perfilar um futuro, brigaram para traçar um horizonte ao alcance dos dedos. Então, chegaram os golpes e, depois da investida contra o Las Hijas del Capitán e o assassinato do tabaqueiro, as irredutíveis irmãs Arenas não tiveram mais opção que se encolher, enfiaram-se como caracóis em suas carapaças, pareciam ter assinado a rendição sem reagir. Tanto que até consentiram involuntariamente que outros homens continuassem lhes roendo a alma, abusando de sua momentânea fragilidade.

No entanto, o fato de terem sido testemunhas naquela tarde da cena entre o sobrinho e o advogado traidor sacudiu sua consciência como quem bate um tapete no quintal. Tudo era vil e sanguinário demais: uma nova arremetida, outra facada profunda e traiçoeira. Mas, diferente das ocasiões anteriores em que ficaram fraturadas e incapazes de reagir ou responder, dessa vez foi como uma convulsão.

Tinham que fazer alguma coisa; não sabiam o que ainda, mas de alguma maneira tinham que desafiar as investidas e as vilanias, a dor causada.

Por sua própria dignidade, para desagravar a coragem traída de irmã Lito. Para se livrar da angústia que as corroía por dentro, para poder seguir em frente com a vida sem um pesado saco de amargura nas costas.

Uma troca apressada de frases bastou para que Mona e Luz entrassem em acordo, por algum lugar tinham que começar.

A primeira coisa que definiram foi descobrir onde morava. Decididas, voltaram com passo brioso até o quarteirão delas e entraram resolutas na La Nacional em busca da lista telefônica de Manhattan. O escriturário lhes entregou um livro volumoso, Luz quase o arrancou das mãos do homem. Se quiserem as ajudo, propôs ele com timidez; um homem de seus trinta anos inibido diante da chegada impetuosa dessas jovens que poucas semanas antes estiveram nesse mesmo edifício velando o cadáver do cunhado. Recusaram o oferecimento sem contemplações e saíram do escritório, entraram em uma pequena sala anexa, largaram a lista em cima de uma mesa com um golpe sonoro. Depois, arquearam as costas e aproximaram o rosto, sem saber muito bem como abrir caminho entre aquela monstruosidade de letras, números e códigos.

Encontraram o que procuravam depois de um tempo passando páginas para a frente e para trás, percorrendo com o indicador montes de longas listas de sobrenomes e ruas impronunciáveis. Mazza, Fabrizio. 228 Bleecker. Chelsea 33207, ali estava. Luz recorreu de novo ao homem em busca de um lápis e um papel para anotar, ele lhe entregou tudo sem fitá-la nos olhos, escondendo certa vergonha: não pudera resistir a contemplá-las a distância, os corpos como juncos dobrados, as pernas nuas, os quadris e os glúteos cobertos apenas pelo tecido leve e gasto dos vestidos.

Quiseram lhe perguntar como chegar até ali, mas, ao virar, só viram a cadeira vazia atrás da mesa. Então, trotaram escada abaixo sem se incomodar de devolver o trambolho a seu lugar. Ali ficou, aberto e abandonado, à espera de que o escriturário aplacasse seu fogo, saísse do banheiro e fosse buscá-lo. Acabaram perguntando a um sujeito que subia da cantina nesse momento, ali costumavam se reunir os compatriotas para saber das novidades do outro lado do oceano, ou de ofertas de emprego, ou para jogar suas partidas de dominó.

Alguns metros além passaram necessariamente pela porta da funerária. Fazia tempo que não viam Fidel. Depois da destruição do Las Hijas del Capitán, quando chegaram aos ouvidos do pai os favores e gastos excessivos que o imbecil de seu filho havia feito por conta da casa, a modo de corretivo o transferiu para a filial do Uptown, para a outra *funeral home* do Harlem hispânico, longe do local onde havia sonhado cantar seus tangos e dessas irmãs desavergonhadas que haviam abduzido o garoto sob os olhos do agente funerário.

Estava o pai abrindo a porta com um molho de chaves quando elas passaram. Fidel o esperava atrás carregando nos braços uma caixa de aspecto pesado. Ameaçaram parar um instante: ele, momentaneamente estremecido pelo reencontro; elas, debatendo-se entre a satisfação de tornar a vê-lo e a pressa de seguir seu caminho.

Assim que as viu, o funerário murmurou, antipático:

— Desculpem, senhoritas, mas estamos ocupados.

Para que não restasse dúvida, deu um empurrão nas costas do filho, fazendo-o cambalear pelo peso da carga e obrigando-o a entrar no estabelecimento aos solavancos.

Seguiram sozinhas seu caminho rumo ao endereço previsto, deixando para trás um Fidel consternado. Nenhuma delas imaginava que esse mesmo trajeto havia sido o último que Luciano Barona percorreu por seus próprios pés; também não sabiam que no parque a que chegaram depois de um tempo de caminhada o tabaqueiro passou suas últimas atribulações, nem que fora essa mesma fonte que acabou acolhendo o cadáver entre suas águas sujas.

Encontraram o número do edifício que procuravam, a atenção das duas se concentrou na grande fachada de tijolos vermelhos em parte percorrida pelo ziguezague de uma escada de ferro. Contemplaram as janelas festonadas por relevos de pedra clara, perguntaram-se atrás de qual estaria o indesejável, se é que estava.

— E agora, o que fazemos? — sussurrou Luz.

Mona avaliou várias opções, uma mais temerária que a outra. Subir, enfrentá-lo caso o encontrassem, dizer que era um filho da puta e um... um... Antes de ir mais longe em seus desatinos, pronunciou as três sílabas do verbo mais sensato:

— Esperar.

Não sabiam com que fim, continuavam sem ter um propósito, mas, por ora, aquela era sua única opção.

Acomodaram-se em um banco da praça olhando para o edifício: para ver se entravam, ou se saíam. Como imaginar que sentado justamente no banco ao lado, no mesmo agora ocupado por um casal de idosos calabreses murchos, o marido de Victoria passou as horas mais angustiantes de sua existência perguntando-se em que havia falhado para que ela deixasse de amá-lo?

Foram importunadas primeiro por um grupo de adolescentes a cujas provocações nem se incomodaram em replicar, um vendedor de rua tentou convencê-las a comprar flores de pano, depois se aproximou outro que abriu diante de seu nariz um saco cheio de sapatos com todo o jeito de serem roubados. Uma gorda com lenço na cabeça tentou lhes perguntar alguma coisa em uma língua incompreensível, um menino magro de andar arrastado passou duas vezes diante delas apalpando a virilha, obsceno. Na terceira, Luz se levantou de um salto, latiu meia dúzia de barbaridades e o cagão se encolheu e foi embora.

Assim ficaram até que o sol começou a se esconder atrás dos edifícios e a luz anterior ao anoitecer foi tingindo os contornos de dourado. A essa altura, seus ânimos fraquejavam e as dúvidas caíram sobre elas com todo seu peso. Certamente aquilo não era mais que uma perda de tempo e um enorme despropósito. Então, justo então, viram-no sair. Mona apertou a coxa de Luz com a mão, Luz cravou os dedos no antebraço de Mona, o coração das duas começou a bombear acelerado.

Ali estava Fabrizio Mazza, na calçada da frente, abandonando a entrada de seu edifício embutido em um terno esverdeado, pondo um chapéu de verão sobre os cabelos escuros cheios de brilhantina. Encontravam-se a certa distância, veículos rodavam em diferentes direções e gente atravessava, caminhava e formava rodinhas falando com os vizinhos; em meio a agitação, era bastante improvável que ele as detectasse sentadas na praça. Por via das dúvidas, Mona se pôs de lado e baixou a cabeça e Luz cobriu disfarçadamente o rosto com o cabelo.

Atrás dele saiu Tomasso, o sobrinho que haviam visto umas horas antes se despedindo do advogado traidor. Ao longo da espera no parque, Mona havia posto sua irmã a par do dia em que se conheceram, quando a levaram da Catorze e Mazza tentou intimidá-la em uma sinistra esplanada perto das docas. Como esquecer, embora nunca, até essa tarde, houvesse compartilhado com suas irmãs o que aconteceu naquela noite? Guardou para si essa sensação de medo cravada profundamente, pensou que não valia a pena preocupá-las, que já era o bastante ela mesma ter sentido esse pavor. Acreditou ingenuamente que em algum momento as coisas acabariam se endireitando, que encontrariam seu lugar natural.

Agora sabia que havia se enganado redondamente, e pronunciou o nome do jovem com uma cadência lenta. Tomasso, repetiu sem tirar os olhos do triste sobrinho que acatava submisso as ordens de seu tio desprezível, embora na noite das docas a fúria fervesse por dentro dele ao se ver tratado como um despojo diante da desconcertante insolência da moça. Por essa razão, certamente – não para preveni-la, e sim para arremeter contra ele –, a avisou ao devolvê-la à rua de sua casa. Ele está assustado, foram suas palavras referindo-se ao advogado. E quando um miserável é tomado pelo medo, acrescentou, pode se tornar muito perigoso.

Mazza avançava na frente, o outro o seguia dois passos atrás. Embora elas não soubessem, repetiam milimetricamente um antigo esquema comum na família, quando o velho advogado agora prostrado em um asilo de idosos tinha nas mãos as rédeas do escritório e o poder, e o então jovem Fabrizio era apenas um subalterno medroso e desajeitado.

Dobraram a esquina em frente à igreja Nossa Senhora de Pompeia e lhes deram as costas; elas se levantaram, avançaram dois passos e esticaram o pescoço para não os perder de vista, mas os homens viraram de novo apenas alguns segundos depois. Seu destino era apenas um pequeno terreno vazio onde havia um automóvel estacionado. O mesmo que haviam visto umas horas antes. O mesmo em cujo banco de trás Mona sentiu aquele profundo pavor.

Com Tomasso ao volante, o carro demorou pouco a sair rodando, entrou na Sexta avenida e, conforme avançava, foi se misturando aos outros veículos até se perder na distância.

— E agora, vamos subir? — murmurou Luz com um nó de pânico.

CAPÍTULO 98

Encontraram os dados gravados em uma placa de latão polido, subiram até o segundo andar para encontrar o previsível: uma porta fechada. Hesitaram entre tocar ou não a campainha, optaram por fazê-lo. Se alguém abrisse, teriam fingido um inocente engano. Mas ninguém atendeu, nem da primeira vez, nem quando insistiram com longos toques para ter certeza. Desceram de novo, voltaram ao parque. Já tinham o lugar exato, o segundo passo dado depois de descobrir o endereço.

Luz teve a ideia do terceiro:

— E se chamarmos Fidel?

Ele tinha habilidade com as mãos, tinha ferramentas na funerária e era tão imprudente e tão arrebatado quanto elas mesmas. Se conseguisse se livrar do pai, não se negaria. Afinal de contas, aquilo também era assunto dele, ele também havia sofrido uma dor na alma pela destruição do Las Hijas del Capitán.

Telefonaram de um estabelecimento próximo; por sorte, foi ele quem atendeu ao telefone. Ok, ok, ok, disse para tudo. Como o pobre Fidel ia negar um pedido daquelas garotas que haviam entrado em sua vida para sacudi-lo inteiro, mesmo que todo o projeto que montaram em comum houvesse acabado no fracasso mais monumental? O que elas quisessem lhe pedir era lei para ele, a vida inteira teria dado por aquelas três irmãs ousadas e cativantes que durante um tempo o ajudaram a sonhar com um futuro longe de seus patéticos afazeres, um porvir cheio de tangos, aplausos e lindas mulheres que nunca vingou, mas a cuja ilusão ele continuava dormindo agarrado todas as noites em seu triste quarto. Qualquer coisa por elas. E, especialmente, por Luz.

Chegou depressa, sem fôlego mas pletórico, já estava anoitecendo. Preferiu não lhes contar como havia escapado pulando por dois pátios traseiros e a bronca que levaria quando seu pai percebesse que teria que encarar sozinho o cadáver de uma velha portuguesa da Dezesseis. O conteúdo da sacola de couro que levava ao ombro soou metálico ao lhe dar duas palmadas: nela carregava seu equipamento de alavancas e arames.

Entraram de novo no edifício, voltaram ao andar certo. O corpo de Mona e Luz servia-lhe de parapeito para se esconder, mas a precaução foi desnecessária: durante o breve tempo que demorou para forçar a porta, ninguém pisou no patamar nem saiu de nenhuma moradia contígua. Nem quando os três entraram de supetão no domicílio alheio. Nem quando fecharam a porta atrás de si.

O alívio se misturou com o pânico ao se verem no vestíbulo escuro. Cheirava a falta de ventilação, a suor e a fumaça estancada. Em silêncio absoluto, intimidados, guiados pela intuição de uma leve claridade ao fundo, avançaram por um corredor central pisando no chão de madeira cuidadosamente, tentando evitar que rangesse, mas sem conseguir totalmente. No fim do breve corredor abria-se a sala que fazia as vezes de escritório, com três janelas voltadas para a praça. A noite já havia caído, através delas entrava apenas o fraco resplendor das luzes dos postes. Recusaram-se a acender a luz elétrica.

Mona olhou por uma janela, lançou o aviso.

— Temos que ficar olhando para ver se voltam.

Começaram a busca entre as sombras; seu objetivo primário era a pasta vermelha de irmã Lito com o processo. O secundário não sabiam: qualquer coisa.

Mona e Luz se inclinaram sobre a mesa grande e pesada, tateando meio às cegas sobre a superfície; Fidel se dirigiu aos outros quartos. Ouviram-no acender um isqueiro.

Caladas como túmulos, com as quatro mãos as Arenas ergueram cuidadosas outras pastas, papéis, documentos costurados, documentos soltos. Nada. O delas não estava ali. Em algum momento, sem querer, Mona deu uma cotovelada em um livro que caiu sonoro no chão. Acharam que seu coração ia parar. Alternadamente, uma agora, outra depois, foram se assomando de vez em quando para observar a rua através dos vidros sujos, não os viram. Abriram gavetas, encontraram de tudo nelas: notas fiscais, lápis, mata-borrões, envelopes, potes de tinta, canetas-tinteiro. Ao chegar à terceira da parte esquerda, Luz cravou os dedos no braço de Mona.

— Veja — sussurrou com a voz abafada.

Dentro vislumbrava-se o volume escuro de uma pistola. Ainda a contemplavam intimidadas quando ouviram os passos de Fidel ecoando a distância, aproximando-se sem nenhuma cautela. Dirigia-se a elas exalando urgência, tinha algo nas mãos.

— Isto estava no armário de um quarto, no fundo, coberto com uma manta.

Distinguiram-nas imediatamente sob a luz do isqueiro. Luz cobriu a boca para conter um grito, Mona apertou os olhos com força, como se quisesse evitar que aquela imagem sinistra entrasse em sua retina.

Três caixas empilhadas de cigarros Cuesta-Rey, com a inconfundível imagem da tabacaria na tampa: o perfil de uma linda jovem de vestido branco, pérolas no pescoço e flores vermelhas nos cabelos. *Made in Tampa*, leram. Estavam amarradas com aquela tira de pano que lhes era tão familiar: o testemunho de que Luciano Barona havia estado nessa casa com sua mercadoria.

— Vamos, vamos... — sussurrou Mona com voz desmaiada.

Os outros, aterrorizados, não se mexeram.

— Venham, vamos! — insistiu, elevando o tom. — Fidel, deixe essas caixas no lugar; Luz, olhe pela janela!

Enquanto isso, ela fez outra varredura febril na sala, percorrendo as superfícies entre as sombras enquanto sentia uma opressão no peito que quase a sufocava. A certeza martelava suas têmporas como um tambor maluco: ali estivera o pobre Luciano carregando pela última vez suas caixas de cigarros, apertando pela última vez o cordão de algodão nas mãos.

Até que subitamente viu o que estavam procurando já havia um longo tempo: a pasta com seu processo, em uma prateleira perto da porta, como se estivesse esperando que alguém a levasse a outro destino assim que chegasse a manhã. Nesse exato momento, ouviu o grito aterrorizado de Luz.

— Estão vindo! Os dois estão voltando!

Fidel chegou correndo, Mona pôs as mãos na pasta, hesitando, com a mente meio atrofiada, esforçando-se para recuperar a calma. Previsível demais, conseguiu pensar por fim com um flash de lucidez. Acusador demais contra elas mesmas se a levassem. Devolveu-a a sua prateleira, deu uma ordem em três palavras:

— Vamos embora agora!

Saíram sem precaução, como potros.

— Para cima! — ordenou.

Subiram em tropel, alcançaram o patamar do andar superior no momento em que os homens pegavam a escada. Com as costas espremidas contra a parede, aglomerados entre si com a respiração contida, escutaram os passos do tio e do sobrinho chegando a seu andar, aproximando-se de sua moradia, proferindo uma blasfêmia ao ver a porta violentada.

— *What the hell!*

Assim que os ouviram entrar no apartamento, as irmãs e Fidel se precipitaram para o andar de baixo pulando os degraus de três em três, como se o próprio Satanás os perseguisse. Punham os pés nas lajotas da entrada quando Tomasso assomou a cabeça e metade do corpo pelo vão, soltou um grito ameaçador, mas não conseguiu vê-los. O grito dele ainda retumbava nas paredes quando já estavam fora.

CAPÍTULO 99

Andaram com passo rápido por um emaranhado de ruas curtas e escuras, deliberadamente virando aqui e ali para o caso de que lhes ocorressem segui-los. Diante de alguns edifícios havia italianos de camiseta reunidos, falando alto enquanto fumavam; em alguns trechos, grupos de adolescentes que mexiam uns com os outros, riam e contavam bravatas.

Não pararam em momento algum, não falaram entre si, apenas se deixaram levar pelo impulso de suas pernas jovens até chegar às luzes da Sétima avenida.

— Filho de uma cadela — murmurou Mona quando o horizonte por fim se fez mais largo e menos sinistro.

— E agora, o que vamos fazer? — perguntou Luz, ainda atarantada.

— Voltar para casa e pensar. Não me ocorre outra coisa. — Mona falava com voz desfalecida, como se tudo que havia visto e feito houvesse consumido sua energia. — E, além do mais, mamãe deve estar prestes a ter uma síncope sem saber de nós a esta hora.

A menção da hora fez Fidel dar um tapa na testa.

— O obituário!

Elas o olharam sem entender a que se referia.

— A partir das onze da noite não admitem mais obituários nem anúncios nem mais nada no *La Prensa*. Que horas são?

Precipitou-se para um transeunte para perguntar, mas não tinha relógio; a seguir, parou um casal. Onze e dez, disse a mulher.

— O obituário da portuguesa, *damn it*, meu pai vai me matar se não for publicado amanhã, mas já não vão atender ao telefone, certeza — rosnou, encadeando frases a um ritmo arrebatado. — Tenho que descer a Canal Street, ir ao jornal, importam-se de subir sozinhas até a Catorze? Estamos perto, não vão levar mais de...

— Fidel, esse negócio de anúncios e obituários — interrompeu Mona, duvidosa —, como funciona?

Todo o acontecido nas últimas horas havia empurrado até o fundo de sua memória o trago amargo da casa de dona Maxi: a ratificação de que César Osorio era um cretino que lhe jurava um afeto apaixonado enquanto paralelamente pedia a mão de uma jovem aristocrata. Outro canalha, o doutor, outro homem sem escrúpulos, disposto a pisar em sua dignidade.

— Você encomenda, diz o que quer que escrevam...

— E precisa pagar na hora?

— Depende — disse ele, precipitado. — Outro dia lhe conto, agora tenho que correr.

Mona o segurou, imperiosa.

— Espere — ordenou. — Preciso que me responda agora mesmo.

O outro suspirou, resignado.

— Se você é alguém que eles não conhecem, uma pessoa qualquer que deseja sem mais nem menos um anúncio, um aviso ou um obituário, acho que sim, que tem que pagar em *cash*. Nós, porém, como somos clientes fixos, não pagamos nada na hora, eles passam a conta no fim do mês.

— E você... você... você, Fidel — gaguejou Mona. — Você poderia fazer uma coisa por mim?

Ela contou o que lhe havia acabado de ocorrer, o filho do agente funerário coçou atrás da orelha com fúria: fazia isso sempre que as coisas se complicavam.

— Como dizem os espanhóis, *me metes en un lío de cien pares de cojones*. Assim você me complica.

— Sei, mas é importante para mim. Importante de verdade.

Estava mentindo, porque não, não era. Não era importante nem urgente; não ia acontecer nada se Mona engolisse seu desengano e sua humilhação, se deixasse que o tempo aplacasse a decepção causada por saber que o doutorzinho, tão solícito e tão atencioso como parecia, jogava em duas frentes, sem-vergonha. A modo de réplica, a ideia espontânea era apenas um fugaz ressarcimento contra a déspota madrinha e o covarde afilhado. Não tinha meios para se defender, mas era claro como água que não queria tornar a ver nenhum dos dois na vida. E Fidel, sem saber, havia acendido nela uma pequena chama, uma ideia imprevista para arrancar depressa o espinho daquele desprezo.

Suspirando fundo, o filho do agente funerário tirou do bolso da camisa uma cadernetinha e um pedaço de lápis roído.

— Diga depressa o que quer que escrevam.

CAPÍTULO 100

A noite foi longa e triste. Esperaram primeiro que Remedios adormecesse; então, tiraram Victoria da cama. Abrigadas as três como alfinetes na costura dentro do pequeno banheiro, em sussurros para não acordar a mãe, informaram-na do acontecido no escritório de irmã Lito, do posterior encontro entre o advogado e o sobrinho de Mazza e de como decidiram irromper em seu domicílio em busca da pasta com os documentos e o processo. Por último, escolhendo com cuidado as palavras para não machucar mais que o necessário, narraram o que Fidel encontrou ali, no fundo de um armário, e o fato coincidente, como depois ele mesmo confirmou em edições anteriores do *La Prensa*, de que na mesma fonte da mesma praça foi onde jogaram o cadáver de Barona.

A reação de Victoria não foi nem um pranto caudaloso nem um grito desesperado. Com seus belos olhos secos, um ricto de dureza e a voz rouca, apenas murmurou cinco palavras:

— Isso não pode ficar assim.

Pela primeira vez desde que o mundo delas virou de ponta-cabeça, as três despiram a alma sem blindagens e inventariaram a raiva que carregavam por dentro. Todas juntas recordaram, avaliaram; do avesso e do direito revisaram um a um os agravos e vilanias, a dor indevida, o sofrimento desnecessário. Mal conseguiram pegar no sono no fim da madrugada, quando nas fábricas e nas docas se ouviam as primeiras sirenes. Mal descansaram e cedo, como todos os dias, já estavam em pé. Lúcidas, seguras, firmes: as três sabiam o que fazer.

Luz partiu para a lavanderia com a aparência monótona de cada manhã.

Victoria fingiu se sentar, cansada, para costurar o enésimo pedido de punhos e golas.

Só Mona alterou a rotina: ela cuidaria de tudo que seria necessário.

— Vai chegar atrasada à casa de dona Maxi — grunhiu Remedios com as mãos mergulhadas na água com sabão da pia.

— Esse trabalho acabou, mãe. Hoje tenho outras coisas para fazer.

Sem mais explicações, saiu batendo a porta.

Primeiro, tentou localizá-lo no St. Moritz ligando do telefone de um lugar que servia café da manhã para escriturários ao lado do Banco de Lago, mas não o encontrou. Então, desceu para o *subway*, o trajeto foi longo como uma noite de inverno, bem mais de cem ruas teve que subir até chegar a Washington Heights.

Tentou não se deixar apavorar pela gigantesca envergadura do Columbia-Presbyterian Medical Center, perguntou como bem pôde, deu voltas e reconduziu os passos. Depois de errar quatro ou cinco vezes, conseguiu encontrar a entrada correta para o Harkness Pavillion.

— *Please the room of mister Alfonso de Borbón* — solicitou em seu inglês agreste.

De nada lhe serviu a insistência, as súplicas ou erguer a voz: como era natural, os funcionários lhe impediram a passagem sem contemplações. Todos pareciam nervosos, expectantes, reticentes a distrair a atenção com questões menores. Já era quase meio-dia e o desânimo começou a oprimir Mona. Ao cansaço da noite meio em claro somavam-se as sensações atribuladas do dia anterior, e a tudo isso as dúvidas, o pensar se aquilo que havia combinado com suas irmãs não seria mais que outro monstruoso desatino. Desanimada e exausta, sentou-se em um degrau de granito em frente à entrada, protegendo-se sob uma marquise do sol cru daquele meio-dia de início de verão, com os braços ao redor dos joelhos e a cabeça encaixada entre eles.

Os motores dos carros a tiraram do isolamento, ergueu o rosto. O da frente e o de trás eram da polícia, o diferente era o do meio. Negro e lustroso, opulento, enorme. Abriram-se as portas da frente, o motorista e o passageiro saíram depressa para ajudar a ocupante do banco de trás a descer.

A primeira coisa que Mona viu dela foram os sapatos forrados de cetim vermelho ao pisar a calçada, depois os tornozelos sólidos envolvidos em finas meias de seda e o barrado de um sofisticado casaco de verão. Ao sair por completo Mona foi impactada por sua estatura, pela solenidade de seu porte, pelas maravilhosas pérolas que levava ao pescoço e pelo par de imensos olhos azuis sob a aba do elegante chapéu.

Oito ou nove homens haviam descido simultaneamente dos outros veículos, alguns de uniforme, outros à paisana; do pavilhão saíram outros tantos responsáveis pelo hospital com o doutor Valentí Mestre à frente. Na calçada formou-se, de súbito, um pequeno tumulto de homens que a cercaram com gestos deferentes. Madame, senhora, *her majesty*, alteza...

— O que está fazendo aqui, Mona?

A voz desconcertada a tirou do encanto; continuava sentada no degrau, levantou-se de um pulo. Ali estava Tony, parte da comitiva que acompanhava a régia dama. Algo ao vê-lo explodiu dentro dela. Mais penteado que outras vezes, usava um terno diferente, com mais elegância que os de costume. Igualmente magro, os olhos verdes alertas e uma expressão de estupor no rosto.

— É a mãe do conde? — murmurou ela. — A rainha?

Chegaram outros carros, ouviu-se o rangido dos freios, ficaram mal estacionados. Tornaram a se abrir portas e saíram à rua outros homens, menos formais, com mais descaro: fotógrafos com as câmeras erguidas e repórteres que lançavam perguntas insidiosas sobre o rei deposto, a cubana, o divórcio e a renúncia, o sangue, os irmãos, a família...

Em meio ao tumulto crescente, Tony assentiu enquanto hesitava, sem saber se continuava falando com a mulher a quem tanto ansiara ter por perto ou se se livrava dela e cumpria sua responsabilidade como secretário informal, ou assistente, ou o que quer que fosse do ex-príncipe das Astúrias. A mãe deste, que durante um quarto de século fora rainha da Espanha, havia acabado de desembarcar do *Conte di Savoia* depois de uma travessia de seis dias partindo do Mediterrâneo. Ele deveria estar ao seu lado para blindá-la dos repórteres que a acossavam, ajudá-la a entrar para que visse seu primogênito o antes possível.

No rosto do *bolitero*, Mona percebeu um rastro de tensão que ela não conhecia; parecia nervoso, cansado. Indiferente aos protocolos e formalidades que contornavam a excelsa dama, aos gritos exigentes do pessoal da imprensa e aos funcionários do hospital, aturdidos perante o bulício, Mona avançou para ele até chegar a uma proximidade perturbadora.

— Vim falar com você, Tony; preciso de você esta noite.

Ficou na ponta dos pés até chegar ao ouvido dele; sussurrou umas palavras.

Ele, estupefato, franziu o cenho.

— *Tony, right here!* — ouviu a distância.

Alguém o chamava, o tumulto dos jornalistas era cada vez mais tronante. Fale-nos de seu marido, madame! Vai voltar para o rei, senhora? Edelmira também veio de Havana ver seu filho? Contrariada, escudada pelos homens que a protegiam, dona Victoria Eugenia abria caminho para dentro do hospital.

— Encontramo-nos às nove na taberna de Al — concluiu Mona em meio ao tumulto. Então, cravou seus olhos nele, tão fundos, tão escuros. — Pelo que você mais ama neste mundo, Tony, não nos deixe na mão.

Ele continuava impressionado quando Mona pegou sua mão.

— E diga ao conde — sussurrou em voz baixa, apertando a mão dele — que fico feliz por ele estar melhorando.

CAPÍTULO 101

Chano foi à Catorze nessa tarde e, como sempre, ficou plantado na porta do edifício; estava ali havia alguns minutos quando se dirigiram a ele sem prolegômenos:

— Victoria precisa falar com você.

Olhou-as aturdido, como se houvesse sido jogado contra as cordas com um soco de esquerda brutal.

— Espere-a no Al às oito e meia.

Nenhuma delas jamais havia entrado no Al's Tavern, apesar de serem quase vizinhas. As mulheres de seu mundo não frequentavam tabernas. Mas sabiam que aquele estabelecimento havia se transformado no quartel-general do filho de Barona desde que, a partir da morte do pai, ele fazia tão cotidiana quanto inutilmente suas visitas ao bairro em busca da Arenas mais velha. A escolha do boxeador tinha sua razão de ser: todo mundo se conhecia na cantina da La Nacional e nos cafés e bares espanhóis, neles não teria sido mais que o filho do tabaqueiro assassinado, o boxeador sem futuro que por alguma razão incerta agora andava por ali como uma alma penada. Naquele local escuro e silencioso, propriedade de um escocês, um lugar que a colônia quase não frequentava, Chano havia encontrado se não o anonimato, pelo menos um refúgio longe dos pêsames, das compaixões e dos olhos curiosos. E elas, empenhadas em passar despercebidas, para aquela noite também escolheram aquele lugar como ponto de encontro.

Só faltava se livrarem da mãe; para isso, como tantas outras vezes, recorreram à vizinha.

— Peça-lhe que durma esta noite com a senhora em sua casa; invente qualquer coisa, que precisa de companhia porque tem pesadelos, ou cólica, ou que está mal dos nervos. Mas chame-a, dona Milagros, livre-nos dela até amanhã de manhã, pelo que lhe for mais sagrado.

A galega pousou sobre elas um longo olhar com seu único olho bom, com pensamentos indecifráveis por entre as rugas. Nos rostos suplicantes que tinha a sua frente teve dificuldade para reconhecer as jovens rebeldes e barulhentas com quem tantas discussões havia tido nas primeiras semanas, quando desafiavam tudo com um frescor insolente e ainda ignoravam em que medida o curso canalha das coisas iria mudar seu porvir. À base de bofetadas, de dissabores, de fraturas e perdas, haviam se integrado à cidade e se tornado mulheres; agora, pediam-lhe uma mão, sem dar explicações. Não perguntou a razão, já tinha suas suspeitas, e inclusive achava bom.

— Digam que desça para me buscar daqui a pouco, vamos passar a noite na Casa María com irmã Lito.

— Ontem estivemos lá com ela.

O tom de Luz expressava o espanto que lhes causou vê-la. A idosa também estrangulou a voz até transformá-la em quase um sussurro:

— Ela está definhando, não quero que morra sozinha.

Dentro do apartamento, à espera, acomodaram-se em uma calma tão cotidiana quanto fictícia. Continuavam no meio da cozinha as ferramentas de trabalho e as caixas cheias de peças já montadas e para montar, o ambiente sossegado, o mesmo transcorrer mortiço de todos os dias.

Remedios aceitou sem queixas o convite de dona Milagros para velar o sono terminal da freira; antes de ir deixarei o jantar pronto, disse apenas. Começou a descascar batatas e a bater ovos para fazer a *tortilla* que ilusoriamente pensou que elas comeriam. Nenhuma delas teria conseguido enfiar nem uma mordida no estômago, mas contrariá-la não ia levar a nada, de modo que também não a detiveram.

Enquanto ecoava pelos aposentos estreitos o barulho do garfo contra a borda de louça de um prato fundo, Victoria, trancada no banheiro, olhou-se no espelho rachado sob a luz da lâmpada amarelada. Olhou-se sem se ver, no entanto; não notou as olheiras escuras sob os olhos, nem o rosto anguloso e ossudo porque tinha um nó permanente nas entranhas. Contemplou-se apenas para sentir a companhia de seu próprio reflexo, enquanto engolia ar a grandes bocados e pela enésima vez repetia a si mesma que ia reencontrar Chano e se perguntava aonde as levaria aquilo que estavam prestes a fazer.

Na porta de entrada ecoaram golpes cautos. Não os ouviram nem Remedios colada a seu fogão, nem Victoria vertida sobre sua inquietude, mas Mona e Luz, alertas como estavam, foram abrir imediatamente.

— Tudo pronto? — perguntaram a Fidel em um sussurro, com a porta entreaberta.

— Quase, só falta chamar o táxi; não demoro.

Passara o dia inteiro driblando o pai e se esquivando de obrigações enquanto tentava localizar o lugar mais apropriado para o que pediram. Saltando por sua teia de conhecidos, informou-se, consultou e comprovou até esclarecer tudo.

— Tente se apressar, ande.

Estavam prestes a fechar a porta quando ele se lembrou de algo:

— Um momento! Trouxe isto também, Mona.

Do bolso, tirou um exemplar do *La Prensa* enrolado como um tubo. Ela o sacudiu e virou as páginas com avidez.

O próprio empregado da gráfica se encarregara de acrescentar a frase habitual "Rogai a Deus pela alma da falecida".

Rogad a Dios por el alma de la difunta

DOÑA MAXIMA OSORIO,

fallecida a causa de una infección en la lengua
provocada por una enfermedad maligna
de su enfermo corazón.

Um amargo meio sorriso surgiu na boca de Mona.

— E o anúncio?

— Está na seção de notas da colônia. Aí está, na página sete; no final da coluna, leia.

NOTAS DE LA COLONIA

El doctor don César Osorio

anuncia que cancela la pedida de mano
de la señorita Nena de la Mata,
hija de la marquesa de La Vega Real,
prevista para este viernes,
por no sentirse lo suficientemente hombre
como para asumir tal compromiso.

Poderia ter soltado uma gargalhada, no entanto, uma onda de melancolia percorreu a pele de Mona.

— Não sei quem é essa gente nem o que você tem a ver com eles, mas acho que arrumamos uma bela confusão — acrescentou Fidel. — Hoje de manhã, ligaram pedindo explicações, exigindo respeito e cabeças. O diretor está furioso, e parece que o linotipista vai arrancar os cabelos...

— E você, o que disse?

— Que respeito a confidencialidade de nossos clientes; eu me fiz passar por meu pai, eles o respeitam mais que a mim.

Fidel, fiel como seu nome, embora Mona não entendesse de latim. A lealdade do rapaz era enternecedora. Assim como havia sido seu cúmplice no desastroso negócio do *night club*, agora se prestara a inserir os disparates dela no jornal e se juntara às cegas à nova conspiração das irmãs. A qualquer coisa que elas propusessem teria dito amém. Muitos no bairro o consideravam um pobre-diabo, um infeliz controlado pelo pai, com ideias malucas em uma cabeça vazia. Para elas, mesmo com sua candura, sua bufonaria e suas extravagâncias, a essa altura havia se transformado no mais próximo do irmão que nunca tiveram. Talvez aquele Jesusito cuja morte prematura arrasou o ânimo de sua mãe para sempre poderia ter chegado a ser alguém parecido com ele.

Mona enrolou o jornal lentamente de novo, pensativa. Respeito, Fidel havia dito que exigiam, e a palavra retumbou em seus ouvidos. Respeito era o que nem a madrinha nem o afilhado tiveram para com ela, uma com sua tirania e sua arrogância, o outro com seu galanteio enganoso. A vingança de Mona havia sido minúscula em comparação: servi-los de bandeja aos fofoqueiros da sociedade, fazê-los morrer de vergonha. Não era grande coisa, certamente, mas pelo menos havia servido a Mona para arrancar a ponta do espinho.

Quando as oito páginas do jornal estavam encolhidas de novo em um cilindro, ela as retorceu com força entre os dedos.

— Depressa, Fidel; acabe o que falta, daqui a pouco nos vemos.

CAPÍTULO 102

As três vestiam-se de escuro. Não de luto exatamente, mas de tons sombrios. Havia poucos clientes na parte da frente da taberna, seis ou sete homens solitários bebendo com desesperança, virando seus copos. Tão silentes e sorrateiras elas entraram que quase ninguém percebeu sua chegada. Luzes fracas, pulso calmo de fim do dia. De costas, o proprietário escocês organizava as garrafas de bebida com um avental branco amarrado abaixo de sua barriga volumosa.

Avançaram para o fundo, a serragem que cobria o chão amorteceu seus passos. Ao vê-las se aproximarem, Chano se levantou do banquinho. Diante dele, intocada no balcão, ficou sua segunda cerveja.

Mona e Luz optaram por ficar na retaguarda e deixar sua irmã mais velha fazer o resto do caminho sozinha. Enquanto isso, ele se limitou a contemplá-la.

Havia perdido peso e seu cabelo havia crescido desde que o cortou, antes do casamento; agora lhe chegava aos ombros. Lavou-o nessa mesma tarde na tentativa de empurrar o tempo para a frente e evitar que o desânimo a corroesse, ainda estava com as pontas úmidas. Além de seu cabelo escuro, nada brilhava nela: nem o rosto transfigurado, nem os grandes olhos carregados de pesar. Ainda assim, para Chano, não podia haver um ser mais atraente sobre a face da Terra.

Apenas um breve espaço os separava, os dois ficaram parados, indecisos. O boxeador foi o primeiro a afastar os braços do corpo; ela deu um passo, outro passo, devagar. Até que seus corpos se roçaram, se reconheceram e se encaixaram em um abraço, os finos ossos dela abrigados pela fibra musculosa do filho daquele que fora seu marido. Não houve beijos nem urgências carnais, nenhum dos dois sentiu desejo. Apenas se fundiram pele com pele, como dois círios de cera quente enquanto as lágrimas lhes apertavam a garganta.

Acabaram se sentando os quatro em uma espécie de cubículo: dois bancos de madeira com encostos altos separados por uma mesa. Victoria e Chano de um lado, ainda assimilando a emoção agridoce do reencontro. Mona e Luz em frente.

— Sabemos quem matou seu pai.

O rosto do boxeador se contorceu em uma careta; por debaixo da mesa, Victoria pegou sua mão enquanto Mona prosseguia.

— Foi o mesmo cretino que destruiu nosso restaurante. Sabemos também onde vive e com quem, como se locomove, onde guarda o carro.

Em poucas pinceladas informou-lhe tudo enquanto ele mantinha o horror e o desconcerto entre as cicatrizes que lhe percorriam o rosto.

— Decidimos que isso não pode ficar assim. Pelo que fez a nós, por ter acabado com a vida dele, por ter pisoteado irmã Lito dessa maneira. De modo que pensamos em agir.

Só havia um qualificativo para o plano que Mona lhe detalhou: demente. Uma maquinação absurda com montes de possibilidades de que se desviasse e lhes escapasse das mãos. Um desatino com consequências pavorosas se algo desse errado.

Incapaz de assimilar de imediato, levantar-se foi a reação de Chano.

— Acho que preciso de um trago.

Estava levantando seu corpo grande para ir até o balcão quando Tony entrou no local. Da porta, olhou para um lado e para o outro; restavam quatro ou cinco fregueses. Não conseguiu vê-las, resguardadas no cubículo de madeira. Mas distinguiu o filho de Barona ao fundo, levantando-se do banco, e para lá se dirigiu com seus passos elásticos.

Mona sentiu um alívio nervoso nas entranhas, mesclado com outras sensações para as quais não tinha nome. O relógio na parede atrás do balcão marcava oito e cinquenta e cinco; inclusive, estava adiantado. Então, esticou o pescoço para ver o que ele tinha nas mãos e seu princípio de euforia explodiu como um balão espetado: estavam vazias. Uma estava no bolso da calça, a outra usou para cumprimentar Chano em um abraço fugaz. Para sua contrariedade, apesar do pedido que ela lhe fez, não levava nada.

— Já deixou a rainha? — perguntou a modo de cumprimento.

Para ganhar tempo, para que sua decepção não se notasse.

Sem responder, Tony pegou uma cadeira e a arrastou até a mesa.

— Alguém me conte que loucura é essa.

Chano se aproximou com dois pequenos copos de uísque e os apoiou com golpes secos contra a madeira da mesa, nenhuma das irmãs quis beber nada. Disse algo, então, em um inglês que elas não entenderam, mas a expressão de Tony em resposta foi eloquente: o que havia escutado não era agradável, nem positivo, nem bom.

A aspereza de Mona os interrompeu:

— Façam o favor de falar em *cristiano*.

Imediatamente mordeu a língua: aquela era uma expressão de dona Maxi, e não gostava dela. E além disso, ela não era ninguém para exigir nada deles. As irmãs mantinham inquebrantável a decisão que haviam tomado na madrugada anterior trancadas dentro do banheiro; se eles optassem por ajudá-las e tudo pudesse ser feito nessa mesma noite, perfeito. Caso contrário, elas se virariam sozinhas. Esperariam, continuavam tendo Fidel a seu lado; de um modo ou de outro obteriam cedo ou tarde o que necessitavam.

Tony manteve o semblante contraído, não havia nele sinal da simpatia leve de outros momentos. Dessa vez, falou em seu espanhol com sotaque cubano, para que ficasse bem claro.

— Vocês enlouqueceram de vez.

— Temos razões de sobra.

— Vocês não fazem ideia de onde estão se metendo.

— Já pensamos em tudo.

O diálogo ia e vinha entre Mona e Tony, ambos rápidos como lançadores de facas; os outros se limitavam a escutar, atentos. Victoria mordia o lábio, Luz ficava cada vez mais nervosa, Chano aguardava prudente, ainda digerindo a proposta e seu alcance. Ainda assim, não havia dito que não. Nem diria.

— Ninguém o obriga a nos ajudar.

— Você foi me procurar.

— Achei que estava conosco.

— Mas há outras maneiras.

— Certamente. Mas essa é a que escolhemos. E se você não aceita, é melhor ir embora.

Tony puxou o ar com força. Sim, sem dúvida, isso seria melhor. Ir embora. Esquecer essa rua Catorze e aquela família de mulheres perturbadoras; voltar ao St. Moritz, onde agora vivia hospedado cuidando dia e noite dos assuntos de Covadonga, longe de seu apartamento capenga no Queens, longe das ruas e das loterias clandestinas, das apostas, dos bares e dos amigos. Isso seria, de fato, o mais sensato: que voltasse a sua nova bolha de formalidades e protocolos, relatórios clínicos detalhados, cabogramas à Europa e ovos *poché* com talheres de prata no café da manhã.

— Mas achei que você aceitaria pelo menos por Luciano.

Ele a fitou longamente.

— Com todo o respeito pela memória do amigo de meu pai e pai de meu amigo — disse, apontando para Chano —, nem mesmo por ele eu me meteria nessa loucura.

Então, esvaziou sua bebida de um gole só.

— Se me envolver, Mona, será só por você.

Desde o início ele sabia que não poderia se negar; sentia-se atraído demais por aquela mulher que nesse mesmo instante havia apagado de seu rosto a expressão de ousadia indômita para transformá-la em outra de deslumbramento. Desde que a viu, nessa mesma manhã, sentada em um degrau em frente à entrada do pavilhão hospitalar, soube que não havia saída; desde que a contemplou com os joelhos nus entre os braços, sozinha e diferente como um dia luminoso no meio do inverno, audaz, resoluta, linda, alheia àquele inflexível universo de requerimentos clínicos e responsabilidades de terceiros ao qual a vida chocantemente o havia empurrado.

— Estou com o carro de Covadonga ali fora, com o que você me pediu dentro.

CAPÍTULO 103

O telefone tocou insistentemente em uma mesa de canto do escritório, até que Tomasso foi atender dando trombadas pelo corredor.

— *Hello?*

— Quero falar com o advogado Mazza.

A voz que soava em inglês do outro lado da linha era de Chano; ele conhecia melhor que ninguém a maneira de falar do lugar de onde supostamente telefonava; afinal de contas, foi criado ali. E dali ligava.

— *Who's calling?* Quem quer falar?

O relógio na estante marcava meia-noite e cinquenta, ao seu lado acabava de parar seu tio, também atordoado pela chamada intempestiva. Com seu cabelo engordurado e revirado, camiseta regata e calça de pijama listrada, franzia o cenho com uma expressão intrigada e coçava a virilha. Emaranhada no meio dos pelos do peito assomava uma corrente de ouro com seu crucifixo.

— Houve um acidente. Chame-o, por favor.

— *Wait a second.*

Duvidoso ainda, Tomasso lhe estendeu o fone.

Fidel havia passado a tarde coletando a informação que Chano estava prestes a passar; acabaram de desenvolver o roteiro na taberna de Al, enquanto o proprietário enxaguava os últimos copos e os últimos clientes iam embora solitários.

Havia ocorrido um sério percalço nessa noite nas docas da Norwegian America Line, no Brooklyn, contou Chano. Estavam ligando do telefone público do Montero, um bar portuário propriedade de um galego, próximo a sua casa na Atlantic Avenue, que frequentemente ficava aberto a noite inteira; os outros, espremidos ao seu redor, escutavam-no prendendo a respiração. Foi por causa de uma manobra malfeita e fora de hora, acrescentou em tom seco. Um vigia noturno ficou gravemente ferido, foi levado ao hospital luterano, sem sentidos e sangrando demais. Eu sou outro vigia, não me deixaram ir com ele, também não avisaram a família, um colega me disse para avisar o senhor... Temperou a narração com pitadas de palavras coloquiais e expressões próprias da gente das docas; afinal de contas, eram multidão no Brooklyn, a família Barona sempre viveu perto do *waterfront* e estava farto de ouvi-las.

Nada do que escutou pareceu inverossímil ao advogado, tudo correspondia a seu modo comum de agir: mantendo bem engraxada uma corrente de informantes, havia conseguido alguns de seus melhores clientes. Não eram muitos, era verdade. Mas um punhado discreto, embora para o filho da mãe do velho nunca parecessem suficientes. O estranho era que o chamassem a essa hora; normalmente, avisavam-no quando o pessoal já estava em seu posto de trabalho, quando começava a estiva e as demais manobras e operações e havia mais possibilidades de acidentes. Mas as coisas não andavam para perder tempo com desconfianças, e, além do mais, o sujeito havia dito claramente que se tratava de um vigia noturno, de modo que lançou um gesto imperioso a Tomasso para que anotasse.

— Diga-me o nome do acidentado.

— Paulo Ferrara, é português.

Não precisou espremer demais o cérebro, era o nome de um colega seu da *Secondary School*.

— E em que doca do Brooklyn fica exatamente a Norwegian?

— Na nove, senhor.

— Endereço do sinistrado?

— Perdão?

— Endereço do homem que sofreu o acidente.

— Ah, desculpe. *Fuck*, em algum lugar do... do... do South Brooklyn, não sei o endereço exato.

— Tudo bem, não importa, nós o localizaremos. Mais uma coisa.

— Tenho que desligar, estão me, estão me...

— Identifique-se antes, por favor.

O que Mazza ouviu a seguir foi um assobio intermitente que atravessava seu tímpano. O fone bateu no chão quando o deixou cair, furioso, nem se incomodou em devolvê-lo ao gancho. Brooklyn *piers*, Norwegian America Line, Brooklyn *piers*. Os nomes se repetiam em sua cabeça, seu sono havia se desvanecido por completo, tudo era concentração agora. Sabia que as docas do Brooklyn estavam sob a tutela dos Gambino, que Emil Camarda também controlava por ali, que Anthony Anastasio presidia com mão dura o sindicato dos estivadores. Hesitou, pensou que talvez devesse telefonar a seu velho tio e lhe pedir conselho para evitar ingerências das quais depois poderia se arrepender; ele não costumava operar do outro lado do rio, embora mantivesse suas redes estendidas por ali, por via das dúvidas. Continuava hesitando, tornou a coçar a virilha, depois os pelos do peitoral, depois o sovaco esquerdo.

— Tomasso! — gritou por fim, quando o anseio e a ambição cega acabaram ganhando a disputa. — Vista-se, vamos sair!

Em alguns minutos estavam prontos, mal asseados e com as mesmas roupas amassadas e suadas do dia anterior. Antes de fechar a porta, deu um tapa no ombro do sobrinho e indicou a mesa.

— Pegue-a e leve-a no porta-luvas. Por via das dúvidas.

Nem uma alma andava pela rua quando saíram, não havia locais de entretenimento nem espetáculos por perto. Foram recebidos apenas pela silhueta imponente da igreja, pelos gritos de dois bêbados que brigavam no parque e por algum veículo isolado. Caminharam até o terreno, entraram no Chevrolet Six, Tomasso foi ligar o carro. Mas não houve jeito. *Holy shit!*, rosnou Mazza. Tentou outra vez, sem sorte, nem na terceira. Nem na quarta. Depois de uma catarata de insultos e impropérios por parte do tio, ambos saíram do carro. Tomasso levantou a tampa do motor e contemplou suas entranhas, aturdido. Só chegava a tênue luz de um poste ao terreno, não havia como saber o que estava acontecendo.

— Precisam de uma mão?

Ambos se viraram: ao perceber suas silhuetas inclinadas sobre o mecanismo, um táxi havia acabado de parar à altura deles. O motorista gritava afável por trás da janela aberta; a modo de resposta, Mazza fez um gesto imperioso para que se aproximasse. Claro que precisavam de ajuda, imbecil, claro que sim.

Como nenhum dos dois conhecia Tony Carreño, nem lhes passou pela cabeça que aquele sujeito alto e magro que nesse momento deixou o veículo estacionado no meio-fio e adentrou decidido o terreno não fosse um taxista profissional, e sim um *bolitero* transformado em secretário de um ex-príncipe doente. O empréstimo do táxi fora Fidel quem arranjou, outro de seus recursos.

Tony cumprimentou tio e sobrinho com uma palmada rápida nas costas e, a seguir, afundou o rosto até colá-lo ao motor. Farejou, introduziu as mãos, mexeu em cabos e velas murmurando. Como os italianos poderiam imaginar que ele mesmo, apenas um pouco antes, havia se encarregado de realizar o estrago que agora fingia querer arrumar? Depois de fuçar por longos minutos, sua última manobra consistiu em erguer um pedaço de algo inominável entre o polegar e indicador.

— Receio que esta noite não vão poder ir a lugar nenhum, amigos. Isto precisa de um mecânico especializado, vai ter que trocar a peça, e não pensem que...

— Leve-nos o senhor, então — cortou Mazza. — Temos que ir ao Brooklyn, doca nove.

O suposto taxista fingiu pensar, mas a realidade era que estava dedicando alguns segundos a avaliar com quem estava lidando. Dois sujeitos comuns, morenos, meio suados, vestidos correndo, com barba incipiente, preta e áspera no queixo. Não pareciam muito fortes, mas o fundamental era saber se estavam armados. Um movimento no braço direito do advogado o levou a ficar em guarda.

— Pago adiantado, o dobro da tarifa, se for necessário. É uma emergência.

Uma corrente de alívio percorreu a coluna de Tony quando percebeu que o gesto de Mazza destinava-se simplesmente a pegar a carteira.

— *Okay*. Nesse caso, entrem.

— Ao Brooklyn, então — murmurou Mazza. — E voando.

CAPÍTULO 104

Os outros aguardavam em uma doca praticamente encaixada sob a cabeceira da ponte; haviam chegado até ali no carro do conde de Covadonga, com Chano ao volante. Diante deles, as águas negras do East River e o imponente perfil luminoso de Manhattan, milhares de luzes que brilhavam como estrelas terrenas no meio da noite.

Na realidade, a história da Norwegian America Line não era mais que uma mentira: nem a companhia de navegação norueguesa tinha um navio atracado ali nessa noite, nem havia acontecido acidente nenhum em seu píer. Perguntando cá e lá entre conhecidos de confiança, no entanto, Fidel soube que aquela doca estava quase inativa havia alguns dias, o movimento de gente e mercadoria entre Nova York e a península escandinava não era muito intenso ultimamente.

Os faróis do táxi iluminaram a esplanada vazia enquanto os pneus rangiam sobre os pedregulhos; eles esperavam em um flanco, fora de vista, com a respiração presa e as costas apertadas contra as tábuas de madeira de um hangar.

A solidão do entorno imediatamente deixou Mazza e Tomasso desconfiados: assim que a perceberam, enrijeceram o corpo enquanto seus olhares ansiosos ultrapassavam os vidros e rebotavam contra o negrume da madrugada. Tony havia tentado mantê-los distraídos durante o trajeto, soltando trivialidades que mal tiveram réplica. Não, o advogado e o sobrinho não eram gente incauta, apenas haviam sido pegos com a guarda baixa e caído na rede como dois peixinhos. Não, não estavam acostumados a confiar nem na mãe. Por isso, assim que perceberam a calma densa do lugar, suspeitaram que havia algo estranho ali.

Mal tiveram oportunidade de reagir, no entanto. Duas silhuetas escuras haviam acabado de se lançar sobre as portas traseiras, abrindo-as simultaneamente:

— *Hands up. Get out.*

Eram Chano e Fidel, cada um apontando uma arma. Como reforço, do banco dianteiro Tony se voltou para os italianos apontando uma terceira.

Foi aquilo que Mona pedira a Tony nessa mesma manhã, sussurrando em seu ouvido em frente à porta do hospital. Três pistolas. O resto do dia o *bolitero* passou batalhando com suas dúvidas, debatendo-se entre ceder e se tornar cúmplice ou se recusar categoricamente e perder a confiança dela para sempre. Atentando contra a prudência e o bom senso, acabou ganhando a primeira opção, não foi capaz de se negar. E, por isso, nessa tarde, depois de deixar o conde em seu pavilhão hospitalar e a mãe e ex-rainha no Plaza, dirigira-se mais uma vez ao agiota sefardita.

Preciso de três pistolas, meu amigo. Amanhã as devolvo, juro. Ao se despedir, o velho não sorriu com sua ironia asmática nem lhe disse adeus em seu espanhol cadencioso e antigo, simplesmente o advertiu, sombrio: *be careful, young man*. Tome muito cuidado, e *que el Dió te avilumbre*. Que Deus o ilumine, queria dizer.

Mazza e Tomasso não os enfrentaram. O primeiro desceu do carro respirando pelo nariz como um cavalo enquanto erguia as mãos, contendo a raiva ao se perceber vítima de uma emboscada. O segundo saiu encolhido do carro, a cabeça afundada entre os ombros, como se quisesse se tornar ainda menor e mais insignificante do que já era.

Antes, durante a espera, Chano havia aberto com um pontapé o cadeado de um pequeno galpão próximo. Rolos de corda e sacos, velhas balizas, ganchos enferrujados e pedaços de correntes era o que havia dentro. Apontando para eles pelas costas, levaram-nos para lá com os braços para cima.

Haviam acendido um velho lampião que pendia de um prego; essa era a única luz. Uma vez dentro, empurraram-nos sem contemplações contra a parede do fundo, obrigaram-nos a apoiar as costas contra a madeira e a presenciar como, em questão de segundos, as pistolas mudavam de mãos.

Então, Mazza arregalou os olhos com estupor; um estremecimento congelante percorreu sua espinha dorsal. Ao seu lado, Tomasso permanecia impávido.

As irmãs espanholas, as filhas do morto, as belas morenas a quem ele mesmo havia acossado, fustigado, ameaçado e agredido por não se submeterem a suas intenções, estavam agora apontando armas para eles a apenas alguns passos de distância. Apontando para o peito, a cabeça, a virilha. Não estava totalmente claro para onde dirigiam as armas; certamente era a primeira vez na vida que seguravam uma pistola, deviam ter uma pontaria péssima, seus braços magros mal suportariam o peso. Mas ali estavam as três com os olhos brilhantes e o cenho franzido à luz do lampião, machucadas, mas firmes, exalando desprezo, rancor e ousadia, compondo uma estampa linda e assustadoramente sinistra. E a uma distância tão curta que, apesar de sua imperícia, difícil seria que os tiros, se chegassem, não os atingissem em cheio.

As pernas do advogado começaram a tremer quando recordou em catarata suas coações e ameaças, a destruição sanguinária do negócio, o tabaqueiro morto sobre seu próprio corpo, a trama para que a freira lhe passasse o caso mediante um laranja. Tudo fazia sentido, pensou com uma fria lucidez. Muito a seu pesar, tudo se encaixava.

O primeiro soco de Chano o pegou emaranhado naqueles pensamentos, enquanto adquiria consciência do que estava enfrentando. Sem oportunidade de tentar se defender, o soco quebrou sua mandíbula e lhe arrancou três ou quatro dentes. Não tivera tempo de se perguntar, arfando, quem era aquele animal quando o segundo soco de direita arrebentou seu nariz. Boqueava como um porco no momento em que o terceiro golpe esmagou seu olho esquerdo contra o crânio.

Mal enxergava, mal respirava, sentia a boca cheia de sangue grosso. Seu cérebro aturdido era incapaz de continuar pensando em quem seria aquele animal. Mas não fazia diferença, pois, no fundo, eram tantos os que tinham justificativas para desejar que ardesse no inferno. Inclusive os que não estavam presentes, como a freira briguenta que a essa hora agonizava com uma machadada no meio do coração. Ou como o bom Emilio Arenas, cuja patética morte desencadeou toda aquela longa réstia de desencontros.

Havia acabado com a aspiração de Fidel de se tornar um artista: no ataque ao Las Hijas del Capitán não só arderam os discos de Gardel, como também os anseios do rapaz, suas ingênuas ilusões, seu sonho patético de deslumbrar Luz. Jamais teria chegado a nada no mundo do espetáculo, não era mais que um sonhador, um pobre iludido, mas pelo menos esse empenho o mantinha meio feliz. Agora, sem chão e sem projeto, não via mais futuro que os ataúdes, os círios e os obituários, um túnel negro sem claridade.

Tirou de Tony uma referência: o único humano em Nova York que se preocupou com o rumo desviado de sua trajetória em vez de incentivá-lo a continuar ganhando dinheiro fácil às custas de qualquer coisa. E, especialmente, tal como confessou veladamente a Mona na taberna, feriu-o profundamente porque também acabou com o futuro da mulher por quem estava começando a se apaixonar.

De Chano, Mazza arrancou o pai a quem traíra com sua própria mulher, e por isso sua morte lhe doía em dobro. Mesmo que vivesse um milênio e o tempo atenuasse uma a uma suas cicatrizes, jamais conseguiria fechar totalmente essa ferida.

E Victoria, Mona e Luz. Essas tinham razões de sobra.

Todos, enfim, contavam com motivos para desejar ver morto o indivíduo patético de rosto ensanguentado que tinham diante de si. Alguns eram mais crus e outros mais morais ou difusos, não importava. A questão era que ali estavam quase todos os afetados por seus últimos desaforos, convocados pelas irmãs Arenas para vê-lo cair.

Chano por fim parou de bater, por sua própria iniciativa. Havia optado por essa vingança privada e prévia e ninguém o deteve, até que ele mesmo decidiu deixá-lo. Só então obrigou Mazza a se endireitar, a ficar em pé com as costas apoiadas na parede, e se juntou a Tony na retaguarda. Tensos e alertas, na expectativa, blindando ombro a ombro as costas dessas mulheres que haviam transtornado a vida de ambos. Para o bem e para o mal, dispostos a apoiá-las até o fim.

Ao se ver incólume, o sobrinho soltou um bufo de alívio; então, o silêncio envolveu o galpão. Só se ouviam os sons guturais de Mazza soltando pela boca aos borbotões uma nojenta mistura de sangue, vômito e pedaços de dentes.

O brilho era inteiramente delas agora: elas é que deviam decidir o que fazer a seguir. As três continuavam apontando em uma direção única iluminadas pela luz fraca do lampião, com o semblante sério, sem nem uma gota de nervosismo aparente. Mas, por dentro, as dúvidas não lhes davam trégua.

Haviam tramado a fantasia de acabar com a existência do italiano, e no início não houve espaço para hesitação. Ele não era mais que um desgraçado filho da puta, não deixava viúva nem filhos, ninguém sentiria sua falta, nem mesmo o infeliz do sobrinho parecia lhe ter estima. Que Fabrizio Mazza acabasse morto tornou-se para elas uma questão de pura justiça elementar, talvez, por isso, julgaram-se invulneráveis, e em nenhum momento pensaram na própria dureza do ato em si. A noite e os homens que as amavam lhes serviriam de escudos protetores, Luciano Barona as protegeria lá de onde estivesse; era apenas questão de se manterem firmes e não se intimidarem, nada ia dar errado.

Agora, no entanto, aquela suposta couraça de segurança estava começando a rachar. Embora aquele despojo humano continuasse lhes provocando náuseas com aquele sangue escorrendo pelo rosto e os engulhos subissem até sua boca, ia crescendo nas filhas do Capitão a consciência de que não. Não, não seriam capazes. O grande filho da mãe havia acabado com a vida delas, mas lhes faltava vileza ou talvez lhes sobrasse integridade, dava no mesmo, de qualquer maneira.

Por isso, depois de alguns momentos de tensão angustiante, entreolharam-se e, sem necessidade de palavras, chegaram a um consenso.

Não, não podiam acabar com ele.

Uma mancha escura se espalhou ao redor da braguilha do italiano quando com o único olho que lhe restava inteiro percebeu que as garotas baixavam os braços lentamente. Estava mijando na calça.

Correu uma onda de alívio mudo pelo ar; Tony deu um passo à frente e estendeu as palmas das mãos para que elas depositassem as armas, Chano esfregou os nós dos dedos, aplacando a inquietude. Só Fidel ameaçou protestar, mas os outros dois o detiveram.

Então, em meio a esses brevíssimos instantes em que Mazza deixou de ser o centro de todos os olhares, foi quando seus ouvidos quase explodiram.

Giraram todos simultaneamente, contemplaram atordoados o corpo do advogado se precipitar para o chão com um tiro no meio da testa. Primeiro seus joelhos se dobraram, depois suas costas se arquearam, e, por fim, foi tombando devagar e caiu de lado.

Do cano da pistola de Tomasso ainda saíam volutas de fumaça.

Haviam esquecido que o sobrinho era mais uma vítima.

CAPÍTULO 105

Empreenderam a volta a Manhattan atravessando a ponte do Brooklyn, ainda não eram cinco da manhã, quase não cruzaram com ninguém, salvo algum veículo anônimo. Nenhum deles abriu a boca, todos levavam o olhar à frente, concentrado nas luzes majestosas que esboçavam o perfil da cidade.

Ainda não haviam começado a tocar as sirenes das oficinas e das fábricas, as lojas e os escritórios ainda não haviam aberto, circulavam poucos transportes públicos, as obras continuavam paradas. Mas Nova York tardaria pouco a despertar, em breve sete milhões de seres abririam os olhos e se levantariam. Mais de um terço era gente chegada de outros mundos, nascida em terras distantes onde se falavam outras línguas e a vida se percebia de uma maneira diferente. A fome, a incerteza, as guerras, os anseios e as inquietudes os arrastaram àquele novo mundo e agora eram parte imprescindível do tecido da cidade. Desde os primeiros holandeses que chegaram a essas costas chamando-as de Nieuw Amsterdam, "Nova Amsterdam", até as irmãs Arenas chegadas do sul da velha Espanha, Nova York havia sido um ímã ao longo dos séculos.

Ucranianos, franceses, poloneses, cubanos, ingleses, albaneses, gregos, alemães, noruegueses, italianos, irlandeses, argentinos, salvadorenhos, suecos, portugueses, porto-riquenhos, romenos, espanhóis... Todos haviam sido recebidos e, com seu esforço diário, todos haviam contribuído com um grão de areia para que a cidade continuasse funcionando bem lubrificada. Lavavam pratos, dirigiam caminhonetes, pavimentavam as ruas, fritavam frango e batatas, varriam as calçadas e descarregavam as mercadorias, serviam rios de café, subiam nos andaimes e punham tijolos nos arranha-céus, empacotavam açúcar e jogavam pás de carvão nas caldeiras, imprimiam jornais e revistas, vigiavam acessos, esfregavam pisos e escadas com brio: aquela gente fazia de tudo. E, por sua vez, criavam lares e traziam filhos ao mundo que depois encheriam as escolas, carregavam saudades e estabeleciam redes íntimas de solidariedade coletiva com seus compatriotas, prosperavam na medida em que sua audácia e seu empenho lhes permitia: alguns triunfavam, muitos conseguiam sobreviver, poucos fracassavam totalmente, alguns conseguiam voltar, outros ficavam. Quase todos davam o sangue, enfim, e voltavam todas as noites a seus humildes lares com o corpo intumescido e os pés inchados, suportando um presente duro como pedra em busca de um futuro melhor. E, às vezes, a sorte lhes sorria e em outras ocasiões lhes passava uma rasteira e punha no meio do caminho indivíduos desprezíveis como Fabrizio Mazza, cujo cadáver acabavam de deixar dentro do galpão antes de partir.

Calados ainda, os seis retinham no pensamento a imagem do morto enquanto atravessavam a ponte sobre o East River e por baixo navegavam algumas barcaças; ainda não havia começado o trânsito febril de embarcações que chegaria com o novo dia. Muito tempo haveria de passar para que a sinistra imagem se desvanecesse de sua memória.

Para espanto de todos, Tomasso acabou reagindo com uma frieza suprema. *Let's get out of here*, disse tão logo ficou evidente que a alma do advogado já vagava a caminho das trevas. Antes de partir, tirou-lhe a carteira do bolso, o relógio, o anel de pedra vermelha e a corrente com o crucifixo. O filho do agente funerário, mais por pura deformação profissional que por piedade verdadeira, agachara-se a fim de endireitar os membros do cadáver até deixá-lo em uma postura mais ou menos digna, fechou-lhe o único olho intacto e, então, o cobriu com uns sacos. Certamente tardariam vários dias para encontrá-lo, o galpão não parecia muito transitado. Além do mais, sem identificação e com o rosto destruído, o mais provável era que acabasse entre os pobres infelizes do necrotério de Bellevue, onde Barona um dia foi procurar sua sogra.

A serenidade das Arenas foi comovente. Enganaram-se ao pensar que matar um homem era simples, e seu sangue gelou ao testemunharem a reação imprevista do sobrinho, mas assumiram seus papéis de acordo e não permitiram que o pânico roesse suas entranhas. Não houve gritos, nem agitação, nem soluços desatados; mantiveram a calma e apertaram os dentes, souberam estar em seu lugar. Tony devolveu as armas à bolsa de couro do judeu, Chano se agachou para lavar as mãos em um balde de água ao sair; por mais suja que estivesse, sempre seria menos imunda que o sangue de Mazza. Depois, enquanto Tomasso lhes dava as costas e se perdia nas sombras, eles entraram nos carros e retomaram o caminho de volta.

Continuavam chacoalhando sobre a ponte, iam se aproximando da margem do Lower East Side, nos arredores da Cherry Street, onde em seus primeiros tempos Emilio Arenas se instalara. Mas não pensavam nele: nesse momento, abalados ainda, nenhum deles era capaz de focar seu pensamento em algo que não fosse o que havia acabado de acontecer. A vida, no entanto, já tinha umas coordenadas previstas para cada um deles a partir do fechamento dessa história, enquanto terminavam de cruzar a ponte do Brooklyn e adentravam Manhattan com o sol às suas costas começando a despontar.

EPÍLOGO

O relacionamento de Mona com Tony prosseguiu temeroso durante mais ou menos o tempo que durou a insistência do ex-príncipe das Astúrias e seu entorno para que o rapaz concordasse em se tornar seu secretário formal; em compensação pelo compromisso, ofereciam-lhe, naturalmente, prebendas e influência, um bom salário, contatos. Ele avaliou a oferta e os prós e contras tanto no material quanto no intangível; o afeto sincero pelo conde não foi um peso menor. E, em última instância, concordou mais ou menos: estava disposto a mudar de vida, mas não a abandonar a cidade. Aceitaria ser sua sombra enquanto Alfonso de Borbón residisse em Nova York.

Em questão de meses, no entanto, o herdeiro que já nada herdaria optou por empreender voo e seguir o resto do caminho sem Tony. Com a saúde e a energia anímica meio recuperadas depois da hospitalização no Presbyterian e da visita materna, arranjou um novo assistente, um tal de Jack Fleming, que nunca teve a simpatia e o descaro transbordante do vendedor de ilusões de rua, mas assumiu igualmente suas obrigações com responsabilidade. Com ele, Covadonga embarcou em outras aventuras cada vez mais temerárias e menos condizentes com sua régia condição: rubricou o divórcio com Edelmira, recusou-se a voltar para a Europa e cortou relações com seu pai ao se casar no civil, um ano mais tarde, com uma deslumbrante modelo havanesa na Embaixada da Espanha em Cuba e na presença do presidente Laredo Bru. O casamento duraria apenas dois meses; depois de sua segunda separação matrimonial, cada vez com menos energia e menos recursos econômicos, seria hora de passagens por cidades, hotéis, hospitais e clubes, até que uma noite de cassino e drinques, circulando pelo Biscayne Boulevard de Miami no carro de uma jovem vendedora de cigarros, bateria contra um poste de linhas telegráficas. A fragilidade de seu corpo não suportou os efeitos do impacto e aquele homem louro e esbelto que havia nascido destinado a ser o monarca de vinte e cinco milhões de almas acabou morrendo, para comoção de sua família e pouco conhecimento de seus compatriotas, no Victoria Hospital, em decorrência de uma incontrolável hemorragia interna. A imprensa escreveu que, ao falecer, estava acompanhado apenas de seu secretário e um médico, e que suas últimas palavras foram para chamar sua mãe. Sobravam os dedos de uma mão para contar os presentes a seu enterro em um mausoléu do Graceland Memorial Park Cemetery. Tinha trinta e um anos. Cinco décadas depois, seus restos mortais foram transferidos para a Espanha por decisão de seu sobrinho, o rei Juan Carlos, e sepultados no Panteón de Infantes do Monasterio de El Escorial.

Mona e Tony tiveram conhecimento daquele acidente pelos jornais; nunca tornaram a ver o conde de Covadonga, mas sempre conservaram afetuosamente viva a recordação desse príncipe infeliz que, em grande medida, foi quem os levou, sem saber, a construir um futuro em comum. Ao longo dos tempos vindouros, juntos empreenderam outro projeto também a serviço da colônia, que, por sorte, seria mais rentável que o Las Hijas del Capitán: um negócio saudável de importação que foi evoluindo ao ritmo dos vaivéns da população espanhola e hispânica na cidade.

O primeiro enclave a se desintegrar foi o da área da Cherry Street, quando começaram a ser demolidas algumas velhas seções urbanas do *waterfront*. Sobre as superfícies onde um dia estiveram La Valenciana de Sendra, o Centro Vasco-Americano, o café El Chorrito ou a barbearia de Monserrat, foram erguidos enormes complexos de moradias públicas; nada em absoluto restou para rememorar os milhares de imigrantes que durante as primeiras décadas do século XX construíram um microuniverso naquele canto à sombra do início das duas pontes, em frente às docas e aos barcos que chegavam do outro lado do mar.

O ambiente da Catorze e seus arredores, por sorte, durou bem mais, compassando-se aos fluxos migratórios da Península que foram decrescendo à medida que Nova York se tornava cada vez mais numericamente latina. Com o passar dos anos, porém, somaram-se novos vizinhos e negócios que ainda perduram na memória de muitos: restaurantes como o Oviedo, o Coruña, o Trocadero ou o café Madrid, livrarias como Macondo ou Leitorum e lojas de roupas como La Iberia coabitaram ao longo das décadas com estabelecimentos e instituições incombustíveis como a Casa Moneo, a igreja Nuestra Señora de Guadalupe ou a La Nacional, que continuou sendo o centro da vida social dos compatriotas e hoje continua honrosamente ativa como o nostálgico remanescente do que um dia foi aquele local entre Chelsea e o Greenwich Village que inclusive alguns deram para chamar de Little Spain, onde as pessoas comiam arroz com frango aos domingos e fechavam a rua no fim de julho para levar o apóstolo Santiago em procissão.

Só quando Mona e Tony foram cumprindo primaveras e começaram a soprar ventos turvos que transformaram a região em um lugar menos seguro, o casal abandonou o grande apartamento onde haviam construído seu lar, deram por encerrada sua vida profissional e decidiram se mudar para St. Petersburg, para uma linda casa em frente à baía de Tampa, sob o sol da Flórida, perto de outros montes de compatriotas e das recordações com aroma de fábricas de tabaco da infância dele; para lá iriam seus filhos e seus netos e seus muitos amigos, longe no tempo e no espaço daquela terrível madrugada em uma doca do Brooklyn que sempre evitaram rememorar.

Chano e Victoria, ao contrário, demorariam bem pouco a se separar. Embora nenhum deles intuísse isso naquela noite, faltavam apenas algumas horas para que explodisse na Espanha uma guerra entre irmãos que dividiria o país em dois e arrasaria drasticamente o anseio de retorno de tantos imigrantes. À exceção de dona Maxi, doutor Castroviejo, dona Carmen Barañano, viúva de Moneo, e os proprietários de alguns outros negócios crescentes, a maior parte da colônia residente na Big Apple se posicionou solidamente do lado da República: afinal de contas, como bem haviam explicado os garçons do El Fornos e o bondoso Luciano Barona, quase todos eram meros trabalhadores, assalariados que davam o sangue para fazer um futuro ganhando pouco mais de quinze dólares por semana.

Por isso se voltaram para a causa antifascista, agruparam-se em torno das lendárias Sociedades Hispanas Confederadas e mês após mês acompanharam, consternados, os avanços e as notícias por meio da publicação *La Voz* e depois da *España Libre*, com que contavam aqueles que chegavam da pátria sangrante; por meio da BBC e de programas de rádio de ondas curtas, como *La voz de la España combatiente*, que escutavam reunidos nos telhados. Com o sangue inquieto e o coração apertado, assistiram a montes de comícios, fizeram chamamentos, coletas e doações, as mulheres marcharam até Washington em uma heroica caravana reivindicativa que merece outro livro, e mandaram para o outro lado do oceano roupa e alimentos, dinheiro, ambulâncias, remédios e constantes demonstrações de solidariedade.

Foi em meio àquela triste conjuntura que Chano tomou uma decisão: alistar-se no batalhão Lincoln e ir lutar na terra de seus ancestrais.

Talvez seu chefe e mentor serralheiro da Fifth Avenue Hardware, Manuel Magaña, o aragonês presidente do Club Obrero Español encarregado do recrutamento de voluntários no Harlem hispânico, houvesse tido algo a ver com isso. Além do puro compromisso político, porém, no impulso do filho do tabaqueiro houve também outras razões íntimas que ele nunca confessou nem a Victoria, nem a Magaña, nem a ninguém, nem sequer a si mesmo. Expiar sua consciência, desagravar o pai morto, afastar-se dela, reconstruir-se. Para isso lutou com as armas, e não com os punhos, ao lado das Brigadas Internacionales no Jarama, em Brunete e em Teruel; sobreviveu, e uma vez derrotada a causa republicana, voltou durante um tempo à América, só para tornar a se juntar mais tarde às fileiras do exército norte-americano na Segunda Guerra Mundial. Afinal, dizia, *it's the same goddam war*. Mandaram-no ao Pacífico, feririam-no na ilha de Leyte, nas Filipinas, repatriariam-no com a vida por um fio a um hospital de Massachusetts. Até que, certa manhã de outono, ao abrir os olhos ainda titubeante como quando o jogavam na lona em seus tempos de boxeador, de um lado de sua cama, apertando-lhe a mão, intuiu a silhueta de uma mulher. O próprio U. S. Army informou a Victoria do estado de Chano, como única parente que tinha. Victoria Barona foi, desde o casamento com o tabaqueiro, o nome oficial da filha mais velha de Emilio Arenas.

Àquela altura, ambos tinham certeza de que haviam cumprido uma penitência dura o bastante para que seu pecado fosse absolvido, ele combatendo sem trégua, ela sentindo sua falta com coragem e integridade, afastando pretendentes, suportando continuar vivendo sozinha com sua mãe quando suas irmãs mais novas seguiram seus próprios caminhos. Sete anos haviam se passado desde que dançaram aquele pasodoble no banquete do La Bilbaína; nunca mais se separaram.

Para Luz, porém, as coisas foram mais fáceis, talvez porque seu próprio temperamento a fez encarar as voltas do destino de outra maneira. De Frank Kruzan jamais teve notícias de novo; nunca chegou a saber por que o caça-talentos não voltou. Suas irmãs, porém, souberam: Tony foi o culpado, já que decidiu pegar o touro pelos chifres depois daquela conversa sob os arcos de Guastavino na Grand Central Station. Inserindo um monte de papeletas da *bolita* na carteira de Kruzan, o *bolitero* se encarregou de que esta chegasse às mãos daqueles mesmos policiais que pouco antes andavam como cães de caça atrás de suas andanças clandestinas. A detenção foi rápida e a sentença firme: cinco meses de prisão em Sing Sing por mexer com loteria ilegal. De nada serviram ao vendedor de promessas suas insistentes justificativas; ele também não teve pleno conhecimento de que o causador daquilo fora alguém próximo à pequena Luz, mas, por via das dúvidas, julgou sensato não se aproximar mais dela.

Contudo, ela também não voltou ao Waldorf Astoria para aceitar a proposta do *coast-to-coast* que lhe fizera o catalão; depois de voltar do galpão da companhia de navegação norueguesa do Brooklyn, soube que jamais seria capaz de se desmembrar de suas irmãs, de modo que optou por esquecer aquele promissor mundo de maracas, trompetes e tours de ônibus para focar em uma existência mais pé no chão. Mais normal. O máximo que fez foi representar seu papelzinho na estreia da zarzuela de amadores no Campoamor, aí acabaram seus anseios de se tornar uma estrela. E quando os Irigaray decidiram se retirar a Long Island e fecharam a lavanderia apenas um ano depois, ela começou a aprender inglês e arranjou um emprego em um salão de beleza perto da Union Square. Até que, certa noite de sexta-feira, saiu para comemorar qualquer coisa com suas colegas e propôs o El Chico como local de reunião. E ao compasso das rumbas cubanas e dos acordes flamencos, destacando-se entre suas novas amigas americanas desajeitadas, a Arenas mais nova tornou a se mostrar espontânea e flamejante no meio da pista, com tal graça que deixou deslumbrado todo o contingente masculino que naquela noite jantava no sempre abarrotado restaurante do asturiano Collada que um dia inspirou o sonho de sua irmã Mona. Entre eles, em uma das mesas próximas, encontrava-se um homem grande e explosivo com quinze anos a mais que ela e dois divórcios nas costas, que foi incapaz de resistir a cortejá-la, não com a promessa de transformá-la em uma estrela rutilante como fez o cretino Kruzan, e sim para torná-la a mulher de sua vida, apaixonado como um colegial.

Os gritos de Remedios se ouviram até no Hudson quando soube que sua filha mais nova pretendia se casar com um tal de Henry, banqueiro judeu de ascendência polonesa que não falava uma palavra de espanhol, sustentava duas ex-mulheres em apartamentos e ia levar sua criatura para viver no Upper East Side. Antes preferiria o tolo filho do agente funerário!, berrava a pobre mulher, sem saber que Fidel já tinha mais que assumido que para Luz e as outras continuaria sendo a vida inteira um amigo querido e fiel, porém nada mais; quase o substituto daquele Jesusito que não vingou. Contra os sombrios augúrios da mãe, no entanto, o casamento deu certo, embora em algumas manhãs de inverno, com a cidade envolta em chuva, ou em neve, ou em vento, ou em névoa, quando Henry ia para seu escritório e suas filhas estavam no colégio, ou na universidade, ou seguindo outras trilhas, a caçula da família Arenas transformada então em Lucy Janowski se trancaria em seu quarto acarpetado com vistas para o Central Park, poria um disco de Xavier Cugat e sua orquestra e, de combinação, dançaria rumbas em frente ao espelho, balançando uma cabeleira agora tingida de louro acinzentado e uns quadris que já seriam um tanto volumosos, enquanto as lágrimas rolariam por suas faces recordando aquele tempo que escorreu entre seus dedos sem que notasse, os dias crus, turbulentos e inesquecíveis de sua juventude.

Tudo isso aconteceu com as irmãs Arenas a médio e longo prazo, porém, no futuro mais imediato, houve também outras coisas que conviria recordar. Que por fim ganharam, por exemplo: alguns meses depois da noite em que a alma escura de Fabrizio Mazza desceu aos infernos, elas receberam a correspondente indenização pela morte do pai, mas o juiz no fim estimou que a negligência da empresa e do próprio porto foi apenas relativa, e que a vítima do percalço também teve uma boa parte de culpa em seu próprio acidente. O dinheiro que acabaram recebendo foi, portanto, magro, pouco mais que o oferecido no início pela Compañía Trasatlántica, do qual descontaram uma substanciosa contribuição para a Casa María.

E enquanto depositavam os cheques na conta em comum recém-aberta no New York Bank for Savings da esquina com a Oitava avenida, nenhuma delas pôde evitar questionar por que razão haviam se deixado levar por uma ilusão de abundância tão desatinada e o que teria sido delas se houvessem optado por aceitar as condições que na época o agente da companhia de navegação e o capitão do *Marqués de Comillas* lhes ofereceram, como teria sido sua vida se houvessem decidido voltar a seu mundo e nunca houvessem embarcado na aventura do Las Hijas del Capitán.

Abandonavam o grandioso edifício de colunas coríntias e voltavam para o apartamento com a dúvida ainda lhes martelando a cabeça quando o espírito de irmã Lito, falecida semanas antes em sua estreita cama na Casa María, as sobrevoou sob o sol já tímido do outono, com um cigarro entre os lábios e uma piscadinha irônica de satisfação. Afinal de contas, parte do objetivo da freira estava cumprido: ela as havia ajudado a se valer sozinhas. Ensinara-as a sobreviver.

AGRADECIMENTOS

Como em meus livros anteriores, tornam a ser sinceros, profundos e numerosos os agradecimentos a todos aqueles que me acompanharam ao longo do fascinante processo de reconstrução de alguns cenários e conjunturas vitais sobre cujos andaimes tomei a liberdade de construir uma ficção.

A James Fernández, professor da New York University, descendente de asturianos, conhecedor como ninguém daquele mundo nova-iorquino e coautor de *Invisible Immigrants, Spaniards in the US 1868-1945*, quero expressar – *first and foremost* – minha gratidão infinita por seu enorme e apaixonado trabalho, e por ter sido meu generoso e valiosíssimo informante, assessor, confidente e, especialmente, cúmplice e amigo. A Marisa Carrasco, sua metade da laranja mexicana e herdeira também de outras diásporas, por sua imensa calidez. A Luis Argeo, outra peça fundamental no tesouro que compõe este arquivo, por contar comigo para a apaixonante mostra que está para chegar.

A Luz Castaños, filha de Avelino Castaños e nascida no La Bilbaína da Catorze, meu reconhecimento por ter me recebido em sua casa em Rocky Point, Long Island, e por me oferecer suas nítidas recordações e seus maravilhosos álbuns fotográficos. A Max Vázquez, filho de comerciantes da mesma rua, por ter me proporcionado algumas pinceladas coloridas. Por me ajudar a imaginar o que foi a La Nacional nos anos da colônia, uma piscadinha a Robert Sanfiz, Elizabeth Fernández, Michelle Mirón, Elena Markinez e Elena Pérez-Ardá, que dão o sangue para mantê-la ativa. E a Celia Novis, por esse documentário que lançará um olhar maravilhoso sobre o devir do edifício e da instituição.

Por me ajudar a restaurar a memória da Cherry Street e seu entorno, meus mais sinceros agradecimentos a minha colega Teresa Morell, nova-iorquina e professora da Universidade de Alicante, filha e neta de imigrantes e autora do estudo *Valencians a Nova York*. À memória de seu pai,

Claude Morell, que deixou sua bela autobiografia em *The Lower East Side Kid That Made It Good.* A Manuel Sapata, corunhês emigrado na infância, por me acolher com cordialidade em sua casa de Woodside, Queens, e me permitir acesso a seu copioso arsenal de dados sobre aquele canto que tristemente deixou de existir.

A Manuel Alonso – nascido no Brooklyn de pais asturianos –, a Dolores Sánchez – nascida de pais galegos no Lower East Side e verdadeira recepcionista do doutor Castroviejo – e a sua filha Andrea – orgulhosa legatária do mundo de seus antepassados –, minha gratidão por sua hospitalidade e suas recordações em Shoreham, Long Island, e por nos arrancar gargalhadas com algumas histórias que reservo.

A Maruja Gulias, por me atender tão carinhosamente em Washington DC.

Por me ajudar a descobrir outro capítulo essencial dessa aventura migratória, meu afetuoso apreço a Mari Carmen Amate, autora de *El grupo Salmerón en Brooklyn, alhameños en Nueva York.* E entre os próprios protagonistas daquele admirável núcleo, transmito meu carinho a Virtudes Arcos, Manolo López, Enriqueta Gálvez, Ángel Castillo e Hetty Castillo, por abrirem para mim em Elwood, Long Island, o baú de suas nostalgias; a Chris e Mary Tortosa, por sua afetuosíssima recepção em Aguadulce e por tantos detalhes substanciosos na correspondência posterior; a Elisa Castellón, por nossas conversas cheias de memórias perto da catedral de Almería e nas ruas de Nova York.

Embora em um nível menos pessoal, foram também de grande interesse o livro *The Basques of New York,* de Gloria Totoricaguena, e os documentários *Little Spain,* de Artur Balder, e *Del Montgó a Manhattan. Valencians a Nova York,* de Juli Estévez, pelo qual agradeço aos autores seus esforços e conquistas. Igualmente, a fim de adentrar o mundo dos tabaqueiros, foram enormemente ilustrativos os testemunhos pessoais do escritor Prudencio de Pereda registrados em seu romance *Windmills in Brooklyn.*

A meu agente nova-iorquino Tom Colchie – que ainda se lembra de alguns daqueles velhos estabelecimentos espanhóis –, desejo fazer chegar meu afeto e meu respeito por ler e valorizar estas páginas com seu critério sempre acertado. E a Elaine, por também participar do resultado final de minhas letras.

Muito mais ao sul de Nova York, mas igualmente cálidos e próximos, ao longo deste caminho estiveram alguns naturais de Tampa que me ofereceram seu apoio para recompor tempos pretéritos e difundir minhas histórias.

Minha admiração ao grande Tony Carreño – que qualquer dia vai virar *bolitero* também – e a Bill Wear, por seu entusiasmo e hospitalidade. A John Rañón, presidente do Centro Español de Tampa, por velar para que o legado daquele velho mundo permaneça vivo. A Aida González, por seus testemunhos tão lancinantes quanto ternos e emotivos. A Laura Goyanes, por participar.

Sem abandonar a Flórida, de novo tiro o chapéu à eficiência de minha colega Gema PérezSánchez e dos bibliotecários da University of Miami, Beatrice C. Skokan (Caribbean Collections) e Martin Tsang (Cuban Heritage/Latin American Collections), por me proporcionarem um diligente acesso às memórias de Edelmira Sampedro, primeira esposa do conde de Covadonga.

Já de volta ao outro lado do oceano, meu reconhecimento mais cordial a Carolyn Richmond, viúva de Francisco Ayala, por abrir sua porta e forçar as recordações. A María Beguiristain e Javier Expósito, da Fundação Santander, por me propiciar a visita aos impressionantes murais de Josep Maria Sert que um dia decoraram o salão de jantar do hotel Waldorf Astoria. A Paloma Anso de Casso, por seu precioso mapa. E a Antonio Yelo e sua tropa, pelo olho crítico e a camaradagem.

A minha incombustível e querida equipe da Planeta, por manter a paixão intacta livro a livro. A Raquel Gisbert e Lola Gulias, por ver crescer as filhas do Capitão; a Belén López Celada, por confiar nelas; a Carles Revés, por ser enfático e por tanto mais. A Isa Santos e Laura Franch, por pensar na melhor maneira de lançá-las ao mundo. A Ferran López Olmo e sua equipe de Design, por me convencer. A Dolors Escoriza, Esther Llompart, Merche Alonso, Maya Granero e Zoa Caravaca, por seus olhos tão atentos e certeiros. A Marc Rocamora, Lolita Torelló, Silvia Axpe e toda a equipe de marketing, por seu entusiasmo a toque de caixa. A Raimon Català e à equipe comercial, por expandir suas redes. A Rosa Pérez, por sua afetuosa atenção. Aos de cima por manter o circo aberto e aos de baixo por jogar carvão nas caldeiras. A todos, um a um, obrigada de verdade.

A Estela Cebrián e Luis Ortiz, também ativos da casa, por nos ajudar a remar para que alguns dos inspiradores deste romance possam ver a luz.

A Antonia Kerrigan, por brigar com a garra de sempre para continuar levando minhas histórias ao mundo. E a suas maravilhosas colaboradoras, por tornar minha vida mais fácil em tantas coisas do dia a dia.

Aos amigos que sempre estão por perto.

A minha família, que ganharia das Arenas em ferocidade e coração.

E a meu pai, que nos deixou enquanto este livro entrava literalmente em seu último trecho. Pela honra e o imenso privilégio de ter sido sua filha. Pelo tanto que vamos sentir sua falta.

Lista de músicas

"Danzas gitanas"
Joaquín turinas; composta em 1930, várias gravações.
"Por una cabeza"
Alfredo Le Pera, Carlos Gardel; RCA Victor, 1935.
"Sus ojos se cerraron"
Alfredo Le Pera, Carlos Gardel; RCA Victor, 1935.
"El día que me quieras"
Alfredo Le Pera, Carlos Gardel; RCA Victor, 1935.
"Anda jaleo"
versão de Federico García Lorca; La Voz de Su Amo, 1931.
"El gato maltés"
Manuel Penella; composta em 1916, várias gravações.
"España Cañi"
Pascual Marquina Narro; composta em 1925, várias gravações.
"Granada"
Agustin Lara; Peerless Records, 1932.
"El vito"
versão de Federico García Lorca, La Voz de Su Amo, 1931.
"Los cuatro muleros"
versão de Federico García Lorca, La Voz de Su Amo, 1931.
"Ay, Mamá Inés"
Ingenio de Pepilla (1868), versão de Eliseo Grenet (1927); várias gravações.
"No Regrets"
Ronnie Ingraham, Harry Tobias; Columbia, 1959.
"Siboney"
Ernesto Lecuona; composta em 1929, várias gravações.

"El manisero"
Moisés Simons; composta em 1922, várias gravações.

"Cachita"
Rafael Hernández; Columbia, 1941.

"Amapola"
Joseph LaCalle; composta em 1924, várias gravações.

"La Cumparsita"
Gerardo Hernán Matos Rodríguez, Pascual Contursi, Enrique Maroni; música composta em 1917, letra composta em 1924, várias gravações.

"Mano a mano"
Celedonio Flores, Carlos Gardel, José Razzano; Musart, 1935.

"Caminito"
Juan de Dios Filiberto, Gabino Coria Peñaloza; Musart, 1935.

Leia também os outros títulos da autora publicados pela Editora Planeta:

Acreditamos
nos livros

Este livro foi composto em Electra LH e
impresso pela Geográfica para a Editora
Planeta do Brasil em julho de 2020.